一野战事珍闻全记录

YIYE ZHANSHIZHENWEN QUANJILU

孙文广 / 著

军 ★ 事 ★ 科 ★ 学 ★ 出 ★ 版 ★ 社

图书在版编目（CIP）数据

一野战事珍闻全记录/孙文广著．－北京：军事科学出版社，2004.12
ISBN 7-80137-803-2

Ⅰ．一… Ⅱ．孙… Ⅲ．纪实文学－作品集－中国－当代 Ⅳ.I25

中国版本图书馆CIP数据核字(2004)第 127557 号

一野战事珍闻全记录

作　　者/ 孙文广
图　　片/ 解放军画报社授权出版（摄影作者见附录）　**getty**images 授权出版
责任编辑/ 孙振江
封面设计/ 虚竹堂
版式设计/ 金麦田
出版发行/ 军事科学出版社
地　　址/ 北京市海淀区青龙桥
邮　　编/ 100091
经　　销/ 全国新华书店
印　　刷/ 北京瑞诚印刷有限公司
开　　本/ 787 × 1092mm　　1/16
印　　张/ 30.5　　　　　　字数/ 240 千字
版　　次/ 2005 年 1 月第 1 版第 1 次印刷
印　　数/ 1-11000
ISBN 7-80137-803-2/E · 538
定　　价/ 39.80 元

前　言

　　1946年6月，辽阔的中国大地再次燃起战火，中国人民解放战争由此拉开序幕。

　　这是中国人民自1840年开始，上下求索一百多年后，与帝国主义、封建主义和官僚资本主义等国内外反动势力进行的一场战略总决战。从中原突围开始，这幅气势恢宏的战争画卷在古老的神州大地上徐徐展开。从中原到东北，从华东到西北，从华北到华南，一时间炮声隆隆，硝烟滚滚，战火烧遍了整个神州大地。这场战争规模之宏大、战场之广阔、战况之激烈、参战人员之众多、对中国乃至对世界影响之巨大，以及它所创造的"以少胜多、以弱胜强"的奇迹，在人类战争史上留下了浓墨重彩的一笔。

　　第一野战军就是这次战略总决战中的一支劲旅。

　　它战斗在包括陕西、甘肃、宁夏、青海、新疆、山西、内蒙古七省区在内的辽阔地带上。这里总面积约350万平方公里，土地贫瘠，交通不便，高原、平川、大漠、戈壁纵横交错，汉、回、藏、蒙、维等各族杂居其中。

　　战争初期，这支劲旅只有2万多正规部队，加上地方武装和民兵，总数也不超过5万人，并且装备落后，弹药奇缺。而国民党当时在西北战场的总兵力共有43个旅32万人。其中胡宗南集团20个旅17万人，青海马步芳、宁夏马鸿逵的"二马集团"共12个旅6.9万人，榆林晋陕绥边区总部总司令邓宝珊集团两个旅1.2万人，新疆守军9个旅7万人，并且装备精良，供给充足，飞机、坦克、大炮等现代化作战装备样样俱全。

　　人员上1对10，装备上步枪对飞机、坦克和大炮，粮秣上小米、黑豆、野菜、树叶对白面，这就是第一野战军面临的敌我情势。

查阅世界战争史,古今中外没有任何一支部队经历过这样一场在物质实力上任何方面都占劣势的战争,但中国人民解放军第一野战军经历了。

在彭德怀、贺龙、张宗逊、王震、许光达、杨得志等一批名帅名将的指挥下,这支部队纵横驰骋,势如破竹。先把胡宗南赶到秦岭之中惶惶度日,继而挥戈向西,全部消灭马步芳和马鸿逵,然后又高唱战歌大步挺进新疆……他们翻越积雪一两米深的天山山脉,跨过飞沙走石的火焰山,横穿"死亡之海"塔克拉玛干大沙漠……在新疆那些不曾留有人类脚印的地方,他们把自己的脚印留下了。有军事家评论,红军的万里长征是一个奇迹,第一野战军的这次行军又是一个奇迹!

半个世纪已经过去,历史的场景也渐渐模糊。但50年前的征战岁月,至今我们仍然记忆犹新:他们在冬天里光着脚,在饿的时候啃树皮,他们拖着瘦弱的身体翻雪山、过沙漠,他们把五星红旗插上帕米尔高原,他们战风沙屯垦戍边,他们征南北剿匪平叛……那一幕幕或悲壮或宏阔的场面,为大西北的雪域高原增添了几多壮烈,几多神秘!

现在,且让我们回顾这些壮丽的场面,沿着历史的足迹,一起来追寻第一野战军发展的历程。

第一野战军的前身,是1942年5月组建的陕甘宁晋绥联防军,贺龙任司令员,关向应任政治委员。

抗日战争中,这支部队一直承担着"抗日"和"防胡"的双重任务。他们在日军疯狂进攻和胡宗南部虎视眈眈的险恶环境中经受住了考验,保卫了陕甘宁边区的安全,保卫了党中央的安全。

1945年8月10日,日本政府通过瑞典、瑞士两个中立国向同盟国发出乞降照会。为了适应这一形势的变化,8月11日,中央军委紧急电令晋绥野战军从陕甘宁晋绥联防军建制中调出,直属中央军委指挥,立即赴晋绥前线开展对日反攻作战。贺龙和关向应分别兼任晋绥野战军司令员和政治委员,陕甘宁晋绥联防军由王世泰代任司令员,高岗代任政治委员(关向应病重未能到职),不久高岗调东北工作,习仲勋代任政治委员。

1947年初,胡宗南对陕甘宁边区的进攻已全面展开。为统一作战指挥和提高作战效能,中央军委于2月10日决定取消陕甘宁晋绥联防军番号,以由晋绥前线进驻陕甘宁边区的晋绥军区第一纵队及陕甘宁晋绥联防军所辖新编第4旅、教导旅、警备第1旅、警备第3旅等部组成陕甘宁野战集团军,张宗逊任司令员,习仲勋任政治委员。

1947年3月13日,胡宗南几十万大军进攻延安。为加强领导,3月16日中央军委决定撤销陕甘宁野战集团军番号,所有陕甘宁解放区的野战部队和地方武装组成西北野战兵团,统归中央军委副主席兼总参谋长彭德怀和中共中央西北局

书记习仲勋指挥。下辖第一、第二纵队，教导旅和新编第4旅，共2.6万余人。7月31日，中央军委决定把西北野战兵团正式定名为西北人民解放军野战军，彭德怀任司令员兼政治委员，张宗逊、习仲勋分别任副司令员和副政治委员。

　　1949年初，三大战役的胜利结束，使全国解放战争取得决定性的胜利。为统一部队番号，加速全国解放进程，2月1日，遵照中共中央军委1948年11月1日颁布的《统一全军组织及部队番号的规定》和1949年1月15日下达的《关于各野战军番号改按序数排列的决定》，西北野战军正式定名为中国人民解放军第一野战军，彭德怀任司令员兼政治委员，张宗逊、赵寿山任副司令员，阎揆要任参谋长，甘泗淇任政治部主任，辖第1、2、3、4、6、7、8军和骑兵第1、2师，总兵力15.5万人。为加速西北解放战争的进程，中央军委4月25日命令第18（周士弟任司令员兼政治委员）、19兵团（司令员杨得志、政治委员李志民）由晋入陕，归第一野战军建制，中原军区第19军也划归第一野战军指挥。为适应分兵作战需要，报经中央军委批准，6月13日，第一野战军以第1、2、7军编为第1兵团，王震任司令员兼政治委员；以第3、4、6军编为第2兵团，许光达任司令员、王世泰任政治委员。至此，第一野战军总兵力已达34.4万人。

　　1952年6月，中央军委下令撤销所有野战军番号，第一野战军到此走完了它的辉煌旅程！

一野主要将领
YIYEZHUYAOJIANGLING

彭德怀

中国人民解放军元帅。1916参加湘军，1922年考入湖南陆军军官讲武堂。北伐战争时期，任国民革命军营长、团长。1928年7月领导平江起义，组建中国工农红军第5军，任军长。红军井冈山会师后任红三军团总指挥、红一方面军司令员。抗日战争时期，任八路军副总总指挥（后改称第18集团军，任副总司令），中央革命军事委员会副主席兼总参谋长。解放战争时期，任西北野战军司令员，第一野战军司令员兼政治委员，中国人民解放军副总司令员。

贺 龙

中国人民解放军元帅。1926年任国民革命军第9军第1师师长，1927年6月升任国民革命军第20军军长。1927年8月1日参加领导南昌起义。1935年11月，与任弼时一起领导红二、六军团开始长征。抗日战争时期，任八路军第120师师长。1942年6月回延安担任陕甘宁晋绥联防军司令员。解放战争开始后，奉命协助彭德怀组织指挥西北战场部队，并主持后方根据地的建设，负责陕甘宁和晋绥的财经工作。1949年，先后任西南军政委员会副主席和西南军区司令员。

许光达

中国人民解放军大将。1926年入黄埔军校学习。土地革命战争时期，任中国工农红军第6军参谋长，第17师政治委员、师长，红3军第8师22团团长、红3军第8师师长、红3军第25团团长。1932年赴苏联学习，1937年回国。抗日战争时期，任中央军委参谋部部长兼延安卫戍区司令员，中央情报部一室主任，晋绥军区第2军分区司令员、八路军120师独立第2旅旅长等职。解放战争时期，任晋绥军区第三纵队司令员，第一野战军第2兵团司令员等职。

王 震

中国人民解放军上将。土地革命战争时期，任红8军代政治委员，湘赣军区代司令员，红六军团政治委员，红二军团政治委员。参加了长征。抗日战争时期，先后任八路军第120师第359旅副旅长、旅长兼政治委员，延安军分区司令员、卫戍区司令员，八路军南下支队司令员。解放战争时期，任中原军区第一副司令员兼参谋长，西北野战军第二纵队司令员兼政治委员，第一野战军第2军军长兼政治委员、第一野战军第1兵团司令员兼政治委员等职。

一野名将榜
YIYEMINGJIANGBANG

张宗逊

中国人民解放军上将。1926年考入黄埔军校学习。土地革命战争时期，先后任中国工农红军、红军大学校长兼政治委员、红军中央纵队参谋长、红四方面军第4军参谋长、军委一局局长。抗日战争时期，任八路军120师358旅旅长、吕梁军区司令员兼政治委员。解放战争时期，任晋绥军区第一纵队司令员。

甘泗淇

中国人民解放军上将。土地革命时期，任红二方面军政治部主任等职。参加了长征。抗日战争时期，任八路军120师政治部主任、晋绥军区政治部副主任等职。解放战争时期，任晋绥野战军政治部主任、第一野战军政治部主任、西北野战军政治部主任等职。

李志民

中国人民解放军上将。土地革命战争时期，任红27军政治部主任等职。参加了长征。抗日战争时期，任晋察冀军区组织部部长、冀中军区政治部主任等职。解放战争时期，先后任晋察冀军区第三纵队政治委员、晋察冀野战军第二纵队政治委员，第19兵团政治委员等职。

杨得志

中国人民解放军上将。土地革命战争时期，任红1军第2师师长等职。参加了长征。抗日战争时期，任陕甘宁晋绥联防军教导1旅旅长、冀鲁豫军区司令员等职。解放战争时期，任冀鲁豫军区第一纵队、晋察冀野战军司令员，第19兵团司令员等职。

贺炳炎

中国人民解放军上将。土地革命时期，任红二方面军第5、6师师长。参加了长征。抗日战争时期，任鄂豫皖湘赣军区第3军分区司令员、冀中军区第3支队司令员、江汉军区司令员等职。解放战争时期，任第一野战军第1军军长、晋绥军区副司令员等职。

郭天民

中国人民解放军上将。土地革命战争时期，任第四方面军第30军参谋长等职。参加了长征。抗日战争时期，任军委一局局长、冀察军区司令员等职。解放战争时期，任第二野战军4兵团副司令员、晋冀鲁豫野战军副参谋长、鄂豫军区副司令员等职。

陶峙岳

中国人民解放军上将。参加过北伐战争。曾任国民党第37集团军总司令、新疆警备总司令部司令等职。1949年率部在新疆起义，被编入中国人民解放军新疆军区任副司令员兼第22兵团司令员，西北军政委员会委员，新疆生产建设兵团司令员。

彭绍辉

中国人民解放军上将。土地革命战争时期，任红二方面军第六军团参谋长等职。参加了长征。抗日战争时期，任晋绥军区第2军分区司令员等职。解放战争时期，任晋绥野战军第二纵队副司令员，吕梁军区司令员，第一野战军第7军军长等职。

1955年授衔中将（按姓氏笔画排序）

王尚荣、王宗槐、王恩茂、王道邦、朱　明、朱照辉、杨秀山、余秋里、张达志、张贤约、张经武、罗元发、冼恒汉、郑维山、饶正锡、姚　喆、顿星云、郭　鹏、阎揆要、曾思玉、蔡顺礼、廖汉生

国民党主要将领
GUOMINDANGZHUYAOJIANGLING

胡宗南

国民党军高级将领。陆军一级上将。黄埔军校一期生。1926年7月任国民革命军第1师第2团团长，参加了北伐战争。1927年11月任第22师师长。1936年4月任第1军军长。抗战期间，先后任国民革命军第十七军团军团长、第34集团军总司令、第八战区副司令长官、第一战区代司令长官等职。1945～1948年，先后任第一战区司令长官，西安绥靖公署主任。1949年12月，任西南军政长官公署副长官兼参谋长。1950年3月由西昌逃往台湾后，任澎湖防守司令官等职。

马步芳

国民党军高级将领。陆军中将加上将衔。1926年随父马麒投西北军，历任旅、师长。1930年蒋冯阎战争后投蒋介石，任国民党军新编第9师师长。1934年任新编第2军军长兼100师师长。1937年任陆军第82军军长。1938年3月，任国民政府青海省主席。1943年7月，任第40集团军总司令。1949年7月任国民政府西北军政长官。所部主力在兰州战役中被人民解放军歼灭后，逃往重庆。后去埃及，曾任台湾当局驻沙特阿拉伯"大使"。

马鸿逵

国民党西北军高级将领。陆军中将加上将衔。1914年至1917年，先后在北京为袁世凯、黎元洪当侍从武官。段祺瑞上台后，任第5混成旅旅长。1925年任国民革命军新编第7师师长。1926年9月，任国民联军第4路军总司令。1927年初，任国民革命军第2集团军第一方面军第4军军长。1932年8月，始任宁夏省主席。抗战期间所部与马鸿宾部合编为第17集团军，任第八战区副司令长官兼第17集团军总司令。1949年，任西北军政副长官兼甘肃省主席。9月底逃往台湾。

一野劲旅榜
YIYEJINLÜBANG

第一野战军第1军

该军的前身是贺龙元帅在湘鄂西苏区创建的工农红军第二军团。曾参加长征。抗日战争中被编为八路军第120师358旅，创建了晋绥边区。解放战争中，是彭德怀西北野战军的主力部队，贺炳炎任司令，廖汉生任政委。随着战事的发展，驰骋疆场的358旅又以第1军的身份再次大展其英雄本色：青化砭一役的速战速决给了傲慢的敌军以无情的打击，我第1军再接再厉，又奇袭敌重镇蟠龙，使胡宗南欲哭无泪；荔北之战更是打得敌人丢盔弃甲，一纵百战不殆，终以辉煌的战绩交给党和人民一份满意的答卷。

第一野战军第2军

该军的前身是土地革命战争时期的湘东独立第1师，抗日战争时期为国民革命军第8路军第120师第359旅，历经数次战斗，歼敌无数。在解放战争中，军长王震被毛主席亲切地称为"王胡子"，他带领的第2军最终在中国人民解放军的战史上留下了灿烂的篇章。在胡宗南欲哭无泪的蟠龙一战中，第2军完美地运用声东击西之计有效地配合了彭德怀对蟠龙的进攻。在榆林之战中，既调动了敌军又歼敌9个半旅，此战的硝烟还没有散尽，又一举拿下沙家店战役，完全粉碎了国民党军在陕北的所谓"重点进攻"，有力地配合了三大战役的进行。

第一野战军第3军

该军的前身是西北野战军第三纵队。曾参加宜川和收复延安、解放洛川等重大战役。在解放战争中，转战山西、绥远等广大地区，参加大的战役、战斗30余次。在虎将许光达司令员的率领下，随中央转战陕北，负艰履险，最终保卫毛主席突出重围，之后又以迅雷不及掩耳之势直捣西北重镇宜川，歼敌3万，震撼了蒋家王朝，为以后党中央、毛主席策划中原战场的集中作战奠定了坚实的基础。继而又马不停蹄地在友军的配合下鏖战兰州，终使敌优势尽丧，西北战事至此太平。

第一野战军第6军

该军的前身是由红一方面军第五军团的一部等共同组成。这是彭德怀麾下的一支雄师劲旅，罗元发司令员带领这支英雄的部队，完成了几乎不可能完成的阻击敌人7昼夜的任务，打碎了胡宗南3天占领延安的梦想，为党中央安全地转移、运筹全局的战备赢得了宝贵的时间。在与胡马之战中，痛定思痛，认真总结经验教训，一举拿下胡宗南的老巢西安。对尔后军队大兵团作战所需物资及运输保障起了重大作用，并为进军甘肃、宁夏、青海歼灭二马创造了条件。

第一野战军第61军

该军是抗日战争时期晋冀鲁豫军区部队之一部。这是一支传奇的部队，与中国刘、陈、聂等多位元帅有缘，立下了一次又一次战功。随着国民党在陕北的统治接近尾声，胡宗南好像也并不甘心失利的现实，又组织了所谓的"王牌军"实施反攻，但最终失败的命运是任何人都不能改写的。61军军长韦杰也深感责任的重大，时间的紧迫，但战士们始终以饱满的热情，超强的毅力，按照毛主席"诱敌深入"的策略，在彭德怀的亲自指引下，最终抵住了胡马联军的强有力进攻，歼敌数千，保卫了战略要地西安。

第一野战军第65军

该军是解放战争后期组建的华北军区第八纵队。该军主力第193师的前身是黄公略创建的红3军，长征中的番号为红一军团第1师。解放战争中在政委王道邦和副军长肖应棠的率领下在进攻兰州前的肃敌中，不畏艰难，克服困难与失败，举一反三，以强有力的炮火，给了敌人毁灭性的打击。凶狠的敌人作着拼死的挣扎，在数轮的围攻与反围攻中，英勇的65军战士最终为战役的彻底胜利立下了奇功，其艰难程度几乎让人无法去想像，相信这也可以成为载入史册的攻坚战吧！

★★★★★

战事地图
Zhanshiditu

★ （左图）一野陕北三战三捷作战经过示意图（1947年3月25日~5月4日）
★ （右图）国民党军"重点进攻"陕甘宁地区态势图（1947年3月13日）

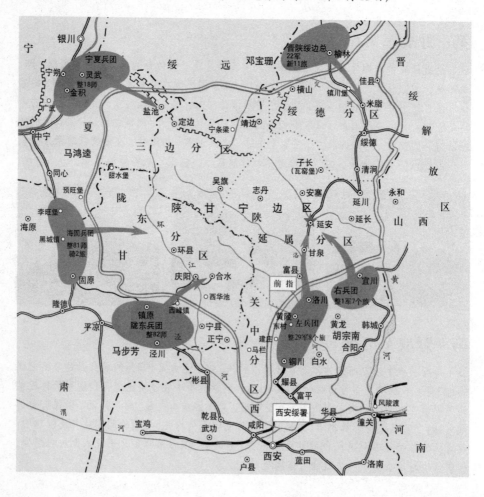

张家坬

马蹄沟　子洲
　　　　（双湖峪）

无定河

巡检司　大理河

绥德

田庄镇

老君殿　　槐理河

整1、29军9个旅

晋绥独5旅、359旅一部
绥德军分区及各旅1个排

高家崄

界石堡

杨家园子

子长
（瓦窑堡）

整1军5个旅

359旅

整76师72团

清涧

整76师24旅

冯家石咀

山神峁子　石家坪

新4旅

小寨　热寺湾

姜家坪

黑山寺

岭湾

2纵队
教导旅

整29军4个旅

2纵队（欠359旅）

羊马河

安家咀

独1旅

1纵队辖7团

榆树峁

整135旅

教导旅

冯家岔

新4旅、教导旅

永坪镇

整1军5个旅

58旅

纵队

李家谷

独1旅
（欠1个团）

阎家沟

1纵队
（欠1个团）

永坪川

刘家沟

夏家沟

整29军4个旅

贺家渠

清涧河

整1军5个旅

碾沟门

蟠龙

新4旅

2纵队（欠359旅）

整29军4个旅

整76师一部

延川

文安驿河

安塞

1纵队
（欠1个团）整167旅

郭家沟　梁村

刘家坪　教导旅

新4旅

胡家河

2纵队、教导旅

整1军4个旅

门

独1旅
1纵队

青化砭

教导旅

元龙寺

安塞旧址

冯庄

358旅
1纵队

白家坪

甘谷驿

独4旅

景家湾

拐峁

2纵队

交口

延河

整1军5个旅

整29军
4个旅

桥儿沟

359旅
2纵队

整31旅（欠1个团）

延安

西安绥署前进指挥所
整29军军部
整27师率47旅
31旅1个团

延长

整76师2个旅

延河

一野战事珍闻全记录

目录
Contents

第一卷　昭和天皇颁诏投降　国共两党交锋渐起

第一章　波诡云谲，大胜之际剑拔弩张 / 2

　　抗战还没胜利，蒋介石又打起了陕甘宁边区的主意。在日本宣布接受《波茨坦公告》无条件投降之时，蒋介石即下三道命令，调兵遣将抢夺胜利果实。而此时延安窑洞里的毛泽东针锋相对，命晋绥部队占领太原，控制山西和绥蒙。受到七大精神鼓舞的贺龙，一举拿下文水县城，拦腰斩断了太汾公路。

蒋介石心怀鬼胎 / 2
爷台山狼烟四起 / 10
贺老总奔赴晋绥前线 / 16
风雨无阻夺取文水 / 23

第二章　秋风送爽，贺聂联手出征绥远 / 30

　　聂荣臻刚从延安回到晋察冀，便收到军委急电："晋察冀军区必须立即集结25,000以上兵力，协同晋绥军区转向傅颀进攻。"聂荣臻即行率部出征。晋绥部队旗开得胜，拿下卓资山，打开了归绥的大门。贺龙主张全力夺取包头，聂荣臻持反对意见。归绥、包头久攻不克，绥远战无果而终。

聂荣臻率部出征 / 30
贺老总左云城誓师 / 38
卓资山旗开得胜 / 43
绥远战无果而终 / 48

第三章　和战之间，中原突围血雨腥风 / 56

　　蒋介石调集30万兵力把中原部队包围在宣化店地区。中央指示：立即突围！愈快愈好。李先念、郑位三、王震带领北路突击队披荆斩棘，越过平汉铁路，突出重围。突围出来的359旅一路遭到胡宗南围堵，晋绥联防军警备第1旅迅速组成南线出击，接应359旅。后359旅历尽千辛万苦终于回到延安。

从和谈到调停 / 56
大兵压境 / 64

突出重围 / 70

359 旅回到延安 / 75

第四章　未雨绸缪，红都延安有惊无险 / 82

　　胡宗南意夺延安。毛泽东未雨绸缪，指示策划国民党军横山起义。胡、马、阎实施《攻略陕北作战计划》，从南西东围攻陕甘宁。毛泽东打响吕梁战役，胡、阎兵力被牵制。彭德怀声东击西，马鸿逵败北兴武营，胡、马、阎进剿联盟瓦解。

"你们经历了第二个长征！" / 82

横山起义 / 87

胡、马、阎三面夹击 / 92

延安有惊无险 / 97

第五章　折将泄密，胡宗南攻延败局已定 / 104

　　三原会议胡宗南独断专行，29军将领面面相觑。胡宗南行色匆匆来到南京，蒋介石指示"三分军事、七分政治"。熊向晖再担重任，胡宗南军机泄露败局已定。

三原会议与"初战告捷" / 104

西华池何奇毙命 / 109

胡宗南赴南京受命 / 115

第二卷　扬长避短胜出一筹　以弱胜强稳定西北

第一章　大敌当前，万众一心保卫延安 / 124

　　熊向晖的情报把保卫延安的工作推向了高潮，延安百姓齐呼"保卫党中央、保卫毛主席。"洛川全城戒严，胡宗南召开阵前会议使空气骤然紧张。彭德怀亲临防线与罗元发、陈海涵立下了"坚守七天"的约定。刘少奇率领中央先行撤离延安，彭德怀主动请缨，指挥边区部队准备抗击胡宗南的进犯。

★★★★★

"保卫党中央，保卫毛主席" / 124

彭德怀金盆湾视察 / 129

胡宗南洛川训话 / 134

彭德怀临危请缨 / 137

第二章　围敌四伏，撤而不乱初战告捷 / 142

胡宗南已经没有耐心，气势汹汹杀到了延安城下。毛泽东无限感慨地撤出延安，彭德怀一路无语十里相送。一纸电令90师让道，"英雄"的1旅抢占了延安。失千万奖金陈武不依不饶，防节外生枝寿山无可奈何。胡宗南刚愎自用李纪云受斥，彭德怀神机妙算31旅被歼。

毛泽东从容撤出 / 142

空城延安 / 147

转延安胡宗南由生感慨 / 150

31旅青化砭遭歼 / 153

第三章　虎口拔牙，羊马河战捷报再传 / 162

中央领导得出结论：把陕北交给彭德怀，中央是放心的，胡宗南当头挨了一棒。记者们刨根问底，戳穿了胡宗南延安一役"俘敌5万"的骗局。彭德怀虎口拔牙，在羊马河全歼敌整编第29军76师135旅。被俘的麦忠禹与王震、王恩茂同睡一炕，夜深人静的时候感慨万千：共产党人的胸怀真是伟大！

"大扫荡"下的枣林子沟 / 162

捏造战绩露出马脚 / 167

再胜羊马河 / 169

第四章　蟠龙攻坚，陕北战局初步稳定 / 176

胡宗南着实有点沉不住气了。面对局势彭德怀反复告诫部下不能骄傲，一遍一遍地讲"骄兵必败、哀兵必胜"的道理。胡宗南狂言的同时彭德怀却把目光投向了胡宗南的战略补给地。守备蟠龙的李昆岗少将战战兢兢，三天三夜的激战，敌167旅几乎全部覆没。胡宗南仰天长叹，精神状态一蹶不振。

羊马河之后 / 176

绥德会师——胡宗南又一个幻想 / 181

"打下蟠龙换夏衣" / 185

第三捷——蟠龙 / 189

第五章　主动歼敌，出击陇东收复三边 / 198

　　"志大才疏""常败将军"，哪一个都直指胡宗南要害。"二马"在陇东三边作威作福，彭德怀决定主力西进讨伐贼军。刘戡带着四个半旅3万人朝王家湾直扑过来，中共中央空前紧急大转移。中央脱险，彭德怀挥师北上，所向披靡收复了三边。

真武洞祝捷 / 198

出击陇东 / 203

合水之战 / 206

中央历险与北上三边 / 209

第三卷　大步进退全面反攻　西野驰骋势如破竹

第一章　一打榆林，调敌北上沙家店过坳 / 218

　　毛泽东作了一个大胆的决定：陈赓、谢富治部不进入陕北战场，南下渡河直出豫西，与挺进中原的刘邓大军形成犄角。彭德怀率军主动进攻榆林。毛泽东及时总结："打了这一仗，我们就过坳了！"

小河村会议 / 218

邓宝珊与榆林 / 224

战前较量 / 227

一打榆林 / 231

沙家店过坳 / 235

第二章　内外协同，"两延"清涧唱响反攻序曲 / 242

沙家店再挨一棒，胡宗南赶紧收缩兵力至延安附近地区。西北野战军趁胜追击，在岔口使胡宗南又遭一劫。陈谢纵队渡河南下，直逼潼关，胡宗南西安告急，关中告急。蒋介石十万火急赶往西安，调集十万大军拱卫西安，护卫关中。西北野战军兵分两路，一路出击黄龙山区，一路直逼两延清涧。野战军攻城十日终成功，廖昂踏上被俘路。

岔口截击 / 242
兵分两路 / 245
出黄龙击清涧 / 249
捉 廖 昂 / 253

第三章　三中选一，权衡利弊二撤榆林 / 260

毛泽东第一次喊出"打倒蒋介石，解放全中国"的口号，蒋介石在南京狂怒不止，摔坏了正在播放《中国人民解放军口号》的收音机。中央军委让西野"三中选一"，彭德怀决定再打榆林。西野坑道爆破成功，但动作迟缓而攻城受阻。邓宝珊到处搬兵，傅作义急飞宁夏。马鸿逵受到启发，令儿子领军援榆。西野伤亡四十有余，彭德怀权衡利弊再撤榆林。

"打倒蒋介石，解放全中国" / 260
"三中择一" / 264
再击榆林 / 267
傅作义急飞宁夏 / 271
再撤榆林 / 274

第四章　"诉苦三查"，士气高涨南出陕中 / 280

358旅发明的"诉苦三查"新式教育形式，迅速在西北野战军里广泛流传。战士们控诉、算帐，终于找到了自己受苦受难的根源所在。蒋介石作为地主老财们的总头子的本质，被战士们彻底认识。"打倒蒋介石，解放全中国"再一次响彻整个陕北高原，成为一个最有战斗力的口号。根据中央"十二月会议"和西野前委扩大会议精神，彭德怀决定西野出击陕中，钳制胡宗南兵力，配合刘邓、陈谢、陈粟经略中原。

诉　苦 / 280

"三　查" / 285

"十大军事原则" / 289

出击陕中 / 292

第五章　宜瓦大捷，南进门户彻底打开 / 298

春节没过完，刘戡、严明一伙人就被胡宗南赶到了前线。彭德怀又是"三中选一"，正确设伏瓦子街。宜川告急，刘戡带着队伍心惊胆颤踏上了洛宜公路。南山一战事关成败，危急时刻彭德怀把任务交给了358旅。358旅714团化仇恨为力量，以自己的血肉之躯堵住了南山缺口。彭德怀总攻令下，七万部队万炮齐发，刘戡部人仰马翻，三天之后全军覆没。

瓦子街设伏 / 298

刘戡踏上黄泉路 / 303

南山大血战 / 307

西北战场第一大捷 / 312

第四卷　国民党军大势已去　西北国土红旗飘飘

第一章　西击西府，收复延安解放洛川 / 320

3月23日，中共中央结束转战陕北的艰苦生活，于陕西吴堡县川口东渡黄河，开始转战华北。打洛川久攻不克，彭德怀决定4月16日西击西府，调虎离山。延安、洛川守敌丢盔弃甲，纷纷南撤，我军21日、25日相继收复延安、解放洛川。西野以"无敌于天下"的雄壮气势，10天之内就攻下了宝鸡城。蒋介石调集两路大军直逼宝鸡，西野陷入重围。彭德怀指挥部队北上东出，历尽艰辛冲出了重重封锁。

中共中央作别陕北 / 320

"裴昌会长了见识" / 324

红旗插上宝鸡城 / 327

★★★★★

收复延安　解放洛川 / 335

西府大撤退 / 338

第二章　秋去冬来，西北战场胜算在握 / 344

战局的变化令蒋介石都不敢相信，开过军事检讨会议后，他开始盘算着往何处隐身。胡宗南趁着陇东"大胜"的那股子热劲，把部队全力向前推进。彭德怀静坐旁观了几个月，终于重拳出击澄城、合阳。西柏坡决定秋冬之时发起全国规模的反攻。西野前委会上彭德怀拍着桌子喊"加强纪律"。荔北战役、冬季攻势再次重创胡宗南，至此西北战场大局已定。

再击钟松 / 344

两次会议定大局 / 349

胡宗南问罪 / 352

荔北战役及其以后 / 355

第三章　冬去春来，昂首挺胸进入西安 / 362

毛泽东新年献词号召"将革命进行到底"，而蒋介石却发表元旦文告请求和谈。战局的急剧变化令一向不相信眼泪的胡宗南也开始反思起来。王震有感于七届二中全会精神，在一野前委扩大会议上足足讲了一个半天。彭德怀不辱使命，一个月拿下了太原。胡宗南大规模撤退，第一野战军奋起直追。第6军子夜强渡渭河，晌午时分就解放了西安。

"西北王"痛定思痛 / 362

进军陕中 / 366

解放西安 / 371

第四章　扶眉穿插，胡马联盟走向末路 / 378

胡宗南自己跑到汉中过起了幽静日子，但苦煞了青宁二马。马步芳领衔上书蒋介石，拍着胸脯要和胡宗南一起夺回西安，蒋介石即令胡宗南北出秦岭。反扑初败咸阳，胡马部队像赛跑样一撤再撤。毛泽东筹划大西北，彭德怀前委会上确定"钳马打胡，先胡后马"。许光达兵团日行百里，一夜之间打入了裴昌会的100多里纵深。彭德怀在扶眉之间迂回穿插，4天之内报销了胡宗南4个军4.4万余人。

击退胡马反扑 / 378

"钳马打胡，先胡后马" / 382

扶眉大包抄 / 386

第五卷　风卷残云追歼穷寇　剿抚并用平定西北

第一章　夺取兰州，"青马集团"寿终正寝 / 396

扶眉大败，胡宗南与二马之间埋怨迭起。二马往甘、宁方向撤去，胡宗南一年被蛇咬，十年怕井绳而缩于秦岭一动不动。彭德怀挥师大步西进，在固关全歼马继援劲旅骑兵14旅。马继援要固守定西，马步芳令全线撤往兰州。一野继续西进，大军兵临兰州城下。马步芳派使者请求马鸿逵出兵援救，马鸿逵阳奉阴违按兵不动。野战军全面进攻，马继援大败兰州。马步芳逃往重庆，马继援逃往香港，"青马集团"寿终正寝。

胡马、二马积怨难解 / 396

马继援退守兰州 / 402

初战失利 / 404

"兰州锁钥"难锁兰州 / 409

第二章　进军宁夏，"宁马"集团灰飞烟灭 / 416

兰州解放、青马覆没，宁夏立刻被孤立起来。马鸿逵拒绝傅作义好言相劝，孤注一掷飞到了重庆。马敦静遵照父亲"烧光、打光、淹光"的旨意，从景泰开始布置三道防线。杨得志兵分三路挥师北进，剿抚并用，势如破竹。张钦武、马鸿宾先后起义，马敦静三道防线彻底崩溃。马敦静仓皇出逃，宁夏大乱。马鸿逵老泪纵横：宁夏，从此别矣！

三路大军挺进宁夏 / 416

马鸿宾识破时务 / 421

马鸿逵老泪纵横 / 424

★★★★★

第三章　凯歌高奏，大步流星进军新疆 / 428

　　咽喉酒泉解放，新疆彻底被孤悬于塞外。新疆命运何去何从？陶峙岳、包尔汉作出了明智的选择：和平起义！开国大典上，彭德怀心潮起伏，发誓要在年底把五星红旗插上新疆的大小角落。毛泽东伸出三个指头，向彭德怀细说进疆三大任务。彭德怀压力重重，风尘仆仆赶到了酒泉。进疆誓师大会上官兵们壮怀激烈，振臂高呼"把红旗插上帕米尔高原"。10月10日，1兵团战车营的出发，全面拉开空前大进军的历史序幕！

陶包起义 / 428

彭德怀意气风发抵酒泉 / 432

"都是湖南人！" / 435

誓师出征 / 439

大结局 / 444

一野大事记

第一卷

DIYIJUAN

昭和天皇颁诏投降
国共两党交锋渐起

　　第二次世界大战伴随着日本的投降终告结束。在中国人民欢庆民族解放战争胜利的时候，居心叵测的蒋介石却在重庆为毛泽东大摆鸿门宴，暗中移兵中原。中央当即指示：立即突围，敌军大惊：几万部队瞬间竟不翼而飞！而蒋介石又不遗余力地同胡宗南密谋着一场不可告人的延安侵袭战。

抗战还没胜利，蒋介石又打起了陕甘宁边区的主意。

胡宗南在爷台山点起战火，贺龙通电全国毫不相让。

日本宣布接受《波茨坦公告》，无条件投降，蒋介石即下三道命令，调兵遣将抢夺胜利果实。延安窑洞里的毛泽东针锋相对，命贺龙统率晋绥部队，占领太原，控制山西和绥蒙。受到党的七大精神鼓舞的贺龙踌躇满志，一举拿下文水县城，拦腰斩断了太汾公路。

第一章

波诡云谲，大胜之际剑拔弩张

蒋介石心怀鬼胎

在1944年的中国战场上，国民党豫湘桂大溃退，中国抗战前景黯淡。但是，如果我们把目光投得更远一些，投向太平洋，投向整个欧洲战场，我们就会受到极大的鼓舞。因为在那些地方，盟军的反攻无处不在。

1945年，中国抗战的第8个年头。

从2月开始，苏联和英、美等国军队从东西两线向德国本土推进，德国法西斯节节败退；在太平洋地区，美军发动硫磺岛战役，战略进攻已展开；中国战场上，中国军队对日反击作战序幕已拉开，日本军队龟缩于大城市和交通要道，已丧失还手之力……

5月，德国法西斯投降。

与此同时，美国空军进一步加强对日本本土的轰炸。

……

种种迹象都已表明，世界反法西斯战争取得彻底胜利已为时不远。

XiangGuanLianJie
DaSaoMiao

☆ 抗日战争的"导火线"

1937年7月7日，日本军队在北平城西南的卢沟桥非法举行军事演习，以一名日本军士兵"失踪"为借口，向中国方面提出进入宛平城进行搜查的无理要求。在其要求遭到中国方面拒绝之后，即向宛平城发动大举进攻。当地中国驻军进行了顽强的抵抗。此事件史称"卢沟桥事变"。这是日本帝国主义大规模全面进攻中国的开端，揭开了中国全国性抗日战争的序幕。

到七月，中美英波茨坦会议日程定下来后，胜利的曙光更是清晰可见！

八年的抗日战争，八年的血雨腥风！中国失去了很多，人力，物力，财力……但付出总是伴随着收获：中国废除了不平等条约，结束了被列强瓜分的局面，赢得了"四强之一"的地位……更可贵的是，雪了百年耻辱，长了民族志气！

蒋介石开始以"民族英雄"的面目自居。

报刊、电台、杂志，只要提到蒋介石的名字，无论军人，还是普通民众，都会情不自禁地投去尊敬的目光，为中国的"抗战领袖"默默行礼。

这一年蒋介石58岁，年近花甲，却"壮心"未已。他在山洞林园里转悠，时而驻足远眺，时而低头沉思，而心里，却一直装着"心腹大患"——中国共产党！

他愈来愈感觉到时间的紧迫。他知道，德国一投降，盟国转向对日作战，中国抗战取得胜利就只是时间问题了，并且这一时间也不会拖得太长。

在蒋介石眼里，共产党似乎越来越强大：中共七大上毛泽东居然声称要把各党各派和无党无派的代表人物团结在一起，成立民主的临时联合政府；而朱德也在他的报告里说八路军、新四军和华南抗日纵队共有九十几万军队，

★抗战胜利后，蒋介石开始以"民族英雄"的面目自居。

另外还有二百几十万民兵——这真是个要命的数字。

蒋介石再也无心欣赏山洞林园的鸟语花香。这天他在林园里转了几圈之后，命副官把陈诚、何应钦叫来，他准备找这两位得力干将商量商量对付共产党的办法。

1945年的7月，重庆正当酷暑，阳光照射下来，炙烤着大地。陈诚、何应钦接到通知，立即丢下手上的公务，顶着火辣辣的太阳赶往山洞林园。

山洞林园位于歌乐山双河街，修建于1939年。绿树成荫，景色宜人。林园本来是为蒋介石建造的总裁官邸。落成时，国民政府主席林森前往祝贺，见官邸建筑雅致、环境清幽，不禁赞不绝口，蒋介石当即便将官邸赠与林森。官邸于那时便称"林园"。1943年，林森因车祸辞世，蒋介石便迁居林园。抗战后期，蒋介石的许多重要活动，包括重要的国事活动都在这里进行。

蒋介石一身戎装，身材略显瘦长。何、陈两位毕恭毕敬地立正、敬礼，动作利索有力。

寒暄一阵，蒋介石便直奔主题："敬之（何应钦字）、辞修（陈诚字），今天找你们来，想听听你们对目前国际国内时局的意见。"

陈诚看了看何应钦，微笑着谦让，让何应钦先发言，他作出洗耳恭听的样子。此时何应钦是陆军总司令，对陈诚这位军政部长也就不谦让了，更何况，何应钦还长他七岁。

"我说说愚见吧，请委座批评。"何应钦说："从整个战争形势来看，中国取得最后胜利是必定无疑的。现在苏、美两国都在敦促日本投降，美国在太平洋战场上全面反攻，苏联也正准备适时进入东北对日作战，还有国军在委座的领导下，一直不断地给日本以致命的打击，日本在军事方面的压力是非常大的。日本现在只能在原来占有的地域上进行有限的防御作战了。另外，德国投降后，日本军界和政界都对侵华战争的前途感到很悲观。日本国内开始有了反战的声音，并且来势还比较猛。我看，我国取得抗战胜利是必定的。到那个时候，委座的功勋足可以彪炳史册啊，委座也足以成为中华民族的民族英雄了。"

"是啊，委座这八年来一直领导军民同心抗战，确实书写了一部历史。现在媒体上不少报道都说委座是民族英雄呢！"陈诚附和道。

"唉！什么民族英雄？内忧外患，国无宁日！"蒋介石靠在太师椅上，看着天花板重重地叹着气。平日里精力都很旺盛的他，今天谈到"内忧外患"，

★ 陈诚陪同蒋介石检阅国民党部队。

却显得有些衰老了。

　　"就是，国家确实是内忧外患，多灾多难！"一直忠于蒋介石的陈诚知道蒋介石所指，立即接过话头说："小日本是外患，'共匪'就是内忧！抗战胜利后，'共匪'·还是一个麻烦呢！"

　　这句话说到蒋介石心里去了，但他没有吱声，等着听何应钦如何讲。

　　"'共匪'还真是一个问题，现在全国各地都有他们的根据地、游击队，并且力量一天天壮大，现在比抗战刚开始的时候强大多了……"

　　"任其发展何以了得！"没等何应钦说完，蒋介石就把话头抢过来了。

　　陈诚说："委座，剿灭'共匪'，事不宜迟！"

　　何应钦望着蒋介石说："抗战胜利后，'共匪'的问题一定要解决！"

　　"到那时候就晚了！"蒋介石忽地站了起来。

　　陈诚、何应钦一愣，眼睛直盯着蒋介石。

　　蒋介石继续说："目前我军主力尚在大西北和大西南，还有一部在缅甸。一旦日军投降，我军来不及投送到前线，而共产党的游击队到处都是。到那个时候，我们就被动了！"

　　陈诚、何应钦双双点头，对蒋介石的看法深表赞成。

"委座，那我们现在就开始动手。"陆军总司令何应钦进言。

"动手是可以，但动作不能太大。毕竟现在日本还没有宣布投降，还是国共合作抗日时期。动作太大，恐怕政治上有些不好交代。并且还要绝对保密，免得与上次一样，'羊肉没吃着，反惹一身臊'。"陈诚说。

陈诚这里所说的上次，是指1943年7月国民党策划准备重兵闪击延安的事。由于事前军机泄露，中共中央掌握情报后立即发动舆论攻势。毛泽东一面著文揭露蒋介石的阴谋，利用媒体在国内外造成影响；一面打电报给在重庆的董必武，让他通过美国、英国，在国际上揭露蒋介石假抗日、真内战的阴谋。同时，朱德还致电胡宗南："若发动内战，必破坏抗战团结之大业。"

那次的军事行动是蒋介石亲自策划的，属绝密行动，连胡宗南的许多军长师长们都不知道。结果共产党抢先获得情报，先发制人，使蒋介石非常被动，迫于舆论压力不得不在媒体公开露脸"辟谣"。那次行动使蒋介石丢尽脸面，他对此一直耿耿于怀，总想找机会报复一下共产党。但慑于国内的舆论和国际上美英的压力，虽然把共产党恨得咬牙切齿，但也没有轻易下手。所以一直到这次与陈诚、何应钦商量此事时，蒋介石对军事打击共产党的事情都相当慎重。

蒋介石有以前的教训，对陈诚的话深表赞同，在会客室里转了几圈后说："是啊！共产党很会宣传，很会赚取同情。一招不慎，又会给他们口实。到时

XiangGuanLianJie DaSaoMiao 相关链接 大扫描 GuanJianCi 关键词

☆ 中国远征军

1941年12月23日，中英两国签订了《中英共同防御滇缅路协定》。12月26日，中英制订军事同盟，决定中国军队赴缅甸配合英军对日作战。1942年2月，共10万余人组成远征军，由远征军第一路司令长官罗卓英和同盟国中国战区参谋长史迪威指挥入缅作战，痛击日军。1945年1月27日，远征军与驻印军队会师，打通中印公路。此后，在反攻中歼灭日军大部，为盟军在缅甸的最后胜利奠定了基础。

候我们又被动了。现在我们要做的是，既要打他，又要他说不出一个'痛'字来。"蒋介石回转身望着他们说："所以说，你们二位就要想想办法，找一个好点的理由！"

何、陈两人无语。

沉思片刻，何应钦眼睛一亮，如获至宝似的抬起头说道："委座，前段时间陕西淳化不是有一部分国军叛逃共军吗？胡司令官报告说是共党地下分子策划的。我们何不以共党策划国军哗变、破坏内部团结为由，就在淳化附近采取点行动。"

何应钦是陆军总司令，对全军部队的情况了如指掌，今天把这件事抬出来，让蒋介石和陈诚觉得主意不错。

但望着蒋介石和陈诚那愕然的眼神，何应钦知道他们俩对这件事并不知情。

但不知情也可以理解。蒋介石身为三军统帅，日理万机，哪能事无巨细一一知晓呢？何况胡宗南向军事委员会报告后，何应钦并没有指示下属报告给蒋介石。几个士兵哗变，一桩小事而已。再说国军哗变也不是什么稀奇事。陈诚是军政部长，这些天一直忙着编制和后勤一摊子的事，对部队的驻训作战过问较少。想到这，何应钦便很聪明地把这件事又给蒋介石和陈诚简要讲

XiangGuanLianJie DaSaoMiao

GuanJianCi 相关链接 大扫描

☆ 国民党总裁

国民党的法定领袖。孙中山在世时，国民党曾将其领袖称为总理。孙中山去世后，国民党废止领袖，实行委员长制。1927年后，蒋介石虽然逐步巩固了自己在中国的统治地位，但并未取得在国民党内领袖的法定地位。抗日战争爆发后，国民党开始执行与中国共产党合作，加强了国民党内的团结和向心力以及在全国政治格局中的地位。1938年3月29日至4月1日，在武昌召开的国民党临时全国代表大会上，正式确定了蒋介石在国民党内的法定领袖地位。这一举措也为蒋介石确立独裁地位创造了条件。

★深得蒋介石赏识的何应钦（中）在一次军队集会上讲话。

了一遍：

　　那是一个多月前，驻守在共产党关中分区淳化以外一带的胡军梁干乔部与祝绍周所属李静谋部发生内讧。梁干乔部警备营营长刘文华乘机带几个士兵哗变，向共产党关中军分区驻军投诚。另外，驻扎在淳化县一个小镇的碉堡里的一个排也哗变投奔共产党。胡司令官报告说是共产党地下党策划导致的。

　　蒋介石听后片刻无语。何应钦坐在座位上盯着蒋介石，不知蒋介石怎么想：觉得这个理由不充分，没有说服力？还是怪胡宗南带不好部队，士兵不断哗变？还是……

　　正当何应钦琢磨不透的时候，蒋介石轻轻地说："可以，就这么办。令寿山（胡宗南字）作好准备。将河南前线和黄河沿线的部队调几个师到敌关中分区南线。把共匪的南门堵死。兵力如果不够，再从西安调几个师过去。"

　　吩咐完毕，蒋介石抬头望着窗外开满野花的小山坡，脸上露出了一种异样的神情，让人琢磨不透。

爷台山狼烟四起

胡宗南的办公室布置简朴，推门而进，对面墙壁的正中央挂着蒋介石的戎装照，照片下面是一个偌大的办公桌，上面堆满了各种文件和常用的各种用具。坐位的后面摆着一排保险柜，大凡比较重要的文件，都放在保险柜里。

这天胡宗南正在看一份文件，机要秘书熊向晖送来一份绝密电报。电报是军事委员会拍来的。胡宗南知道，这是蒋介石亲自交待的。

看罢电文，胡宗南低声吩咐道："请范副司令来，我在作战室等他。"

范副司令就是范汉杰，1945年被授予中将军衔，刚刚从第38军副总司令任上调到第一战区任副司令长官兼参谋长。

熊向晖刚转身，胡宗南又叫他等一等，他突然想起了熊向晖好像曾跟自己说过结婚的事。对这个得意的助手，胡宗南总是非常关心。1938年5月，胡宗南送熊向晖到陆军军官学校第七分校学习。中央陆军军官学校的前身为黄埔军校，原设在南京，抗战后迁至成都，并建起一些分校，校长都由蒋介石兼任，胡宗南任第七分校主任，学生都属"黄埔系列"。这样，熊向晖算做黄埔第十五期学生。在学校学习期满后，熊向晖便被委派为胡宗南的助手——侍从副官、机要秘书。

"向晖啊，和筱华（谢筱华，熊之恋人）处得怎么样了？"胡宗南站起身来，伸了个懒腰。站在熊向晖面前，亲切地问道。熊向晖感到非常惊讶，胡先生居然关心到自己的感情生活了！他很快镇定下来，低头小声回答："先生日理万机，我那点小事哪敢劳先生操心。"

"谁说是小事？终身大事！我其他事不干，也要给你把这件事办好。筱华是个好孩子，好好处吧。"他在熊向晖面前绕了半个圈儿，拍了拍熊向晖的肩膀说："好吧，你去吧。"

熊向晖连声道谢，微笑着转身走了。

胡宗南满意地看着熊向晖的背影，自己众多的秘书、参谋里，只有熊向晖与众不同，既聪明能干，又不失风度，从不阿谀奉承、溜须拍马，交待的事情却又完成得漂漂亮亮。仅仅就当时胡宗南面试熊向晖的过程，就足以让他回味很久。

冯玉祥　　　　　　　阎锡山　　　　　　　顾祝同

余汉谋　　　　　　　薛　岳　　　　　　　李宗仁

XiangGuanLianJie
DaSaoMiao

GuanJianCi
相关链接
大扫描

☆ 国民党划分战区

抗日战争爆发后，始行划分战区。1937年8月，国民政府设置5个战区。同年9月成立第六战区，冯玉祥任司令官。1938年11月，国民政府再次重新划分战区。1944年底后，第一战区司令长官由胡宗南代理；第二战区司令长官阎锡山；第三战区司令长官顾祝同；第四战区司令长官张发奎；第五战区司令长官李宗仁；第六战区司令长官孙蔚如；第七战区司令长官余汉谋；第八战区司令长官朱绍良；第九战区司令长官薛岳；第十战区司令长官李品仙；第十一战区司令长官孙连仲；第十二战区司令长官傅作义。

那是1937年冬，在清华大学就读的熊向晖以湖南青年战地服务团成员的身份，到武汉胡宗南任军长的国民党第1军从军，第一关就是胡宗南本人的面试。

胡宗南问每个人的第一个问题就是"你为什么到本军来"。有的回答"久仰胡将军的大名"，有的回答"第1军是一支英雄的部队"。但轮到熊向晖时，他既不起立，也不敬礼，端坐在座位上大声回答："来革命！"

胡宗南一愣。当时"革命"一词在国民党的词典里早已消失。今天这位青年说来革命，倒使他耳目一新。

"你来革命？"胡宗南瞪大眼睛问。

"当然。你们的军队叫国民革命军。国民革命军当然要革命了。"

"怎么样才叫革命？"

"抗日！抗日就是革命。"

"哦，抗日就是革命？"胡宗南越来越感兴趣，他摸着没有胡子的下巴，饶有兴趣地问，"那不抗日、假抗日呢？"

熊向晖反应极其敏捷："不抗日就是不革命，假抗日就是假革命，反抗日就是反革命。"

胡宗南被熊向晖的才思敏捷和与众不同吸引了。当场决定将熊向晖留在自己身边工作。

而事实上，熊向晖是周恩来派到胡宗南第1军来参加地下工作的，他早在清华大学期间就秘密入党了。当时周恩来派熊向晖来胡宗南部，是出于"下闲棋、布冷子"的目的，但熊向晖利用自己的机智和才能博得了胡宗南的信任，迅速成为胡宗南的侍卫副官兼机要秘书，接触到了大量的军事机密。1943年7月胡宗南闪击延安的情报就是熊向晖报告给党组织的。

但胡宗南对此一无所知，仍然对这位青年很是欣赏。

范汉杰来了，一身笔挺的军装，精神状态也不错。

对刚刚到任的这位副手，胡宗南还是很客气的，连忙示意让他坐下，还亲自倒了一杯水。

"委座交待新任务了。"胡宗南不紧不慢，边喝着茶边说道："委座命我部调出一部分兵力到中共陕甘宁边区的南线一带，也就是中共的关中军分区一线。命我们以最快的速度完成部署，伺机夺取中共的关中军分区。"

胡宗南话毕，范汉杰颇为惊愕。眼下还是国共合作时期，并且抗战也即将取得胜利，怎么在这个时候又搞起磨擦来了？

胡宗南慢慢地喝茶，实际上在静观范汉杰的神色。但范汉杰很快镇定下来，他非常清楚蒋介石的意图何在。既然蒋介石的命令下来了，作为下属，也只能唯命是从。

范汉杰看着胡宗南，细声地说："那依你之见，我们该如何动作？"

"我的意见就是按委座的意见，把在河南和黄河沿线的部队回调一些，另外从西安再调几个师去，布置在淳化、耀县、同官（今铜川）、旬邑一线。"胡宗南边说边起身侧向墙上的地图，在淳化、耀县、同官等地划了一条长长的红线，"等我们完成部署，就等着委座下命令。具体进攻的时间现在还不能确定。"

"既然委座都有明确的指示，那就这么办吧。"范汉杰刚来，情况不熟悉，也不便发表个人意见。

接下来的几天，胡宗南命远在河南和黄河沿线抗日的军队，共计6个师连夜回调，另加西安的3个师，共9个师在不到10天的时间里便云集在关中一带，虎视眈眈地盯着关中军分区。

胡宗南坐镇西安，跃跃欲试。自从上次闪击延安失败后，他一直非常愧疚，并且一直在找机会弥补，要给他的蒋校长一个满意的交代，也好将功赎过吧。这次他已下了决心，校长一声令下，就是赴汤蹈火也要完成任务！

七大结束后，贺龙一直在考虑对日反攻作战的问题，已于7月初命358旅开赴吕梁军区。

从7月18号开始，当贺龙还考虑联防军下一步行动时，就不断接到驻守关中军分区的警备第1旅的敌情报告。报告说近几日国民党军活动频繁，陆续调来几支部队，在淳化县的爷台山附近集结。

"胡宗南又要行动了！"贺龙一只手端着烟锅叭嗒叭嗒地吸着，另一只手拿着警备第1旅发来的电文，对李井泉、张经武等人说。

李井泉把电文接过来，看过后又递给张经武。

"得赶快向中央报告，爷台山可不是闹着玩的，那可是关中门户啊！"贺龙一手端着烟锅一手叉着腰，在屋里来回走动着说，"蒋介石终于憋不住了，上次搞得他灰头土脸，这次他是来报仇的。势头可能会比较猛，得要高锦纯警惕点。"

贺龙一面命警1旅旅长高锦纯密切注意敌情，随时报告，一面立即向中央

★ 我军晋绥部队司令员贺龙（左一）与晋察冀部队司令员聂荣臻（右二）在绥远省卓资会晤。

军委作了汇报。对陕甘宁边区的敌情，贺龙历来都不曾有马虎。他的任务就是给党中央和边区人民站岗放哨。记得三年前中央任命他为陕甘宁晋绥联防军总司令的时候，毛主席就握着他的手语重心长地说："我们的脑壳都交给你啦！"

接着两天，又陆续接到高锦纯的报告，国民党军队天天在增加，大概有八九个师之众，集结在淳化、耀县、同官（今铜川）、旬邑一线。贺龙马上又向军委作了汇报，毛泽东指示："兵来将挡，水来土掩。"

贺龙向警1旅旅长高锦纯和政治委员张德生下令，加强戒备，做好战斗准备。

7月21日天还没亮，人们还处于熟睡之中的时候，爷台山南面突然枪声大作，打破了爷台山的宁静。胡宗南得到蒋介石的命令后，向爷台山发起了进攻。

早已高度戒备的警1旅守军立即投入战斗。贺龙根据中央指示，电令高锦纯死守阵地，寸步不让。

爷台山在咸阳市淳化县东24公里处，地形险要，军事上具有重要的战略地位，号称"关中门户"。抗战时期国共两军即以爷台山为界分区设防。双方守军面对面相安无事地度过了8个春秋。随着胡宗南的一声令下，双方终于真刀实枪地干上了。

守备爷台山的警1旅战士早就看不惯国民党兵的骄横霸道，一直想教训教训他们而苦于没有机会。今天机会来了，同志们都铆足了劲，打得特别猛。同时投入战斗的还有关中分区保安纵队和新4旅的一部分兵力。他们利用有利地形，先后打退了胡军的几次进攻，战斗一直打到23号，胡军仍毫无进展。

自战斗打响时起，胡宗南一直关注着部队的进展情况，只想一举拿下爷台山向蒋介石报喜，但三天过去了仍毫无进展，这让他着急起来。

"既然暂编59师和骑兵第2师还不够用，那就把预备第3师也压上去。我就不信，小小一个爷台山拿不下来？"胡宗南对盛文等人说。

国民党骑兵第3师压上来后，爷台山我军守军压力陡增。虽然阵地还在，但伤亡渐大。一直坚持坚守阵地的贺龙有点拿不定主意了。关于是撤是守的问题，特意找副司令员李井泉、参谋长张经武和副参谋长李夫克来商量。

贺龙说："我军的作战指导思想一直就是'保存自己，消灭敌人'。现在爷台山阵地是守住了，但伤亡太大，这不是我们的目的。跟敌人拼消耗我们拼不起，我看还是以司令部的名义，跟军委请示一下，撤离爷台山，另调358旅回援，等条件都具备后再考虑反攻，把阵地再给拿下来。尽量避免损失。"

其他几位认为可行。

军委立即同意了贺龙等的提议。同时，毛泽东还指示贺龙，与徐向前、关向应等人一起通电全国，宣告事情真相。还要请公正的调查组来爷台山调查事情真相，要让蒋介石在政治上被动。

对毛泽东的这一指示，贺龙深为佩服："主席就是主席，我们只能考虑到军事，他却能考虑到政治。军事撤退，政治进攻。要让他老蒋措手不及。"

接下来，我军358旅一边急行军驰援爷台山，爷台山守军一边主动撤离，放弃了大小40多个村庄。胡宗南部队占领了纵深10公里、正面宽50公里的地方。

胡宗南向蒋介石报喜的电报和贺龙等向蒋介石、胡宗南抗议的电报几乎是同时发出去的。蒋介石一边拿着胡宗南的报喜电，一边拿着贺龙等的抗议电。贺龙电文犀利的措辞让蒋介石觉得不是滋味。7月28日，就在胡宗南占领爷台山的第二天，新闻界就开始炒作爷台山战斗了。

在爷台山战斗被舆论炒得沸沸扬扬的时候，以张宗逊为司令员、习仲勋

为政治委员的爷台山反击战临时指挥部成立，各参战部队集结于马栏地区，各种反攻准备工作在既紧张又有条不紊地进行着。

反攻作战于8月8日黄昏时开始，于午夜正式打响。战至10日上午，我军收复主动撤出的全部失地。并且歼灭国民党军5个连及1个营部，毙伤敌100余名，俘敌营长以下36名，缴获轻重机枪19挺及大批弹药。这批缴获的武器及爷台山上残留的印有"Made in America"（美国制造）字样的弹壳，向8月12日来到爷台山进行调查的美军调查组提供了有力的证据。美军调查组在爷台山转了一圈，一句话没说，就悻悻而归了。

贺老总奔赴晋绥前线

1945年8月10日的晚上，贺龙是怎么也不会忘记的。在他刚刚接到张宗逊收复爷台山的报告，正向李井泉、张经武、李夫克等人夸张宗逊如何能打仗的时候，警卫员韦绍坤又跑来报告：朱总司令来电话，日本佬发了乞降照

XiangGuanLianJie
DaSaoMiao

GuanJianCi
相关链接
大扫描

☆ 世界反法西斯战争结束

自1945年5月8日德国战败投降后，日本成为唯一仍然顽抗的法西斯轴心国家。美国向日本两地投掷原子弹以及苏军出兵我国东北，加速了日本帝国主义的覆灭。8月9日，日本决定接受中国、美国和英国敦促日本投降的联合公告。10日，通过中立国将此事通告盟国。15日，日本天皇发表广播讲话，正式公开宣布无条件投降。包括关东军、中国派遣军和南方军在内的各地日军总司令部决定遵从天皇意旨，停止抵抗，并向盟军投降。投降书中规定：日本所有军队立即停止敌对行动，向同盟国无条件投降，服从盟军的一切要求；日本天皇及政府须发布为盟国所要求的一切命令，并执行为盟方所要求的一切措施；日本天皇及政府统治日本之权力应被置于盟国最高司令官之权力下。至此，第二次世界大战以反法西斯同盟国的彻底胜利而告结束。

★八路军120师领导干部贺龙（左）、关向应亲临前线指挥作战。

会，准备无条件投降了。

"真的？"贺龙惊讶得瞪大了眼睛。

这无疑是一条爆炸性的消息，比爷台山的捷报更令人激动。当时所有人都盯着韦绍坤一动不动，要他把朱总司令的原话讲出来。

虽然日本投降是大家意料之中的事，但当这个消息真正传来时，大家还是感到很突然。既相信，又不敢相信，人们心里有一种说不出的感受。

韦绍坤，这个普通的警卫员，此时此刻成了整个联防军司令部的中心了。

看着几位司令、参谋长这般模样，韦绍坤哈哈大笑起来："是真的！千真万确。"

"给我接朱总司令，我要自己问问。"贺龙从惊讶中清醒过来，迫不及待地要亲自验证这一消息。

"晚上7点钟的时候，日本政府通过瑞典、瑞士两个中立国向同盟国发出

了乞降照会，千真万确！"朱德在电话那头响亮地说。

整个联防军司令部沸腾了！

这是一个用整个国家和整个民族的力量换来的胜利！

他们蹦呀，跳呀，用前所未有的方式来庆祝这前所未有的胜利。太令人激动了，太令人兴奋了！

从小的方面讲，他们个人吃了多少苦头？付出了多少牺牲？从爬雪山、过草地，到逼蒋抗日，一路牺牲了多少同志？从平型关大捷、百团大战到反扫荡，又牺牲了多少同志？付出了8年的牺牲取得回报了，怎能不激动？

从大的方面讲，抗日战争是中国反侵略战争的最高峰，现在取得的胜利也是近一百年来中国反侵略战争的第一次彻底的胜利。中国将从此结束长达一百多年的外侮历史，怎么能不令人激动？

每个人的眼角都噙满了泪水。

在这个万民同欢的时刻，贺龙想起了关向应，他要和这位老战友一起分享这一份快乐。

这位从湘鄂西时期起就和贺龙患难与共的老搭档、老战友，1940年患了严重的肺病，现已卧床不起，连七大也没能出席，会议精神还是毛主席要贺龙亲自向关向应转达的。

贺龙去看望关向应并向他传达七大精神的时候，看到关向应瘦骨嶙峋的样子，眼泪当即就掉下来了。他握着关向应的手，好长时间一句话都没有说出来。

那天贺龙是含着眼泪把七大会议精神转达完的。贺龙还高兴地转达了关向应已当选为七大中央委员的消息。关向应听后露出了一丝笑意，他知道，这是党给他的最高荣誉。但关向应心里却感到很愧疚，说："我在病床上躺了五年，何功何德当选为中央委员啊？！"说完泪流满面。

关向应为党给他这样的关怀感动不已，又为自己的身体这么不争气而懊恼不迭。一个把革命当事业的人，突然为病魔所困，不能继续自己钟爱的事业，也不能再为自己的信仰去奋斗，内心自然是非常痛苦的。

贺龙非常理解关向应的心情，哽咽着说："好好养病，120师的弟兄们还等着你回去呢！"这句半鼓励半安慰的话，让关向应又燃起了希望。

那天贺、关都哭了。这两个跟蒋介石斗了近20年、跟日本鬼子打了8年、天不怕地不怕的硬汉子，那天却双双流泪了。

XiangGuanLianJie
DaSaoMiao

GuanJianCi
相关链接
大扫描

☆ 朱德总司令连发七道命令

1945年8月10日，八路军总司令朱德根据日本已经宣布无条件投降，同盟国在波茨坦宣言基础上将会商量受降办法。本日至11日，朱德总司令连续向解放军所有武装部队发出七道命令。10日10时，第1号命令：各解放区部队向其附近的日伪军发出通牒，限期缴械，如遇拒绝，坚决消灭，并接管日伪所辖城镇交通要道……18时，第7号命令：要求解放区各抗日部队进入日伪侵占之城镇要塞后，各部司令员负责实施十项紧急军事管制。

XiangGuanLianJie
DaSaoMiao

GuanJianCi
相关链接
大扫描

☆ 原子弹为第二次世界大战划上句号

　　1945年8月6日黎明前，美军一架B-29轰炸机在日本广岛上空投下了一颗瞬间夺去8万人生命的原子弹，而且广岛市内大部分建筑物被摧毁。四天后，美国又在长崎投下了第二颗原子弹，造成4万人丧生。在广岛爆炸两天后，苏联向日本宣战，百万大军长驱直入日本控制的伪满洲国。8月15日，裕仁第一次向全国进行广播讲话，他宣布日本接受同盟国的条件，并解释道：敌人"开始采用一种新型的、非常残酷的炸弹，其爆炸所造成的损失无法估量"。9月2日，日本在"密苏里号"战舰上签署投降书。

　　8月10日这天，整个中国都沸腾了。但中共中央延安总部此时显得很紧张，中央军委的会议一个一个地开，命令也一道一道地下。10日上午10时，朱德总司令发出了第一号命令，令所有部队向顽敌发起最后攻击，对敢于不缴枪投降的敌人要坚决消灭。

　　共产党反应如此之快，一是与共产党早有准备有关，另外也是与共产党领导人的工作作风有关。同样是日本颁布乞降照会的消息传到了蒋介石那里，决策速度却完全不一样了。

　　蒋本不指望日本这么快就投降的，因为中国战场上日本的进攻能力依然存在，并且中国的半壁江山也被日本拿了去。蒋介石估计，要使以武士道精神武装起来的日本投降，最起码要在中国战场上予其以沉重打击。很显然，在中国战场上要做到这一点是需要时间的。不过，他对美国使用原子弹以及苏联出兵的作用的估计还是保守了点，或者说蒋介石根本就没有想到美国会使用原子弹，也根本没有想到苏联会在美国使用原子弹后迅速出兵，更没有想到曾经不可一世的关东军在苏联红军面前是这样的不堪一击，败得一塌糊涂。

总而言之，蒋介石没想到日本会这么快投降。

胜利来得这么快，倒使蒋介石一时手足无措。呆坐了半天后才缓过神来，连忙吩咐何应钦布置一下，立即开个会，着重研究怎么接管敌占区的问题。因为此时蒋介石的主力部队还集中在大西南，运送到全国被日军占领的地区根本就来不及。

会开得沉闷而冗长，蒋手下的这些大员们，平日里牛皮吹上天，但一到了关键时刻，需要他们拿主意的时候，却都无话可说。

最后还是号称"小诸葛"的白崇禧解了围，他主张利用国民政府的合法地位，垄断受降的权利，令所有日军和伪军只许向国军投降，凡是共军来受降，要予以还击。也就是说在国军未到来之前，就用日军和伪军做守备队。

这真是一个好主意。蒋介石为拥有白崇禧这样的"当代诸葛亮"而沾沾自喜。抗战初期，在国民党几乎每战必败、大片国土丢失殆尽的时候，蒋介石非常苦恼，找不出一个好办法。后来还是白崇禧提出的"积小胜为大胜，以空间换时间"的想法给蒋介石指明了方向。只可惜呀，这个"小诸葛"跟自己的政敌李宗仁是一路人。不过，他反共是积极的，这一点很可取。现在也管不了什么派系不派系了，都是国民党的人，只要意见管用就行。

10日下午，蒋介石发了两道命令：第一道，命令各战区将士加紧努力作战，一切照既定军事计划与命令，积极推进，勿稍松懈。第二道，命沦陷区的伪军维持治安，日军只准向国民党军队投降。

接到命令的傅作义、阎锡山迅速行动起来。抗日战争时期傅作义的部队驻扎在绥远西部的五原、临河一带，现在东出河套，直指包头、归绥（今呼和浩特），阎锡山从晋西南迅速调兵抢占太原。

11日，蒋介石下达第三道命令：令第18集团军原地驻防待命。

不过这道命令没有起到任何作用，第18集团军的首长们对它的回应是，对本部队连续下了6条命令及由朱德、彭德怀联名给蒋介石发出了一份抗议电。

"……我们认为这个命令你是下错了，并且错得很厉害，使我们不得不向你表示：坚决地拒绝这个命令。因为你给我们的这个命令，不但不公道，而且违背中华民族的民族利益，仅仅有利于日本侵略者和背叛祖国的汉奸们。"蒋介石越看越生气，把电报重重地摔在地板上，怒不可遏地大骂"娘希匹"，手里的拐杖把地板戳得"咚咚"响。

而此时的毛泽东在延安召开的一个干部大会上，正激情飞扬地发表演讲。

毛泽东双手叉腰，用他那浓重的湖南乡音讲着话，说到激动处，还不时地挥动着手臂。周恩来、朱德、刘少奇、任弼时、彭德怀等中央领导在前排坐了一排。另外，还有从前线回来参加七大没有回去的刘伯承、邓小平、陈毅、陈赓、薄一波、肖劲光、聂荣臻等人。

毛泽东说："国民党怎么样？看它的过去，就可以知道它的现在；看它的过去和现在，就可以知道它的将来。""他的政策是袖手旁观，等待胜利，保存实力，准备内战。果然胜利被等来了，这位'委员长'现在要'下山'了。""要下山来抢夺抗战胜利的果实了。"

毛泽东继续说："当全国规模的内战还没有爆发的时候，人民中间和我们党内的许多同志中间，对于这个问题都还不是认识得很清楚。""蒋介石要坚持独裁和内战的反动方针，我党曾经及时地指明了这一点。""我们的方针是针锋相对，寸土必争。""人民靠我们去组织。中国的反动分子，靠我们组织起人民去把他打倒。凡是反动的东西，你不打，他就不倒。这也和扫地一样，扫帚不到，灰尘照例不会自己跑掉。"

……

所有的干部都在认真地听，有的还拿着笔飞快地记。毛泽东的讲话任何时候都富有激情，看问题一针见血，并且幽默风趣。对于广大工农干部来说，听毛泽东讲话是一次很好的学习。

★1945年8月13日，毛泽东同志在延安干部会议上作了《抗日战争胜利后的时局和我们的方针》演讲，深刻分析了抗战胜利后的中国政治的基本形势，以自力更生为基点，提出了"针锋相对、寸土必争"的革命方针，指出了为恰当应付各种复杂局面应作出的各种准备。

抗日戰爭勝利後的時局和我們的方針

（一九四五年八月十三日）

最近幾天是遠東時局發生極大變動的時候。日本帝國主義投降的大勢已經定了。日本帝國主義已經不能繼續打下去了[1]。中國人民的艱苦抗戰，已經取得了勝利。抗日戰爭當作一個歷史階段來說，已經過去了。

在這種形勢下面，中國國內的階級關係，國共兩黨的關係，現在怎麼樣，將來可能怎麼樣，我黨的方針怎麼樣？這是全國人民很關心的問題，是全黨同志很關心的問題。

國民黨怎麼樣？看它的過去，就可以知道它的現在；看它的過去和現在，就可以知道它的將來。在抗日戰爭中間，在一九四〇年、一九四一年和一九四三年，它發動過三次大規模的反共高潮[2]，每一次都準備發展成爲全國範圍的內戰，僅僅由於我黨的正確政策和全國人民的反對，才沒有實現。中國大地主大資產階級的政治代表蔣介石，大家知道，是一個極端殘忍和極端陰險的傢伙。他的政策是袖手旁觀，等待勝利，保存實力，準備內戰。果然勝利被等來了，這位"委員長"現在要"下山"了。

定因素是蔡聯參戰。百萬紅軍進入中國的東北，這個力量是不可抗拒的。

一二三

这天贺龙也在。当毛泽东讲到"帝国主义者就会吓人的那一套,殖民地有许多人也就是怕吓。他们以为所有殖民地的人都怕吓,但是不知道中国有这么一些人是不怕那一套的"时,贺龙脸上露出了会意的笑容,心想:我们共产党人就是不怕那一套的人。

这次演讲结束后,中央又连续开了两天会。会议开得非常紧张,连饭都是在会场吃的。

中央交给贺龙一个艰巨的任务:统率晋绥部队,立即向日军和日伪军发起进攻,迫其缴械投降,占领太原,控制山西和绥蒙。此时,中央军委已决定把晋绥军区和晋绥野战军从陕甘宁晋绥联防军建制中调出,直属中央军委领导,由贺龙、李井泉统一指挥,担负向晋绥地区日伪军大反攻的任务。

8月15日晚开完会回来,贺龙心里沉甸甸的。他没有回家,直奔联防军司令部,召开了部分处、科长会议,决定次日就出发去山西前线。

8月16日,来不及和妻子薛明多呆一段时间,贺龙便同联防军参谋长张经武、晋绥分局代理书记、晋绥军区政委林枫及司令部工作人员,登车出发了。

风雨无阻夺取文水

此时的贺龙踌躇满志,从绵延起伏的黄土高原向山西方向一路急驰而去。

八月的黄土高原并不显得荒凉。一些山坡上种的不少树木,远远望去还是郁郁葱葱。玉米早已经熟透,金黄的颜色打扮着一面面山坡。山谷里的小麦再过十天半月就可以收割了。牧羊的老乡们挥舞着羊鞭,吆喝羊群的声音和着信天游的曲调隐约可闻。

贺龙望着绵延起伏的黄土高坡,不禁佩服起大自然的伟大来。黄土高原是很贫瘠,但黄土高原也很雄壮。那连绵起伏的山峦,那伸入云霄的高峰,对生在湖南山区的贺龙来说是一种无法抗拒的诱惑。陕北的大山有诗的意境,也有海的胸怀,所以这里能创造出豪放的陕北民歌,也能够容纳这一群"敢叫日月换新天"的共产党人。

贺龙一边感慨,一边又回想起了近十天里所发生的事情。

8月6日,人类第一次核攻击在广岛爆发。

8月8日,苏联红军分四路进军中国东北。

8月9日，人类第二次核攻击在长崎爆发。

8月9日，毛泽东发表《对日寇的最后一战》。

8月10日，日本乞降。

8月10日，蒙古人民共和国对日宣战。

8月13～15日，中共中央召开紧急会议。

8月15日，日本投降。

……

一连串将永远载入历史史册的事件，就在短短的十来天里发生了。并且，中国历史的走向也在发生转变。

不过在这个大变局中，中国共产党人总能够高屋建瓴，运筹帷幄。贺龙作为高级指挥员，更亲身体会到了时局变化之快和任务之紧迫。

8月11日9时，贺龙接到朱德的第3号命令，为配合蒙古人民共和国军队进入内蒙及绥、察、热等地作战，并准备接受侵蒙日军投降，贺龙所部由绥远就地向北行动。10时半又接到朱总司令第4号命令，为实施肃清同蒲沿线及汾河流域之日伪军，并准备接受日伪军投降与进入太原，所有在山西的八路军和地方武装统归贺龙指挥，统一行动。

这是一副怎样的担子啊？这等于是把陕甘宁边区的东大门交给了贺龙。

当然，贺龙会不辱使命。他任120师师长时，日本鬼子听说贺龙的名字就吓破了胆，他所战斗的晋西北硬是没让日本鬼子前进一步，保护了延安。1942年，中央军委组建陕甘宁晋绥联防军，专职负责陕甘宁边区的防务，贺龙出任司令员。在这三年多里，陕甘宁边

★ 当时报纸关于毛泽东同志8月9日发表声明，号召全国人民大反攻的报道。

XiangGuanLianJie
DaSaoMiao

☆ 陕甘宁晋绥联防军司令部成立

为了统一晋绥根据地和陕甘宁边区的军事指挥，加强陕甘宁边区的防卫力量，中共中央军委于 1942 年 5 月 13 日，在延安设立陕甘宁晋绥联防军司令部。贺龙任司令员，徐向前任副司令员兼参谋长，关向应任政治委员，林枫任副政治委员。联防军下辖八路军第 120 师、留守兵团，晋西北新军、第 359 旅、陕甘宁边区保安队和炮兵团。中共中央决定给予陕甘宁晋绥联防司令部三项职权：1、统一晋西北与陕甘宁两个区域的军事指挥与军事建设；2、统一两个区域的财政经济建设；3、统一两个区域的党政军关系。

区尽管遭到国民党几十万大军的包围，但贺龙运筹帷幄，在中央领导下使蒋介石屡屡不能得逞。中央把东大门交给贺龙，也是考虑过这些的。

贺龙头倚在汽车靠背上思绪万千。

太阳并不晒人，和着高原的秋风一起洒在身上，倒使人有一种懒洋洋的感觉。

贺龙猛然意识到再过几天就要立秋了。一立秋，就意味着天气转凉。黄土高原的天气热的时候热得出奇，但一旦转凉，离天寒地冻的日子也就不远了。野战军战士物资比较缺乏，到冬天棉衣不够，一定要赶在入冬之前结束重大战事。

想到这些，贺龙有些着急起来。他回头问坐在后面的张经武："前线有没有什么消息？"

张经武一直和警卫员在说着什么。贺龙乍一问，他愣了一下，马上说："胜仗倒有几个，但比较小。构不成战略作用。"

贺龙一摆手，笑着说："有胜仗就是好事嘛！说说看。"

这几天贺龙一直忙于开会，除了和李井泉、张经武等人一起研究部队从南北两线分别向太原和归绥（呼和浩特）出击外，其他一些具体的事情都是张经武和其他人负责的。

张经武说："北线骑兵旅、9团、27团，陆续收复了陶林、武川、察素齐、毕克齐、旗下营、陶卜齐等地，斩断了平绥路和同蒲路北段。"

贺龙一听来兴趣了："好家伙，才几天时间就收复这么多地方。我看下一步可以考虑把绥远啃下来。南线呢？"

"第3、4、7、8军分区收复了古交、河口、石千峰、皇后园、忻口等地。现在差不多到太原近郊了。"张经武说。

"嗯，打得不错。不过阎锡山可不是省油的灯。他轻易不会上五台山去的。"贺龙说。

★晋绥军区政治委员李井泉。

"阎锡山已经把在孝义、隰县一带集结的9个师调到了太原。阎军一路上占领了汾阳、文水、平遥等县城。阎军在进太原途中没有解除日军武装，命令日军做守备队。"张经武停了停继续说："蒋介石这一招狠呀！利用日军来对付我们。"

"是啊。老蒋老奸巨猾！正像毛主席说的，蒋介石现在要伸手抢桃子了。我们的任务就是要把他的手打断。只要他伸，我们就打，决不含糊。"贺龙烟瘾上来了，下意识地摸了摸鼻子，"对了，我们有没有和国民党发生过冲突？"

"有一些小磨擦。看阎锡山、傅作义那个阵势，我看大规模冲突在所难免。"

贺龙说："明枪易躲，暗箭难防。要是他们正大光明地干，我们倒不怕。就怕我们跟日本鬼子交上火时，他们到后面放冷枪。只要他们敢放，我们就撕破脸皮不客气了。"

张经武不断点头："就是的，就怕他们放冷枪。不过我们现在要防的不仅仅只有阎锡山、傅作义，还有背后的'二马'呢？'马家军'的骑兵是有名的。来得快去得快。你这边阵势还没摆好，骑兵一来就把你冲散了，撵都撵不上。"

"是啊。骑兵的产生也有上千年的历史了，到现在仍然威力无穷。'马家军'迟早是要解决的，只不过现在的重点不在他们，而在阎锡山、傅作义。"贺龙说。

贺龙正说着，参谋送来了一份电报。是绥蒙军区司令员姚喆和政委张达志拍来的，说是部队已到达归绥附近，但比较疲劳，准备休整一天后攻城。

"很好嘛。"贺龙拍着大腿，跳下车点起了一锅烟。

队伍继续前进，不一会就到了宋家川渡口。过了河，贺龙和张经武去晋中指挥太原战役，林枫去兴县，领导全区党政工作，协调南北两线行动。

18日，我军绥蒙军区部队向归绥发起攻击。

由于我军绥蒙部队近来连克几城，日伪军闻风丧胆。日残军全部龟缩于归绥城，靠自认为坚固的城防工事自保。但绥蒙部队打得很勇敢，战斗3个小时就突入城内，把城内伪军围入十字街区，正准备聚而歼之时，后面突然马蹄声声，枪炮大作。顿时，我军绥蒙部队战士有一大片倒在血泊里，队伍也被打散。

原来，傅作义收到日伪军呼救后，以东进受降部队之一部急行军增援。从南面向绥蒙部队进攻，使绥蒙部队腹背受敌。不得不撤出城外，放弃归绥。

接到报告，贺龙肺都气炸了。

"他真敢放黑枪？"贺龙瞪着眼睛，"好啊。那就别怪我贺某人不客气。走着瞧！"

傅作义放黑枪只是冰山之一角，放眼全国，蒋介石的部署已气势汹汹。国民党第二战区司令长官阎锡山出动7个军进占同蒲路，并以一部向我上党地区推进；第十二战区司令长官傅作义调动6个军沿平绥路东进，主力分别集中到集宁、丰镇、凉城、新堂、陶林、卓资山、归绥等地，其先头部队已逼近张垣（张家口）；第一战区司令长官胡宗南调集8个主力军，东出潼关，沿陇海路直抵郑州，另一部渡过黄河进入山西，沿同蒲路进驻临汾以北，目标直指石家庄、北平。

……

贺龙端着一锅烟抽得丝丝响，他已经得知毛主席要去重庆和蒋介石谈判

了。贺龙一开始就认为蒋介石是在玩弄阴谋诡计，因此不由得担心起主席的安全来。29日，贺龙专电刘少奇、朱德、任弼时，问主席安全是否有保障。30日，刘、朱、任回电说毛泽东赴渝谈判完全必要。从国际国内情况看，安全保证也是有的。最后交待贺龙，目前，在前线最能配合与帮助谈判的事情，就是在自卫原则下打几个胜仗。我军在晋绥方面对阎锡山和傅作义的进攻，望能组织一两次胜利的战斗，以配合毛主席的谈判。

贺龙一拍大腿，他对中央的决策深信不疑。接着拿起作战地图细细地看了老半天，然后拿起铅笔非常慎重地在文水县城上画了一个圈。

贺龙决心在山西打几个胜仗来声援在重庆的毛泽东！第一役就是拿下文水。

8月31日晚，贺龙亲自指挥120师主力——独立第1旅，358旅（缺716团）和八分区第1、2、6支队，沿太汾公路进攻文水城。他命令部队从三面攻城，留下一面"围而不攻"，在缺口那边派得力部队穿插过去布下"口袋阵"，赶鱼入网，聚而歼之。

31日白天，全部进攻准备工作完毕。吃罢晚饭，部队出发。但行至半路，突然狂风大作，大雨倾盆。部队在泥巴路上行走艰难，且士气也受到一定程度的影响。担任先头部队的八分区的领导心里焦急，不禁有点担心。便急电请示贺龙：雨太大，道路泥泞，部队行动困难，可否待大雨过后攻城？

"乱弹琴！"贺龙怒吼道。"进攻！风雨无阻！"

电报传过去，八分区领导即刻传令："进攻，风雨无阻！"

战士们顶风冒雨，在泥泞中急速挺进。到了文水县城下，八分区2支队越过壕沟，剪断铁丝网，通过布雷区，把云梯靠上城墙，登上了城东北角。独1旅在离城几百米的地方架起了几门大炮，火力掩护突击部队，炮弹准确无误地落到敌阵。经过一天的激战，敌人一部分被歼灭，大部分投降。但还有一股残敌在西城顽固抵抗。贺龙命令攻城部队从北向东再向南攻击，迫敌西窜。31日傍晚，残敌果然由西门突围而出，钻进了贺龙布置的口袋里，全部被歼。城防司令以下500余人被俘。

历史碎片
LISHISUIPIAN

D大拼接
DAPINJIE

☆ 解放区不断扩大

1945年8月，中国共产党实际控制的解放区已有：陕甘宁、晋绥、晋察冀、冀热辽、晋冀豫、冀鲁豫、山东、苏北、苏中、苏南、淮北、淮南、皖中、浙江、广东、琼崖、湘鄂赣、鄂豫皖、河南等19块解放区。地跨辽宁、热河、察哈尔、绥远、河北、山西、陕西、甘肃、宁夏、河南、山东、江苏、安徽、湖北、湖南、江西、浙江、福建、广东等省。总面积约100万平方公里。

☆ 陈纳德与飞虎队

日本投降前夕，1945年8月1日凌晨，陈纳德乘坐C－47飞机离开了中国的土地，成千上万的中国人站在跑道边上向他挥手。陈纳德领导的飞虎队和第14航空队，在中国抗日战争期间与中国军民共同作战，沉重打击了日本侵略者。至1944年夏，第14航空队已拥有约500架战斗机和175架轰炸机，他们共出动飞机459架次摧毁了2,600架日机，击沉和击伤了220万吨以上日军商船，击毙了66,700名以上日军，陈纳德也被授予空军现役少将军衔，其功绩将永垂史册。

☆ 中共中央军事委员会成立

1945年8月23日，中共中央召开政治局扩大会议，决定将原中共中央革命军事委员会改称中共中央军事委员会。由毛泽东、朱德、刘少奇、周恩来、陈毅、聂荣臻、贺龙、徐向前、刘伯承、林彪、叶剑英等人组成新的中央军事委员会。毛泽东任主席，朱德、刘少奇、周恩来、彭德怀任副主席，彭德怀兼总参谋长，刘少奇兼总政治部主任，叶剑英兼副总参谋长，程子华任总政治部副主任，杨尚昆任秘书长。下辖总参谋部、总政治部、后勤部、八路军、新四军、陕甘宁晋绥联防军、华南抗日游击队、东北抗日联军。此委员会的更名成立为解放战争的胜利奠定了坚实的领导基础。

聂荣臻刚从延安回到晋察冀,便收到军委急电:"晋察冀军区必须立即集结25,000人以上兵力,协同晋绥军区转向傅顽进攻。"

聂荣臻即行率部出征。晋绥部队旗开得胜,拿下卓资山,打开了归绥的大门。贺龙主张全力夺取包头,聂荣臻持反对意见。归绥、包头久攻不克,绥远战无果而终。

拿下文水县城,是贺龙率军亲征以来的第一个大胜利。按照朱老总的话说,拿下了太原的前哨阵地文水,下一步就有晋中的好戏看了。

第二章

秋风送爽,贺聂联手出征绥远

聂荣臻率部出征

1945年9月的延安,已明显感觉到秋天的来临,而此时的重庆,仍然酷暑难耐。毛泽东这个被蒋介石称为"毛匪",并悬赏几十万银元要其头颅的人,今天居然作为他的客人来到了山洞林园。历史就如一出大戏,剧情变化之快,让人有些琢磨不透。

20多年前,毛泽东在国民党一大上被选为候补中央执行委员,后来担任过国民党中央宣传部代理部长,还主编过国民党中央宣传部刊物《政治周报》。而那时的蒋介石担任着黄埔军校校长,并且毛泽东作为政坛名流还登过黄埔的讲坛。相互较量18年后再见面,这段在同一"战壕"里战斗的时光,理所当然成了叙旧的最好话题。

抚今追昔,蒋介石也无限感慨起来:"时间过得好快啊,18年没见面了。"

"是啊,好快啊。"毛泽东不紧不慢,尽情地抽着他的烟,"这18年里,中国在委员长的领导下与以前大不一样喽!"

★1945年8月，我军解放晋北阳高县城后，继续挺进。

XiangGuanLianJie
DaSaoMiao

☆ 揭秘国民党"制宪国大"

　　南京国民政府国民大会是名义上代表全国国民行使权力的机关。先后于1946、1948年召开。1946年大会任务为制定宪法，又称"制宪国大"；1948年大会任务为施行宪法，采用选举总统制，实行总统制，又称"行宪国大"。行宪国大之后，国民党于1948年3月29日至5月1日在南京召开了行宪国大，其中心议题是选举中华民国总统和副总统。4月19日，国民大会选举蒋介石为总统。在选举副总统时，国民党内部各派进行了异常激烈的争夺，经过四次选举李宗仁才当选。5月20日，蒋介石、李宗仁就任中华民国总统和副总统。制宪国大与行宪国大清楚表明，国民党的"还政于民"，实质是继续坚持一党专政，继续欺骗人民大众的一块遮羞布！

★毛泽东同志与周恩来同志到达重庆时在飞机旁合影。

　　蒋介石下意识地扇了扇烟气，毛泽东突然想起蒋介石是个烟酒不沾的人，马上把烟摁熄了。

　　蒋介石眯着眼看着毛泽东，知道毛泽东在讽刺他，一时倒有些窘迫起来。蒋介石领教过毛泽东的厉害，但不知道这么随意的谈话，毛的语言也会这么犀利。他决心顺着毛泽东的话往下说。

　　"是不一样了。最起码打败了日本，结束了外侮的历史。"蒋介石一点不谦虚。

　　毛泽东敏捷地抬眼望着蒋介石，有些咄咄逼人地说："外侮的日子还没有完全结束，独立和平的日子也远远没有到来。这些都有待于国共两党更加真诚地合作来完成。"

　　蒋介石完全没有想到毛泽东会这么回答。

　　外侮的日子还没有完全结束？什么意思？是不是说我利用日军作守备队？独立和平的日子也远远没有到来？是不是又在骂我跟美国？国共两党更加真诚地合作？以前合作不真诚吗？皖南事变？偷袭延安？一连串的回忆在

蒋介石的脑海中一一闪过。

蒋介石佯装镇静,其实脑子里已经乱成了一锅粥。他接着敷衍了几句,找个理由走了。

当延安的刘少奇、朱德、任弼时、彭德怀得知毛泽东和蒋介石在山洞林园偶然相遇时的这段对话时,个个捧腹大笑,无不为毛泽东的大智大勇所折服。

"就凭蒋介石那么点出息,难成气候。"刘少奇说。

"蒋介石是做贼心虚。他做的亏心事太多了,双手沾满了人民的鲜血,他时时刻刻怕主席戳他的疮疤!"朱德还是笑个没完。

"对对对。朱老总说的对。蒋介石肯定在胡思乱想。"任弼时还在笑。

只有彭德怀一言不发。他总是一脸严肃,若有所思。他刚得知贺龙拿下了文水县城,正在为贺龙筹划下一步的行动。文水拿下,就切断了太汾路(太原到汾阳公路),对下一步威胁太原、夺取汾阳及其他县城很有战略意义。拿下了这些县城及广大乡村地区,就集中主力北上,把包头、归绥一齐拿下,再占据一大片农村地区,就可以和晋察冀解放区连成一片了。而这对中原、华北乃至整个华东地区都会起到很大的鼓舞和促进作用……

彭德怀越想越入神,越想越充满信心,完全沉浸在自己的宏伟蓝图中。

"彭大将军又在运筹帷幄了。"刘少奇说。

彭德怀咧了咧嘴,说:"哪里哪里。"说完又回到了自己把晋绥和晋察冀

XiangGuanLianJie
DaSaoMiao

GuanJianCi
相关链接
大扫描

☆ 美空军协助中国抗日

1942年4月18日,从太平洋的一艘航空母舰上起飞的一批美军轰炸机,首次袭击了日本首都东京,而后飞向中国大陆。原定在浙江衢县降落,后因找不到机场,50多名美国飞行员跳伞降落在浙江各地。此后,美国对日本的轰炸日趋频繁,而美机由于各种原因迫降到中国的各个地方,一部分美飞行员降落到日占区时被日军生擒,但更多的被我人民群众救起,直至他们伤好回国。

连成一片的宏伟蓝图中。过了几十秒钟忽然又问："聂荣臻同志什么时候动身？"

"还要过几天。"朱德说，"我们的聂司令新官上任，早就坐不住喽！""过几天有一架美军飞机去晋察冀接他们的飞行员，聂总就坐这架飞机回去。"刘少奇说，"一起回晋察冀的还有刘澜涛、萧克、罗瑞卿。"

刘少奇说的那架飞机是准备到晋察冀去接美国飞行员，它是在前不久飞到延安的。太平洋战争爆发后，美国空军很多战机被日机击伤，许多飞行员跳伞逃生时落到了晋察冀地区。这次美军派专机去接飞行员，聂荣臻正好坐他们的飞机返回晋察冀，免了长途行军之苦。

彭德怀"哦"了一声，继续着他的思考。

9月9日，随着一架美军 C－46 型飞机从延安机场起飞，聂荣臻离开了延安，又要回到他的战斗岗位上去了。

飞机在绵延起伏的黄土高原上空飞行。望着那熟悉的宝塔山，熟悉的延河水，还有那些熟悉的山山沟沟，聂荣臻的思绪不禁飘荡起来。

他是1943年8月接到中央要他去延安参加七大会议的电报后，于8月27日离开晋察冀来延安的。那时聂荣臻满以为就是开个会，一两个月就可以回去。殊不知，他这一来，就呆了两年。

一到延安，聂荣臻就参加了整风，不少人指责晋察冀军区不执行毛泽东持久作战的思想，犯了"轻敌速胜"的错误，以致没有把群众工作做好，没有与群众打成一片。对于这样的批评，聂荣臻一面虚心地接受，一面也不断反省自己在晋察冀工作 6 年来的失误和不足。在延安的这两年里，离战

★ 晋察冀军区司令员聂荣臻。

场远了。但有这样集中起来进行学习和总结的机会也是非常珍贵的。

聂荣臻靠窗坐着，回想起这些，淡淡地一笑。过去的就让它过去吧，把眼前的事情做好才是关键。

聂荣臻是带着七大的精神离开延安的。中共七大刚刚闭幕，会上的一些精神和判断，确实令人振奋。毛泽东说，日本帝国主义已成了强弩之末，胜利已指日可待。并且毛泽东还对抗战胜利后政府如何组建，职能如何发挥，解放区及人民军队的位置如何定位等一系列大家比较关心的问题做了明确的答复，还号召大家向着一个新民主主义的新中国努力奋斗。

这次大会意义非同寻常，确实让大家明显感到胜利就在眼前。开完会的那些将领们，都迫不及待地要到前线去，聂荣臻当然也毫不例外地受到这种气氛的感染，也希望部下再打几个漂亮仗。更何况中央把中央晋察冀分局改为晋察冀中央局，自己担任书记，并继续担任军区司令员兼政治委员。这就更有责任打几个胜仗向党中央，向远在重庆谈判的毛主席报喜了。

回到离别两年的晋察冀，聂荣臻浑身都充满了力量。尽管他知道肩上的担子并不会轻松。

此时美国的大批军舰、飞机，正把蒋介石的6个军、17个师共15万军队运到华北，在日伪军配合下，先后抢占了北平、天津、石家庄、保定、山海关等主要城市，国民党成立了第十一战区。与此同时，阎锡山第二战区的军队抢占了大同、太原等地，傅作义第十二战区的军队抢占了归绥和绥东、绥南大片地区。蒋、傅、阎的军队所到之处，收编了大批伪军，甚至还有一部分日军。此外，美军9月底10月初直接于塘沽、秦皇岛登陆，侵占了这两个重要港口以及天津市，作为蒋军大规模从海上进入华北的主要门户。以上国民党军队的3个战区，在晋察冀及周围地区，共集中了兵力43万多人。它们以抢占的大中城市为基地，不断地向交通沿线和周围地区进犯。

飞机在灵丘机场着陆后，聂荣臻一行便换坐汽车向张垣一路急驰而去。

此时的聂荣臻再也按捺不住内心的激动。两年了，这熟悉的山山水水又展现在自己眼前。这两年里，自己更加成熟，而晋察冀军区也更加壮大了。

晋察冀军区司令部设在位于宣化大道附近的一个小院落里，这里原来是日本蒙疆派遣军的司令部。

听说聂总和其他军区领导从延安回来，司令部整晚都沉浸在欢喜之中。尤其是对聂总，大家都两年没见着了，胖了还是瘦了？小鬼们对聂总都很关

心。据说有几个白天没见着聂荣臻的战士等他晚上睡着后，还偷偷趴在窗户上看聂总变了没有，就像农村小伙子偷看刚刚结婚的新娘子一样。由此可以想见，共产党的高级军官与普通战士是怎样的一种亲密关系。还有好多小鬼缠着聂总问这问那，比如说延安是什么样啊，毛主席长得什么样啊等等。在他们心里，延安是一个像天堂一般神圣的地方，而毛主席就是那个神圣地方的一面旗帜。

回到张垣的第三天，风尘未去的聂荣臻正准备一头扑在晋察冀军区的工作上时，中央军委来电，令晋察冀军区除留下一部分部队守卫张垣外，应集结25,000人以上的主力部队与晋绥部队一道发起绥远战役。因为绥远情况很不好，傅作义夺取了归绥、武川、陶林（今科布尔）、卓资山、丰镇、集宁之后，又夺取了兴和，逼近了天镇、柴沟堡，并有向张垣进攻的态势。中央想打掉傅作义的霸气，阻止其东进，力争拿下绥远，把晋绥军区和晋察冀军区连成一片。

接到电报，聂荣臻不禁皱起了眉头。他知道，这是一个艰巨的任务。人绥远境内作战需要一段的准备时间，而塞外秋冬交替短促，等到战役发起，绥远地区早已天寒地冻，泼水成冰，这种气候条件对我军作战是不利的；目前部队都在进行整编，基层干部和战士没有经过很好的战术、技术训练，他们比较熟悉游击战，不熟悉运动战，更没有攻坚战和大兵团协同作战的经验；傅作义的兵力约47,000人，连同地方杂牌军和阎锡山在大同附近的部队，总兵力达到97,000人，而晋绥军区和晋察冀军区总兵力才14个旅53,000余人，比傅作义的兵力略多，但在总的兵力对比上，仍处于劣势……

凡此种种，使聂荣臻非常沉重。但是，从全国的大战局来看，我军都处于劣势。毛泽东军事思想的精髓也就是在全局劣势里创造局部优势，通过不断创造局部优势达到以少胜多、以弱胜强的目的。从井冈山时期到长征到抗日战争，我军都是按照这一战略思想展开斗争的。如今与傅作义、阎锡山相比是处于劣势，但只要指挥得当，抓住战机，以劣胜优是可能的。

想到这，聂荣臻下定了决心，坚决完成中央交给的任务，达成中央的战略意图。

聂荣臻与副司令员肖克、副政委刘澜涛、罗瑞卿、参谋长唐延杰商定，决定抽调冀察、冀晋、冀中3个纵队与晋绥兄弟部队一起发起绥远战役。

经过1个月的准备，10月15日，聂荣臻带领3个纵队向西出击。

★晋察冀军区司令员聂荣臻（中）以及肖克（左）、杨成武（右）在前线指挥作战。

贺老总左云城誓师

拿下文水县城，是贺龙率军亲征以来的第一个大胜利。按照朱老总的话说，拿下了太原的前哨阵地文水，下一步就有晋中的好戏看了。

打下文水那天贺龙兴致特别高。刚进城，他就吆喝着要打一场篮球。贺龙在120师当师长时，120师的"战斗篮球队"那是出了名的。不但球技好，球风也很好。在紧张的抗战岁月里，那些十几二十来岁的小伙子们就在战场和球场里度过了他们的青春岁月。后来毛泽东还接见了"战斗篮球队"的队员们，赞扬他们的拼搏精神，也鼓励他们再接再厉。

这一年贺龙49岁，看见战士们龙腾虎跃的样子，他心里直痒痒。但最终还是没有上场。自己在一旁抽着烟，笑眯眯地看着。

赛完篮球，贺龙在文水县城转了转。

县城不大，横竖两条街。熙来攘往的人流，说明百姓早已适应了这战火纷飞的岁月。在山西一带，八路军的名声早在抗战时期就在老百姓中众口相传，因此贺龙还能够看到群众向打扫战场的战士们端茶倒水什么的。百姓和

XiangGuanLianJie DaSaoMiao

GuanJianCi
相关链接
大扫描

☆ 陕甘宁边区开展"拥军优属""拥政爱民"运动

随着抗战的不断胜利，中共陕甘宁党政军领导群众团体，协助人民群众共同订立了援军优抗公约："政府和人民都助军队进行训练和生产，对驻军伤病员、残废军人等，经常给予各种照顾和亲切慰问"。由于人民群众的热情参与，这一运动很快推广到各个根据地。1943年1月25日，八路军留守兵团司令部、政治部作出联合开展"拥政爱民"的工作指示，继而"拥军优属""拥政爱民"两项运动在陕甘宁边区迅速展开。拉近了军民之间的距离，有力保障了抗战的顺利进行。

★ 贺龙师长和"战斗篮球队"队员在一起。

战士们相处得很是融洽。只不过刚刚激战过，城里的一些地方还在冒烟。

拐过一个弯，听到很多小孩吵吵嚷嚷的声音，群众说这是文水中学，由于政府忙于打仗，很多老师跑掉不来上课了，学生们就只有在操场上打闹嬉笑，学生们大部分时间都是在玩。

"这成什么样子嘛！"贺龙吐出一口烟说："十多岁的娃娃不上课，整天打闹，将来怎么办？以后还要做国家的主人哩！不学知识，没有文化，怎么做主人？"

贺龙小时候因为家里穷，没有上几年学就到处谋生计。他虽然在革命征程中得到了锻炼，但深知在校学习文化知识的重要性。他望着这一群不谙世事的娃娃们，心里顿时涌起一股怜悯之情。如果说当年他们没有学上是因为条件不允许，但如今呢？日本鬼子已经投降了，外侮的历史结束了，孩子还是没有学上。

贺龙决定把文水中学改成"陕甘宁晋绥五省联防军驻晋随营学校"，一百多名学生跟部队走。

第二天，贺龙的部队带着这支特殊的队伍向柳林出发了。

一路上贺龙跟孩子们走在一起，给他们讲革命故事，讲打日本鬼子，讲打蒋介石。孩子们兴趣很高，贺龙也似乎回到了自己的童年。

★ 准备开赴绥远前线的我军部队。

　　接下来几日，贺龙部队连克柳林、离石、汾阳县城。加上以前攻克的陶林、武川、清水河、右玉、平鲁、左云、凉城、神池、文水，一共解放了十多座县城。9月10日在汾阳，"陕甘宁晋绥五省联防军驻晋随营学校"正式成立，贺龙亲自任校长。

　　此时的阎锡山正瞪着眼睛看地图。太原并不热，但豆大的汗珠不断从他的额头上滚落下来，看着一座座县城从他的地盘上消失，他感觉到危机正在降临。

　　这个17岁投机金融，倾家荡产后又投机辛亥革命而发达的阎锡山，在山西做土皇帝的历史至此已有34年了。辛亥革命后被公推为山西军政府都督，并受到孙中山的嘉奖，自此有了政治资本。后来又拥袁称帝，失败后又参加段祺瑞的反护法运动，结果又遭到失败。自此他开始奉行"三不二要主义"，即"不入党、不问外省事、不为个人权利用兵，要服从中央命令、要保卫地方治安"。至1924年，他多次拒绝参加军阀混战，使山西维持了数年的和平局面。

但一向爱投机的阎锡山终没能保证山西的和平局面，还是参加了中原大战。结果大败于蒋介石。1932年2月，他接受国民政府太原绥靖主任的委任，从此便在蒋介石领导下主政山西。在山西这么多年，他修水利、开矿山、修公路、办工厂，使山西经济渐渐有了起色。抗日战争时期，也能够举起民族大义的旗帜。

阎锡山还发展了一套自己的从政哲学，即所谓的"中的哲学"，他认为不偏不倚、情理兼顾、不过不及为"中"，人事得中则成，失中则败；承认矛盾，要用二分法分析矛盾，以求得"矛盾的不矛盾"，使矛盾对消，达到适中，以求生存。

一向被认为是土皇帝的阎锡山却很懂儒家的中庸之道。在跟蒋介石周旋的时候，阎锡山靠这一套"中的哲学"还确实能游刃有余。有时候蒋介石把他恨得咬牙切齿，却奈何不了他。

阎锡山还有一个不变的本性，那就是反共。他反共的精神是渗入骨髓的。所以蒋介石一声令下，他便屁颠屁颠地跑个不停。

但如今反共刚刚开始，就被贺龙打得丢盔弃甲，而东南边的长治一带，刘伯承、邓小平更是不好对付，自己13个师的兵力已有些招架不住。

正当阎锡山被东南面的刘伯承、邓小平和西南面的贺龙、李井泉打得焦头烂额时，中共中央正在讨论的一个决策，让阎锡山松了一口气。

这个决策就是"对南防御，向北发展，全部控制热察，争取东北优势"。

在一次政治局会议上，作为延安核心人物之一的刘少奇说："我们今天的方针，是力求控制热、察两省，控制东北。要下决心，坚决行动，舍得把其他地方丢掉。要赶快动作，利用时机。控制张垣、山海关，使蒋军不可能从陆路进入东北。"

但在东北，我方的形势并不怎么看好。苏联迫于蒋介石的压力，明确要求中共军队撤出沈阳、大连、长春、平泉，而林彪在东北的战事，也并不怎么乐观。

接到中央要求主力北上与晋察冀部队发起绥远战役，一起打击傅作义部的电报时，贺龙兴奋得站了起来："时候到了！"

看来，贺龙还是念念不忘傅作义对攻入归绥城的我军绥蒙部队背后放枪的事情。他说过要跟傅作义走着瞧的。

贺龙以最快的速度起草了晋绥野战军的行动计划：为配合全国的战略行

动，控制雁北及绥远大部，打通晋绥与热察之间的联系，保障热察根据地的侧翼，争取由北向南发展建立更巩固的阵地，是我们当前很紧急的任务。为此，经中央军委同意，采取首先集中主要兵力于北面，打击傅作义、马占山东犯部队，对阎锡山部则暂取守势的方针。

同时令358旅迅速北上左云，集结待命。

九月的晋北秋高气爽。

以前这里是抗日的敌后战场，贺龙指挥的120师转战于此。回首往事，贺龙顿生感慨。

抗日的时候，傅作义是自己的盟友，两个人还指挥自己的部队联合反击过日本的进攻。但如今，两个人又要见面，只不过关系变了。贺龙深为傅作义这名爱国将领踏上蒋介石的战车而感到惋惜。而此时的傅作义，正在他的司令部里召开高级将领会议。他已经得知共产党的聂荣臻、贺龙要联手发动针对他的绥远战役了。

战士们精神抖擞，唱着军歌昂首阔步。贺龙坐在车上，筹划着这一场即将到来的大战。

经过半个月的长途行军，10月初，晋绥野战军除独立第2旅在商都集结外，358旅、独立第1旅、独立第3旅全部到达左云、右玉地区，进行战前准备。

雁北的10月已有冬天的感觉。从内蒙古刮来的寒风越过长城，袭击着整个晋北高原。麦子已经收割，树叶也渐渐凋落，俨然冬天降临了。贺龙这一天把队伍集合到左云城关广场，要进行一个简单的战前动员。

他穿着一件单薄夹衣，端着他那只从不释手的烟锅，在干部战士中间来回走着。一会儿跟战士们开开玩笑，爽朗地笑几声，一会儿又跟干部们问问情况，还附带交待几句。

贺龙走上临时搭建的主席台，一手叉腰，一手拿着烟锅，开始动员。

"同志们！日本鬼子被我们打败了，本来可以不打仗了，大伙可以分土地娶媳妇，好好过日子了。但蒋介石不答应，他还要打仗。同志们，连日本鬼子我们都不怕，还怕蒋介石吗？"

贺龙挥舞着大手，底下战士们"不怕"的回答响彻云霄。

贺龙扫视了一下群情激奋的会场，继续说："是的，我们不怕。蒋介石让傅作义抢了我们的很多地方，整个绥东解放区都被他抢过去了。那是我们用

★ 向绥远前线挺进的我骑兵部队。

鲜血和汗水换来的，我们能答应吗？"

战士们扯破嗓子喊道："不答应！"

此时，会场已没有丝毫寒意，贺龙用朴实的演讲搅热了战士们的心。

"是的，我们不答应。所以，我们要和晋察冀的老大哥部队一起，在这里跟傅作义打一仗，要把我们失去的地方夺回来。"

听说跟晋察冀的老大哥部队在这里一起打傅作义，战士们都鼓起了掌，一时间掌声雷动，地动山摇。

贺龙抬起双手示意大家安静，继续说："过去我们同日本鬼子打的是游击战，现在要搞大兵团作战，打运动战，两大军区部队要协同作战。同志们，这是个新问题。我们一定要跟老大哥部队搞好关系，互相配合，互相帮助。同志们，能不能做到？"

贺龙又一个反问，把整个会场气氛推向了高潮。

简短的动员，让战士们鼓足了劲，个个摩拳擦掌，跃跃欲试。

卓资山旗开得胜

在贺龙的誓师大会进行得如火如荼的时候，傅作义正靠在沙发上闭目沉思，他早已经下令把绥东的兵力集中在集宁、丰镇、卓资山、陶林、凉城、新堂以及归绥一线，待东线兵力集结完毕，一齐拿下张垣。

★我军沿铁路向新保安城墙进逼。1945年9月12日，解放新保安城。

　　傅作义这年50岁，几个月前就任国民党第十二战区司令长官。在领授蒋介石给他的这个职务时，蒋介石拉着他的手说："宜生啊，有你在，华北可定。"可以想见，蒋介石对傅作义寄予的厚望。

　　傅作义也确实堪称国民党的一名帅才，中共中央考虑发动绥远战役时，就把他拿出来好好研究了一番。当年傅作义给阎锡山做部下时，率军与奉军在涿州一战中，就充分显示出了他能攻善守的军事才能。在后来的抗战中，百灵庙一战彻底打出了他的威风。后来又御敌平型关，孤军守太原，可以说是领尽风骚。后来他获得了继蒋介石之后国民政府颁发的第二枚青天白日勋章。这种荣誉，是对傅作义的爱国情怀和军事才能的最大褒奖。傅作义不仅能征善战，还能经邦治世。1931年主政绥远时，整个绥远土匪遍地，治安混乱，他采取"移民、安边、发展生产、巩固国防"的政策，励精图治，整军经武，消解了匪患，接着又整顿税收、金融，疏通河渠，发展农业生产。在短短几年内，绥远面貌大为改观。至1937年，绥远省的社会秩序基本安定下来，并且经济有相当程度的恢复。抗战期间，他边抗战边整顿金融、整顿吏治，还大力开发河套地区。当年凡是到过河套的人，无不誉其为另一个江南。可以

44

说，傅作义对绥远的建设倾注了相当的精力，而他对绥远的感情也是无法割舍的。

傅作义与共产党并没有深仇大恨，相反还很有感情。他积极支持共产党团结抗日的主张，是国民党阵营内少有的抗日急先锋，后来他学习八路军的经验，还在部队里轰轰烈烈展开了政治工作，在各方面都与共产党密切地合作过。

但可惜的是他站错了队，被绑在蒋介石的战车上越走越远。此时的傅作义已经成了蒋介石对付共产党的一个棋子。

傅作义望着窗外，此时太阳已经下山，西边的天空上悬着一片红霞，就像天破处渗出的一团鲜血。傅作义心里明白，既然已经卷入了国共大棋局，就要把蒋介石交待的每一步棋走好，守住绥远。

而此时的聂荣臻、贺龙也已经下定了决心，一定要阻止傅作义部东进，控制绥远。他们的部署是：晋察冀野战军的3个纵队由东向西进攻，分割集宁、丰镇外围之敌，各个歼灭，而后进攻集宁、丰镇；晋绥野战军由南向北进攻，歼灭凉城、天城、新堂之敌后，挥兵向东，配合晋察冀野战军歼敌主力于集宁、丰镇。

10月17日，秋高气爽，艳阳高照。晋绥部队由南向北推进，晋察冀部队由东向西推进。筹划了很长时间的绥远战役就要打响了。

出发前，贺龙拍拍黄新廷旅长的肩膀，语重心长地说："我们的部队老战士多，很勇敢，但要注意，不要有骄傲情绪。我们这次到绥东去打仗，要尊重地方党组织，爱护地方部队，这一点一定要向部队讲清楚。对晋察冀的部队，要主动去团结。打仗，是一个全局性的行动，没有友邻部队的配合、支持，怎么能打好仗呢？"

说完跃上战马，越过长城的残垣断壁，带着队伍浩浩荡荡出发了。

经历了数千年风花雪月的古长城，又一次见证了将士出征的雄壮。

19日，贺龙率部攻占凉城、天城，20日，又攻占新堂。

22日，聂荣臻率两个纵队攻击集宁，驻守集宁的国民党第35军军部和101师连忙向傅作义呼救。

傅作义脸色大变，自己东西夹击张垣的计划没有实现，先遭受到了聂荣臻、贺龙的东西夹击。

傅作义背着双手在司令部里来回踱步，抗战时和八路军的合作，使他深得毛泽东"集中优势兵力，各个歼灭敌人"作战原则的精华。

他突然背过身，大声喊道："传令！"

机要秘书"啪"地一个立正，飞快地记到：骑兵第5师由新堂撤至六苏木，新编32师由丰镇、红沙坝撤至福生庄、三道营，第67军军部、特务营和新编26师由集宁、官村一线撤至卓资山地区抢修工事。

傅作义把兵力收缩至归绥附近，组织防御。

贺龙的司令部设在一个偏僻的小山村，他边敲着烟斗，边死盯着地图上的卓资山。

卓资山位于归绥东部75公里处，地势较高。平绥铁路贯穿其间，东接集宁、张垣，西达归绥、包头；公路北至陶林，南通凉城。真可谓绥东交通之枢纽，归绥之屏障。晋察冀聂荣臻部就被卓资山堵在兴和、天镇一带而无法西进。

"拿下！"贺龙在心里喊道。

他马上接着部署：独立第1旅留一个团在凉城以西负责钳制归绥附近国民党军，旅主力和358旅、独立第3旅全部北上，独立第2旅从商都经陶林火速南下，围歼卓资山国民党军。

一口气下达完命令，贺龙感到浑身发热。

这是出征绥远的第一仗，不仅牵涉到士气，还关系到下一步的战略动向，务必全胜！

24日，离总攻还有6个小时，贺龙坐不住了，迎着秋风，大步流星向358旅阵地走去。

此时，黄新廷的358旅前锋已经与敌人交上了火。零零星星的炮弹不断落在358旅各个团的阵地上。

此时，贺龙出现在阵地上。

他衔着烟斗，披着夹衣，满面春风，若无其事。

黄新廷眼睛瞪得老大："老总！这是前锋阵地！赶快回去。"

平日都是贺龙给黄新廷下命令，今天，黄新廷给贺龙下命令了。

"怕么子嘛？"贺龙笑容可掬，猫着腰躲过一枚刚爆炸的炮弹，"你们防御工事做得不错，炮弹打不到。"

黄新廷急得直跺脚，赶紧派自己的警卫保护贺龙。

贺龙边走边看，扭头问黄新廷："都准备好了吗？"

★ 晋察冀部队掀起练兵热潮，实行官兵互教，进行射击表演，大家发表意见，把课堂上学到的东西应用到实际当中去。

"准备好了。"黄新廷拿出早就标好的作战地图，摊在贺龙前比划着回答，"总攻开始后，8团由六苏木向东进攻，占领北侧高地分割卓资山西部之敌。716团从卓资山以南向街内进攻。715团一个营从卓资山东面向北侧高地进攻。达成目的后就可对卓资山形成包围。"

贺龙点头说很好，接着又把358旅的阵地转了个遍。

黄昏时分，总攻开始。

358旅战士们早就憋足了劲。听到号令，一跃而出，各个小分队、战斗小组依托夜幕掩护向敌人纵深挺进。

抵近阵地，战士们就亮出了刺刀，把八路军最擅长的近战和夜战优势发挥得淋漓尽致。只听见对面阵地上喊声杀声和嚎叫声响成一片。

在八路军120师，358旅、359旅是最能打硬仗恶仗的。359旅于1944年南下后，就只有358旅留在贺龙身边了。1943、1944两年，贺龙搞了两次群众性大练兵，官教兵，兵教兵，兵教官，卓资山一仗，正是大练兵成果的体

47

现。

358旅把敌人防线撕开后，独1旅、独3旅紧跟其后，独2旅从商都南下，把卓资山围得严严实实。

国民党军67军军长何文鼎脸色惨白，不断向傅作义呼救。

傅作义也焦头烂额，他知道卓资山在他的整个防御体系中的分量，立即命令101师从集宁火速增援。

国民党军新编32师在一个小土包上孤军待援，而此时的何文鼎见大势已去，用泥往自己脸上抹了几把，带着警卫逃走了。

黎明来临，卓资山的枪声渐渐稀落。举着手的国民党兵耷拉着脑袋在山顶上排成了一条长龙，贺龙正带着战士们在兴高采烈地清点战利品。接到傅作义命令火速来援的101师在黎明前才晃晃悠悠到达卓资山地区，正准备拉开阵势进攻，贺龙留在凉城以西恭候多时的我军独1旅2团的手榴弹像雨点一样打来。101师顿时乱作一团，匪兵们自顾不暇，更谈不上增援卓资山了。

傅作义闻讯后瘫在沙发上，一摆手："撤吧！"

敌101在我军的攻击下，仓皇后撤。

听到101师后撤的报告，贺龙在卓资山上急得直跺脚。但也无能为力，我军独2旅接到命令后，许光达带着部队昼夜兼程。无奈，卓资山战斗发展得太快，待战斗结束时独2旅还没有赶到。

101师从眼皮底下溜走让贺龙万分遗憾，而在押解途中，又让敌新编32师中将师长张士智逃脱更是让贺龙好长时间没有说话。

但不管怎么说，拿下了卓资山这个战略要点，为晋绥野战军和晋察冀野战军联手向包头和绥远发起进攻，打开了大门。

绥远战无果而终

丢了卓资山的傅作义在司令部里大发雷霆，急电严查整饬何文鼎临阵逃脱一事。

而此时延安的中共中央军委会议室，毛泽东等人正围绕着贺龙举兵得胜的事谈笑风生。

朱德扬起贺龙发来的告捷电："主席，你去谈判贺老总最担心你的安全了。他一口气拿下卓资山是在向你胜利归来献礼哩！"

"哪里哪里！他是在向即将成立的新民主主义的中国献礼！"毛泽东摆摆手，把这个话题上升到政治高度，接着又说："贺龙同志说卓资山一战充分体现了大练兵的成果。我看一点没错。"

"是啊，大练兵的时候贺龙还花样翻新，把我们朱老总名字都用上了。射击优秀的战士就命名为'朱德射击手'。"彭德怀也兴致勃勃地插了一句。

朱德笑了："还有贺老总自己哩。投弹50米就是'贺龙投弹手'，刺杀也有'高岗刺杀手'。"

"他这么一搞，干部战士都有兴趣了，么子累呀苦呀，全忘了。"彭德怀说。

……

军委领导们气氛热烈地讨论时，贺龙正和聂荣臻在卓资山庆祝两区军队的胜利会师。

隆盛庄是两位老总约定见面的地方，等聂荣臻来到时，先到一步的贺龙赶忙迎了出来。

延安分别才几个月，想不到在此时此地再见面，聂荣臻、贺龙互相打了个拥抱，爽朗地笑了。

两区部队在卓资山休整了两天，打了场友谊篮球赛，又搞了个篝火晚会，其乐融融。

我军晋绥部队旗开得胜，一举拿下卓资山这个战略据点，使军委对绥远战役的形势迅速乐观起来。按照军委的意图，如果傅作义固守归绥，则主力西进，先攻下包头、五原、固阳，然后主力东进，围攻归绥。也就是说，军委定的调子是先主力西进，然后再东进。

对于中央军委的意图，聂荣臻、贺龙、李井泉在地图上研究了很久。

傅作义不愧是个军事帅才。贺聂咄咄逼人的攻势，目的一目了然，就是要控制平绥路（北平到归绥铁路），守卫张垣，切断其军队去东北的通道。所以在他看来，打退贺聂的进攻即是胜利。

傅作义在司令部里和部将仔细研究双方优劣势后决定以守为攻，外围阵地用一触即溃的办法，把兵力收缩在一起，坚壁清野着力固守大城市。

"傅作义这一招厉害着呢！"贺龙在司令部踱着步子。

聂荣臻端着警卫员给他专门打的一壶烈酒，饶有滋味地喝着，良久才开

★ 1945年11月，我军围困归绥市（今呼和浩特市）时士兵在阵地中攻击敌人。

口说道："归绥城里的守敌都是被我们打进去的，可以说惊魂未定，立足未稳。归绥还是不能够放弃。贺老总，我看这样吧。我们集中一部分力量打归绥，同时派一部分力量去打包头，让敌人两头不能兼顾。"

军委虽然电令绥远战役由聂荣臻主要负责指挥，但贺龙打仗也是出了名的，在一些重大行动上，当然还要征求贺龙的意见。贺龙抽着烟，紧锁眉头，同意了聂荣臻的意见。

聂荣臻、贺龙站在沙盘前把归绥城防看了又看。归绥分新老两城，新城是傅作义主政绥远后一手建设起来的。其防御工事早在抗日时期就已修筑到位，城墙外围有壕沟，壕沟里面有地雷，壕沟外面又有铁丝网。一层一层，层层相扣。在城周围的各个高地和山坡上，到处都是明碉暗堡，开起火来那炮弹会像下雨一样散落下来。另外，城内储备了足够的粮食，支撑傅作义6个师2.4万兵力一年半载是不成问题的。

如果说攻下卓资山等于打开了绥远的大门，那么归绥就等于是大门里面的一座宝殿。无论石级有多高，都是要登上去的。不然，把大门打开便没有了多大意义。

对归绥一战，傅作义已经押了注：只能胜，不能败。如果归绥不保，他傅作义在绥远的处境就会很难了。

贺聂对归绥、包头的进攻几乎是同时开始的。

★我军在修筑工事，准备迎击来犯之敌。

　　枪炮一响，归绥城坚固的城防优势就显现出来了。归绥后山居高临下的那一张火力网不说，就是傅作义精心构筑的那道壕沟就无法突破。野战军把所有的火力都发挥出来，但对归绥城仍构不成任何有决定意义的打击。虽然我军从四面进攻，有大军压境的气势，但只扫除了归绥外围的一些据点。

　　此时，我军围攻包头的情况也差不多。包头也是一座军事重镇，是黄河河套的重要门户。日本占领期间，就在城外东北角地势较高的禹王庙修筑了钢筋水泥的碉堡，能用火力控制城东、北两面。我军王尚荣指挥的独1旅、骑兵旅及晋察冀骑兵2团就是在禹王庙火力控制下受阻的，伤亡严重。有一次我军虽然突到城里去了，但因为禹王庙敌军火力太猛，我军后续部队跟不上，只能又撤出城外。

　　敌包头城防司令何文鼎在司令部得知我军攻击受阻，不免有些洋洋得意。

　　但傅作义还是放心不下。毕竟我野战军兵力占优势，并且打仗勇猛得很。傅作义连忙向南京请求援兵，蒋介石也知道绥远的重要，连夜致电马鸿逵，要求派骑兵增援包头。11月中旬，马鸿逵的骑兵师已经到达临河。骑兵，这个中世纪战争的产物，在那时仍然发挥着巨大的作用。速度快，机动性强，打一枪就走，撵都撵不上。

　　归绥、包头双双形成僵持局面，使贺聂会师卓资山以来的痛快心情一扫而光。两区野战军鞍马劳顿，天气又渐渐转寒，这样僵持下去，如果让傅作

★晋绥部队及黄河西岸的120师部队向平绥路西段、同蒲路北段进军，解放了绥远、山西两省广大地区。

义逮住机会，来一个全面反扑，那后果不堪设想。

贺龙的意见是放弃归绥，集中全力攻打包头，然后再由西向东。实际上贺龙在一开始就是主张全力西取包头的。11月11日，我军黄新廷率358旅两个团一阵风似的赶到了包头增援王尚荣。

"这仗根本没法打。"一见到黄新廷，王尚荣就吐起了苦水，指着禹王庙说："你看，那小土包全是碉堡。我们冲进去过一次，火力把城墙缺口一封，根本没法跟进。"

黄新廷没说什么，拉起王尚荣说："走，先看地形去。东、北不行，我们就看看西、南如何。"

南城有一条河，但不宽，并且差不多已干涸；西城没有什么掩体，只是城墙工事牢固一些。

两旅长决定，主力从西南面突击，另派两支小部队在东北和西北佯攻，钳制敌火力。

战斗打响了。担负主攻的我军独1旅2团和358旅715团首先隐蔽穿插，担负佯攻的独1旅8团和358旅714团猛烈进攻。何文鼎令禹王庙火力堵住我军8团和714团，我军2团和715团伺机发起了进攻。西南守敌措手不及，来不及还手，2团和715团尖刀营已经攻入城内。

但傅作义事先令何文鼎在城内抢修了很多迷宫似的巷战工事，野战军一入城，敌人就亮起明晃晃的刺刀打起了巷战，这一招是野战军事先没有想到的。

这场巷战足可以称为一场最原始的战争。两个活生生的人，拿着刺刀就往对方身上捅，你一刀，我一刀，像是事先安排好的。刺刀杀丢了，就展开徒手战斗，用手，用脚，用嘴，只要是能用上的都用上了。

因为地形不熟悉，我军处处被动，几个时辰下来，包头西南城角，敌我双方已是血流成河。

子弹打光了，力气用完了，再战斗下去，伤亡将更多，王尚荣、黄新廷无奈下令全线撤退。

贺龙从两把菜刀闹革命开始就没有服过输，此时，贺龙一个人在指挥所里思考了很长时间。如果放弃包头，前功尽弃，将无法实现中央的战略意图；如果继续攻打包头，把握又似乎不大；如果不打也不撤，天气渐渐寒冷，围而不打也并非上策。

望着窗外瑟瑟秋风中飘零的落叶，贺龙这员身经百战的战将也陷入了左右两难之中。最后，他找到聂荣臻，下定决心准备率全部晋绥野战军向包头进发，在此情况下，背水一战似乎是上策。

此时的聂荣臻也在思考同一个问题：打还是撤。

11月16日，军委来电。令聂荣臻率晋察冀部队西进包头。

接到电报，聂荣臻皱起了眉头。他把自己的想法和理由，如实地反馈给了中央军委：

如果晋察冀部队主力西进，围城部队即转为劣势，而敌人必然乘机反击，全部战局有恶化的危险。如果以全部主力西进，去夺取五原、临河、陕坝，这样，就分为归绥、包头、河套三个战场，相距400多公里，势必兵力分散，三处力量皆弱，难以相互策应。绥远地区并非根据地，没有巩固的后方补给线，粮食、弹药无法迅速前运，伤员后送也是个大问题……

一口气写了这么多，等着军委裁决吧！

这封电报中央军委研究了好几次。军委领导们已经感觉到了绥远战役的难度，但在全国一盘棋上，军委还是主张贺聂一起西进包头。但最后又附带一句：我们不了解情况，请贺聂机动处理。

经过军委指示和贺聂权衡后，贺龙、李井泉率晋绥部队主力西进包头，聂荣臻率晋察冀部队继续围困归绥。

11月底的内蒙古已寒风刺骨，滴水成冰。包头城的防御，比以前进一步加强了。何文鼎作好了一切准备，等着贺龙来攻城。此时的贺龙胆囊炎发作，躺在担架上咳嗽不止。但他决心最后一试。成功，就能达成中央的战略意图；受阻，就马上撤出。

12月2日晚，包头城寒冷异常。贺龙发布了进攻命令。

呼啸的北风，刺眼的火网，坚固的城墙，注定了这又是一场没有结果的进攻。

那场攻城战斗中的悲壮场面，几十年后贺龙仍然记忆犹新。

就在贺龙攻打包头的同一时刻，蒋介石调集重兵准备袭击张垣。

12月12日，中央下达绥远战役结束令，贺聂撤出归绥、包头。

历史碎片 LISHISUIPIAN

D 大拼接 DAPINJIE

☆ 中国人民解放军坦克部队的诞生

　　1945 年 12 月 1 日，东北人民自治军以修复的日军坦克为基础，在沈阳市东马家湾子建立了我军的第一支坦克部队——东北坦克大队，全队共 30 余人。尔后，晋冀鲁豫野战军在 1946 年 9 月、华东野战军在 1947 年 3 月、晋察冀野战军在 1947 年 11 月，利用缴获的国民党军坦克，均先后组建了坦克队。随着缴获和接收的国民党军坦克的增多和战斗的锻炼，人民解放坦克部队不断壮大发展。至 1949 年 11 月，已拥有各种坦克410 余辆，装甲车 367 辆，兵员 8,000 余人。在全国解放战争中，坦克部队在支援步兵作战中，发挥了重要作用。

☆ 黄埔师生对决东北

　　辽沈战场上，敌对双方战地主帅都是黄埔师生：国民党东北"剿总"总司令卫立煌是黄埔教官，副总司令杜聿明、郑洞国、范汉杰皆为一期生；共产党第四野战军主帅林彪是黄埔四期生。短短的 52 天时间，47 万国民党精锐部队灰飞烟灭。蒋介石气得捶胸怒吼："林彪是四期的，而你们是一期的，全是一期的……教官不如学生，一期打不过四期！"

☆ 中国人民反内战同盟发表《告全国同胞书》

　　1945 年 11 月 30 日，中国人民反内战同盟发表了《告全国同胞书》，其严正指出：谁要"把人民的血当作政治的赌注，谁就要受到中国人民的唾弃，受到亿万祖孙的诅咒。"中国人民反内战同盟是由下而上的人民自己的组织，是千百万农民、工人、军人、商人、教育工作者、新闻工作者，在反对内战这一旗帜下而联合起来行动的政治集团。反内战同盟要求全国人民一致起来，用一切有效的方法制止内战，"准备用行动来表示我们的意志"。该集团代表了广大人民的意志：坚决反对内战，为制止内战而努力。

蒋介石调集30万兵力把中原部队包围在以宣化店为中心的狭窄地区。中共中央指示：立即突围！愈快愈好。李先念、郑位三、王震带领北路突击队披荆斩棘，越过平汉铁路封锁线，突出包围圈。

突围出来的359旅一路遭到胡宗南围追堵截，处境险恶。

陕甘宁晋绥联防军警备第1旅及游击队迅速组织南线出击，接应359旅。359旅历尽千辛万苦终于回到延安。

第三章

和战之间，中原突围血雨腥风

从和谈到调停

毛泽东赴重庆的第三天就由一首词引发了一场风波。那天著名民主人士柳亚子来桂园拜见毛泽东，两位故人一别20余年，此次相见分外亲切。柳亚子是著名的革命诗人，同情和支持共产党的革命事业，与毛泽东更是诗朋词友。柳亚子兴致很高，一时诗兴大发，赋了一首诗赠与毛泽东，"阔别羊城十九秋，重逢握手喜渝州。弥天大勇诚能格，遍地劳民战尚休。霖雨苍生新建国，云雷青史旧同舟。中山卡尔双源合，一笑昆仑顶上头"。作为答谢，毛泽东把1936年2月写的《沁园春·雪》抄录了一遍赠与柳亚子。

气吞山河的《沁园春·雪》一下就把柳亚子吸引住了。他摸着胡子连连称好，拍手叫绝。回去后，又和一帮友人仔细品读吟咏起来，无不击节叫好，爱不释手竞相传抄。这样一传十十传百，后来居然在报纸上刊登出来了，人们互相传抄，报刊杂志也纷纷转载，一时间大有"洛阳纸贵"之势。重庆舆论一时之间对毛泽东好评如潮，都觉得毛泽东是个人物，文采飞扬，抱负宏大，

★1946年6月26日拂晓，国民党军30万人，向我中原解放区的中心地区——豫鄂边宣化店大举进攻。根据中央的指示，为保存力量，争取主动，中原我军主力作战略转移，分两路向西突围。

胸襟开阔，心怀天下。

　　如此一来可急坏了蒋介石。毛泽东抱负宏大，心怀天下，那我算什么？蒋介石把陈布雷叫来，说："毛泽东自比唐宗宋祖，有封建帝王思想。赶快组织人马写文章，就说他来重庆不是谈判的，而是来当王的。"陈布雷对诗词颇为精通，打心眼里佩服毛泽东的才华，但为了政治斗争的需要，仍照着蒋介石的指示办了。转眼间，重庆的官方媒介又万炮齐发，一起批判毛泽东的帝王思想。毛泽东被蒋介石的滑稽可笑弄得哭笑不得，他不知道随感而发的一首词居然能成为蒋介石的攻击"把柄"。

　　聪明的人可以从这次诗词风波中嗅出谈判中的异样气氛来。可以说，它显示出的对毛泽东的敌意，已经初步预示了这场谈判注定是没有结果的。后来事实的发展也证明了这一点。蒋介石坚持：共产党必须把军队交出来，实现军队国家化后才能谈政治民主化。毛泽东说：必须先改组政府，组建一个包括共产党及各民主党派在内的民主联合政府后，共产党才交出军队，先实

★1945年8月28日，毛泽东应蒋介石的邀请参加和谈，在美驻华大使赫尔利（右三）和国民党代表张治中（右五）的陪同下，偕周恩来（右二）、王若飞（右一）飞往重庆。

现政治民主化再实现军队国家化。

问题明摆着，蒋介石不会放弃国民党一党坐天下的地位，更不会放弃他独揽大权的局面。"一个主义、一个政党、一个领袖"就是蒋介石的意识形态。他对其谈判代表明确指示，"不得于现在政府法统之外来谈改组政府问题。"如果按照共产党的意见来改组政府，不但国民党的执政党地位不保，蒋介石的独裁统治更不保。蒋介石当然不会答应。

反过来在政权未改组之前，共产党也不会交出军队。大革命失败最根本的一条就是因为共产党没有掌握军权，在"枪杆子里面出政权"的年代，没有军队你还能有什么？如果共产党不是有那么百来万人马，蒋介石会邀毛泽东来谈判吗？

但蒋介石还是挖空心思逼共产党交出军队。

毛泽东出席《大公报》负责人举行的招待宴会时，李子坝说："你们不要另起炉灶。"毛泽东说："这话我赞成，但蒋介石得要管饭，他不管饭，我们不另起炉灶怎么办？"还有一次毛泽东出席赫尔利的宴请，赫尔利要求中共

★毛泽东赴重庆参加国共双方"和平谈判"前，在重庆机场向欢迎人群招手致意。其身后为国民党代表张治中将军。

交出军队，交出解放区，要么承认，要么破裂。毛泽东答道："不承认，也不破裂，问题复杂，还要讨论。"

毛泽东去拜访陈立夫说："我们上山打游击，是国民党剿共逼出来的，是逼上梁山。就像孙悟空大闹天宫，玉皇大帝封他为弼马温，孙悟空不服气，自己鉴定是齐天大圣。可是你们却连弼马温都不给我们做，我们只好扛枪上山了。"

《双十协定》出台了。这份由各握有相当兵力而又互不妥协的双方签订的一纸文件究竟有多大意义，且让历史去评说。而此时的毛泽东，最关心的还是前线的仗打得怎么样。8月23日，毛泽东在政治局扩大会议上，对第二天就要出发到前线去的刘伯承、邓小平等人讲过，你们在前线打得好一点，我就安全一点，和平的希望也大一点。

毛泽东去重庆时对蒋介石丝毫没有抱有幻想。还是在临行前的政治局扩大会议上，毛泽东说去重庆是揭穿蒋介石的阴谋。他坚信，蒋介石也不会给共产党任何幻想。所谓"和平谈判"只不过是为全面进攻共产党所作的表面

★ 重庆谈判结束后，毛泽东同志于1945年10月11日返抵延安。延安广大军民前往机场迎接。

XiangGuanLianJie
DaSaoMiao

☆ 毛泽东指出："枪杆子里面出政权"

  1927年8月18日，根据"八七"会议精神，中共湖南省委于本日在长沙近郊沈家大屋召开会议。讨论制定了全省的秋收起义计划。毛泽东以中央特派员的身份出席了会议，传达了"八七"会议精神，并就起义力量、起义旗帜、起义区域和土地问题等作了重要发言。他指出，湖南的秋收起义，要解决农民土地问题，这是谁也不能否认的，但是发动起义，单靠农民的力量是不够的，还必须有军事的帮助，要有一两个团的兵力做骨干。起义发展要夺取政权，要夺取政权就要有一定的兵力。我们党从前的错误，就是忽略了军事，现在应把主要精力放在军事运动上，用枪杆子夺政权，建设政权。

文章而已，最后的问题，还是要通过战争来解决。

10月17日这天，回到延安的毛泽东把延安的干部召集起来，把重庆谈判的情况给大家讲了讲。

简陋的会场坐满了人。横七竖八的木板凳，烟雾缭绕的环境，今天来看，不像是一个政党的高层干部会议。但当时的中共干部，从来就没有谁在乎过会场环境怎么样，只要是毛泽东讲话，大家兴趣都很高。

毛泽东依然是那副讲话的神态，双手插腰，那一口浓重的湖南乡音，把大家所关心的问题讲得透彻明了。

毛泽东开头说到："已经达成的协议，还只是纸上的东西。纸上的东西并不等于现实的东西。事实证明，要把它变成现实的东西，还要经过很大的努力。国民党一方面同我们谈判，另一方面又在积极进攻解放区。为什么国民党要动员那么多的军队向我们进攻呢？那是因为它的主意老早就定了，就是要消灭人民的力量，消灭我们。"

毛泽东接着又说："他来进攻，我们把他消灭了，他就舒服了。消灭一点，舒服一点；消灭得多，舒服得多；彻底消灭，彻底舒服。"

毛泽东讲得犀利而幽默，在座的人都捧腹大笑，包括不苟言笑的彭德怀，也为主席的幽默所感染，笑了起来。

喝了一大口水，毛泽东继续说："人家打来了，我们就打，打是为了争取和平。不给敢于进攻解放区的反动派很大的打击，和平是不会来的。他还告诫马上就要去前线工作的同志，我们共产党人好比种子，人民好比土地。我们到了一个地方，就要同那里的人民结合起来，在人民中间生根、开花。"

在不知不觉中，两个小时的报告结束了，同志们仍然意犹未尽。

毛泽东点起一支烟，似乎还有很多话没讲完，他和刘少奇、朱德、任弼时、彭德怀在一旁谈笑风声。

"根本就不要相信蒋介石那一套。还是主席讲得好，把他消灭了，他就舒服了。谈么子判喽，最后还是要打！"彭德怀粗声粗气地说，把毛泽东几人逗笑了。

在谈判的问题上，彭德怀是一个"主战派"。毛泽东赴渝谈判之前，他就极力主张先跟老蒋打几仗，把他打舒服了再去谈。

毛泽东把手一挥，吐出一口烟笑着说："谈判桌是另一个战场嘛！你在拿枪的战场打胜仗，我在用嘴的战场上也打胜仗。这叫互相配合，相得益彰

★参加政治协商会议的中国共产党代表团部分成员。右起：王若飞、董必武、邓颖超、周恩来、陆定一。

嘛！"

"主席这次去重庆收获确实很大。"刘少奇说，"哪怕协议实现不了，在政治上我们也争得了主动权。蒋介石说我们破坏和平的谣言也就不攻自破了。"

朱德说："不过主席这次去还是担了不少风险的。很多同志都为你捏一把汗哩！蒋介石的为人大家再清楚不过了。就怕主席成为第二个张学良。"

"成不了。这种时候蒋介石没那个胆子。他不仅没让我成第二个张学良，还大鱼大肉地招待我。你们看，不是又长肉了嘛！"毛泽东指着微微隆起的腹部哈哈大笑。

其他几人也跟着笑了起来。这几个共产党的领袖们就这样你一句我一句地聊着，既风趣，又充满智慧。

……

1945年11月，毛泽东病倒了。这可能是毛泽东继在井冈山生病以来的最大的一场病。毛泽东也确实太累了。重庆谈判时，一边要对付处处设陷井的蒋介石，一边又要指导全国的战略布局。另外，林彪在东北打得也不怎么好，而聂荣臻贺龙的绥远战役也陷入了僵局。占领东北、控制绥远可以说是毛泽东的两大战略决策，而现在双双失利，他就在这样的压力下病倒了。此时的周恩来还在重庆和蒋介石周旋。蒋介石要马上召开政协会议，周恩来代表共产党提出，开政协会议之前双方必须停火。就这个问题，双方来来去去谈了好多次，还是无法达成共识。

看着国共关系这副样子，美国总统杜鲁门也急得不行。他早就认定了蒋介石是打不垮共产党的。而共产党又是和苏联站在一起的。如果共产党把蒋介石打垮了，共产党必然会带领中国倒向苏联，这是万万使不得的。所以蒋介石就成了美国的一个烫手山芋。扔，扔不掉；不扔，又烫手得很。蒋介石仗又打不好，还不断派第一夫人来要钱要枪。杜鲁门被这个蒋介石折腾得心神不定。但为了美国的国家利益，此时的杜鲁门仍然要做最后的努力。赫尔利辞职后，又一个调停角色出现了。

12月22日，一个头戴礼帽，鼻梁高耸，浑身散发着一种军人气质的人来到了重庆，他将要在下一轮国共关于停战问题的谈判中发挥关键的作用。他就是杜鲁门总统的特使，美国五星上将马歇尔。马歇尔作为特殊时期的使者，担负了这一特殊的使命。

XiangGuanLianJie
DaSaoMiao

GuanJianCi
相关链接
大扫描

☆ 史迪威事件

1942年3月，史迪威赴华就任中国战区参谋长。同时，美国还委任他为驻华军事代表、在缅甸的中美军队总司令等。史迪威来华后，指挥了中国军队入缅以及美空军配合中国军队对日作战等工作，但同时他也主张国民党应解除对陕甘宁边区的封锁，建立美国与中国共产党之间的政治与军事关系，拨出部分租借物资装备共产党的军队。这些都触犯了蒋的利益，使得他们的矛盾日益激化。随后蒋在给罗斯福的备忘录中坚持要求撤换史迪威，10月19日，罗斯福颁发了召回史迪威的命令。

马歇尔一到重庆，蒋介石就满怀热情地接待了他，席间说了好多寄予厚望的话。蒋介石虽然满面春光，但似乎如鲠在喉。抗日时期，马歇尔与蒋介石之间的一些积怨，使他不免有些难堪。不过过去的已经成为过去，马歇尔决定要完成总统交待的任务。他周旋于周恩来与张群之间，硬是把国共停战协定给谈下来了。当他在停战协定上写下"Marsah Ceorge Catlett"的时候，他觉得他在中国的事业已经超过了史迪威，超过了赫尔利，因为，他改变了一种历史的走向。

但停战协定能保证永远停战吗？

大兵压境

国共双方的停战令于1946年1月14日零时生效。

拿到签有张群、周恩来和马歇尔名字的停战协定，蒋介石不禁打了一个寒颤，皱着眉头看了老半天。不知道此时的蒋介石在想什么，但他立即就下了一道命令：政治协商会议马上召开，我军应于停战令下达前后，全力占领所有地点，行动务须秘密，勿资共方借口。

于是，停战前夜，国民党开始了一场更加疯狂的进攻。

XiangGuanLianJie
DaSaoMiao

GuanJianCi
相关链接
大扫描

☆ 秀水河子歼灭战

1946年2月11日，蒋介石调动美械装备的精锐部队新编第6军主力以及第52军、第13军各一部，沿北宁路两侧分三路向沈阳进犯。当敌进犯到秀水河子时，东北民主联军总司令林彪率军趁敌孤立突出之机，迅速将其包围。13日黄昏，发起总攻，经一夜激战，取得了全歼该敌1,600余人的胜利。这是解放军挺进东北后取得的第一个歼灭战胜利，鼓舞了东北广大军民的战斗士气。

★由美国、国民党和共产党组成的三人小组成员周恩来（右一）、马歇尔（右二）、张治中（右三）。

1月9日，国民党向古北口我军进攻，12日结束，以国民党军失败告终。

1月10日，东北国民党31军一部占领凌源、平泉。华北国民党第94军第5师及伪军一部10日由唐山出发，12日攻占丰润，14日攻占玉田。

11日，国民党军占秀水河子，14日，占辽中。

11日，国民党郑州绥署孙震部占息县。

12日，国民党第35军31师、32师进占绥远陶林、和林。

14日，傅作义部新编第4师等部占集宁，八路军晋绥军区、晋察冀军区一部发起反击，随后收复。

……

类似的军事行动举不胜举。于是，在中国大地上出现了亘古未有的奇特现象：一边停战令满天飞，一边战事不断。

作为停战协定的附属物，军事调停处也随后在北平成立，美方代表饶伯森、国民党代表郑介民和共产党代表叶剑英组成了这个调停处。自成立之日起，这个机构可能是当时中国所有官方机构中最忙的了，天天都有状纸，天天都能接到申诉，受理投诉后又要到处调查取证，忙得不亦乐乎。而往往做出的裁决又苍白无力，让人啼笑皆非。

蒋介石仍然一如既往地和美国合作，继续他的军事部署。到1946年的四五月份为止，蒋介石已经得到了美国政府提供的13.5亿美元的物资，这是抗战期间美国援华物资的两倍，可见美国在蒋介石身上下的本钱有多大。另外，美国还为蒋介石训练技术军官15万人，用美制装备装备了45个师旅，提供各种战斗机936架，帮助蒋介石运送兵力54万人。至此，蒋介石的战争机器基本上完全建立。

跟共产党真真假假地谈了这么几个月，蒋介石总觉得心里不痛快。谈，谈不好；打，又不能完全打起来。蒋介石很讨厌那些一说话就耸肩的美国人，他们飞来飞去，到处斡旋，先是赫尔利，后来是马歇尔，再后来又来一个艾森豪威尔，他实在不能理解美国人对中国事务的那一份热心劲儿。但到了6月，他是再也憋不住了。什么《双十协定》，全都一边去！此时的蒋介石终于撕下了他伪装和平的面具。

蒋介石制订了一个雄心勃勃的进攻计划，用193个旅、158万的兵力，分别进攻中原、华东、晋冀鲁豫、晋察冀、晋绥、陕甘宁、东北等解放区。在48小时内消灭中共中原部队，两个星期占领苏北，3个星期打通津浦路和胶济路，3到6个月内解决关内问题，然后再攻占东北全境，让青天白日旗在中国大地上高高飘扬。

拿着这份全面进攻、速战速决的战略计划，蒋介石似乎看到了国军驰骋疆场，所向披靡的宏浩场面。他甚至还想到了继还都南京后，又在一片凯歌声中迁都北平，站在那象征中华民族精神的天安门城楼上气宇轩昂地检阅他的胜利之师。随着后来战局的发展，历史证明了蒋介石不过是痴人说梦而已。

他戴着老花镜，在密密麻麻的地图上不断标示，最后，铅笔在鄂豫相接的大梧县落下，在宣化店地区狠狠地画了一个圈。

这是中原军区所在地。蒋介石向共产党展开进攻的第一个目标就选择于此。他要使这个地方从共产党的地图上消失。

1945年10月，从广东北返的八路军359旅南下支队与鄂豫边区的新四军第5师和从河南中部南下的嵩岳军区部队在豫西桐柏山区胜利会师，遂组建了中原军区，李先念为司令员，郑位三为政委。中原解放区一度发展到60多个县，对国民党的战略要地武汉三镇形成了包围态势。用蒋介石的话说，中原军区"北出黄淮平原，以扰中原；南下武汉，以窥两湖；西进随（县）、枣（阳），以控荆（州）、襄（阳）；并可切断我平汉路中原之大动脉"。

如果把中国比做一个人，中原无异就是心脏。蒋介石要还都南京，盘踞华东，控制华北，还要抢占东北，共产党把这么一个拳头放在他心窝子里，他怎么都感到不自在。

"得中原者得天下"，中国历次改朝换代的史实证明了这么一个真理。蒋介石眼睛睁得大大的，就盯着这么一个地方。那可是"真龙天子"的发脉之地啊！他也希望有一天能成为现代的"真龙天子。"

我中原军区建立之始，国民党第一战区司令长官胡宗南分兵一部，自西北方向沿陇海路两侧东进；第五战区司令长官刘峙所部，沿平汉路两侧，自北向南进犯；第六战区的部队自鄂南北进，总兵力约30万人，把中原军区5万多部队压缩到方圆不足百里的鄂北小镇宣化店。

这次蒋介石仍然采用堡垒战术，步步为营，一路上造碉堡，修战壕，在

★中原军区司令员李先念。

★中原军区政治委员郑位三。

XiangGuanLianJie
DaSaoMiao

☆ 蒋介石的爱将——陈诚

蒋介石逃到台湾后,于1950年6月,宣布解散派系林立的中央执行委员会和监察委员会,重新建立了一个由16人组成的"国民党中央改造委员会"。陈诚任委员,负责改组国民党。1952年10月,陈诚当选为"国民党第七届中央执行委员会常委"。1954年3月,当选为"副总统"。11月,任"光复大陆设计委员会主任委员"。1957年10月,当选为"国民党第八届副总裁"。次年7月,由"副总统"改任"行政院长"。1960年3月,在换届选举中,再任"副总统"。

停战期间大搞备战。至4月底,合围中原军区的准备基本就绪。

万事俱备,只欠东风。

这一天,蒋介石召集白崇禧、陈诚开了一个短会。

蒋介石的这两员干将心领神会,未等他开口,号称"小诸葛"的白崇禧说道:"委座,刘峙已经准备好了,就差您一句话了。"

陈诚欠着身子没有说话,蒋介石这位得意门生对他始终保持着一种尊重和崇敬。

蒋介石没有立即表态,看着会议室的地板,目不转睛。

此时的蒋介石正感受着东北战场的鼓舞。在东北,杜聿明在与林彪的对决中占得了上风;而与此同时,胡宗南也已重兵围定了陕甘宁;其他战场上,形势也非常看好。蒋介石现在完全有理由相信,共产党不是他的对手。

蒋介石已经下定决心,不能再拖了,不能再无休止地谈谈打打、打打谈谈了。

他忽地收起目光,咬着牙齿:"行动吧!"

白崇禧、陈诚立即起立,脚跟一靠,行着标准的军礼答道:"遵命。"

事关中原军区生死存亡乃至整个中国是和还是战的一个决定,就这样出笼了。

　　次日，国民党国防部长白崇禧和总参谋长陈诚的联合命令发出："我军陇海线以南之各部队，已奉命整编完毕。而共军李先念、王震部，拒不接受国防部之整编，显系别有图谋。兹命令各军从本令颁发之日起，对他们实行严密监视。如发现其有不轨行动，立即予以全歼之。凡玩忽职守作战不力者，以通共论，按军法惩处。仰我官兵同仇敌忾，奋勇立功！此令。"

　　国民党大举进攻就在眼前。

　　李先念此时心急如焚。6月的鄂北并不特别炎热，但此时他心里却火烧火燎。他在宣化店司令部里来回踱步，而后干净利索地对郑位三、王震说："中原解放区的主要任务是对周边解放区起一个屏障作用，牵制国民党兵力，配合其他战场作战。这个任务现在已基本完成。我认为我们必须迅速突围，不然不仅起不到对其他解放区的屏障作用，自己还会遭受无谓的损失。我建议向军委请示，是否同意立即突围。你们意见如何？"

　　这几日郑位三、王震也在考虑这件事，一致同意李先念的意见。

　　收到李先念等人的告急电，毛泽东没有任何犹豫，挥笔就写：同意立即突围，愈快愈好，不要有任何顾虑，生存第一，胜利第一。

　　就在李先念等人商量突围的时候，郑州绥靖公署主任刘峙也在他的官邸开会讨论围攻路线。这位抗战时期的"长腿将军"此时是蒋介石中原围剿的总司令，各路部队归其统一指挥。他正磨刀霍霍，要以与杜聿明在东北一样的战绩来向蒋介石报喜。

　　他以"总司令"身份在会上圈定了围攻部署：刘汝明部整编第55师、68师和张岚锋部在曹县、民权、考城、兰封一线严阵以待，主力布置在兰封、考城，防止刘伯承邓小平南下；胡宗南部整编第15师、32师、38师、40师、85师、47旅和孙殿英部守卫安阳、新乡、洛阳，主力布置在新乡一线，防止敌逃脱；孙震部整编第3师、41师、47师由北向南、整编66师由南向北推进，将共产党中原部队合围于宣化店，逐步缩小包围圈，用堡垒战术，消灭李先念。

　　会后几天，几路大军共30万人马向宣化店进逼，杀气腾腾向中原部队扑来。

　　这一天是1946年6月26日。

突出重围

中原军区司令部里灯火通明，李先念、郑位三、王震、王树声正围着一张简陋的办公桌讨论突围计划。这次会议少了以前的谈笑风生，几人一落座就直奔主题。

"据可靠情报，蒋介石已经命令刘峙于22日前做好围攻准备。刘峙的部队正分南北两路向我们逼近，这几天他的前哨部队活动很频繁，天天都有飞机来监视我们。他也在防备我们突围。"李先念摇着一把蒲扇，声音很低。

郑位三接过话头："中央也知道我们的处境，要我们立即突围，愈快愈好。但现在我们的四周都是刘峙的部队，我们的蛛丝马迹都在他的掌握之中。突围的任务很艰巨，不仅要有勇气，还要有手段。先期的准备工作必须隐蔽进行。"

屋里静悄悄的，没有任何声响。这几位中原军区领导人都感到从未有过的压力正在袭来，包括历尽"南征北返"艰辛的王震。

还是李先念打破沉默："我看应该用蒋介石的那一套，一边和平，一边行动。这就叫用其人之道还治其人之身。我们表面上恪守五月份的《汉口协议》，给刘峙造成假象；另外，从现在开始各部队都要做好充分的动员，把一切突围工作都准备好。只要时机成熟，就可以行动起来。现在的问题是向哪边突围。这个问题还要

★在宣化店地区指挥部队突围的中原军区司令员李先念。

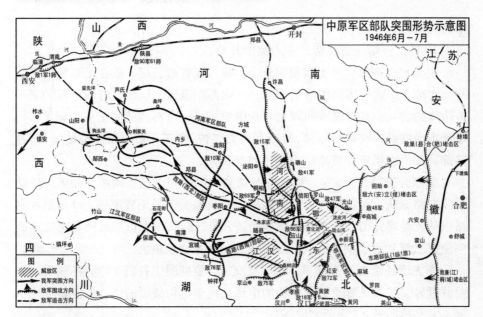

★中原军区部队突围形势示意图。

大家群策群力。"

　　对于突围而言,方向是一个至关重要的问题,也可以说是一个战略问题。当时有向东、向西和向北3个可供选择的方向。但那天的会议还是一致通过了向西突围的方案,因为西有秦岭、武当山,地区广大,便于机动,遇到大股敌人的围追堵截,部队可以迅速转入游击状态,尔后再集中西进,又可以转入太岳或陕甘宁边区,或相机入川。

　　但这条路线山多路险,突围途中的行军困难会成倍的增加,重型装备和一些其他用品肯定不能随军前行。

　　不过,只要能把5万部队安全带出蒋介石的包围圈,再大的困难也算不得什么。

　　一切突围行动按计划进行。

　　李先念仍然像往常一样派人前往刘峙部队交涉防区事宜,还到处刷写宣传标语,要和平,要团结。同时命令皮定钧率一个旅故意在宣化店东北泼陂河前沿加固工事,佯装成中原军区主力想在东线打一场恶战的势态。23日和24日,又命令皮定钧在阵地上川流不息地频繁调动,深夜秘密地向西转移,白天又公开地回转向东开进,中途还在行军路上埋锅做饭,造成主力向东突

71

围的假象。

26日，一切准备就绪，主力突围开始。

夜幕已经降临，天上繁星闪烁，一抹月光穿透云层，撒在了万籁俱寂的神州大地上。宣化店周围静悄悄的，一切都在沉睡，包括刘峙所设置的第一道防线的官兵。月光笼罩的宣化店我中原军区司令部内此时正一片繁忙，司令部电台嘀嘀嗒嗒响个不停，传令兵跑得飞快，参谋人员也紧张地忙碌着。各路部队都已在指定位置集结完毕，整装待发。

突围分三路进行。军区副司令员兼第一纵队司令员王树声率领第一纵队组成左路纵队，经花园西进；军区副司令员兼参谋长王震率领359旅组成右路纵队，经鸡公山、李家寨和柳林西进；第二纵队司令员兼政治委员文建武率领第二纵队组成中路纵队，经杨家寨、王家店西进。

李先念还留在司令部里，他反复交待，要把屋子打扫干净，不能带走的要放置好。接着又要通了皮定钧的电话，说了几句鼓励的话。皮定钧在电话那头响亮地回答："保证完成任务。"

夜色掩护下，一路路八路军士兵蹑手蹑脚地出发了。没有灯火，没有声响，连指挥口令也压得低低的。队伍就在羊肠小道上摸索着行进，一个拉着一个，向着他们的目的地急速前进。

此时的刘峙正在郑州睡觉，他对宣化店正发生的事情浑然不知。而就在几个小时前，他还向蒋介石信誓旦旦地宣称，共产党中原部队已如瓮中之鳖，只要开口，就能够一个不剩地全部吞下。

主力向西突围的行动在李先念等人的指挥下仍然如旧。皮定钧的部队像往常一样东调西调，与刘峙谈判交涉的活动还在进行，宣化店街头也像往常一样人来人往，热闹非凡。

27日这天，太阳升得老高了刘峙才起床。自共产党强烈抗议国民党围攻中原以来，他每天起床后的第一件事就是问宣化店的中原部队有什么动静，但每次接到的报告都是无异常情况。时间一长，他也就放松了警惕。这天早上他一起来就去做户外运动了，太极拳打得正起劲，老远就看见机要秘书快步跑来。秘书一个立正，满头的大汗来不及擦就向刘峙报告：共产党中原部队有突围的迹象。

刘峙眉头一皱，命令道："讲清楚。"

秘书回答道："刚刚接到报告，李先念的部队有向东运动的迹象。"

刘峙皱着眉头，接着命令道："派飞机侦察。"

按照刘峙的判断，中原部队主力向西突围与陕南部队会合的可能性大。

"难道我判断错了？"秘书转身走后他还站在原地自言自语，满腹狐疑。

刘峙的侦察飞机在上空盘旋，只见宣化店东面地区浓烟滚滚，共军大部队正向东展开猛烈进攻。

确信无疑，李先念部队正向东突围。

刘峙火速来到作战室，指头一指，各路部队开始向宣化店东部地区进攻。

冲在最前面的是宋瑞珂中将的国民党第66军。6月22日，白崇禧、陈诚的联合命令下达后，他参加了武汉行辕的一次紧急会议，会后立即赶到信阳总部，把军部前移到了广水车站，而军的前方指挥所也向宣化店方向逼近。

黄埔毕业的宋瑞珂深得蒋介石欣赏，可谓蒋校长的得意门生。他知道攻克中原在蒋介石整个大陆战局中的地位，他一心要为党国建功立业，刘峙一声令下，他便带着部队迅猛向前推进。

宋瑞珂的部队几乎没有受到抵抗，于6月27日晚就到了宣化店。皮定钧率部节节抵抗掩护主力突围后已就地分散打游击去了。

到黎明时分，宋瑞珂的199和185两个旅，全部占领了宣化店古城和四周的大小据点。

望着一座人去楼空的空城，宋瑞珂站在中原军区的大门外好长时间没说一句话。

刘峙更是惊讶不已！

他在作战室里来回踱步。30万大军围定中原几个月，修建了那么多碉堡，壕沟，花费那么多银子，满以为可以囊中取物，获一"剿匪"大功，结果共产党几万部队就在几天之内不翼而飞啦？南京的老头子刚刚复都回来，对中原一仗寄予了很大的希望。结果弄成这个样子，怎么向委座交代啊？

刘峙垂头丧气，一时手足无措，一连打了几个电话，命令各部队火速出动侦察部队排山式搜寻，非找到李先念王震不可！

刘峙叹了一口气，正拿几份文件来看，这时接到了前方战报：柳林站附近发现敌情，可能是李先念主力部队已突围至此。

刘峙眼睛一亮，如获至宝，来不及思考，抓起电话就喊："给我堵住，给我堵住！"

向刘峙报告的是国民党军整编第15师，他们已与359旅交上了火。

★ 我军爆破小组在火力掩护下冲向敌堡。

359 旅是随中原局和中原军区领导机关一起向西突围的，选择信阳以南的柳林车站至李家寨车站一线作为突破口。

29 日，部队到达九里关附近，在树林中隐蔽集结。

连着几日的紧张行军，王震显得消瘦了一些。他打开水壶，咕咚咕咚喝了几口水，摊开地图和 359 旅政治委员王首道、副政委李铨把周围地形仔细研究了一番，准备沿平汉路柳林至武胜关段黄庄一线展开，向守敌整编第 15 师第 135 旅第 40 团发起攻击，主力突破平汉路，冲出包围圈。

这是突破敌人包围圈的关键一仗，王震委托副政委李铨给突击队搞了一场战前动员。

李铨也很消瘦，穿着一件磨破了肘部的军装，挥着大手向突击队说："同志们，大家辛苦了！"

突击队员们个个精神抖擞，昂首挺胸地聆听首长指示。

"我们已经躲过了刘峙的眼睛，几天来的急行军刘峙没有发现我们，突围取得了第一步胜利。现在，我们的前面就是平汉路，有国民党军重兵把守。突破了平汉路，我们的突围就取得了重大胜利。今天晚上，我们全旅要在这里打一仗，目的就是要突破平汉路，突破敌人的包围。"李铨停了停，继续说："你们是各团抽出来的战斗骨干，在今晚的战斗中你们要发挥重要作用。今晚你们的任务就是用猛烈的进攻拖住敌人的火力，掩护大部队越过平汉铁路。相信你们一定能完成组织交给的任务。"

李铨的话简短有力，战士们听得热血沸腾。

黄昏时分，部队开始行动。我军突击队先行出发，带着山炮和机枪，向柳林外围的几个国民党据点发起进攻。突击队员们都是些二十来岁血气方刚的小伙子，一咬牙什么都不管了，只管放炮，打机枪，扔手榴弹，两小时下来，扫除了柳林外围的几个碉堡，在后续部队的援助下，部队迅速占领了柳林镇、黄庄等阵地。

掩护和阻击战斗从29日黄昏一直打到30日清晨，后来子弹、手榴弹打完了就上刺刀，展开肉搏，夺取敌人的弹药来补充自己。到下午3点，359旅及随行的军区首长安全越过平汉路。

359旅回到延安

对于蒋介石而言，平汉路在经济上是一条命脉，在军事上又是一堵围墙。从北平到汉口这段千余公里长的铁路线上，凡是大城市如保定、石家庄、郑州、信阳等，国民党都有重兵把守，沿着铁路线的各种碉堡、据点，更是不计其数。国民党部队沿着平汉路南来北往、调兵遣将，平汉路对国民党有着重大的战略意义。

宣化店已经成了一个脚盆，周围大山环绕，各个重要的交通隘口又有刘峙把守，李先念就是插翅也难飞。蒋介石以为48小时吃掉李先念王震是一件很轻松的事，但100小时之后，他们不仅没有被消灭，反而还越过了平汉路，向西一路斩杀过去了。

蒋介石又气又急，电报都嫌慢，操起电话直接要通郑州绥署，把刘峙狠狠训了一顿："娘希匹，怎么打仗的，几十万兵力交给你，结果让他们从眼皮

底下溜走了。据可靠情报，匪敌可能会向随枣地区逃窜，限你48小时截断匪兵去路，歼敌于随枣地区。"

电话那头的刘峙大气不敢出，连连答是。这位国民党中将军官围攻中原前还牛哄哄的，好像就要建立盖世之功一样，结果几天下来形势就急转直下，接蒋介石电话时两腿直哆嗦。挂上蒋介石的电话，他也操起电话，学着蒋介石的样子把部下训了一顿。

连续几天的急行军，我军已非常疲劳。因为是突围，就不能走大路，部队专拣小路、险路走，逢山就得过山，逢水也得涉水。部队所带的干粮渐渐减少，为了保证突围成功，王震号召全旅厉行节约，每天只吃两顿稀饭。

而最为要命的是，蒋介石又命令胡宗南拨出一部分部队与刘峙一起行动，胡宗南在前面堵，刘峙在后面追，一个喊打，一个喊杀。蒋介石这阵势是：不歼李王，决不罢休！

前有堵兵，后有追兵。

时值七月，鄂豫交界地带阴雨一下就是十天半个月，道路泥泞，空气潮湿。胡宗南和刘峙的队伍在烂泥的山路上稀稀拉拉地走着，白天晚上赶着行军，对于平常养尊处优的国民党官兵来说，哪受过这般苦。队伍里怨声载道，骂娘声一片接一片。连一些军官也有些牢骚了，有的把帽子一摘，吐出一口苦水，恶狠狠骂道："他奶奶的！不是和平了吗？不是签订了《汉口协议》了吗？怎么又去追李先念？奶奶的，害得老子受这般罪。"

但这样的气候条件正是与刘峙拉开距离的时候，我军359旅官兵们没有任何抱怨，他们只知道，跑得越快，生存的可能就越大。

蒋介石仍一个劲地催促刘峙，要堵住359旅的去路，要全歼359旅！

对王震、王首道率领的这支部队，蒋介石是伤透了脑筋。

他们是两年前从延安出发南下的，一路上穿陇海，过长江，翻山越岭，跃进万里。蒋介石派了好多支部队追击、围歼，但359旅仍然风风火火挺进到了湘南、粤北，开辟了以五岭山脉为中心的华南敌后根据地。后来还把鄂豫皖湘赣根据地和东江根据地连接起来，为我党在南方发展力量开辟了一块战略基地，直接威胁着广州、长沙等大城市和交通要道。

蒋介石老早就想吃掉二王部队，因为这支部队太能打仗了，几乎是一支全天候作战的部队，打仗没有规律。风雨交加的时候，天黑如漆的时候，就是他们出击的时候。蒋介石派了很多部队去围剿，像当年在井冈山围剿红军

★ 按照党中央的指示，359 旅 4,000 余人组成南下支队，南下湘粤桂边，与东江纵队打通联系，并依托五岭山脉创建新区。1944 年 11 月 9 日，南下支队第 1 梯队从延安出发前，毛泽东同志和朱德总司令在王震旅长陪同下检阅部队。

一样，但仍然无济于事。

后来在蒋介石的逼迫下，359 旅被迫北返，蒋介石边谈判，边调动部队围追堵截，心想这一次你是跑不掉了，非把你堵在长江以南不可。殊不知，359 旅又安全渡过长江，与新四军第 5 师胜利会师，并且还成立了一个中原军区，势力越来越大，直接威胁着南京、武汉。不仅如此，中原军区的存在还妨碍着蒋介石在整个中原、华北和华东的战略展开。

他咬咬牙，拨 30 万兵马给刘峙统一指挥，可谓下足了本钱，以 6：1 的兵力来解决中原军区部队。但搞来搞去，还是让他们跑掉了。

虽然蒋介石命令一个接一个，但刘峙还是跑不过王震，歼敌于随枣地区的计划又破产了，359 旅一阵风似地直插秦岭。

蒋介石就这样跟王震赛跑着。王震指挥部队突破紫荆关，强渡丹江，一头扎进了秦岭山区，与巩德芳领导的游击队会师，组成了豫陕鄂军区，并于8 月 2 日进占了镇安县城。

★ 359旅的战士们在突围途中。

★ 359旅的战士们在北返延安途中与敌激战。

　　蒋介石不甘心就这样结束对王震的追击，他站在偌大的军用地图前，盯着陕南足足看了10分钟，然后下定决心，既然你跑到陕南秦岭山区去了，解决你的任务就交给胡宗南，他正好养着几十万精兵呢！

　　胡宗南正为自己在紫荆关没能堵住王震深感愧疚，这次接到校长指示，一定要倾其所有解决王震的问题。

　　他拟定了一个阵营庞大的进攻计划：整编第76师24旅和整编第15师135旅，从石泉、汉阴、安康向北推进；整编第17师84旅和整编第36师28旅向东推进；整编1师1旅、整编第36师123旅，整编第90师61、53旅和整编第76师144旅，从东、北两面压来，在旬阳坝、关口、太山庙歼灭王震部。

　　此时王震的部队已经减员近两千人，余下不足两千人了。胡宗南如此兴师动众，未免有点神经过敏。不过这样用兵是国民党将领的一种惯性思维，包括蒋介石本人。他们往往只注重兵力和武器装备上的优势，而在战略战术以及战士的精神士气上关注很少。当然，此时的国民党将领们满可以财大气粗，因为他们在物质资源和兵力资源上都占有绝对的优势。

　　陕南八百里秦川群山起伏，沟壑纵横，加上土匪出没，民情不熟，359旅的处境异常艰难。王震本来打算部队就地分散在陕南打游击的，如今胡宗南重兵包围，359旅再一次陷入了困境。

　　延安的中央领导们都为王震捏一把汗。从南征到北返，再到今天的突围，真可谓翻山越岭，千辛万苦。两年前从延安出发南下时，好多人都拉着王震的手说：胡子你一定要活着回来。当时的战争环境就是这样，战友们临别时都没有什么其他的祝福，活着回来就是最好的情感表达。这是当时的战争环境异常艰难所决定的。

　　毛泽东拿着王震部队的报告，心情非常沉重。报告中说359旅在陕南地形不熟悉，经常受到土匪的袭击，伤亡很大；胡宗南派兵重重围剿和追击，官兵精神都高度紧张，精神状态不怎么好。最要命的是没有粮食了，目前只能靠挖野菜、吃树叶充饥，好多官兵都拉肚子，体质一日不如一日；并且部队减员非常厉害……

　　"还是让他们回来吧！活着就是胜利。"毛泽东在有关王震部队的报告上批示，"另外转告王世泰、张文舟，派陕甘宁晋绥联防军南下出击，接应王震。一定要让他们活着到陕甘宁。"

　　王世泰和张文舟迅速拟定了一个南下出击接应359旅的行动方案：新编

第4旅（旅长张贤约、政治委员徐立清）为左翼兵团，由长武、彬县之间突破敌人封锁线；以警备第3旅（旅长黄罗斌、政治委员李鹤邦）第7团及第5团为右翼兵团，由平凉、泾川间突破敌人封锁线；另外以警备第1旅（高锦纯任旅长兼政治委员）在旬邑地区分散游击，牵制胡军。

这天王震坐在一块大石头上察看地图，正在考虑下一步部队怎么展开，警卫员一声响亮的报告打断了他的思考。警卫员说中央刚刚来电，让359旅迅速组织北上突围，同时我联防军派出部队南下接应359旅回陕甘宁。

王震抬起头，腊黄的脸上又亮起了一丝光泽。回陕甘宁？回延安？历经了两年的风风雨雨，又要回到延安，太令人振奋了。从突围开始到现在，他的胡子就没剃过，现在已长了十多公分了。而这一年，他才38岁。王震摸了一把胡子，从石头上一跃而起，瘦弱的身体此时已充满了无穷的力量。

他把旅长郭鹏、政委王恩茂、副旅长徐国贤找来，决定把部队分成左右两个纵队，左路718、719团由王震、郭鹏和王恩茂率领，右路717团由徐国贤率领，分别夺路北上。

359旅最后一次突围开始了。

任何的困难此时都已不再是困难。359旅只有一个目标，打回延安去！

在那个血雨腥风的年代里，延安已成了一个精神领地，一个胜利象征。他永远是一个圣地，受到所有八路军将士的顶礼膜拜。

有了这么一股精神力量，接下来的战斗虽然打得很艰苦，却发展得异常迅速。

8月27日，我联防军警3旅攻占太平镇。

8月29日，我联防军新4旅攻占平子镇、良平镇。

8月29日，359旅左纵队与联防军警3旅会师于屯子镇。

9月8日，359旅右纵队穿过徽县、两当、六盘山，从平凉以西跨过西兰公路由马渠进入陕甘宁边区。

9月20日，我警3旅击退胡宗南整编第96师向刘家大山峁的进攻，359旅彻底摆脱胡宗南的追击，突围成功。

9月27日，359旅回到阔别两年的红都延安。

历 史 碎 片

LISHISUIPIAN

大拼接

DAPINJIE

☆ 刘善本驾机起义

1946年6月26日，国民党政府空军第8大队上尉飞行参谋刘善本，为了反对内战，愤然率领同僚10人驾驶B－24轰炸机一架起义，由昆明飞往延安，并发表广播讲话，号召全国人民团结一致，积极反对内战。29日，刘善本全体机组人员受到毛泽东、朱德的亲切接见，并出席了延安军民召开的欢迎大会。后刘善本被任命为东北民主联军航空学校第1大队副大队长。刘善本此举对发动内战的国民党政府是当头一棒，开创了国民党空军驾机起义的先例。

☆ 马叙伦抨击蒋介石

苏联一直停滞东北，美英开始质问蒋介石。蒋这边焦头烂额忙于应付，那边在家门口又遭"炮轰"。1946年2月13日，中国民主促进会常务理事马叙伦应邀出席蒋介石在上海举行的招待父老茶会，准备借机向蒋介石陈述意见，但蒋介石不准备与人谈话。蒋介石的傲慢态度激怒了马叙伦。事后，马叙伦在《民主》周刊发表《蒋先生要听这样的话》一文，抨击蒋介石笼络人心的虚伪面目，提出蒋介石应该一日三省，要停止内战，不要做美国附庸等8条。

☆ 国民政府滥印纸币

1946年6月8日，国民政府财政部长俞鸿钧称：本年1～5月，支出15,000亿元，收入2,500亿元，其他12,500亿元完全依靠发行纸币。9日，当时的国民政府行政院院长宋子文宣布，如按票面价值偿还战前公债，将使原先购户损失数额达1,700亿元，为此，银行、钱庄多家倒闭。以上数据反映出一个事实，那就是由国民党发动内战而导致的恶性通货膨胀，其最终的受难者还是普通群众和基层的劳动人民，他们挣扎在饥饿与生死的边缘线上。

胡宗南陈兵布阵，意图夺取延安。

毛泽东未雨绸缪，指示习仲勋策动国民党军横山起义，争取战略回旋余地。

胡、马、阎实施《攻略陕北作战计划》，从南、西、东三面围攻陕甘宁边区。

毛泽东命令打响吕梁战役，胡宗南、阎锡山大部兵力被牵制。

彭德怀声东击西，马鸿逵败北兴武营，胡、马、阎进剿联盟瓦解。

第四章

未雨绸缪，红都延安有惊无险

"你们经历了第二个长征！"

1946年9月29日，延安秋高气爽，凉风习习。中共中央正在杨家岭的中央大礼堂里，隆重举行359旅返回延安的欢迎大会。此前，王震已见过毛泽东。那天毛泽东侧着身子，非常惊讶地看着王震的胡子，嘴角动了几下，想问，又没问出口。王震正襟危坐，见毛泽东注意他的胡子便响亮地说："报告主席，在突围刚开始的时候我向全旅发誓，不把队伍带到延安，不让你们见到毛主席，我就不剃胡子！所以，胡子就长这么长了！"随即呵呵地憨笑起来，毛泽东一听，当场给他起了一个雅号"王胡子"。从此，"王胡子"的美名就在部队里叫开了。

现在，"王胡子"的下巴已刮得干干净净，又换了件新夹衣，精神面貌比刚来那几天好多了。这次大会，毛泽东、朱德、任弼时、彭德怀、林伯渠、贺龙等同志全部出动，祝贺王震活着把队伍带了回来。给一个旅级单位举办如此隆重、规格如此高的欢迎大会，在我军建军史上这是第一次。

★ 王震旅长向毛泽东同志汇报南征北返的经过。

XiangGuanLianJie
DaSaoMiao

GuanJianCi
相关链接
大扫描

☆ 南泥湾的大生产运动

　　早在1940年底，八路军第359旅奉命开赴临镇、金盆湾、南泥湾、九龙泉等陕甘宁边区南线驻防。朱德总司令要求部队除保持战斗警惕，完成练兵任务外，要以南泥湾为中心，开展以农业为主的生产运动。到1942年，全旅开荒种地26,800亩，收细粮3,050石，粮食自给88%，经费自给90.2%，随着农业的发展，还组织了工业、商业、运输业和手工业，收益均有增加。这种与民同乐的自给自足方式，有效保证了我人民军队战斗的积极性与克敌的信心！

　　对王震和他的359旅，中央首长们早就熟知。当年延安轰轰烈烈的大生产运动，就是王震的359旅在南泥湾搞出个陕北的江南后，毛泽东从中受到了启发，提笔写下了著名的题词："自己动手、丰衣足食"。在那个被蒋介石严密封锁的时期，王震他们的"屯垦"经验使延安打破了蒋介石的封锁，解

决了部队吃穿住的大问题。359旅生产自救的事迹一时成为陕甘宁边区的美谈。从那时起，《南泥湾》这首歌以及王震这个名字，在陕甘宁边区几乎是家喻户晓。

此时，王震和其他中央领导同志一起坐在主席台上。面对这么高规格的欢迎，面对如此热烈的掌声，王震想到的不是南泥湾那段辉煌的历史，而是这两年中南征北返、东奔西突中的血雨腥风。

毛泽东正激情飞扬地讲话："你们不怕困难，不怕牺牲，深入敌人心脏，敢于和敌人作斗争，打破了国民党反动派数十万大军的围剿，胜利地返回延安，你们是党的宝贵财富……你们经历了第二个长征！"

毛泽东的湖南乡音回荡在中央大礼堂里，359旅官兵的眼里早已噙满了泪水。这些铁骨铮铮的汉子在困难面前没有哭过，在死亡面前也没有哭过。而今天，个个都泪流满面，有的还在小声地啜泣，他们既为重新回到母亲怀抱而感到激动，也为党给予自己这么高的评价而深受感动。

此时的王震更是心潮起伏，激情难抑。

这两年真是太不容易了！从1944年11月10日从延安出发，至1946年8月29日回到陕甘宁边区，历时658天的时间里，几乎没有吃过一顿好饭，也没有睡过一个好觉。每天都处于生存与死亡的交界地带。尤其是在秦岭大山里与胡宗南周旋的那一段时间，没有吃的，也没有穿的。最后出秦岭时仅剩的1,893人，个个都面黄肌瘦，衣衫褴褛。

欢迎会开过后，中共中央又在王家坪八路军礼堂里"宴请"359旅团以上干部。

空旷的礼堂里摆着几张破旧的大桌子，每张桌子上放着几大盆素菜，十几个碗。没有大鱼大肉，只有陕北自制的米酒和小米粥。所谓宴请，也就是这么简单。但同志情、战友情全在其中！

王震虽然为牺牲的同志感到阵阵难过，但终于实现了自己将队伍带回到延安、见到毛主席的愿望。王震敬佩毛泽东，佩服他的顶天立地，佩服他的雄才大略。1943年5月，蒋介石趁共产国际解散之际准备闪击延安，毛泽东要王震把部队从前线带回来保卫延安，王震就拉着队伍一路喊着"保卫党中央、保卫毛主席"到了延安。打退蒋介石的反共高潮后，毛泽东叫王震带着部队去荒无人烟、豺狼出没的南泥湾搞生产自救。王震二话不说，又拉起队伍就走，结果在那里搞出了个"南泥湾神话"。后来，毛泽东又叫王震南下，

XiangGuanLianJie
DaSaoMiao

☆ 主席的家史

　　毛泽东的母亲18岁时和其父毛顺生结婚，共生5男2女，但4个都夭折了，只剩下毛泽东、毛泽民、毛泽覃3兄弟。后毛泽东的母亲患瘰疬（俗称疬子颈）病逝，终年52岁。当时，毛泽东在给同学邹蕴真的信中说：世界上有三种人，损人利己的，利己而不损人的，可以损己以利人的，自己的母亲便属于第三种人。母亲去世后，毛泽东把父亲接到长沙住了一阵。毛顺生于1920年1月23日患急性伤寒去世，时年50岁。

　　去长江以南开辟新的革命根据地，王震还是二话没说，带着队伍就一路南下了。可以说，毛泽东叫他王震打到哪里，他就带着部队打到哪里！

　　王震端起大碗，走向毛泽东。这是敬酒的惯例了，因为毛泽东是在场的最高首长。但这一次，王震却怀着一种复杂心情。因为毛泽东的亲侄子、毛泽覃之子毛楚雄在突围途中牺牲了。

　　突围时，毛楚雄是中原军区干部，随王震部一起行动。8月2日，王震率部队占领离西安仅200多公里的镇安县城后，胡宗南非常震惊，要与王震谈判解决双方争端的问题。当时还没有爆发全面内战，经军委同意，王震派出了干部旅旅长张文津、干部旅政治部主任吴祖贻和毛楚雄前去与胡宗南谈判。但三位谈判代表进至东江口岸时，被胡宗南61师181团团长岑运应扣留了。几天之后三位代表就被杀害于东江口。

　　胡宗南的背信弃义让王震十分愤怒，他不知道怎样向毛泽东说才好。因为为了革命，毛泽东失去的亲人已经太多了！早年失去了爱妻杨开慧，又失去了胞弟毛泽覃、毛泽民。杨开慧被杀后，毛岸英、毛岸青兄弟到处流浪，以乞讨为生。毛岸青还被国民党抓去受尽非人折磨，落下终身残疾，而贺子珍在长征途中生下的小毛也无下落；在老家韶山，祖坟被蒋介石挖了，沾亲带故的左邻右舍也受到不同程度的虐待……如今，亲侄子又死于胡宗南刀下。这是怎样的一种人生遭遇啊！

XiangGuanLianJie
DaSaoMiao

GuanJianCi
相关链接
大扫描

☆ 晋北战役

1946年7月4日，人民解放军晋绥、晋察冀军区部队各一部，为切断国民党军大同、太原间的联系，遂解放与收复了崞县和五台、平原等地。7月中旬，部队沿路南下，在忻县以南歼灭由太原北援之国民党军2个团，至8月15日，战役胜利结束。是役，人民解放军共解放县城10座。歼敌8,000余人，控制了同蒲铁路忻县以北大同以南段近200公里区域。再次扩大了解放区的面积。

前几天去见毛泽东时，王震就作了检讨。今天，他还是要借一碗烈酒，表达对革命烈士的缅怀。

"主席，这一碗酒敬给楚雄，愿他地下安息。"说完咕咚咕咚喝了一碗。

亲侄子被杀害，毛泽东在情感上还是有一些起伏的。但看着王震那一脸的真诚，毛泽东仍摆摆手说："革命哪有不死人的！从四·一二政变到井冈山，再到现在，蒋介石杀了我们多少人？你们这次突围，牺牲的同志也不少啊！"

王震没有觉察到毛泽东内心轻微的情感变化，接过话头说："是啊，突围一共减员2,917人，有的是阵亡的，有的是部队打散后失踪的。不过骨干保留下来了，部队作风更加顽强了，更能吃苦打仗了。这也算是一个收获。"

"又一次长征嘛，当然有收获。收获还不仅仅是这些呢！你们一路向西突围，蒋介石派刘峙、胡宗南一路前堵后追，你们几千人牵制了他们几十万的兵力呢，很有力地配合了其他战场的作战行动！对贺龙的晋北战役，刘邓的陇海战役，都有帮助嘛！"

王震点点头，毛泽东继续说："蒋介石现在从南、东、西三面进攻陕甘宁，来势汹涌，加上北面的邓宝珊，我们现在处于四面包围之中呢！现在我们正在争取国民党陕北保安指挥部副指挥胡景铎率部起义，成功的可能比较大。如果成功，我们在陕北的回旋余地就大多了，蒋介石包围我们的想法也就会落空。现在你们回来就好了，我们又多了一员虎将了。你们就先在延安休整一段时间吧，然后开到晋绥解放区，贺老总给你们补充一些新兵。下一步你们的任务还是很重的。到晋绥解放区后，你们还是要发挥很大的作用的。要保卫边区，保卫延安！"

王震当场表态，保证完成任务。

接下来，王震向在坐的中央首长——敬酒。敬到贺龙时，王震已经有些晕乎乎的了。他醉眼朦胧，看着贺龙嘿嘿一笑。贺龙的脸上也有些红晕，嘿嘿笑着举起拳头朝着王震捣了一拳。两年前出发南下时，贺龙和王震有一个约定，就是王震一定要活着回来见到贺龙。如今约定实现，两人痛痛快快地干了一大碗。

这两年里，贺龙也真是为王震、王首道和359旅操碎了心，毕竟是老120师的部队，有感情啊！359旅南下时，贺龙几乎每天都要和王震联系上一次。要详细了解他们经历的战事，所在的位置，部队伤亡情况。凡是关于部队的每一件事情，贺龙都要过问一下。一年后359旅奉命北返，蒋介石又派兵围追堵截，这又让贺龙很是揪心，直到10月份359旅渡过长江与新四军主力会师后，他才松了一口气。359旅突围时，贺龙正在指挥晋北战役与阎锡山打仗，他的电台一直很紧张，除了要收到前方指挥员的战报外，还要详细了解王震的突围情况。当得知王震率领部队回到陕甘宁时，他异常兴奋，特意把野战部队几位首长叫到一起，聚了一次餐，以示对王震安全抵延的庆贺。在此之前，他的心真是提到了嗓子眼上，害怕再也见不到他这位老部下了。王震如今回来了，他悬着的心终于可以放下了。

横山起义

毛泽东对王震说的争取国民党陕北保安指挥部副指挥胡景铎率部起义的事，是由中共中央西北局书记习仲勋一手操办的。1946年4月，蒋介石还没有撕毁和谈协议，毛泽东就把任务交给了习仲勋，要他去北面做一些统战工作。

当时国民党驻扎在北面的有两支部队，一支是邓宝珊的第22军，另一支是胡景通的陕北保安团。因为不是蒋介石嫡系，他们不仅受到歧视，还经常

被扣粮扣饷。尤其是举国抗日的时候，蒋介石把他们扔在这个西北边陲来封锁共产党，整天无所事事，碌碌无为，这使得官兵比较窝火。

毛泽东对习仲勋说："从私人感情上来讲，这两支部队与我们并没有大仇。抗战时期，我们来往很密切，邓宝珊还经常是我们的座上客。后来我们搞起大生产运动，富余的粮食还接济过邓的部队。他们都比较痛恨蒋介石，如果工作到位，是可以争取一部或几部起义投诚的。如果我们拿下了

★ 陕甘宁晋绥联防军政治委员习仲勋。

榆林或者横山，我们就在陕北争得了一个很大的战略回旋余地，对粉碎蒋介石进攻延安的计划具有重要的意义。"

习仲勋做了多年的统战工作，对北面的情况比较熟悉，立即把绥德地委统战部副部长的师源找来。

习仲勋说："主席指示，要派一些得力的干部去邓部或胡部做统战工作，争取一些爱国官兵。最好是他们的中上层军官，对拿下榆林和横山有关键作用的人物。你搞了多年的统战工作，与邓部和胡部的中上层军官有没有什么关系？"

师源摸摸脑门说："过硬的关系是没有，不过我倒认识胡景通的弟弟胡景铎，关系还不错的，不知道起不起作用。"

习仲勋眼睛一亮，忙催促道："说说看。"

师源说："胡景铎从小思想就比较激进，年轻时就和我们党有过来往。1938年的时候，他到高桂滋部任野战补充营营长，带兵经过富平时，富平县工委书记邵武轩交给胡景铎40多名义勇军，都是青一色经过党教育出来的棒小伙子。那次邵武轩还把我和刘茂坤派往胡景铎部去，准备长期做胡的工作。那个时候我就和他有过接触，他思想非常激进，对蒋介石的政策恨之入骨。有

一次和他聊天，他举起拳头说蒋介石迟早要垮台。当时我都被吓了一跳，他胆子居然这么大。可惜后来我因干部学习调走了。"

习仲勋急不可待："后来呢？"

"后来很少有联系。"师源喝了一口水继续说："不过我也听说了一些关于胡景铎的事情。听说胡景铎抗日很积极，并且跟我们党还有一些往来。大概在前年，他当上了17军252团团长，调到甘肃五原驻防。因为调到五原去，还和军长高桂滋吵了一架。他要去抗日，高桂滋不允许，他索性告假还家，在关中一带拉起队伍来。听说现在又到他哥哥胡景通部任职了，但具体情况不太清楚。"

习仲勋皱着眉头直点头："看来这个人还有点脾气，值得一试。这样吧，你准备一下，马上到榆林去一趟，就说去谈判边界问题，见见胡景通，把胡景铎的具体情况搞清楚。有什么情况及时与我联系。"

师源起身打个立正，然后离开了。

师源轻装简从，带着边界问题的有关文件，直奔榆林。在邓宝珊那里逗留两天后，便只身前往胡景通的指挥部。

胡景通是个反共死党，一脸的横肉，一看就是一介武夫的模样。

师源见了胡景通，双手抱拳道："在下师源，与景铎兄是故交。久闻总指挥大名，这次到榆林公干，登门打扰了。和景铎兄已多年不见面，甚是想念，不知其在何处高就？"

"哦，是景铎故交哦。快进快进。"听说是老弟故交，胡景通也蛮爽快，连忙伸手道："景铎现在我部任副指挥，在横山波罗堡。我马上给他打个电话，叫他来榆林与你一见？"

师源满心高兴说："景铎兄军务繁忙，别打扰他了，还是我去吧。"

师源没有去波罗堡，直接回了绥德，立即写了个纸条，说有要事商量，叫手下化妆成小商人送到胡景铎手中。

胡景铎喜出望外，当即回信：请速来。

师源再次以谈判边界为由，直奔横山波罗堡。

胡景铎见到师源，一把鼻涕一把泪历数蒋介石的不是，从扣粮扣饷说到移驻五原，最后一甩帽子恶狠狠地道："蒋介石从来不拿正眼看我们，以为老子们都是小娘养成的。我早就跟大哥说过，把队伍拉到共产党那边去。但他是个死脑筋，坚决不干。今天他不干，我干了。师副部长，我从今天起就是

共产党的人了。下一步怎么行动，听您指示。"

"好同志，好同志。"师源起身紧紧握住胡景铎的手说："不过不要着急，慢慢来。"

争取胡景铎率部起义的事情就这样谈成了。

西北局先后派了30多名干部到胡景铎部去任职，还带了一些枪支、弹药和经费。派过去的干部分散在胡部里，职务从班长、排长到连长不等，主要任务是搞清胡景铎部基层官兵的情况。

胡景铎自己也不马虎，认认真真地找部下普遍谈了一次话。对比较放心的，话讲得很透彻；对不太放心的，讲到一半就打住了，让他自己回去领会；而对那些反共到底的人，干脆撤的撤，换的换。所以不到几个月，胡部基本上来了一次大换血。

为了搞好这次起义，胡景铎在部队里的动作可谓是大刀阔斧。到了8月份，状就告到他的哥哥胡景通那里去了。对弟弟的不轨行为，胡景通早就有所耳闻，但一直没有抓到确凿的证据。这次状又告过来了，再不能马虎了。按照蒋介石的革命军人连座法，弟弟率部起义，哥哥可要受牵连的，更何况弟弟就是自己的部下。胡景通火速秘密召见了胡景铎的部下几十人，既哄又骗带吓，结果什么也没有查到。

又过了一个月，风声越来越大。胡景通有点坐不住了，直接把弟弟叫到了榆林，他要当面对质。

胡景通拍拍胡景铎的肩膀说："景铎呀，咱们兄弟俩能到今天这一步也不容易。权不大，但吃穿不用愁。咱们兄弟俩就好好带兵打仗，效忠国民党，其他的事情你就少想些。"

胡景铎知道兄长所指何物，避实就虚说："是啊，我也觉得不容易。我一直在勤恳带兵打仗，并没有干其他的事情啊！哥今天这么一说，我倒很糊涂了。"

胡景铎打起"太极拳"，胡景通有些不悦，直截了当道："外面说你和共产党来往密切，行为鬼鬼祟祟，你没听说？我侧面了解过，你是有行动的。我今天告诉你，现在悬崖勒马还来得及，要不然我做兄长的也会大义灭亲。"

窗户纸已捅破，再也没有必要隐瞒什么。胡景铎一起身："我做的都是有益于人民的。你要你的大义就灭亲吧。我走了，哥你保重！"说完大步流星地走了。

回到波罗堡，胡景铎立即召开了一次起义将领的紧急会议，决定立即起义，唯恐夜长梦多。起义时间定在 10 月 13 日进行。

12 日晚，驻石湾的部队首先行动。石湾位于横山县东南方向大理河北岸，与子长县交界，是延安经子长到榆林的咽喉要地，也是国民党伸入陕甘宁解放区腹部的一个突出部，国民党把它称为南线要塞。驻防石湾的是保安第 9 团，共 600 多人。团长张子亚是胡景通的死党，妻子刚死，就讨了个年轻美貌的小老婆，整天情意缠绵，都成一堆烂泥了。

起义部队包围 9 团团部时，他正在家里跟老婆亲热，待反应过来，已经做了起义部队的阶下囚。

石湾拿下后，我军绥德分区副司令员率一个营开往高镇。

高镇是石湾通往波罗堡的必经之道，易守难攻，军事作用非常重要。驻高镇的是胡部 9 团中校副团长秦悦文。事先胡景铎找他谈话，他表示愿意起义，所以高镇起义发展比较迅速。

接着，起义部队控制了波罗堡、响水堡等地，基本上控制了横山全县。

在榆林的胡景通非常惊讶，不敢相信弟弟胡景铎真会率部投靠共产党。他连忙派出援兵攻打响水堡，但大势已去，已无力回天。

横山防务交给解放军后，起义部队就奉命南下延安，毛泽东、刘少奇、朱德等同志要亲自犒劳他们。

12 月 24 日晚，延安枣园小礼堂里其乐融融，骑 6 师（横山起义部队）欢迎大会正在举行。骑 6 师是 10 月 14 日解放高镇后在波罗堡成立的，胡景铎任师长。

欢迎会上，毛泽东兴致很高，即兴发表演讲："骑 6 师的起义，给西北的旧军队指出了一条光明大道。美蒋那只船虽然大些，但却是一只破船，一遇风浪就会沉没。我们这只革命的船虽然现在还小些，但是它是崭新的，能够乘风破浪，胜利前进……你们起义是明智的，既为自己找了一条光明的出路，也拓展了边区的回旋余地，对粉碎蒋介石对延安的进攻，意义非同小可。"

骑 6 师的官兵们第一次聆听毛泽东讲话，那口湖南乡音不大好懂，但他们都能听出一些道道来。毛泽东讲话完毕，场下掌声雷动。

胡、马、阎三面夹击

得知胡景铎起义，蒋介石暴跳如雷，额上的青筋崩得老高。

在蒋介石一生中，他有很多问题都没有搞明白，国民党将领不断率部起义就是其中之一。

抗战刚刚胜利，邓宝珊部下新编11旅旅长曹又参就率部起义，开了国民党将领起义的头；接着第十一战区副司令长官兼新8军军长高树勋又举起义旗；现在又有一个陕北保安团副总指挥胡景铎起义。起义损失的兵力倒不多，但政治影响很不好。此时的蒋介石琢磨不透，他也懒得去琢磨，还是把共产党的有生力量消灭要紧。

这时蒋介石还都南京好几个月了，他开始忙着参加还都大典，接着又率领大小官员拜谒中山陵，后来又和美国、苏联在关于与共产党的关系问题上不断周旋，而现在又开始忙着开所谓的"国大"了。

全国各地的战局朝着有利于国军的方向发展，多少冲淡了因胡景铎起义给蒋介石心头带来的不快。

他起身把墙壁上挂着的那幅偌大的军用地图看了又看。地图上用绿色圈起来的是共产党的解放区；插有青天白日旗的，是国军刚刚从共军手中夺回来的。

地图上清楚地显示，从7月到10月，国军先后向共产党苏皖解放区、山东解放区、晋冀鲁豫解放区、晋察冀解放区、晋绥解放区、东北解放区发动了大规模进攻。在这短短3个月间，国民党军相继占领了中共解放区的承德、张垣、安东（今丹东）、淮阴、菏泽等大小105座城市。还把共产党在华南一带坚持游击战的新四军和八路军一直赶到长江以北，并且还拔除了中原解放区这个心头之患，把王震的359旅从宣化店一路赶到了延安。这样的胜利，是蒋介石自井冈山"剿匪"以来少有的。

不过蒋介石心里也清楚，虽然占领了一些地方，但损失也是很惨重的。几个月里一共损失29万兵力，这可不是个小数字！并且占领这些城市后，又要派兵把守，这等于是增加了自己的负担。

现在，蒋介石的案头上放着胡宗南刚刚重新上书的《攻略陕北作战计

★ 蒋介石还都南京后，携宋美龄拜谒中山陵。

XiangGuanLianJie
DaSaoMiao

GuanJianCi
相关链接
大扫描

☆ 蒋介石还都南京

　　1946年4月23日，国民党决定恢复设置军事委员会委员长重庆行营，作为国民政府离开重庆后在四川的最高统治机构。28日，国民政府还都大典筹备委员会成立。5日，大典在南京市临时参议会议长陈裕光的主持下开始。次日，《中央日报》就作了报道：5月5日，南京举行纪念孙中山先生建立广州革命政府25周年典礼。典礼于上午9时在中山陵举行。9时整，在军乐声中，典礼开始。地上101响礼炮轰鸣，天空飞机散发传单，场面甚为壮观……在蒋介石沿着错误的道路最终走向失败的命运中，这确也可以称为他一生中的一大"喜事"吧！

划》。

早在 5 月份的时候，胡宗南就上书了一份信心十足的《攻略陕北作战计划》，蒋介石以为中原是心脏，先把"心脏病"治好了再说，于是把第一个目标对准了中原解放区，而没有批准这份计划。一晃 5 个月过去了，胡宗南在西安心急如焚，于是又一次上书。这次引起了蒋介石的注意。

他拾起这份沉甸甸的计划，感觉到心里也沉甸甸的。翻了几页之后，转身看起了地图，目光落在陕甘宁边区。

这块包括陕西北部以及甘肃和宁夏东部，共 20 多个县 10 万平方公里、人口 150 多万的地区，蒋介石不知在地图上看了多少遍。

曾几何时，那是一个蒋介石自己都叫不上名字的地方。山高沟深，土地贫瘠，是一眼望不到边的黄土地。1935 年 10 月 19 日中共中央率领红一方面军经过长征到达陕北以前，蒋介石的作战地图上，很少有箭头指向那里。但自从毛泽东和中共中央长征至此后，这一片黄土地就渐渐成为中国革命的中心地带，也渐渐成为世界所关注的一个焦点。国内外关于陕甘宁边区的种种描绘和传说，不断出现。在抗战期间，数不清的热血青年翻山越岭、不远万里来到陕

XiangGuanLianJie
DaSaoMiao

GuanJianCi
相关链接
大扫描

☆ 北京大学史话

著名综合性大学，其前身是清政府开办的京师大学堂，1898 年创办于北京。1900 年，八国联军侵占北京，京师大学堂遭到严重破坏。1902 年 12 月恢复。至 1911 年初具规模，全校共开七门十三科，学生 400 多人。1912 年 5 月改名为北京大学。1917 年 1 月，民主革命家、教育家蔡元培出任校长，对学校进行了很大的整顿和革新，贯彻民主原则，提倡思想自由，培养学术空气，延聘著名学者任教，使北大面貌焕然一新，奠定了北大在中国教育、学术、思想界的重要地位。北大的学生发起了五四运动，积极参加了反对国民党独裁统治的斗争。此外，北大在教学和科学研究上成就卓著，培养了许多一流的专家学者，对中国近代革命运动和科学文化的发展作出了重要贡献。

★ 延安民兵在宝塔山下加紧练兵。

甘宁，来到延安，来追寻革命的火种。连燕京大学的外籍教员艾德加·斯诺也被它的神秘所吸引。还有好多的访问团、观察组和中美高级官员也频频光顾于此。也就从那个时候起，这里成了一个让蒋介石无法安睡的地方。

此时的蒋介石觉得时候到了。他拿起绘图笔，在地图上画了3个大红箭头从南、西、东3个方向直指延安。他的设想是，南路胡宗南、西路马鸿逵和东路阎锡山，再加上北面邓宝珊，完全形成对陕甘宁的包围。他把出击的时间定在11月初。

蒋介石的电报传到西安，胡宗南兴奋地从沙发上一跃而起。《攻略陕北作战计划》就这么几张纸，但凝聚了他几年的心血，也包含着他的功名！

胡宗南对着镜子整了整军容，腰带扎得崩崩紧，军靴也擦得锃亮。他现在不仅是第一战区司令长官，还是这次大"围剿"的前线总指挥，归其指挥的除本部人马外，还有宁夏马鸿逵、青海马步芳和榆林邓宝珊34个旅共25万人。指挥千军万马纵横西北正是胡宗南几年的梦想，如今西北军事由他胡宗南说了算，一夜之间就成了名副其实的"西北王"。而让胡宗南更为满意的是，蒋介石还下令空军司令周至柔派大量飞机支援西北战场。一时间，西安附近各军用

机场机声隆隆，各种战斗机云集于此。C－46、C－47、P－52、B－25等各种战机上百架，相当于国民党整个空军力量的3/5。这足可以看出蒋介石对这次"围剿"延安下的赌注有多大。

胡宗南等不及了，接到密令的第二天就把第一战区大大小小的官员全都叫来，裴昌会、盛文、董钊、刘戡、高桂滋等人围着会议桌坐了一圈。他们知道神圣的使命已经降临了。对于这群国民党的西北高级军官而言，还有什么比进剿延安更能成就他们的功名呢？谁的部队第一个占领延安，谁的部下活捉了毛泽东、周恩来、刘少奇或者是朱德、彭德怀这样的重量级人物，那将是何等之功啊？！

胡宗南背着双手在会议室里踱着步子，其他人神情严肃坐得挺直。在一片寂静中，胡宗南开口了。

"经过几个月的剿匪，国军已经取得了决定性的胜利。现在共匪四处流窜，时日不多了。委座命令我们立即执行《攻略陕北作战计划》，与马步芳、马鸿逵、邓宝珊和阎锡山从四面对匪区全面进攻。这是对共匪的最后一战了。我们在西北屯兵几十万，等的就是这一天。委座号令我们发扬黄埔精神，精诚团结，完成党国千秋之功业。作为革命军人，必须听从委座教诲，为党国立功！"

这次开会也就是统一统一思想，让大家知道有这么回事。至于具体的军事部署和行动，向来都是胡宗南一个人说了算，他的武断和过头的自信是出了名的。

胡宗南的直接目标是延安。只要能拿下这个地方，任何代价都是值得的。而蒋介石的意图也是要尽快拿下延安。虽然他们都知道拿下延安的军事意义不大，但在政治上就可以大做文章了。前些天陈布雷还写了一篇文章发表在中央日报上，说几个月来剿匪大胜，共匪已抱头鼠窜，下一步英雄的国军要向共匪的老巢进攻了。再过几月，匪患就可基本灭绝，届时国运昌盛，百姓乐业，一个新的中国指日可待矣……这样鼓舞人心的"剿匪"宣言已经唱出去了，总得拿出点实际行动来。

胡宗南的安排是，马鸿逵集中几个旅的兵力由西向东猛攻陕甘宁三边（安边、定边、靖边）分区，阎锡山在晋西南的部队由东向西进攻陕甘宁的延川、延长一线，而胡宗南自己从陕南、晋南等地抽调6个主力旅，加上原来封锁陕甘宁边区的4个旅，共10个旅加上1个装甲团作为主力由南向北推进，直逼延安。

蒋介石也是这个意思，马鸿逵和阎锡山从东西两边进攻，吸引共军主力，而胡宗南从南面直捣延安，一举拿下延安和消灭中共首脑机关，要是能活捉毛泽东、刘少奇、周恩来这样的人物那就更好了。

但最令胡宗南头痛的还是那个关中分区。它从宜君、同川、耀县，再向西经淳化、向北经旬邑一直到甘肃的正宁。这个关中分区是陕甘宁边区伸入国民党统治区的一个突出部分，因为像个口袋，国民党称其为"囊形地带"。

这个伸入国民党统治区口袋的战略地位可想而知，它既可盯住西安，又可切断咸（咸阳）榆（榆林）公路，还可威胁西安到宝鸡、西安经富平、耀县到铜川的铁路，又可威胁西安经乾县、彬县到甘肃平凉、固原的公路。更重要的是，关中分区可以构成胡宗南进攻延安的侧背威胁。如果胡宗南不管关中分区而大兵直逼延安，屁股就晾在后面了。共产党边区部队从关中分区出发包抄，与北面部队一合围，就可对胡宗南形成南北夹击的态势。

胡宗南想了又想，决定把6个旅摆在洛川、宜川一线，按兵不动，先派刘戡的29军对关中分区发起猛攻，形成对关中分区作战的态势，吸引共军主力后，洛川、宜川一线的驻军便倾巢出动，一举拿下延安。

延安有惊无险

早在10月初的时候，中共中央就已通过地下党获得了蒋介石密令胡宗南闪击延安的情报。所以在胡宗南还没有开始部署的时候，毛泽东、朱德等人就开始讨论如何对付胡宗南的问题了。

在毛泽东看来，无论是开"国大"还是打延安，都证明了蒋介石的进攻能力快要枯竭了。因为蒋介石在军事上被消灭35个旅之后，要用开"国大"和打延安这两个办法在政治上体现出他的成就来。

看了关于胡马阎的敌情报告，毛泽东哈哈一笑："就蒋介石那点本事还想打延安，见鬼去吧！"

这当然并非毛泽东轻敌，而是他胸中自有十万兵。很明显，摆在山西的晋绥野战军就是用来救急的，一声令下，几天之内就可以渡过黄河；在晋南

★ 毛泽东和彭德怀在陕北。

活动的陈赓、谢富治的部队，必要时也可以急行军奔赴延安。当然，更能支撑毛泽东自信心的是陕北的人民和陕北的大山。中共中央在陕北呆了十多年，在这里搞土改、建立民主政府，无论在经济上还是在政治上，都让陕北人民有了翻天覆地的切身感受。陕北人民保卫边区保卫延安的政治觉悟那是没得说的。另外，陕北那迷宫似的群山就是一个很好的依托，毛泽东的游击战、不放松有利条件的运动战，这些战略战术蒋介石是永远搞不懂的。

在围敌四伏的情况下，只要毛泽东自信，那整个延安整个陕北人民如同吃下了定心丸。毛泽东定下了方针战略，具体实施就要靠他的得力部下了。

彭德怀思考问题细致到每一个角落。这些天来，他几乎就没怎么睡觉，看地图，听汇报，分析敌情，组织机关群众疏散，忙得不亦乐乎。11月12日这天还特意抽空到富县、茶坊、金盆湾一带察看了防御工事。

这里是教导旅的防区，与胡宗南的前哨阵地洛川、宜川一线直接对垒。彭德怀一到，就拉着旅长罗元发、参谋长陈海涵直奔前沿阵地，彭德怀一路走一路问，从兵力部署、弹粮准备、防御工事、通信侦察到伤亡安置、群众疏散，事无巨细，拉网式过了一遍。罗元发、陈海涵冒着汗珠子一一作答，生怕哪里出了漏洞。大家都知道彭德怀的脾气，骂起人来那可是哪个都不给面子的。

彭德怀对防御工作是满意的，但他还是感到心里不踏实，因为兵力太少。整个富县、茶坊的防御线绵延上百里，胡宗南在这里就摆了6个旅，要想突破防线实在是太容易了。尤其是过了11月上旬，延安的形势明显恶化。11月16日，马鸿逵骑兵第10旅19团已经占领了三边分区盐池县的兴武营、天子池等地，并且还有进一步东犯的企图。东边阎锡山的部队已整装待发，准备渡过黄河作战。而在洛川、宜川一线的胡宗南部，从11月中旬开始就不断袭扰边区；而他在关中的29军，也开始进攻了。北面的邓宝珊也蠢蠢欲动，不断派部南下，占领了一些小镇。

此时，陕北危急，延安危急。

彭德怀像揣了个火炉子，三步并两步跑到毛泽东这里来。

毛泽东见彭德怀这副模样，反倒轻松起来："这么着急呀？有什么事能难倒我们的彭大将军？"

彭德怀没有毛泽东那么轻松，把自己的意见和盘倒了出来。

彭德怀的意见是要张宗逊赶紧把358旅、独立第1旅从山西带到延安来，一刻也不能耽误；另外叫陈赓、谢富治在山西南部加紧活动，把胡宗南的后腿拖住，必要时，可以令陈赓、谢富治也西渡黄河参加作战。

这么安排，彭德怀的理由很充分。他说："形势已经很紧张，富县、茶坊一带都可以听到胡宗南的枪声。罗元发他们的防御准备做得很充分，但我们的兵力太少，压力太大了。按现在的力量，最多也只能顶一顶，解决不了根本问题。把一纵叫过来，可以先拖一拖，让群众和机关的重要设备和物资疏散后再作打算。"

"这个可以。"毛泽东立即表态，吸了一口烟又说道："不过过来的部队不能太多，太多了粮食会有压力。我看，还是把问题放在外面来解决。一纵部队来这边先顶一顶，机关群众加紧疏散。同时要陈赓、谢富治还有贺龙配合起来在吕梁地区打一场恶仗，把胡宗南从山西调过来的几个旅给拖回去。只

要他回去，我们马上在富县发起攻势，乘机吃掉胡宗南的部分兵力，这样他就老实了。至于马鸿逵、邓宝珊、阎锡山几个人，都是跟着胡宗南屁股后面起哄的。只要把胡宗南解决了，我料他们几个也不会兴风作浪。"

毛泽东、彭德怀的这一着棋着实让胡宗南吃了一惊。

他的部队刚刚西渡黄河不久，进入吕梁地区的晋冀鲁豫野战部队第四纵队与从离石南下的晋绥军区第二纵队就在晋西南的中阳、石楼、交口、永和、隰县、大宁、蒲县等县大打出手，几天之内就把这几个县城席卷一空。

屁股后面着火，胡宗南着急了。要知道，胡宗南在山西占得这几个地方可是费尽了千辛万苦的。

那还要追溯到抗战胜利的时候，胡宗南部去华北受降，蒋介石以争取时间为由，要阎锡山允许胡宗南受降部队从山西"过境"。阎锡山知道蒋介石的用意根本就不是什么过境，胡宗南来了就会赖着不走的，说不定还会把"假途灭虢"的把戏再演一次。所以他想了好多理由予以拒绝，什么山西多年战乱，粮草补济困难啦，什么山西铁路公路损坏严重，运输能力有限啦，等等。但蒋介石表示任何困难都比不上时间重要，阎锡山无奈，只得同意。蒋介石就利用这个机会把胡宗南几个师锲进了阎锡山的地盘，打破了山西几十年来独立王国的局面。

现在，胡宗南当然要拼全力替蒋介石保住在山西的势力范围，好制服土皇帝阎锡山。所以吕梁战役一打响，胡宗南的部署就全乱了。延安暂不打了，先把晋西南的局势稳定下来再说。胡宗南赶紧令已入陕西的整编第1、第90师撤返黄河东岸，同驻扎在临汾、吉县的整编第30师67旅、整编第20师47旅，分路向蒲县、大宁反扑。

胡宗南的举措，正是毛泽东要达到的目的。

在运动中歼敌是毛泽东最拿手的战略战术了，只要敌人运动起来，抓住敌人的薄弱点吃掉其一部或几部是很轻松的事。所以当胡军向大宁、蒲县反扑的时候，毛泽东要我晋绥军区二纵抽出少量兵力作运动防御，诱敌深入，其主力与晋冀鲁豫野战军四纵合在一起隐蔽在能攻好守的地理位置，待机歼敌。果然不出毛泽东所料，胡宗南6个旅气势汹汹扑来的时候，担任后卫的67旅与前卫部队脱节了。我军二纵和四纵瞅准机会，待67旅进入伏击圈后就一口气把它全吃了。一仗下来，胡宗南损兵折将就没了士气。而这时，中共中央在已经筹划好吕梁战役的同时，还在三边地区和关中分区展开攻势，打马鸿

★ 延安人民自卫军为保卫延安，加紧军事训练。

逮个措手不及，也使胡宗南左右为难。

进攻马鸿逵的时间定在12月3日。这时距他占领盐池兴武营已半个多月了，马鸿逵部以为边区战事吃紧，共军自顾不暇便疏于戒备。殊不知这天早上天还没亮，兴武营守军还酣声大作的时候，我军联防军警备第8旅8团和三边分区地方武装就偷偷来到了兴武营附近。随着一阵猛烈的枪响和几声"缴枪不杀"的劝降，马鸿逵守军骑兵第19团团部和1个营就成了阶下囚。此时的马鸿逵见胡宗南正疲于奔命在晋西南战场，很难对延安形成有力的进攻，就丢下盐池的几百守军，命部队全线西退，以保存实力再战。

胡宗南仗打得正吃紧，马鸿逵一撤，自己也没了多大信心，原来要拿下延安的打算早就没了。他调整了部署，重新把目标对准那个"囊形地带"。在

101

12月31日这天，胡宗南的整编第48、12、135旅及两个保安团向关中分区发起全线攻击。但直打到1月17日这天，不仅没有占到任何便宜，反而把旬邑县城给丢了。而就在同一天，晋西南战场还丢掉了孝义，国民党整编第1师第1旅也被全部吃掉，旅长黄正诚也被活捉。整1旅前身是第1军第1师，中原大战刚开始时，胡宗南就任1师师长。他带着1师南征北突，屡建奇功。蒋介石曾颇为得意地说："还是我的第1师能打仗！"后来，胡宗南就以"天下第一师"师长自居，1师，也自然就成了他的起家本钱。抗战胜利后，1师改编为整编第1旅，胡宗南便又叫响了"天下第一旅"的口号。如今这一仗，共军把他的起家本钱吃了个精光，"天下第一旅"的神话也被打破了。

此时，张宗逊、廖汉生率领的晋绥军区第一纵队已在延安周围驻防，随时准备迎接胡宗南的进攻。他们是接到军委命令后，于11月中旬由临县碛口西渡黄河来陕北的，到达延安后还在延安机场接受了毛泽东、朱德的检阅。那天气温降到零下好几度，北风呼呼，天寒地冻。当毛泽东、朱德各穿着一件单薄的棉袄出现在机场时，一纵官兵已冒着严寒在北风中站立了很久。这样的作风得到了毛泽东、朱德的好评，毛泽东说，把延安交给你们，中央是放心的；胡宗南有飞机大炮，我们有一纵官兵。当时在场的一纵干部战士无不受到鼓舞，群情高涨。现在张宗逊、廖汉生命令他们严防死守保卫延安，官兵们枕戈待旦，丝毫没有懈怠。

而此时的胡宗南心里是一点底都没有了。还能怎么办呢？晋西南一败涂地，关中分区处于胶着状态，而西边的马鸿逵早已逃之夭夭。胡宗南无可奈何，暂且把这次军事行动看作是下一步全面进攻延安的预演吧！

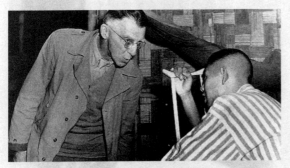

历史碎片
LISHISUIPIAN
D 大拼接
DAPINJIE

☆ 史迪威将军病逝

1946年10月13日，原中国、印度、缅甸战区美军司令兼中国战区参谋长史迪威将军病逝。中共中央领导人闻讯后致电表示沉痛的哀悼。14日，朱德致电史迪威将军的夫人，吊唁史迪威的逝世。唁电说：史迪威将军的逝世，不但使美国丧失了一伟大的将军，而且使中国人民失去了一个伟大的朋友。中国人民将永远记得他对于中国抗日战争的贡献和他为建立美国公正对华政策的奋斗。17日，周恩来致电史迪威夫人，对史迪威逝世"致以最深切的哀悼"，并赞扬史迪威是"最优秀的战士"。

☆ 中共代表团返回延安，抗议国民党独裁行径

1946年11月19日，参加政协的中国共产党代表团成员在周恩来的率领下乘飞机离开南京，返回延安。本月15日，国民党单方面在南京召开所谓国民大会，制定宪法，撕毁政协协议。为抗议国民党这些行为，中国共产党代表团决定返回延安。11月16日，周恩来在行前表示："终有一天我们是要打回来的。我们坚信！"

☆ 蒋介石为自己"加冕"

国民党占领张家口后，违背政治协商会议的规定，单方面于1946年11月12日起召开国民大会。国民党和青年党、民主党的代表及胡适、王云五、傅新年、胡霖等"社会贤达"1,600多人参加了大会。中国共产党和各民主党派都拒绝参加。大会推吴稚为会议主席，蒋介石等48人为主席团成员。这次大会的中心任务是制定《中华民国宪法》，故又称"制宪大会"，蒋介石为大会致了开幕词。大会经过41天的讨论，到12月25日，通过了《中华民国宪法》，以法的形式确认了蒋介石的独裁统治。这无异于蒋介石为自己加冕。

三原会议胡宗南独断专行，29军将领面面相觑。

军事投机胡宗南初战告捷，喜出望外蒋介石发电嘉勉。

张宗逊、习仲勋和廖昂在陇东捉起迷藏，何奇军事冒险，酒后丧命西华池。

胡宗南行色匆匆来到南京，蒋介石指示"三分军事、七分政治"。熊向晖再担重任，胡宗南军机泄露败局已定。

第五章

折将泄密，胡宗南攻延败局已定

三原会议与"初战告捷"

1947年2月，南京市内春寒料峭。

此时，离抗战结束已一年又半载，国民政府还都也近9个月了。蒋介石还都的时候，南京市民张灯结彩，夹道欢迎，欢迎自己的政府凯旋归来。在南京市民的心里，那一段不堪回首的日子终于过去了。现在有自己的政府，人们正满腔热情，对未来的生活充满了种种幻想。

但几个月过去了，起初的种种幻想已荡然无存。物价飞涨、物资奇缺、军警横行、政治腐败等一系列的问题使人们对政府越来越没有信心。社会的不满情绪像传染病一样迅速传染到了大江南北。"反饥饿、反内战、反迫害"的爱国民主运动在全国各大城市正紧锣密鼓地开展。

但蒋介石的内战政策并没有因为国内的政治经济形势日益恶化而有所改变。现在，他占领了全国105座大中城市和交通要道，吞食了近1/6的中共解放区，把中共部队大量地压缩到了农村地区。这些可以算得上是前几个月"剿

★ 1947年3月19日，我军主动撤离延安后，毛泽东主席在陕北转战途中。

XiangGuanLianJie
DaSaoMiao

☆ 国统区的经济泡沫

　　1947年2月8日，国民党统治区的金融市场普遍暴涨，上海一天内涨了5次。晨开盘，黄金每两为51.5万元，而后又依次至52.5万元、53万元、54万元、最后达55万元；美钞每元则涨至11,500元。南京金价每两60万元，美钞每元1万元。与此同时，国统区各地物价今日亦急骤膨涨，其他如布、食品无不涨价。由此不难看出，经济的严重动荡敲响了国民党统治倒计时的钟声！

★ 毛泽东在西北野战兵团副司令员张宗逊的陪同下在延安视察部队。

匪"的一大成绩。但代价也不小,共损失了66个旅71万人。由于占地太广,用于守城防御的兵力太多,蒋介石渐渐失去了全面进攻的能力。

蒋介石决定调整战略,把全面进攻改为对山东和陕甘宁的重点进攻。山东这边,已令陆军总司令顾祝同在徐州设立司令部,取代徐州绥署主任薛岳指挥3个兵团展开了进攻。延安这边,已经令胡宗南赶紧部署,尽快拿下延安。

胡宗南上次闪击延安没成心里就不好受,这回又要他攻打延安,自然憋足了劲。他对参谋长盛文说,再不拿点像样的战绩出来,实在是对不住老头子。跟着胡宗南干了这么长时间,盛文颇能理解胡宗南的心情,就跟胡宗南商定了以刘戡的整29军对"囊形地带"先行发起攻击的作战计划。

2月9日一大早,北风呼呼地吹着,天上还零星飘着小雨,胡宗南同战区副司令裴昌会、副参谋长薛敏泉一道坐车直奔三原整29军军部,召集对"囊形地带"作战部队旅以上将领的作战会议。

29军军长刘戡、参谋长于文一、整第36师师长钟松、整第76师师长廖昂、整第12旅旅长陈子干、整第24旅旅长张新、整第48旅旅长何奇、整第123旅旅长刘子奇等一共20余人在会议室坐了两排。胡宗南一行一到，刘戡下口令全体起立，气氛甚是严肃。

胡宗南穿着将服大呢，戴着白手套，军靴踩得地板咚咚响，走到会议室中间威严地环视全场将领后说："我们要消灭共产党，就要先消灭其有生力量。委座已命令我们即刻拿下延安，摧毁其首脑机关。拿下延安，就必须先解决'囊形地带'的侧背威胁，在座的都是进攻'囊形地带'部队的将领，希望你们能听从指挥，互相配合，打好第一仗。下面请于参谋长通报本军作战计划。"

于文一起立，转身来到作战地图前，拿起钢棍边指划边讲解："为达到消灭'囊形地带'内共军的目的，我军拟采取四面合围的战术。以两个旅分别从宜君西北及正宁东南插入'囊形地带'北端，以一部兵力占领要点，封闭口袋，堵截南下求援和从囊中北撤的共军；以主力控制马栏以北通向延安的主要道路东西两侧，截击共军。军主力同时从东、南、西三面迅速推进，包围囊内共军。"

对于文一代表的整29军军部意见，薛敏泉当即表示反对："此次作战的目的是在迅速夺取'囊形地带'，解决我军下一步进攻延安的侧背威胁，而不在于消灭共产党多少兵力。因此，我认为北面不封口袋为宜，给囊内共军一条生路，待占领延安后再解决不迟。"

这正是胡宗南的意图。

他不想和共军在"囊形地带"纠缠太久，想快点占领延安向蒋介石报喜。另外，他也不想和共产党硬拼，只想把边区部队赶到黄河东边去，把皮球扔给阎锡山，自己保存实力好向蒋介石邀功。于文一报告的29军军部作战计划无疑会和共军在"囊形地带"决一死战，这既会损失部队又会拖延时间，不符合胡宗南的作战意图。

但于文一仍然从此次军事行动出发，坚持说军事行动的目的一是消灭敌人有生力量，二是占领战略要地。无论从哪个角度来说，把北面的口袋封住，四面合围囊内共军都是最佳方案。因为囊内共军不多，国军兵力占据绝对优势。此次军事行动不把囊内共军消灭干净而故意让开北路让其逃跑，这等于是放虎归山！

于文一越说越激动，与薛敏泉争执不下，此时，钟松也发言支持于文一。眼看军部意见占据上风，胡宗南急了。如果按照军部意见，他迅速占领延安的计划就会受到影响。于是在会场讨论正热烈的时候，也不征求刘戡的意见就起身大吼："不要吵了，就按薛副参谋长意见执行。14日拂晓发起进攻。现在散会，各就各位做好战斗准备！"

在场的人无不目瞪口呆，刘戡更是觉得胡宗南把自己当作一个十足的傻瓜玩了一把。但这又能怎么样呢？

毛泽东等人也看到了"囊形地带"的危险性。这个伸入敌人的口袋虽然在战略上起到很大的作用，但在具体的战事中，还是很危险的。彭德怀早就想到，万一胡宗南派一支部队迂回到北面把口袋口扎死，那关中分区的新4旅不就完了？所以他已经下令，只要胡宗南来攻，咱们就撤。他前进一步，咱们就撤一步。在目前的形势下，不宜与胡硬拼。留得青山在，还怕没柴烧？

14日天刚蒙蒙亮，胡宗南在西安下达了进攻令。钟松指挥整第36师、廖昂指挥整第76师还有整17师的第12旅、第48旅向"囊形地带"稳步推进。整编第47旅为军预备队，控置于三原附近。

当国民党军走到爷台岭时，碰到了一阵强硬抵抗。钟松判断遇到了共军主力，立即命令部队做好战斗准备，刚摆开阵势，对面的枪声就渐渐稀落，不一会儿对方阵地上就跑得一个人也没有了。

钟松遇到的是我军新4旅掩护部队，待大部队撤退后也有组织地撤退了。钟松部顺着我军撤退方向继续前进。起初钟松、廖昂还颇为小心，不断命令部队提高警惕，小心中了埋伏，国民党将领对我军"诱敌深入"战术领教够多的，可谓刻骨铭心。但越往里走，胆子越大。因为一路上根本连我军的影子都没发现。偶尔听见几声枪响，那也是共军故意放空枪吓唬他们的。

这个曾经令胡宗南，甚至连蒋介石都大为头痛的"囊形地带"就这么轻而易举地占领了，胡宗南高兴得赶快向蒋介石发报，初战告捷，进攻延安的侧背威胁已解除。拿着胡宗南的战报，蒋介石占领延安的信心大增，马上回电把胡宗南大大嘉勉一番。胡宗南颇为得意，如果按29军军部的作战计划，战果是不会来得这么快的。

西华池何奇毙命

拿下"囊形地带"，胡宗南受到极大的鼓舞。

按照他原定的进攻延安的计划，先把"囊形地带"拿下，解决侧背威胁，然后派兵出击陇东，吸引共军主力，待调动共军主力西进后，立即集中兵力由洛川、宜川一线全线出击，一举拿下延安。

现在拿下了"囊形地带"，第一步已顺利迈出，第二步就要紧跟其后。胡宗南决定派整76师师长廖昂率该师和整17师第48旅，在马步芳整第82师的配合下向陇东的庆阳、合水大举进攻。

胡宗南很自信，只要共军一动，他就等着领赏了。

但廖昂一动，中共中央就把胡宗南的意图摸得清清楚楚。

"胡宗南声东击西喽！"毛泽东一语中的。

★ 严阵以待的陕北民兵战士准备抗击胡宗南的进攻。

109

★ 虽然胡宗南大兵压境，但毛泽东始终对胜利充满了信心。

朱德接过话头："那我们就将计就计嘛！"

二月的高原，寒风像刀子一样。奉中央军委令，张宗逊、习仲勋率第一纵队、新编第4旅、警备第3旅（欠7、8两团）一路浩浩荡荡急速西进，准备打击进犯陇东的廖昂和马步芳。根据中央军委2月10日的命令，此时的张宗逊和习仲勋分别是陕甘宁人民解放军野战集团军的司令员和政委，野战集团军下辖第一纵队、新编第4旅、教导旅、警备第1旅、警备第3旅。

中共中央对出击陇东是非常重视的。毛泽东说，这是打击胡宗南的第一仗，不仅可以推迟和打乱胡宗南进攻延安的计划，而且可以相机出击关中，威胁胡宗南进攻延安的侧背。所以在延安守卫力量非常薄弱的情况下，仍决定令张宗逊、习仲勋率主力西进陇东。

廖昂交给何奇的第48旅的任务是进攻合水，另外命张新的第24旅进攻庆阳。

何奇是黄埔六期生，后来到日本炮校进修，回国后又考上陆军大学，这一段经历在国民党将领里是少有的，所以平日里牛哄哄的，博得个"何大炮"的雅号。他办事雷厉风行，打起仗来更是不要命，还有点小聪明，这几点颇得胡宗南欣赏。

何奇带着部队，一阵风似的往前赶，28日上午10时，前卫142团就打下了赤城镇。接着又带着部队往前赶，一路上几乎没有遇到什么抵抗，3月1日黄昏到达合水县板桥乡。几天的急行军已是人困马乏，何奇也累坏了。当晚就准备在板桥宿营，搞顿酒喝，再好好睡上一觉。晚上刚把军靴脱下，就接到廖昂立即向合水进发的命令。

48旅本不属廖昂师，拿着廖昂的命令，何奇甩起性子就骂了起来。但边骂又边令部队向合水出发。

板桥和合水之间隔着一条马莲河。何奇用颤抖的声音下达了渡河命令。官兵们脱去衣服，赤着身体扑通扑通跳下河去。河水湍急，冰冷刺骨，冻死淹死不下百人，上得岸去，感冒发烧者更是不计其数。何奇带着部队昼夜兼程，终于在3月2日下午4时左右，到了合水城。

合水仍然是一座空城。

城门大开着，呼呼的北风从城内刮出，把合水城衬托得更加阴森恐怖。何奇骑着马在城外转了好几圈，始终下不了进城决心，只派侦察连小心翼翼进到城里去。侦察连把全城搜了个底朝天，结果只发现一个老汉和一只羊。何

奇悬着的心落了地，当即命令全旅就在合水做饭宿营。一时间炊烟升起，帐篷搭了一片。

旅部炊事班特意为旅长何奇、副旅长万又麟等几个人炒了几个好菜。何奇几个正推杯把盏的时候，胡宗南得到空军侦察报告，解放军主力已西进。胡宗南想都没想，立即令进攻陇东的部队经宁县在黄陵附近集结，增加进攻延安的兵力。

何奇接到原路返回宁县的命令时，气得把筷子扔出了几丈远。"他妈的，不让老子们睡个好觉，也不让老子们吃顿饱饭！"万又麟把电报接过来一看，也跟着骂了起来。只有参谋长连忙叫作战参谋把行军地图拿过来，呈给这两位火气冲天的旅长官。

何奇、万又麟几个带着一身的酒气把合水到宁县一线的地形反复看了又看。地图上清楚地显示，只有取道西华池才是最近的路线，并且道路平坦宽阔，行军便利。但这又往往是兵家之大忌，敌情不明的情况下哪有走平川大道的？

西华池是合水县的一个镇，是陕、甘两省的物资集散地，市场繁荣，商业发达。何奇红着眼睛盯着这个小镇发呆，几天来连共军的影子都没看着，到处扑空，难道共军就躲在西华池附近不成？

何奇怕担责任，开了个作战会议专门讨论行军路线的问题。

这几天里来回奔波，士兵们累得有气无力，几位旅长官也累得够呛，都想快点找个落脚的地方好好休整一下。所以几乎没有争议，就一致商定了取道西华池走大路向宁县开进。

"妈的，兵者，诡道也。越危险的地方，越是安全！老子就不信这个邪！"何奇这位军事"高材生"，把脏话、战术思想和着酒味一齐吐了出来。

张宗逊、习仲勋一直在与廖昂捉迷藏，他们的战术就是陷敌于疲劳，再集中优势兵力歼敌一部或几部。这几天何奇的部队来回奔波的时候，野战集团军却在就地休整。但何奇的一举一动，尽在张、习的掌握之中。

3日这天，侦察兵报告，何奇率部向西华池、板桥方向撤退；另外，张新的24旅也由庆阳向宁县方向撤退。

"估计胡宗南要把兵力收缩转向进攻延安了。"张宗逊对习仲勋说。

习仲勋说："那我们就趁他收缩之机赶快出手，保卫延安。"

野战集团军首长判断，西华池是一个商业大镇，民情复杂，何奇部不会

★ 西华池战斗打响前，张宗逊司令员正向部队指挥员下达作战命令。

直接进驻西华池，可能驻扎于板桥和西华池以北地区，为此迅速作出部署：我军新4旅、358旅进攻西华池以北地区；独1旅714团配置在杨家圪塔对板桥警戒，其余为预备队，配置于孙家凹寨附近；另警备第3旅向赤城方向警戒。

当358旅一阵风似的赶到板桥和西华池以北的山头时，何奇的部队正松松垮垮从358旅眼皮底下经过。但何奇部丝毫没有要在板桥和西华池以北地区宿营的迹象。难道何奇真的要赶到西华池去？要是这样还不如现在动手呢！这可是个好机会啊，我军居高临下，子弹、手榴弹一齐下去，不出两个小时何奇就会完蛋。旅长黄新廷赶快报告野战部队司令部。经过反复权衡，司令部考虑到敌情还不明朗，又只有358一个旅，力量有点单薄，便命令不要轻易出动，免得打草惊蛇，坏了大局。

逃过一劫的何奇兴高采烈来到了西华池。西华池人来人往，楼堂馆所照常营业，小商小贩依然叫买叫卖，跟坚壁清野的合水城形成鲜明对比。

何奇骑着高头大马辗转于人群之中，卫队、副官们前呼后拥，把个西华池大街弄得鸡飞狗跳。何奇这派头让人一看就是个大官人来了，酒楼老板们觉得有利可图，一哄而上，拉的拉，扯的扯，何奇一行人半推半就到了饭桌边上。何奇又累又馋，一坐下就只顾点菜要酒，部队交给各团长处理去了。

现在消息已经很确切，何奇部将在西华池过夜。黄新廷、余秋里赶紧拉

★ 我军某部正向敌阵地运动。

着队伍就往西华池赶，边赶边向张宗逊、习仲勋报告。到西华池时，天已黄昏。侦察兵报告，何奇的士兵确实累坏了，正懒洋洋地烧火做饭搭帐篷。这时，我军新4旅也正在向西华池靠近。

"我们也埋锅做饭，吃饱了再打。"黄新廷命令道。

这时，一个从城北探亲回来的老汉经过358旅做饭的山沟，以为国民党军来了，吓得赶紧拔腿就跑。刚到城郊，由于神色慌张，就被何奇的警戒哨兵抓住。一吓唬，那老汉吞吞吐吐便说，沟那边好多官兵做饭，因为怕拉夫，就三步并两步跑了过来，殊不知还是被抓住了。

"山沟那边有官兵做饭？"警卫排长神经崩得紧紧地，赶紧向连长报告，连长又向营长报告，不到几分钟，消息就到了何奇那儿。

何奇正在划拳喝酒，看来他今天是喝多了，醉眼朦胧地说："没事，别扫兴！"说完继续划拳。但在座的副旅长万又麟和142团团长陈定行坐不住了，劝道："旅座，胡先生今天下午也有敌情通报，说在我军侧后方有大量共军活动，现在又有报告，还是小心为好啊！"何奇还是满不在乎，令陈定行先去看看,自己继续喝酒。陈定行走出酒楼,万又麟跟了出来,搭着他的肩膀说:"何大炮刚愎自用,搞不好我们都要跟着他送死。你去盯紧点,一定要提高警惕!我们马上回来。"万又麟交代完,陈定行策马风驰电掣般到了团部。

陈定行走后不久,我军358旅8团从西华池北侧地区开始了攻击。一阵阵地动山摇的炮响,把何奇从酒中惊醒了。他提起枪,边系腰带边骂道:"妈拉个巴子,真的来了。老子这就去收拾你们!"说完酒钱也没付就一溜烟跑了。老板望着干着急,悔不该拉何奇来吃饭。

我野战部队因地形不熟悉搞错了主攻方向,何奇凭着酒劲顽抗了一晚上,到4日拂晓,何奇部虽伤亡惨重,但阵地基本保住了。

到4日晚,野战部队分析敌情和察看地形后再次全线冲锋。358旅716团由西华池东侧向新街突击,715团沿旧城围墙及西北向南进攻。野战部队这次冲击既冲得准又冲得猛,何奇部控制的制高点堡子楼很快被占领。堡子楼火力点居高临下,能控制整个城北。堡子楼一失,何奇的劣势就越来越明显。城内的守军节节败退,我军很快就攻到了何奇的旅部。

何奇像热锅上的蚂蚁,除了连续向胡宗南发报求救外,别无他策。听着外面枪声渐渐靠近,他想看看究竟,刚把头伸出窗外,一颗子弹嗖地飞了过来,不偏不倚打在脑中央。何奇两眼一翻,当场毙命。

就在这时,胡宗南派的空军战机到了。万又麟迅速调整部署,在飞机配合下发起反冲击。经过一番冲杀,总算是保住了西华池新街阵地。

从庆阳撤回的国民党第24旅此时接胡宗南命令,正向西华池方向急速行军,何奇毙命时已进至到距西华池不到百里的地方。野战集团军见国民党军援兵已到,又有飞机助战,再打下去恐有不利,在消灭何奇及所部1,500多人后,就主动撤退了。

西华池街内,国民党官兵尸横遍野,血流成河。

胡宗南赴南京受命

1947年的2月28日,蒋介石有两件事不能忘记,一件是台湾群众举行反抗国民党政府横征暴敛的抗议活动,另一件是胡宗南来到南京。

那天,蒋介石接到台湾省政府的报告时,正和胡宗南、白崇禧、陈诚商

量进攻延安的事情。台湾省政府的电报把事情的缘起、经过以及拟定的处理办法说得很详细，蒋介石把电报快速浏览一下后划了一个大圈，头也没抬就递给秘书发往台湾，然后继续和胡、白、陈商量他的剿共大计。台湾历史上一场空前绝后的血腥大镇压随后发生。

胡宗南是应蒋之令来到南京的。而在同一天上午，蒋介石还偕空军副司令王叔铭飞赴西安，部署了进攻陕北的军事战略。当日午后返回南京后，听到外交部报告，苏、美、英、法四国外长内定为3月10日在莫斯科开会，美、苏又要重提中国问题。蒋介石觉得这是一个争取国际支持的极好时机，要拿出点像样的战绩来增加自己的筹码。刚下飞机，又急电胡宗南进京，进一步敲定进攻延安的各项事宜。

蒋介石已经非常着急，在这几个月里，自己的军队损失70万，而共产党的军队却一天天在壮大。原来6个月消灭共产党的计划显然已经落空。胡宗南来到南京的当天，蒋介石就迫不及待地召见了他。

蒋介石长胡宗南9岁，胡子和两鬓已有些花白，看上去明显衰老了。胡宗南一如往昔毕恭毕敬，见到蒋介石的第一句话就是校长要节劳，党国事多，一定要保护好身体。蒋介石当然也少不了表示一下对这位他自称是自己真正的学生的关心。胡宗南年近不惑仍然单身，蒋介石自然问到此事。但胡宗南

XiangGuanLianJie
DaSaoMiao

GuanJianCi
相关链接
大扫描

☆ 台湾"二·二八"事件

1947年2月27日傍晚，因台湾省专卖局缉私员向一小贩索取金钱未果，手无寸铁的小贩即被其打晕。周围愤怒的群众当即对肇事者进行了围攻，缉私员在逃跑过程中打死旁观群众一人。第二天，激愤的群众赴省专卖局抗议，并且集结于行政长官公署前示威，要求改革政治，不料凶残的宪兵用机枪向无还手之力的群众进行了疯狂地扫射，死伤数十人。至此，事态一发不可收拾，在一周多的大众起义与国民党军镇压中，共死亡无辜群众达万余人。

★蒋介石的胡子和两鬓已有些花白，看上去明显衰老了。

说，延安不破，不予考虑。胡宗南这种伟男气概让蒋介石颇为满意。

谈到战事，蒋介石就唉声叹气："东北林彪匪军已发展到二十好几万人，现在的攻势越来越明显；华东那边，前几天的莱芜一仗一败涂地，损失两个军1个师和好多重型装备，连将官也被捉了19个，真是奇耻大辱！"

这样的战况令蒋介石愤怒、失望，却让胡宗南感到压力重重。要是自己也像莱芜战役那样吃败仗怎么办啊？

胡宗南抬眼望了望余怒未消的蒋介石："校长，失利是暂时的，也是局部的。现在全国的战略要地和交通要道绝大部分都在我们手里，我们仍然掌握着主动。校长您指挥若定，国军神勇果敢，灭绝匪患只是时间问题。"

蒋介石听这样的话听多了，不以为然地说道："这种说法做宣传可以，能够鼓舞军心民心。但你们做将领的就不能这么看，也不能这么想，要多一些忧患，把困难估计得多一些。我越来越觉得，与共军打仗不能那么乐观了，凡

★1947年蒋介石夫妇接见美国顾问团团长巴大维。解放战争时期，蒋介石政府得到了美国的大力支持。

事往坏处想有好处。"

胡宗南欠着身子连连点头称是。

蒋介石继续说："以前打延安是战术动作，现在打延安则是战略动作，事关全国战局，也关乎军心民心，希望你能看到它的分量。要攻下延安，必须做到突然，保密，还要学共产党，既要军事攻略，也要政治攻略。我们这次要'三分军事、七分政治'，就是在军事进攻的同时在政治上大做文章。共匪在陕北年长日久，群众都被赤化，一定要动点脑子，把群众争取过来，这样才能事半功倍。"

有前两次闪击延安的失败，胡宗南越来越觉得蒋介石这几句话是在批评自己，他把蒋介石的话玩味了很久。只要措施得当，突然和保密是可以做到的，但对于要在政治上做点文章，这位行伍出身的军人就有点不得要领了。

回到住处，他和同来的盛文参谋长琢磨着蒋的意思："政治无非是什么时候打和打哪里的问题，军事就是怎么打和打不打得赢；而什么时候打和打哪里都是老头子决定的，我只不过是完成老头子一道命令罢了，哪来什么政治可言？"

盛文端一杯水，在房里来回踱步，他说："先生把政治想得太玄乎了。政治是理由，是立场，是态度，也是办法，而这一套东西贯穿于打的整个过程之中。委员长要的政治，也就是要这些东西，要师出有名，也要师出有民。就是在仗打起来后要赢得老百姓的支持，要让他们相信，国军是一支爱民的军队，是一支正义的军队。只要能赢得群众的信任和支持，骗也好，哄也好，都叫政治！"

盛文一点拨，胡宗南心里亮堂多了，向盛文直点头："那依你之见，这政治攻略，怎么个攻法？"

盛文不紧不慢地说："这个就不要先生烦恼了，您叫来向晖即可。"

向晖就是熊向晖。胡宗南把脑门一拍，怎么把他给忘了呢？

这个30出头的年轻人，机智、沉稳，又有政治头脑，深得胡宗南赏识。几个月前由胡宗南保荐，准备去美国留学。胡宗南逢人必夸，熊向晖已成为他的人际圈子里的一颗耀眼新星。前些天熊在南京结婚，蒋经国亲自主持婚礼，排场之大，让胡宗南也风光无限。这不证明我胡宗南与小蒋关系非同一般吗？

自从胡宗南几次重大军机泄露后，第一战区一些官员以及中央保密局一些特务头子都已经怀疑上熊向晖了。但胡宗南用人不疑、疑人不用，一些重要讲话稿件和重要军事文件都交由熊向晖处理，包括蒋介石发给胡宗南的专电，也是由熊向晖一手负责的。毕竟，在胡宗南身边，像熊向晖这样的奇才没有第二个。而熊向晖遵照周恩来"有所为，有所不为；抓大放小，注意战略动向，着力保卫党中央"的指示，把地下工作做得滴水不漏。

新婚燕尔，熊向晖正在杭州和爱人谢筱华度蜜月。那天刚起床，保姆说南京方面有要人找，要他即刻起程回南京，不得耽误。

熊向晖心里一怔，不禁想起几个月前周恩来把记有他的电话号码和住址的笔记本，丢在马歇尔专机上的事。虽然马歇尔马上派人把笔记本送还周恩来，但周恩来还是不放心，要熊向晖先避一避。

"难道与这件事有关？"熊向晖心里打起鼓来，向爱人简单交待几句后，就和来人一起上了飞机。

他忐忑不安回到南京，直到胡宗南给他交待任务，他悬着的心才落地。

胡宗南给熊向晖一个公文包，把他反锁在房间里，要他根据里面的文件

在3个小时之内草拟一份"政治攻略延安"的计划。

熊向晖打开公文包，看着那两份文件惊呆了。

文件一份是蒋介石亲自圈定的攻略延安的行动计划，时间是3月10日；另一份是国民党侦察机关侦察到的陕甘宁边区共军的兵力部署情况。这两份文件太重要了！

熊向晖一口气把这两份文件读下来，对每一个细节都烂记于心。然后按照胡宗南的要求，迅速草拟起他的政治攻略计划来。

熊向晖迅速把政治攻略延安的计划拉了出来，诸如"实行民主政治，人民当家作主"，"废除土地私有，实行耕者有田"，"地主交租，穷人免租"，"普及教育，村办小学，乡办中学，县办大学"，还有军队过处"不吃民粮，不住民房，不拉民夫，不征民车，不扰民安"等等，看得胡宗南连连叫好。这份计划送到蒋介石那里，蒋介石戴着老花镜从头至尾审阅了一番，一个字未改，就批了四个字：照此实行。而此时，那个公文包里的所有情报已经随无线电波穿越千山万水传到了延安。

国防部为胡宗南设了个隆重的招待晚宴。蒋介石、白崇禧、陈诚等要员全部出席，和胡宗南这个封疆大吏推杯换盏。那天的胡宗南，从白崇禧、陈诚的话中第一次真正感觉到了自己在国民党政权中的分量。白崇禧说："寿山老弟，西北的战事就全靠你了。"陈诚说："寿山兄，现在校长对你的倚重超过任何一个人！"

那晚蒋介石和胡宗南谈了很多。从井冈山"剿匪"、长征途中的围追堵截、围攻陕甘宁一直谈到现在的战局。蒋介石的情绪时而激动，时而低落。他一次次用"三民主义"、党国利益勉励胡宗南，胡宗南也信誓旦旦："拿不下延安，学生甘受军法！"和共产党打了这么多年，蒋介石深知"剿共"的难度。他把胡宗南拉到一边小声问："你有没有绝对把握？"胡宗南吐出一口酒气，仍然那样自信："绝对有把握！"

话都到了这份上，蒋介石还能说什么？再说就是对学生的不信任了。

第二天，胡宗南神采飞扬地回到了西安。

☆ 解放军的战略反攻

随着战局的发展，到1947年2月为止，经过8个月大小160多次的作战，人民解放军平均每月歼灭国民党军8个旅，共歼敌71万人；国民党军虽占有105座城市，但其有生力量大量被歼，用于进攻的机动兵力锐减。至此，国民党被迫放弃全面进攻而转变为局部的重点进攻。国民党军在陕北和山东战场发动局部攻势的同时，人民解放军却在晋冀鲁豫、晋察冀和东北战场开始了战略性反攻，夺取全国胜利指日可待。

☆ 蒋介石的拙劣表演

1947年7月4日，国民党以国府训令方式颁布《全国总动员令》。该令声称共产党"武力叛国"。称用政治方式不可能解决国共问题。号召"动员全国力量，一面加紧戡乱，一面积极建设，方能达到和平建国之目的"。7日，蒋介石为抗战10周年发表《告全国同胞书》，重申"加强戡乱工作"。法案颁布后，国民党政府即开始大规模征兵、征粮、派款，加紧了对广大人民的掠夺和镇压。蒋介石的这一做法无异于贼喊捉贼。只要他停止内战，那么中国就无乱可戡。

☆ 正义游行抗暴行

1946年12月24日，两名美军大兵强奸北大女生沈某事件发生后，以北大、清华为主导的北平学生为抗议美军暴行特举行罢课游行，两校领导为此召开紧急联合会议，均表示："同学既然坚持罢课，学校决不强迫学生上课，这种污辱，不仅是某个同学，某个学校的事，而是大家共同的事，是全中国人民的事。"其他各大学如燕京、师院、中法、朝阳等学校的学生都决议响应。30日黎明，北大沙滩大操场，即有各学院同学集会，迄9时许，全场已有上千人。10时，清华大学及燕京大学学生之联合进城请愿游行队已出发的消息传来，各同学莫不兴奋异常……学生们的游行反映了学生们的呼声，也反映了大众们的呼声。

第二卷

DIERJUAN

扬长避短胜出一筹
以弱胜强稳定西北

在"保卫延安、保卫中央、保卫毛主席"的呼声中，中共中央以退为进，转战陕北。"谁敢横刀立马，唯我彭大将军"。彭德怀临危受命，频传捷报，歼敌无数，胡宗南大惊失色："这么快啊！"在毛主席"蘑菇战术"的指引下，蟠龙一战终使胡宗南骑虎难下，陕北战事至此稳定。野战军乘胜追击，直指西北。

熊向晖送来的绝密情报把保卫延安的各项工作推向了高潮，延安百姓在宝塔山下齐呼"保卫党中央、保卫毛主席"。

洛川全城戒严，胡宗南在此召开阵前会议，一时间洛川空气骤然紧张。

彭德怀亲临防线钻入密林地带，与罗元发、陈海涵立下了"坚守七天"的约定。朱德、刘少奇率领中央机关一部先行撤离延安，彭德怀主动请缨，指挥边区部队抗击胡宗南的进犯。

第一章

大敌当前，万众一心保卫延安

"保卫党中央，保卫毛主席"

1947年3月的南京春寒袭人，呼啦啦的北风刺骨的凉。蒋介石的心跟这天气一样冰凉，他已经铁了心要和共产党彻底撕破脸皮，准备背水一战了。早在1947年1月30日，他就指示国民政府宣布解散军事三人小组和北平军事调停处执行部，2月27日、28日又先后通知中共驻南京、上海、重庆等地办事处，限于3月5日前撤退全体谈判代表和工作人员，宣布国共谈判完全破裂。而为虎作伥的美国也在1月29日宣布结束与军事三人小组和北平军事调停处执行部的联系，还于3月11日撤走了驻延安的美军观察组。

蒋介石连同白崇禧、陈诚和胡宗南在南京商定的对延安的作战部署是这样的：以胡宗南整编第10师的第10、第85旅，整编第76师的新1旅，整编第17师的第84旅和整编第36师的第28旅等共5个旅担任守备任务。以整编第1、第29军和整编第15、第38师各一部共15个旅14万人，由宜君、洛川、宜川之线向北担任主攻。以西北行辕副主任马鸿逵、马步芳部的整编第18、

★延安保卫战：1947年3月，蒋介石以23万人的兵力进攻陕甘宁解放区，直逼延安。我军在"保卫党中央，保卫毛主席"的口号鼓舞下，以运动防御阻击敌人，展开了延安保卫战。

XiangGuanLianJie
DaSaoMiao

GuanJianCi
相关链接
大扫描

☆ 美国宣布退出军事三人小组

　　1947年1月29日，美国驻华使馆发言人康纳士发表声明，宣布美国代表将退出执行停战协定的军事三人小组，并撤出军事协调处执行部美方人员。30日，国民政府宣布解散三人军事小组及北平军事协调处执行部。与此同时，中共中央就执行部撤销一事也发出了美国至此不应再干涉中国内政的相关指示，2月21日，北平军事协调处执行部中共代表叶剑英等，及工作人员全部离开北平返回延安。

　　第81、第82师共10个旅5.4万余人由宁夏银川、甘肃同心、镇原向东，晋陕绥边区总部主任邓宝珊所属第22军两个旅共1.2万人由榆林向南配合，夺取延安。另外，调集作战飞机94架，由空军副总司令王叔铭指挥，分别自郑州、

★毛泽东主席和朱德总司令同三人小组步出机场。

太原、西安等地起飞，轰炸延安、陕北，协助陆军作战。所有部队由胡宗南统一指挥，胡宗南随部队前进，如有必要，蒋介石也可以亲临前线指导作战。

这无疑是一个杀气腾腾的作战计划，它囊括了胡宗南的功名，更包含着蒋介石的成败。而这一切，已全数掌控在延安中共中央的手里。

熊向晖送来的绝密情报把保卫延安的各项工作推向了高潮。3月2日，中共中央书记处开会决定用坚壁清野、主动撤离延安的办法来对付胡宗南的进攻。6日，军委电令晋冀鲁豫野战部队第四纵队司令员陈赓、政委谢富治以及太岳军区司令员王新亭、副司令孙定国，立即出击胡宗南侧背，占领阌乡、陕县、渑池、新安，配合延安保卫战。7日，军委电告贺龙，望尽量支援炮弹，用汽车运送军用物资；同日电令陕甘宁人民解放军野战集团军司令员张宗逊、政委习仲勋，在现有防线基础上于劳山与三十里铺之间、南泥湾与三十里铺之间及其以东地区，加筑第3道防线。8日，军委致电令王震率第二纵队于延水关西渡，集结于延长附近。

一切安排停当，8日又召开了延安各界保卫边区、保卫延安的动员大会。

动员会那天，延河边上来了10,000多人，黑压压的人群把早春的寒气赶得无影无踪。人群里有学生，有农民，有机关干部，也有学校老师，他们中绝大多数都是听到消息后自动赶来的。战士手里的三八大盖，红小鬼拿着的红樱枪，以及农民手中的铁锹、锄头，还有在北风中猎猎作响的红旗构成了一幅意义非同寻常的画面。自从中央红军长征至此，保卫边区、保卫延安的活动就没有停止过，特别是从抗战后期开始，"保卫延安"已渐渐成为边区用得最多的一个口号。

朱德、周恩来、彭德怀、林伯渠等人站在主席台上，看着广场上的万余群众，完全被他们保卫延安的忠诚和热情所感染。是啊，多好的人民啊！十年前用小米救活了红军，接着又用小米养育了八路军。现在，在延安的危机时刻，他们又拿着最原始的武器充当起党中央的忠诚卫士。两个月时间里，他们献出了800万石粮食，赶做了8万余双军鞋，熬制了15万公斤火硝。青壮年甚至妇女纷纷参加游击队和建立民兵组织。现在，游击队发展到了5,100多人，基干民兵有1.5万人，并且还普遍进行了投弹、射击、埋地雷的技术训练。没有参加游击队和民兵的群众又帮边区部队修筑防御阵地，抢修工事……这是什么样的军民关系啊？血浓于水啊！有这么好的人民还惧怕蒋介石、胡宗南吗？他们是边区最坚固的万里长城啊！

朱德等中央领导都觉得浑身发热，内心里似乎有一股激流在涌动。

望着那一张张布满灰尘的脸，几位领导心里又有一丝丝的愧疚。在延安，和群众朝夕相处了十多个年头，吃着小米粥一起开窑洞，一起搞生产，一起学马列，一起打日本，可以说是生死相依，患难与共。现在敌人来了，拍拍屁股就要走，感情上通不过啊！此时，这几个泰山崩顶色不变的共产党员动起了感情，喉咙里像哽着个什么东西，只觉得鼻子发酸，眼睛湿润了。

"但不走能行吗？几十万敌人黑压压地扑了过来，我们满打满算还不到5万人，10与1的比值，不走不行啊！但这不是逃跑，也不是败退。现在放弃延安，是为了将来永远地拥有延安；现在主动撤退，是为了下一步更好地进攻！我们还要回来的，我们一定能回来的！"周恩来把放弃和拥有、撤退和进攻的关系解释得清清楚楚。主席台下老乡们也理解了中央的决策，一遍一遍高呼"我们还要回来，我们一定能回来"！

走的问题解决了，但走了以后到底打不打得赢啊？说是还要回来，但到底能不能回来呢？这个问题老乡们还是心存疑惑，并且很是担心。要知道，中央在延安的十几年里，延安群众已经把延安建设成了他们安居乐业的家。生儿育女，日子过得自在，舍不得啊！彭德怀的一番话，打消了老乡们的顾虑。

★ 朱德总司令在保卫延安动员大会上讲话。

彭德怀说："1935年的时候，刘志丹只不过3,000人，后来来了个徐海东，也不过3,000人，最后中央红军长征到这里，也才7,000多人，我们3支力量加在一起也不过15,000人，而敌人有多少呢？"彭德怀伸出一个指头，在空中划了两下说："101个团！"

"那是什么概念呢？"彭德怀又伸出3个指头："30万人！"

"30万人啊，同志们！与我们的比例是20：1。但结果怎么样呢？我们从关中打到山西，又从山西打回来，一直打到马鸿逵的老巢。打得胡宗南在山城堡一败涂地，打得张学良讲和去抗日，打得阎锡山坐在太原不敢出来，也打得马鸿逵损兵折将，连蒋介石也在临潼差点丢了性命，最后还是我们救出来的。现在，敌人的力量没变，而我们强大多了。现在我们有正规野战部队27,000人，加上民兵和游击队，一共有5万人。而东边的陕甘宁晋绥联防军和晋冀鲁豫野战部队第四纵队还能在外线配合我们作战。更重要的是，我们有党中央，有毛主席的英明领导，还有陕北乡亲们的全力支持。你们说，我们能不能打赢？"

经彭德怀用事实论证，老乡们早已信心百倍，万人异口同声"能打赢"的回答响彻云霄。

"是的，我们能打赢！"彭德怀露出笑脸，挥舞着长满了老茧的手继续说："11年前我们打胜仗，现在我们打胜仗，将来我们还要打胜仗。我们不仅要打回延安，我们还要打到蒋介石的老巢去。从现在开始，有枪的拿枪，没枪的拿刀，保卫边区，保卫延安，保卫党中央，保卫毛主席！"

主席台下跟着喊了起来，似山呼海啸，地动山摇。

彭德怀金盆湾视察

延安城内的土街上一片繁忙，坚壁清野的工作正有条不紊地进行。机关、学校和国际和平医院里的伤员都在有组织地疏散转移，老乡们牵牛拉马，把最后剩下的几斤米几两油也埋到了地下。他们发誓绝不让胡宗南拿到任何东西。

彭德怀和军委一局副局长王政柱搭乘一辆美式吉普车一路南下，直奔富县去检查防御工事。时值阳春三月，万物复苏。但彭德怀的心情丝毫没有春

天的明朗。他只觉得黑云压城，一场暴风雨就要来临。

在几个月前延安危机的时候，彭德怀就已经全面进入了角色。自那个时候起，他就没吃过一顿好饭，也没睡过一个好觉。从兵力部署、弹粮准备到伤员安置、群众疏散，事无巨细，全数过问。打退胡宗南对延安的进攻后，12月中旬又风尘仆仆赶到山西离石，在高家沟召集贺龙、习仲勋、李井泉、陈赓、罗贵波等人开了个陕甘宁边区部队和晋绥军区部队联合作战保卫延安的会议。今春以来，随着胡宗南的攻势愈来愈猛烈，彭德怀越发寝食难安，常常通宵达旦地工作。

彭德怀望着车窗外起伏的山峦，又想起了西华池战斗。

西华池一仗在整体上是一场不怎么样的战斗。虽然歼敌1,500人，还击毙国民党少将旅长何奇，但野战集团军伤亡也高达1,200多人。在我陕甘宁部队战斗史上，伤亡1,200人可是个不小的数字！更何况当时敌我力量异常悬殊，以1,200人的伤亡换取歼敌1,500人的战斗不是胜利，而是失败，甚至可以说是大大的失败。仗刚打完，彭德怀就拍起了桌子："乱弹琴嘛！跟胡宗南这么拼下去，我们这点家当经得几回拼？"拍完桌子还觉得余怒未消，又把张宗逊、习仲勋训斥了一番。这位解放军的总参谋长对我军西华池一仗非常不满。

张宗逊、习仲勋和整个358旅、新4旅、警1旅干部都清楚这一仗没能打好，没能彻底摸清敌情，也没能抓住战机，部队损失太惨重了。从陇东一撤到富县，他们就开起了检讨会，从司令员到每名战斗员，一个不少都要作反省和自我批评。

彭德怀到富县时正好赶上这次检讨会，怒气已经消解了许多，说话语气也缓和多了。他对358旅、新4旅、警1旅参加检讨的营以上干部说："这是我们对敌人大举进攻延安的第一仗。军委是非常重视的。毛主席说，这一仗不仅可以推迟和打乱胡宗南进攻延安的计划，而且我们还可以相机出击关中，威胁胡宗南进攻延安的侧背。所以中央对这一仗寄予了很大的希望。你们打得很勇敢，尽了最大努力，目的基本达到，就是伤亡太重了，所以说这一仗没有打好。不过不要紧，经过这一仗我们摸清了胡宗南的底子，还给自己留下了血的教训，这些对以后作战都是有好处的。这就是毛主席说的'从战争中学习战争'。只要能吸取教训，现在的失败是可以换取将来更大的胜利的。"

彭德怀这次充满感情的讲话感动了在座的好多干部战士。他们都松了一口气，脸上的愁容也渐渐散去。霎时间，前几天还吹胡子瞪眼的彭德怀的形

★ 随着胡宗南的攻势愈来愈猛烈，彭德怀越感压力巨大，常常通宵达旦地工作。

象在他们心里温情脉脉起来。

　　彭德怀在富县稍作停顿，又风尘仆仆地赶往防御重地金盆湾。这是彭德怀4个月之内第二次来金盆湾视察，足见敌情之严峻，金盆湾之重要。

　　好些天以前，我军教导旅侦察连例行侦察时，突然在临镇附近的一个密林处发现一辆美式吉普车，几个人正鬼鬼祟祟地又是拍照，又是描地图。侦察连士兵警觉起来，悄悄赶了过去，原来是几个国民党军官在这里搞地形侦察。侦察连战士一拥而上，当场击毙一个，其他人逃走了，不过在吉普车里缴获了一堆文件，其中还有一张"陕甘宁兵要地志调查图"。调查图上，东起临镇、西到富县中间一个宽25公里的密林地带用红笔特别标出，并且还记录

★彭德怀（左）与习仲勋在地图前一起研究作战计划。

着各种地形地貌。罗元发、陈海涵看了大吃一惊。因为这一带荆棘丛生、荒草遍野，教导旅没把这里作为重点防御。"难道胡宗南要从这里突破防线？"罗元发、陈海涵赶紧报告了军委。这次彭德怀来金盆湾，重点就是来看这个密林地带的。

　　彭德怀一到就钻进了密林地带。教导旅已经查清，密林深处有一个叫标家台的地方。据说清朝的时候是个秘密的保镖站，甚是繁华。如今这里还住着十多户人家，进进出出有十多条小路。走小路翻过两座山，就是金盆湾的南山。到了南山，就等于突破了教导旅的防线，再向前就可直逼延安。

　　彭德怀和罗元发、陈海涵边走边看，不时有野兔从密林中窜出来，还可听到几声野兽的嚎叫。闪过几窝荆刺丛，再翻过几个小山包，一条羊肠道就出现在眼前。顺着羊肠道再往前走，就可到标家台。

彭德怀一行走的那条羊肠道，甚是开阔。"幸亏缴获了这份兵要地志图，不然我们要吃个大亏。总以为人家吃皇粮的，受不了这个苦。胡宗南还真行，他就偏偏把这地方给找着了。你们在这里设防这么长时间也没发现嘛。"彭德怀边走边说，"对了，那几个侦察兵要表扬，要奖励。他们可立了个大功哩！"

在回来的路上，彭德怀告诉罗元发、陈海涵："这个密林地带的几个重要山口要做重点防御，要抢修几处工事。以防万一。我估计，胡宗南失了这份兵要地志图，突破口会重新选择。但无论怎样，既然已经发现这里是个漏洞，就一定要堵死。"

罗元发、陈海涵拿着笔记本飞快地记了一阵。

彭德怀那件灰布旧棉袄已被狼牙刺戳了好大几个窟窿，白棉花都露了出来，但他毫不在乎，兴致还是很高，说个不停。

"延安的中央机关、学校、医院都在转移，伤员和群众也在疏散。但这需要时间。你们的任务就是尽量拖延胡宗南的时间，掩护中央机关和群众的安全转移。中央知道，你们的困难很大，所以委托我过来看看你们，给你们打打气。但不能为你们解决实际问题。兵力少、防线长、武器落后、子弹还不充足，这是普遍性的问题。我们唯一强于胡宗南的，就是我们的干部和士兵都能吃苦，能同仇敌忾。所以，拖延胡宗南主要是靠官兵的觉悟和斗志。但你们要记住一条，要巧战，不能死守。中央已经决定在延安以北的山区和胡宗南周旋，陷他们于疲劳和缺粮之境地，再找机会逐个消灭他们。所以你们一定要保存实力，切忌拼消耗，这是一切问题的关键。西华池一仗没打好，伤亡太惨重了。他们正在开检讨会，希望全军部队都能吸取点教训。我们啊，任何时候都不能忘记毛主席说的'以少胜多、以弱胜强'这个原则！"

彭德怀停下来，意味深长地望着西边天空上飘着的那一抹晚霞，晚风吹来，不禁打了个寒颤。

伫立良久，他突然回头问："你们能坚持几天？"

罗元发、陈海涵还沉浸在彭德怀的前一番讲话中。他们觉得，彭总这番讲话内容太丰富了，值得回味的东西有很多。彭德怀突然发问，他俩一时间倒没反应过来。

彭德怀目不转睛盯着他们，非常急切，又问了一遍："几天？你们能坚持几天？"

"5天。"罗元发鼓足勇气，觉得在每名士兵还不足十发子弹的情况下，能坚持5天已经够长的了。

但彭德怀不满意。

"7天，一个星期！怎么样？"彭德怀非常热切地看着他们又问。

罗元发、陈海涵相视而立，没有立即作答。7天，这是个沉甸甸的担子。但他们知道，这是上级对自己的命令，也是彭总个人与自己的约定。

"行，7天！"片刻，罗元发、陈海涵一起响亮地回答，既包含着对中央首长、对延安群众的责任，又包含着对彭总这位德高望重的老帅的感情。

彭德怀朝他们直点头，拍拍两人的肩膀半晌才缓缓说道："难为你们了！"

胡宗南洛川训话

胡宗南还拿着熊向晖拟定的政治攻略延安的计划，设想着和共产党进行军事较量的同时，要和共产党打一场对群众的争夺战。他在心里暗暗发誓，一定要把进攻延安的这一仗打成剿共战争的一个典范。他所谓的典范，就是要把群众争取过来，利用群众来和共产党作战。但他却不知道，延安的群众已经紧紧团结在中共中央的周围，筑起了一道牢不可破的铜墙铁壁。

到3月10日，从晋南运城出发的国民党整编第1军，辎重迫击炮营和火炮部队从禹门口渡过黄河后在宜川附近集结完毕；整编第29军附战车重炮部队，已在洛川地区集结完毕；驻西安的空军第3军区已完成一切战斗准备，另外，蒋介石亲自圈定的参与进攻延安的作战飞机已在郑州、太原、武汉等地随时接受命令。还有北线的邓宝珊、西线的马鸿逵、马步芳也全部到位。

国民党一场陆空联合进攻延安的战斗准备已全部就绪。

蒋介石的决心是要赶在莫斯科四国外长会议结束之前占领延安，向国际社会，特别是向美国显示他此时无论在军事上还是在政治上，都占有共产党无法比拟的优势。但美军观察组行动迟缓，还没从延安撤走，怕伤了友军，进攻日期不得不往后推。这可急坏了蒋介石，他一再告诉胡宗南，美军一撤走，就开始全线出击。

3月9日午夜，西安的温度降到了零下几度，大街上已结下了冰块。胡宗南穿一件特制的军大衣，戴一顶皮帽，在警卫和机要秘书熊向晖的护卫下，极为隐蔽地来到了西安火车站，他要从这里乘开往同官（今铜川）的专列，再换乘吉普车去洛川，召开一个进攻延安的陆空将领联席军事会议。

列车开得并不快，胡宗南靠窗而坐，望着窗外隐约可见的山峦，心潮澎湃，情绪难抑。在黄埔一期生中，他可谓是最得志的一个了。1936年就当上第1军军长，后来又任第17军团军团长、第34集团军总司令。豫湘桂大溃退后率军东出潼关，获得豫西大捷后顶了丢城失地的汤恩伯，一跃成为第一战区副司令长官。不久同一战区司令长官陈诚奉命去军事委员会任职，胡便理所当然地当上了第一战区代理司令长官，并于1945年8月正式就任第一战区司令长官，统管西北五省军事，成了名副其实的"西北王"。

抗战八年里，胡宗南就打了淞沪会战、武汉保卫战两场大仗，并且还都以失败告终，后来就一直担任蒋介石的别动队长，率军封锁陕甘宁边区。蒋介石不声不响把胡宗南安在大西北，有意把胡宗南培植成名副其实的"西北王"。现在，胡宗南手上有装备优良的34个旅，共计25万人。控制着西北陕、青、甘、新及宁、晋的部分地区，有四川作后方，有现代化的交通工具，还有充足的兵员补充和物资供应。胡宗南凭着一大把本钱，完全成为蒋介石在大西北的军事支柱。蒋介石在内战初期把进攻重点放在中原、东北和华北战场的时候，在古城西安的胡宗南并没受到太多的关注。随着这几个月来全国战局的变化，西北的地位迅速凸显出来，胡宗南也在中国内战大棋局中走向了台面。

到了同官，胡宗南一行换上土布军装，乘坐一辆外表破旧的吉普车直奔洛川。此时，副司令长官裴昌会、副参谋长薛敏泉和政治部主任王超凡已先期抵达，建立了"前进指挥所"，裴昌会任主任。盛文参谋长留在西安看家，负责战区与国防部的联系。

11日这天，洛川突然失去了往日的热闹。全城紧急戒严，民用车辆不许通行，老百姓也不许上街。大街上各个街口全副武装的国民党哨兵和来回巡逻的执勤分队，使洛川的空气骤然紧张起来。老乡们躲在屋内，不敢出门半步。其时，城西北角的洛川中学内停满了雪佛莱和各种美式吉普车，胡宗南亲自召开的前方军事会议正在中学内一间窑洞里进行。

胡宗南还是三原会议时的装束。他坐在会议桌正中间，两排分别坐着裴

昌会、薛敏泉、空军第3军区司令刘国运、整编第1军军长董钊、整编第29军军长刘戡、以及参谋处和通信处处长、第7补给区司令、参战部队各师师长和参谋长，还有特种兵部队长官等，一溜儿几十人，挤满了那间还算大的窑洞。

胡宗南并没有像往常那样踱步即兴演讲，而是笔直站在会议桌正中央，按照熊向晖事先拟好的稿子下达作战动员令。

"奉委员长命令。"胡宗南说完故意停顿一下，以增强动员令的严肃和庄重，而在座的将领们则迅速起立，立正恭听委员长的命令。

"奉委员长命令，我部将立即发起对延安的攻击。延安是共匪老巢，攻占延安，无论在军事上，还是在政治上，意义都非同寻常。委员长把这一光荣使命交给我部，正是我部为党国立功的好机会，希望在座各位努力同行，为党国立功。"

每次开会，胡宗南的开场白都会这样的空洞无物，而有实质意义的作战安排，通常都由另外的人来进行。这次，通报作战安排的是薛敏泉。

薛敏泉快步走到地图跟前，拿起一根木棍在地图上指划着说："共匪正规部队为警备第1、第2旅和一个番号不明的旅共2万多人，加上杂七杂八的地方部队，总共也不过5万人。据侦察，共匪正规军主力集结于临真镇、金盆湾、劳山一带，另外有一部似在延长县附近地区。友军方面，整编第30师主力仍在晋南临汾、运城等地担负守备任务，并有一部在壶口、禹门口一带担任河防，掩护我军的右侧背。同时，国防部已令马鸿逵部向庆阳、合水进攻，策应我军作战。作战时，除空军第3军区有飞机参战外，郑州、太原、武汉等地作战飞机随时都可起飞参加战斗。空军同时投入战斗的飞机可达100架……"

有几位将领脸上露出不屑一顾之色。"共匪"才这么一点点，有必要这么兴师动众吗？几十万的地面部队不说，还派上百架飞机支援。就算消灭"共匪"这几万部队、占领了延安又能怎么样？一个光秃秃的黄土高原对全国战局有多大意义？

胡宗南认真观察着每个人的表情。返回西安的时候，蒋介石一再告诫不能轻敌，要有忧患意识，要把困难想得多一点。此时，他已经看出了军师长们的自傲情绪，皱着眉头插话道："就兵力数量和武器装备来看，我军占据着绝对优势。但诸位并不能以此轻敌。共匪素来狡猾，打仗常出其不意，此为其一；其二，共匪在延安生活十多年，地形熟悉，群众亦被赤化，占据了地利人和之优势；其三，我军第一次来，地形不熟悉，环境不熟悉，又兵马劳顿，困难会有很多。我这次去南京，委员长教导我，做将领的，要多一些忧患，把困难估计得多一些。委员长还说，与共军打仗不能那么乐观，凡事往坏处想有好处。希望在座各位牢记委员长的教导，不要骄傲，不要轻敌。六届三中全会就要召开，我们要拿战绩来向全会献礼。"

彭德怀临危请缨

　　胡宗南正在洛川开会的时候，美国一个记者团又到了延安，说是去采访美军观察组撤离延安的场面。这些美洲年轻人一到延安，就格外地活跃。他们人人都看过艾德加·斯诺的《西行漫记》，早就对斯诺笔下的这个中国红都充满了好奇。美军观察组搭机走后他们还在到处走，到处看，丝毫没有马上就走的迹象。

XiangGuanLianJie DaSaoMiao
GuanJianCi 相关链接 大扫描

☆ 中国人民的朋友——艾德加·斯诺

　　美国进步作家和记者。1928年毕业于密苏里大学新闻学院。同年到上海，任美、英报纸的驻华记者。1933年至1935年执教于燕京大学。1936年去陕北苏区采访，次年写成《西行漫记》一书，向全世界介绍中国共产党领导的革命斗争和工农红军的长征。1960年、1964年和1970年又三度访华。他做的一切对后来尼克松访华和中美关系的恢复都起到了重要作用。1972年，斯诺因病于日内瓦去世。按其遗愿，将其部分骨灰安葬于北京大学未名湖畔。

此前，胡宗南已和刘国运商定好，等美军观察组一撤，西安空军就开始轰炸延安。现在，美军观察组走了，而记者们还在到处拍照到处参观，还受到中共中央的热情招待，这让他们大伤脑筋。他们都知道记者的厉害，那张嘴、那支笔，比敌人的一个师、一个军还头痛。尤其是刘国运，要是记者回去后把他的空军轰炸延安的事情宣传一下，再加点醋，就足以令舆论大哗；要是再炸死个美国记者，美国大使馆向国民政府抗议一下，他刘国运就更难堪了。

美军观察组一走，刘国运就问胡宗南是不是推迟一下。胡宗南没他那么多顾虑，咬着牙说："还是按原计划执行吧。他妈的，炸死几个美国佬才好呢！"

空军第3军区与胡宗南的第一战区不属同一个系统，是平行机构，胡宗南对空军将领说话并不像对自己下属说话那么霸道，语气要缓和得多。在一定程度上讲，胡宗南还不能得罪空军第3军区将领，凡事还得求着他们。不过，虽然胡宗南的语气很缓和，但刘国运也不得不听。大局面前，谁也不能不听招呼，更何况空军副总司令王叔铭与胡宗南是黄埔一期同学，私人关系非同一般。

胡宗南说完，刘国运皱皱眉头，声色俱厉地命令西安空军基地按胡司令官的要求执行战斗任务。不过背着胡宗南马上又向副司令龚颖澄、参谋长赖逊岩秘密交待，美国记者在延活动期间，把炸弹扔完就行，防止误伤美国记者。

当日下午，国民党西安空军基地起飞十余架P－47、P－40战斗机和B－52轰炸机，长途奔袭，对延安实施了一次象征性空袭。

彭德怀从金盆湾、茶坊一线回到延安已是12日，国民党飞机还在头顶上呼呼盘旋。这天，朱德、刘少奇、任弼时、叶剑英率一部分中央机关工作人员已先行离开了延安，另外毛泽东等一行人也从枣园搬到了王家坪解放军总部办公。

在回王家坪的路上，彭德怀表情凝重。国民党空军已经扔下了几十吨炸药，延安好些地方已伤痕累累，路边有好多炸毁的民房正在冒烟，而国民党的轰炸机，有时也从头顶上一掠而过。这一切都预示着一场恶战正悄悄降临。

在王家坪，毛泽东、周恩来刚刚汇合到一起。周恩来是接到国民党最后通牒后，告别梅园新村于前两天抵达延安的。彭德怀还是第一次见他，两人

★毛泽东同志在陕北农民的窑洞里看军事地图。1947年3月，毛泽东同志在陕北转战中，同周恩来、任弼时率领党中央、人民解放军总部在陕北指挥全国的解放战争。

打了个拥抱，互相寒暄了几句。

毛泽东望着彭德怀穿着那件"面目全非"的棉袄的滑稽相格格笑个不停，眯着眼睛还颇有意味地欣赏着。彭德怀咧咧嘴，憨厚地笑了几声，话题就从这里开始了。

"老彭，你的袄子都被抓成这个样子，发现了不少新情况吧？"毛泽东先开口。

彭德怀找个凳子随便坐了下来，说："到各阵地转了转，没啥新情况。不过还是专门到那个密林地带里看了几眼。真够险的，有好几条小路通到山这边。罗元发他们已经作了安排，在几个重要隘口作了重点防御。这个不成问题了。"

"南线整体情况怎么样？"周恩来问。

"官兵、群众的战斗决心都很大，一听到'保卫毛主席'，热情马上就上来了。部队准备也很充分，防御工事也修得比较牢固。但存在两个问题，一个是思想上的，好多官兵对中央撤出延安想不通，不愿意放弃延安，我跟他们讲了讲，一些同志讲通了，但一些还不行。另一个问题是武器弹药上的，

子弹太少了，每条枪不足 10 发子弹，每门炮不足 20 发炮弹。罗元发他们对这个问题比较着急。上次要贺龙送子弹过来的，不知道怎么样了。对于其他的问题，能解决的，我当场就解决了；不能解决的，就号召他们用毛主席说的'坚决的战斗精神'去克服。他们都表示理解。现在，还有两个突出问题要解决。"彭德怀说。

"说！"毛泽东调整了一下坐姿，吐出一大口烟说道。他知道，彭总要说最关键的问题了。

"一是延安的机关、群众的疏散工作还要加快，现在的速度太慢了。婆婆妈妈的，这舍不得扔，那也舍不得扔，什么都要带走，这是不行的。用处不大的就留下，笨重的也要留下。我要求罗元发坚持 7 天的战斗，他感到有点难。所以疏散工作还要加快。二是必须建立一个统一的指挥机构，统一指挥这场延安保卫战。现在贺龙还在山西，我提个议，暂时由我出来指挥一下。主席、周副主席，你们看行不行？"

"我没意见。你看呢？"毛泽东向周恩来说。

周恩来摇头表示没意见，并说："彭总总是在危难时刻挺身而出，真是难得！"

彭德怀谦虚地摆摆手，有些不好意思："我只是暂时指挥一下，贺龙回来后还由贺龙统一指挥。"

毛泽东扔掉烟头，手在空中一划，说道："情况紧急，就这么定下来，边区部队统归彭总指挥，我们给朱总司令、少奇、弼时发个电确定一下，再给全军发个通报正式任命。老彭，工作你现在就抓起来。有没有什么要求？"

"没有了。把西北局的张文舟调过来作参谋长，另外再给几个参谋和几个电台就行。"彭德怀回答很干脆。

"这没问题。"毛泽东回答也很干脆。

"那我现在就去安排。"彭德怀是个急性子，说干就要干。

毛泽东上前握住彭德怀的手，有些动情地说："老彭啊，你这是临危请命，为党分忧，肝胆照日月，忠心垂千古啊！党和人民会记得你的！"

彭德怀顿时脸颊飘红，一时不知道说什么才好。

☆ 西北野战兵团成立

为了粉碎国民党军对陕甘宁解放区的重点进攻，中央军委于1947年3月16日决定成立西北野战兵团，并任命彭德怀为司令员兼政治委员，同时撤销陕甘宁人民解放军野战集团军番号。3月20日，西北野战兵团组成指挥机关。下辖第一、第二纵队和教导旅、新4旅、山炮营。全军兵力26,000余人。在敌人对我根据地展开大规模进攻之际，这样的军事变动对全局的运筹并取得主动起到了积极作用。

☆ 国共合作再次破裂

1947年3月7日，中国共产党南京、上海办事处及《新华日报》社人员董必武、钱文光、童小鹏、王炳南、梅益等一行74人乘美机4架飞返延安，驻渝我党代表、中共四川省委书记吴玉璋、副书记张友渔等人也返回延安。第二次国共合作遂宣告彻底破裂。国民党代表张治中、邵力子、民盟代表罗隆基，美方代表柯义上校等到机场为中共代表送行。但是，董必武临行前发表的一段话足以表明一切，他说："必武等今日被迫离此，愤慨莫名。10年来从未断绝之国共联系，今已为国民党好战分子一手割断矣。我们中国共产党党员仍将一本初衷，竭力为和平民主奋斗到底。"

☆ "第一届院士"诞生

中央研究院于1947年3月选出第一届院士。中央研究院是国民政府最高学术研究机构。中央研究院院长兼评议会议长朱家骅在南京主持召开的第一届评议会第四次会议上，通过在院士候选人名单150人基础上，以无记名投票方式选出了中央研究院第一届院士81人，皆为男性。其中数理组有：华罗庚、李四光等26人；生物组有邓叔群等25人；人文组有郭沫若、胡适等28人。这批科学家为新中国的建设作出了不可磨灭的贡献。

　　胡宗南已经没有耐心，气势汹汹杀到了延安城下。

　　毛泽东无限感慨地撤出延安，彭德怀一路无语十里相送。

　　一纸电令90师让道，"英雄"的1旅抢占了延安。

　　失千万奖金陈武不依不饶，防节外生枝寿山无可奈何。胡宗南刚愎自用李纪云受斥，彭德怀神机妙算31旅被歼。

第二章

围敌四伏，撤而不乱初战告捷

毛泽东从容撤出

　　胡宗南已经没有耐心了。13日，他命令所有部队于当日18时完成一切战斗准备，第二天拂晓开始行动，17日占领延安。

　　3天占领延安是胡宗南在南京向蒋介石当面承诺的。如今，它已成了一道命令传遍胡宗南的所有部队。

　　但他的前方将领感到3天占领延安恐有难度。部队从宜川、洛川一线出发，就是整齐行进，翻山过坎也得两天时间到延安。何况这不是整齐行进，而是打仗，一路上有许多解放军部队重重阻击。从前几天与解放军的小规模交火来看，解放军保卫延安的决心是没有什么能够改变的。3天时间占领延安谈何容易？

　　但胡宗南有绝对的自信，他3天拿下延安的决心也是没有什么能够改变的。国军部队几十万之众，一人踏上一只脚，也要把那几个山包踏平，何况还有飞机大炮！而解放军仍然是小米加步枪，并且破枪也就那么几条，人也

★毛泽东在转战陕北途中驻足休息。

就那么几个。哪有 3 天拿不下延安之理？！

胡宗南在洛川的前进指挥所里一直处于高度兴奋状态。封锁延安前后总共十来年，这十年多的岁月真是一言难尽啊！曾策划闪击延安好几次，却都以失败而告终。眼前这一战，他志在必得。为了这一仗，他可以说是殚精竭虑，费尽周折；而他的蒋校长更是全力支持，不遗余力，要钱给钱，要枪给枪，要人也给人，连陆军总司令部郑州指挥所主任范汉杰，也被派来做了胡蒋之间的专职传话筒（联络官），后来又派空军副总司令王叔铭带着 B－24 轰炸机、P－51 战斗机 30 多架来西安助战。在国民党战史上，胡宗南对延安一战的"待遇"恐怕是空前绝后。

13 日晚，胡宗南彻夜未眠，他是睁着眼睛等到拂晓的。

时间到了，他精神抖擞来到作战室，下达了总攻令。

刘戡、董钊各率一路大军，分左右两路向延安进发。

国民党整编第 29 军为左路军，军长刘戡率整编第 36 师（辖整编第 123、165 旅）、整编第 76 师的整编第 135 旅、整编第 17 师的整编第 12 旅，共 4 个旅由洛川经牛武镇、清泉镇向延安进攻，占领延安西南地区，在枣园停止

XiangGuanLianJie
DaSaoMiao

GuanJianCi
相关链接
大扫描

☆ 国民党陆军中将范汉杰

黄埔军校第一期毕业，陆军中将。1932年从德国留学回国后，任第19路军总部参谋处长、副参谋长。抗日战争时期，历任中央军事学校教育处长、第27军军长、第38集团军总司令、第一战区副总司令、第1兵团司令官等职。1948年任东北"剿总"副总司令兼锦州指挥所主任。同年10月在辽沈战役中被人民解放军俘虏。1960年获特赦后，曾任全国政协文史专员，并选为全国政协委员、政协常委。1976年1月16日，范汉杰病逝于北京，终年80岁。

待命。

国民党整编第1军为右路军，军长董钊率整编第1师（辖整编第1、第78、第167旅）、整编第27师（辖整编第31、第47旅）、整编第90师（辖整编第53、61旅），共7个旅由宜川经南泥湾、金盆湾向延安进攻，占领延安东北地区，在拐峁停止待命。

北线邓宝珊的第22军开始南下，西线的"二马"更是争先恐后，国民党整编第18师3个旅组成宁夏兵团向三边分区进攻，国民党整编第81师两个旅组成海固兵团向陇东分区环县地区进攻，国民党整编第82师5个旅组成陇东兵团向陇东分区的庆阳合水进攻。从西安、郑州、太原起飞的94架作战飞机长途奔袭到延安上空，一包包炸药从千米高空倾泻而下，土城延安顿时被烟雾和爆炸声所笼罩。

胡宗南很自信，一副志在必得的样子。但蒋介石心里却没底！打延安不仅是一场军事仗，更是一场政治仗啊！他命令胡宗南每一个小时向范汉杰通报一次战况，再由范汉杰用电话直接告知自己。延安城小，却事关重大。在全面进攻被粉碎之后，这次的重点进攻是再也不能失败了。

毛泽东在王家坪解放军总部像往常一样处理全国军情，不紧不慢，镇定自若。16日还发了一个保卫延安的作战命令，命令边区部队迅速调整部署，组成3个防御兵团。第一纵队和警备第3旅7团组成右翼兵团，由张宗逊、廖汉生指挥，在道佐铺、甘泉、大劳山、小劳山、清北沟、山神庙地区组织防御；教导旅和第二纵队组成左翼兵团，由王震、罗元发指挥，在南泥湾、临真、松树岭地区组织防御；新编第4旅为中央兵团兼延安卫戌部队，以不少于4个营的兵力在庙尔梁、程子沟、三十里铺地区组织防御。

胡宗南没有等来捷报，只听见董钊、刘戡两人说，解放军坚壁清野，找不到任何食物，也不能从老乡嘴里得到关于解放军的任何情报；民兵太多，部队经常受到袭击，分不清哪是共军主力，遍地都是地雷，部队伤亡惨重，人心惶惶，前进时个个胆战心惊；共军擅长夜战和近战，部队重型武器优势无法发挥；更要命的是解放军占据有利地形，抵抗异常坚决，他们采用"节节撤退、节节抵抗"的战术，使部队前进非常缓慢。

胡宗南急了，他也跟前线将领一样，不熟悉地形，不熟悉敌情，在指挥所里束手无策。到16日傍晚，离预定占领延安的时限只有十来个小时了，部队仍被阻击于麻子街、马坊、金盆湾一线，丝毫不能前进。

攻击受阻的情况马上到了蒋介石那里。他对吴忠信说："3天拿下延安谈何容易？我看5天能拿下就不错了！"不知道蒋介石是为学生开脱，还是真的感觉到了占领延安的难度。

到17日，胡宗南3天占领延安的神话破产了。他一边把困难夸得比天大，搪塞国防部的追问；一边又赶紧调换打法，采用"蛇退皮"的老一套战术，即前卫部队前进占领阵地后，掩护本队前进，本队再区分前卫部队占领阵地，如此迭次掩护前进。为避开解放军夜战优势，部队天明发起攻击，晚上停止进攻，就地宿营。他还和王叔铭联系，尽最大可能派出作战飞机，在地面部队向前攻击之前先进行空中轰炸和扫射。另外悬重赏激励斗志：先进占延安的部队奖励1,000万法币。

胡宗南的新打法只不过是炮火和冲锋更为猛烈的"人海战术"。冲锋号一吹响，士兵就整团整旅向前冲锋，漫山遍野，人头攒动，一批上来又来一批，解放军射击都不需要瞄准，扣动扳机就射杀一片。胡宗南以人体作盾牌，把解放军每人仅有的十发子弹消耗个精光。经过如此反复的集团冲锋，18日上午，胡宗南军付出5,000多人伤亡的代价，部队终于攻到了延安城下。到下午，董钊整第90师全部进至狗梢岭以西地区，整第61旅的先头部队距延安只有7.5公里了。

胡宗南笑逐颜开，却急坏了彭德怀。因为毛泽东还没走。彭德怀把所有

的警卫人员集合起来，作了一次保证毛主席安全的动员。他说："现在全党、全军都在关心党中央、毛主席的安全。敌人隔我们只有十多里了，枪炮声都能够听见。你们一定要保证毛主席的安全，必要时，抬也要把毛主席抬走！"

毛泽东的安全确实牵动着许多人的心。11日下午，胡宗南飞机刚刚光临延安的时候，就有人提出毛泽东赶快走，过黄河到晋绥解放区去。13日下午，一颗炸弹就在毛泽东窑洞门口爆炸，人们更是担心，"炸弹都炸到门口了，毛主席还不走？万一碰上了咋办啊？"

但毛泽东就是不走，他在王家坪又是会见记者，又是会见干部，还接见了新4旅16团的干部战士。当时干部战士对中央放弃延安很不理解，他们说，我们全部拼光也要把延安保住啊。但毛泽东不赞成，他说："中国有一句俗语，叫做'留得青山在，不怕没柴烧'。我们主动放弃延安就是把'青山'留住，要是跟胡宗南硬拼，部队拼光了将来还哪来的柴烧呢？我送你们16个字，'存人失地，人地皆存；存地失人，人地皆失'。"简短的话让16团干部战士茅塞顿开。毛泽东又说："我们要在陕北的大山里跟胡宗南周旋。你们都跟陕北的乡亲们推过磨、拉过碾子。老乡们的粗谷子在磨子里磨呀磨，就磨成了小米。我们就是用这个办法，把胡宗南的部队牵在陕北的大山里磨呀磨，碾呀碾，把它们磨个稀巴烂就好吃了。"毛泽东边说边用双手作推磨的样子，生动、形象又充满智慧，干部战士们个个点头称是，心里的疙瘩解开了。

现在胡宗南的军队已兵临城下，但毛泽东还是那样不紧不慢，"不要紧，来得及。大路朝天，各走一边。他走他的，我走我的。他在那个山头，我在这个山头，怕什么呀？"说得警卫员们一点办法也没有。最后还是彭德怀从前线赶回，粗声粗气埋怨了一大堆，毛泽东才最后下定决心离开，其时已是18日黄昏，延安西南方向的枪炮声已清晰可闻。

毛泽东离开延安是下了很大的决心的。此时的他或许已经意识到，与延安这一别，就不知何时能再相见了。

毛泽东步子很慢，无限深情地望着这座陕北小城。彭德怀、习仲勋跟在毛泽东、周恩来后面，低着头只管走路，一言不发。在表面的平静中，无论是毛泽东、周恩来还是彭德怀、习仲勋，他们内心里都是波涛翻滚，激流涌动。十多年前，延安是个落脚点，是万里长征的落脚点；如今，延安又是一个出发点，是全国解放战争的出发点。在这里，中国共产党人经历了中国前所未有、惊心动魄的历史场面，如今，就要从这里撤走，转向另一个战场！

到了延安机场，毛泽东拉住彭德怀的手说："老彭，别送了，回吧。把屋子打扫干净，家具摆好，我们还要回来的！"只见毛泽东眼圈红润，彭德怀也哽住了，好久才说："主席，多保重！"

毛泽东松开手，扭头大步流星向前迈开了步子！

再见了，延安！再见了，延安的父老乡亲！

空城延安

送走毛泽东、周恩来，彭德怀重重地松了一口气。他回到王家坪已是夜里9时多了，但丝毫没有倦意，他一一接通前方部队首长的电话，告诉他们毛主席、周副主席已经安全撤出延安。还交待了我军撤退的路线和时间，并且特别叮嘱黄新廷、余秋里，358旅要大摇大摆向安塞以北撤退，把胡宗南的视线吸引到安塞方向去。

此时国民党整1军整第90师在杨家畔的师部里正围绕1,000万法币的奖励津津乐道。90师在18日奋战一天，师长、旅长全部上阵亲自督战，于当晚进至杨家畔，先头部队第61旅已抵近解放军由教导旅守卫的最后掩护阵地七里铺，比整1师的先头部队整整领先了7.5公里。师长陈武掩饰不住内心的喜悦，夹着一根烟，在师部里手舞足蹈，笑容满面。他把延安周围的地形图拿出来，和参谋长几个人一起研究起来。

"1师还在杨家畔左后方的李家村，离我们还有整整7.5公里，而我们现在离延安只有十来里。明天按规定时间前进，他们到达我们现在的位置时，我们已经到了延安城！"陈武兴奋不已，边量地图边对参谋长说。参谋长接过话头："这样咱90师不仅有先占延安之功，还能拿到1,000万法币，可以犒劳犒劳弟兄们。"陈武会心地一笑，吩咐道："今晚让弟兄们睡个好觉，明天再卖点力，千万别让到嘴的鸭子飞了。"参谋长打个立正，转身传令去了。

陈武也累了，用热水泡了个脚，又看了会儿地图，安心地睡了。睡至半夜，机要参谋敲门进来，说是有军长转胡长官电令。陈武睡眼惺忪，接过电报一看，脸色顿时大变。胡宗南命令整90师于19日上午9时由现在位置向宝塔山至清凉山一线及其以东地区攻击。这等于是要90师让开道让整1师过去，

不让 90 师先进延安城！

"岂有此理。"陈武睡意全无，把电报狠狠拍在桌子上，大声嚷了起来："90师连续几天担任强攻，拼着脑袋才赶到这里，他妈的 1 师几天来跟着老子们屁股后头慢慢吞吞。现在要老子们打宝塔山、清凉山一线，让 1 师顺着大路前进。真他妈岂有此理！"

就在陈武大发雷霆的时候，1 师已违反白天进攻、晚上休息的惯例，借着月色上路了，一路上争先恐后，行动比以往任何时候都要迅速，天亮时先头部队已插到 90 师的攻击正面。

陈武也不是好惹的，怒气冲冲派十几个参谋去挡路。但此时的 1 师同样受 1,000 万法币的诱惑，像潮水一般涌来，哪里还挡得住？陈武的参谋们刚到，1 师 1 旅一个五大三粗的团长就指着他们的鼻子骂了起来："老子们奉胡先生命令进占延安。谁敢挡路，军法处置！"说着就掏出了手枪，旁边的几个士兵也把枪栓拉得哗哗响。参谋们碰了一鼻子灰，咬牙切齿向陈武报告去了。

陈武听到报告，愤怒到了极点，拖起枪就要去毙了那个狗日的团长。幸好旁边的参谋长和几个旅长还比较冷静，把陈武死死抱住不放，避免了一场内讧的发生。

接下来的事情就完全是按胡宗南的设计发展的，整编第 1 军第 1 师第 1 旅于 1947 年 3 月 19 日中午率先进占延安。

对胡宗南下给整 90 师的那道命令，不明就里的裴昌会当时简直是一头雾水，好几次想问胡宗南为什么把在前面的 90 师晾到一边，让后面的 1 师先上，幸好副参谋长薛敏泉及时给他点拨了一下。薛敏泉说："胡先生是从 1 师 1 旅出来的，去年 12 月份 1 旅又在晋南汾阳全旅覆没，旅长也被活捉。后来胡先生马上从各部队抽调精兵强将，十几天时间里又把 1 旅组建起来了。现在让1 旅先进延安，说明 1 旅还是英雄的 1 旅嘛！"裴昌会恍然大悟，频频点头。

现在，国民革命军整编第 1 军第 1 师第 1 旅占领延安的消息已经由空军首先传到了南京，国防部里张灯结彩，一片欢呼。而蒋介石却瘫坐在沙发上，良久不语。从 1935 年 10 月开始打延安至今，11 年零 5 个月过去了。有道是十年磨一剑，而现在是 11 年又半载才拿下延安。黑发人都打成了白发人！谈何容易啊？！这一仗，用了国民党军战略资源近 3/5 的家当，也倾注了蒋介石几乎全部的精力。第二日，蒋介石专电胡宗南："宗南老弟：将士用命，一举

★ 1947年8月19日国民党军占领延安后，蒋介石迫不及待地抵达延安视察。

攻克延安，功在党国，雪我十余年来之积愤，殊甚嘉赏，希即传谕嘉奖，并将此役出力官兵报核，以凭奖叙。"

蒋介石的嘉勉让胡宗南通体舒坦。

但延安只不过是一座空城。蒋介石所期待的要俘获的中共首脑人物已全部撤走，所有重要的文件和装备，要么焚毁，要么转移。全城找不着一个百姓，找不到一头牲口，也找不着一粒粮食。一切都是事先有条不紊安排好的。胡宗南占领延安，也仅仅是占领延安这个位置而已。

但对善于做文章的胡宗南来说，延安就绝不是一座空城了！占领延安，本来就是一出好戏。既然是一出好戏，就不能把它演砸了。胡宗南给国防部的报告是这样写的：我军经七昼夜激战，英雄的1旅终于在19日晨占领延安。是役毙敌俘敌5万余人，缴获武器弹药无数，详细战果正在清查中。

这个报告有两处与事实不符。第一个是1旅占领延安的时间，胡宗南把1旅占领延安的时间整整提前了6个小时；第二个是战果方面，延安已是一座空城，胡宗南根本无任何"战果"可言。至于时间提前几个小时那就算了，关键是把所谓的"战果"吹得太离谱了。

但就这么一个离谱的报告，却让蒋介石大感兴趣。那几天他像秀才待榜，

怀着满腔的希望和激动一遍遍打电话给范汉杰，问详细战果怎样，有没有重要虏获？有没有中共首脑人物和重要的党政军文件？中共首脑人物去向如何？但这一切，范汉杰自然是不知道的。他又一遍遍打电话问胡宗南。每次胡宗南都哼哼哈哈，找几句不沾边的话搪塞过去就算了事。后来范汉杰就干脆打电话问裴昌会，问他战况是不是这样。裴昌会当然也不好揭穿胡宗南的把戏，只是说"战报发出去后已由盛参谋长转报国防部了，这就是根据"。再问，裴昌会也打起擦边球。范汉杰就这样夹在蒋介石、胡宗南之间，又尴尬又狼狈。直到23日，他终于告别这半个月的传话筒工作，飞到新乡去了。

虽然都知道胡宗南的战报是假的，但国防部仍告行政院，要在全国庆祝"陕北大捷"。在国防部看来，这当然是一个值得大做特做的题材。剿共二十几年，什么时候有过这么令人振奋的战绩呢？一下子端掉了"共匪"的老巢，使其首脑人物都到处流窜，正好能鼓舞一下江河日下的军心和士气。此役足可以证明，国军仍然是神勇的国军！

对占领延安反应最快的当数记者们了。20日《中央日报》头版头条就发表了文章，《国军收复延安，生俘共军一万余人》的标题赫然醒目。一时间各地大报小报竞相转载，生俘共军的数字也不断窜升，最多到了5万余人。

那几日胡宗南一直生活在举国的褒扬和吹捧之中，得意之相自不用说。但就在这时，国防部一个通知，使他脸色大变。国防部说，为了更好地宣传国军的神勇，政府将组织一个专门的记者团赴延安参观战绩，采写战地新闻。

转延安胡宗南由生感慨

记者是无冕之王，这一点胡宗南心里清楚得很。对于记者，他是既爱又恨。他希望记者把自己占领延安这件事大写特写一番，弄得天下妇孺皆知他胡宗南的美名，最好还能留名青史，但又害怕记者到延安后刨根问底，戳穿了自己的骗局。所以现在的胡宗南心头还是有些沉重。他赶紧开了个会，决定成立一个"战绩陈列室"，指定第二处处长刘庆曾和新闻处处长王超凡专司负责"战绩"筹备工作。

干这种事，刘庆曾和王超凡可谓是得心应手。胡宗南会吹，他们就会造。一个下午，刘庆曾和王超凡就报上了一个"战绩筹备计划"：在延安周围设立

10个战俘管理处，从周围乡村抓青壮劳力若干，一律穿上杂色服装，编成几个俘虏队，加以训练，充当俘虏。如果人数不够，就从守城的整编第27师中抽选灵光的士兵加以补充。如果人数还不够，记者参观时各个战俘管理处就互相抽调充数。对于武器，步枪抽调驻甘泉的整编第17师的三八式和汉阳造，不足的就由延安警备部队中分别抽调，白天将枪支送到"战绩陈列室"，晚上又秘密送还部队。所有的武器上都贴上标签，注明缴获的时间和地点。另外，还在延安附近修造若干坟墓，立上木牌，标明国民党阵亡将士生辰和籍贯。有必要的话，还可以找一个人充当共产党的旅长，加以训练，抬出来与记者对话，等等。

胡宗南越看越激动："可以嘛，还挺像回事的嘛！"当即就同意了这个"战绩筹备计划"。

安排好了这件事，胡宗南觉得轻松多了。喝了杯茶，又伸了个懒腰，恰好熊向晖送来国防部电报，要一份在攻占延安一役中出过力的官兵和单位名单，准备奖励表彰。胡宗南应了一声，很骄傲地提笔写下了夺得占领延安的首功单位：整编第1军第1师第1旅。

但这个时候，90师师长陈武正在延安和军长董钊认理，他歪着脑袋直喊："我90师连续几天担任强攻，师长旅长一齐上阵督战，死了好多弟兄才杀开一条血路，凭什么一纸命令就要我们让道？还有1师那个狗日的团长，他那么嚣张！不是考虑军机重大，老子非枪毙了那狗日的不可！"

董钊一言不发，他也是一肚子的苦水。当初他接到胡宗南那道命令的时候，就觉得不妥，就知道陈武会骂娘。但人家胡先生的命令能违抗吗？他一句话就能生杀予夺，谁敢不从？胡宗南悬赏1,000万法币的命令是他董钊传达的，要90师让道的命令也是他董钊传达的。但他也是左右为难，不得已而为之啊！现在的胡宗南享誉全国，领尽风骚，自己却替他受这股子窝囊气，心里也不痛快着呢！

不过，话又说回来。陈武的火可以向董钊发，但董钊的火向谁发呢？董钊想来想去，还是装一回傻，做个息事宁人的和事佬算了。

董钊备了一桌好酒菜，拉起陈武的手，强装笑脸说道："陈师长，90师的作风我是知道的。功，我会给你们记上一笔。占领延安，功在党国。功在党国的事，就不要分先后啦！那个团长，我会处理的。奖金嘛，你就放心！来来来，咱们喝酒，咱们喝酒。"

一顿酒足饭饱，陈武的火也消了。董钊跑到胡宗南那里，死缠硬磨要了两份奖金，才算把事情彻底摆平。

胡宗南本不想支付这1,000万的，他说："军人的职责就是服从命令，指到哪，打到哪！哪来这么多啰嗦话？"但熊向晖说了几句，让他改变了主意。熊向晖说："先生，国防部通知的那个记者团就要来了，那个陈武也是个大老粗，是什么都干得出来的。万一记者在延安活动的时候，他又吵又嚷，不守规矩，影响多不好呢？先生您看，还不如给他得了，免得节外生枝！"

熊向晖所说的"节外生枝"就是指"战绩陈列室"一事，要是陈武憋一肚子气没处发，把这件事给抖出去，那不出大洋相了？胡宗南觉得有道理，满意地朝熊向晖点点头，勉强地答应了。但心里还在骂陈武，也在骂董钊。

到24日，占领延安已整整四天时间了。胡宗南决定去延安走一圈，去看看这个革命红都到底有什么与众不同之处。

前几天刚下过一场雪，天寒地冻。但胡宗南刚得了二等大绶云麾勋章，心里暖融融的，靠在座椅上哼着欢快的小调，和着吉普车的隆隆马达声，在山间小道上缓缓前行向延安抵近。

留守延安的整编第27师为胡宗南的到来搞了一个隆重的入城仪式。那天，27师动员强迫好些附近群众夹在军队中间，手拿红绸缎，载歌载舞欢迎胡宗南的到来。胡宗南感觉跟英雄似的，又是挥手，又是致意，那种受到军民共同欢迎的热烈场面，他今生今世也恐怕只有这一次。他觉得，政治攻略延安，在这时得到了实实在在的体现。

延安没有西安的高楼，也没有西安的闹市，只有土街，只有窑洞，却引起了胡宗南的极大好奇。胡宗南一行中午抵达延安，匆匆吃过午饭，他便从枣园开始，把凤凰山、杨家岭、王家坪转了一大圈。

他一边走，一边看，还在一边想，对每一孔窑洞都看得很仔细，尤其是毛泽东住过的。在一间毛泽东住过的窑洞里，胡宗南发现了张纸条，一手苍劲有力的浓墨狂草书写着"胡宗南到延安，势成骑虎。进又不能进，退又不能退。奈何？奈何！"这显然是毛泽东留给胡宗南的。但这个纸条没有对胡宗南形成足够的刺激，因为此时的胡宗南自以为是一个胜利者，他把毛泽东的纸条看成是失败者无奈的宣泄罢了。

转了一圈下来，胡宗南有一个惊奇的发现，所有屋子都打扫得干干净净，没有转移的家具也摆得整整齐齐。他早就听董钊、刘戡报告过，延安城格外的整洁有序。开始他还想不到是怎样的整洁有序，今天亲眼看见，不禁无限感慨起来，共军的慌而不乱，共军的镇定自若，国军永远无法与之相比！

　　胡宗南住在原陕甘宁边区银行，这是他自己的选择。这里隐蔽，安静，又安全，适合胡宗南居住。胡宗南总觉得延安有一种无法说出的神秘，像隔着一层布一样，反正看不透，也搞不明白。他真的无法想像，如此简陋的环境，如此落后的设施，竟然能造就出这么一支劲旅，和装备精良的国军较量这么长时间，而最后的输赢，还没有一个定数。

31 旅青化砭遭歼

　　"如果共军向北撤退，则以'二马集团'从庆阳、环县、定边一线围堵，我部经安塞北上，从北、西、南三面夹击聚歼共军于志丹、吴旗地区，或者把西北野战部队驱赶到绥蒙沙漠地区；如果共军向东北撤退，则以榆林邓宝珊集团沿无定河向南，我部沿咸榆公路北上，南北夹击，将共军歼灭于佳县、吴堡地区或赶过黄河。"这是占领延安当天，胡宗南向蒋介石报告的下一步行军方案。

　　但解放军西北野战部队自撤出延安，就在胡宗南的视线里完全消失了。胡宗南天天派飞机侦察，地面部队也拉网式搜索，都没有发现我野战部队的蛛丝马迹。这个时候，蒋介石一天几封电报，要胡宗南寻找共军主力决战，搞得胡宗南火烧火燎，也跟蒋介石给自己发电报一样，天天给董钊和刘戡发电报，派部队加强搜索，寻找共军主力决战。

　　胡宗南发电报容易，却苦了董钊和刘戡。他们天天拉着部队在陕北的山里头搞"大游行"，扑了一个空又接着扑一个空，官兵疲惫不堪不说，还战战兢兢，人人自危，生怕遭了西北野战部队的埋伏。这不，20 日黄昏时分准备收队回延安的时候，刘戡部就被民兵狠狠地"铡"了一刀，死伤过百，损失武器一大批。那个师长回来就嚷："打个鸟仗啊，天天扑空！连个共军的影子都没看见，跟谁决战呀？"

　　其实，西北野战部队并没有消失，他们就集结在延安以北不远的山区，只不过行动非常隐蔽罢了。中共中央也没走远，正转战于陕北的大山之中，运筹帷幄，指挥着全国战局。而彭德怀的司令部也就在离延安不远的东北方向

★青化砭、羊马河、蟠龙三战三捷，西北我军主力放弃延安后，以一小部兵力诱敌主力进至安塞，而以主力部队隐蔽于甘谷驿、青化砭地区，待机歼敌。1947年3月25日，担任侧翼掩护的敌第31旅旅部率一个团共2,900余人进入我预伏圈内，被我全歼。西北野战军指挥员彭德怀（左二）、习仲勋（左三）等在青化砭战役的前沿阵地上。

的梁村，副政委张宗逊、参谋长张文舟、政治部主任徐立清以及副参谋长王政柱全在那里。当时的局面是，胡宗南在明处，野战部队在暗处。在暗处的要收拾在明处的，那不是易如反掌嘛。

彭德怀以一纵独1旅2团2营在安塞方向佯动，把一纵放在安塞以北地区，二纵放在甘谷驿地区，新4旅放在青化砭，教导旅放在任家山岔，另外，还派了多支小股侦察队活跃于延安以北的山区，掌握胡军的行踪。彭德怀交给独1旅2团2营的任务是，佯装成主力，把胡军的主力吸引出来。只要胡军主力一出来，彭德怀就自有办法来收拾他。

董钊在安塞那边挨了民兵的一闷棍，长了记性，第二天只派了小股兵力进行武力搜索。那天我军1旅2团2营远远就看见胡军搜索部队来了，营长张济堂马上把全营集合起来，围着一个山包转圈，远远望去，就像一支大部队源源不断向前开进。董钊的搜索部队看见了大喜，"共军共军"喊个不停。

胡宗南正为找不着共军主力而愁眉苦脸，听到董钊报告在安塞方向发现共军主力，兴奋得一跃而起，"好啊，真让我逮着了！"胡宗南搓着双手喜笑颜开地自言自语，当即就向前线发去了命令：以整编第1军第1师、90师5个旅的兵力，向安塞方向急进，找共军主力决战。整编第1军第27师31旅向青化砭方向前进，限24日到达青化砭修筑防御工事，担任整1师、90师的侧翼警戒。

但就这一条命令，穿越百里黄土高坡到达董钊和刘戡手中的时候，也到了彭德怀的手中。不知道西北野战部队的电台兵是怎么破译这一则命令的，只知道彭德怀拿着它的时候，激动得两脸通红，拿着电报一个字一个字足足看了十分钟。胡宗南主力部队到安塞方向去了，只有敌31旅朝青化砭方向运动，它不就成了孤立之敌吗？

集中力量打孤立之敌是彭德怀最拿手的战法，他赶紧把地图拿出来和习仲勋仔细研究了一番，目光一直落在青化砭。

青化砭在延安东北30余公里处，南北是15余公里长的蟠龙川，咸榆公路蜿蜒其中，东西两侧山地起伏，既便于隐蔽，也便于出击。敌31旅要是进了青化砭，就像钻进了一条长长的口袋，前面一堵，后面一截，就是插翅也难飞。

"就这里啦！"彭德怀拿起一根半截子铅笔，把"青化砭"狠狠地圈了起来，"打个漂亮的伏击战看看！"

习仲勋小彭德怀整整15岁，平时不仅把彭德怀当上级，还把彭德怀当长辈。看着彭德怀那副举重若轻的样子，习仲勋不由得钦佩起来。他没有不同意见，只是补充了一句"那就赶紧行动吧"，显得比彭德怀还要着急。

第二天，西北野战部队各路部队从驻地出发，向青化砭方向一路隐蔽赶去，集结在马庄、梁村、常家塔、元龙寺地区待命。

23日，冒着冰雪未化的严寒，彭德怀拉上西北野战部队各纵队领导共十几个，翻山越岭到了青化砭，在这里开了一次"现场办公会"。

彭德怀往地上一蹲，摊开地图就说开了："新4旅埋伏在青化砭东北那面山坡上，一纵埋伏在公路西边，二纵和教导旅埋伏在公路东边。另外，二纵

独4旅在房家桥附近担任断尾任务，待敌进入伏击圈，立即扎紧'口袋'，其他部队听命令开火。明晨4时，所有部队进入设伏地点。天气很冷，要克服一下。"彭德怀顿了顿继续说："这是我们撤离延安以来对胡宗南的第一仗，一定要打好。要打出我们的士气来，也把胡宗南的气焰打下去一些。你们回去后搞个教育，务必遵守纪律，做好隐蔽工作。另外，坚决杜绝人员外出，不能走露任何风声。我们这一仗，打的也是保密性！"

24日，一个天寒地冻的日子。青化砭附近雪白的山坡上一片静寂，丝毫看不出这里竟然埋伏着一支上万人的部队，也感觉不到这里将要发生西北解放战场上我军的第一次大捷。

西北野战部队按照彭德怀的要求于凌晨4时到达预伏地点。部队趴在雪地里一动不动，眼睛死盯着远处的咸榆公路，等待着那只可口猎物的到来。那时胡宗南的侦察机仍然在作例行侦察，彭德怀规定，部队不许有任何声响，也不许随处走动，更不能埋锅做饭。渴了，喝口随身带的水，也可以吃雪；饿了，就啃口干粮；要小解了，转个身就解决了。但趴到中午时分，仍然未见胡军到来。好多士兵开始沉不住气了。阵地上开始叽叽喳喳响起了一片埋怨声。一直到傍晚，还是没见31旅的影子。侦察部队报告，敌31旅当日到达拐峁后停止前进，原因不详。

彭德怀一个人蹲在一个小土堆上思忖了好半天。到拐峁后停止前进，会不会补充粮食呢？还是发现我们了，不敢前进？补充粮食是完全可能的，这么大一支部队到青化砭来担任主力侧面警戒，当然要把粮食带足。但发现我们设伏在这里也是有可能的。虽然伪装保密工作做得好，但说不定胡宗南的侦察飞机就看出了破绽。眼看天就要黑下来，在北风里趴了一整天没动弹一下，也没吃什么东西，天气又冷，还是先回去吧，把情况搞清楚再说。彭德怀想到做到，命令部队撤回原来驻地待命。

一喊撤，阵地上就开了锅。有的指挥员也动摇起来，直发牢骚。彭德怀一看形势不对头，赶紧挨个通知各部队首长，回去后务必搞个教育，给大伙顺顺气。但就这么撤下去，彭德怀实在有点不甘心。他总是觉得31旅会来的，一定会来的！不管怎么说，明天还要来设伏，即使等不到31旅，就把这当作一次预演也行。万一等到了，那就……

彭德怀向中央报告：敌31旅24日到达拐峁停止前进，可能是增补粮食，我们明天仍按原计划部署待伏31旅。之后又操起电话与各部队首长通了电

★彭德怀（举望远镜者）亲临前沿阵地视察。

话，要求第二天凌晨4时仍然进入各自设伏圈，不得耽误。他还特别强调："我有预感，31旅一定会来的！"

23日那天，在延安补充了足够的粮食，董钊率着5个旅的部队浩浩荡荡向安塞方向开了过去。与此同时，刘戡率整29军整36师和整76师4个旅向延安东北、蟠龙以西地区"扫荡"，协同董钊在安塞至蟠龙之间的地区与解放军决战。而整1军27师的31旅也在旅长李纪云率领下沿咸榆公路向青化砭方向前进。

李纪云心里一直在发毛，总感觉不是很踏实。进至拐峁镇时，侦察部队报告，在青化砭地区有大量解放军，疑为共军主力。李纪云心里一震，立即下令停止前进，并报告胡宗南。但胡宗南已经料定了解放军主力在西北的安塞方向，根本不听李纪云的报告，还来电把李纪云申斥了一番："贪生怕死，畏缩不前，非军人气魄。绝对要按规定北进，迅速占领青化砭，否则以畏缩不前论罪。"拿着胡宗南的回电，李纪云欲哭无泪。部队在拐峁停留了一天，

★ 在青化砭战役中，我军机枪手向敌机射击。

补充了粮食，25日一大早李纪云哑着嗓子下令部队继续北上。

李纪云带着第92团和旅部近3,000人一路战战兢兢向青化砭方向前进。为安全起见，公路两边都安排了便衣搜索队，沿着山地往前铺排式搜索，主力跟着搜索部队缓缓前进。

就在李纪云战战兢兢往前走的时候，解放军部队又跟昨天一样，在雪地里潜伏着，静候31旅的到来。

又是一个难捱的半天过去了，解放军已经腰酸背痛，手脚冰凉，但31旅的影子也没见着。"来不来啦？！""胡宗南哪这么乖呢？送过来给咱们吃呀！"……

正说着，突然，咸榆公路上远远地来了一大队人马。再一看，路两边的山坡上也稀稀落落有两群人，像是在搜索着什么。越来越近，越来越近，国民党军的旗帜已清楚可见。

来啦，31旅来啦！

所有官兵都屏住了呼吸，大气不敢出，要小便的同志此时也尿意全无，只觉得心跳加快，浑身发热。趴了一天半，刚才还在议论，现在情绪马上就起来了。

"老子挨了一天半的冻，你狗日的终于来了。旅座啊旅座，莫怪老子不客气。"说这话的原是李纪云部的一个上等兵，受不了国民党部队的军阀作风，溜出来当了解放军。现在，李纪云由过去的长官，变成今日的敌人，马上又要沦为阶下囚，让那个上等兵都觉得国民党军命运不测。

但此时的李纪云只是有点心虚，还没有意识到这一点，并且他还有点心存侥幸，说不定是虚惊一场，根本就没有共军呢！

李纪云边走边这样侥幸地想，额头上却在冒汗。

突然，后面枪声大作，炮声隆隆，硝烟翻滚。李纪云惊得一个踉跄，脸色惨白，真有解放军啊？！

随着三颗信号弹划破长空，一阵更猛烈的枪声响起，只见前、左、右3个方向雪白的山坡上到处都吐着火舌，子弹、炮弹雨点一般打来，31旅顷刻就倒下一片。

李纪云赶紧和副旅长周贵昌、参谋长熊宗继爬上一个高坡，建立起临时指挥所。李纪云站在山坡上清楚地看见，旅部和92团已全部被解放军包围，被压迫于7,500米长、200多米宽的山沟里，首尾不顾，乱作一团，而解放军

以优势兵力，依托有利地形，射击像点名一样，一发子弹准能撂倒一个。

与李纪云部最近的是刘戡的整29军部队。李纪云给刘戡发了几个呼救电报，刘戡都未予理睬。为谁先进延安一事，不仅整1军的1师和90师闹了矛盾，连整29军与整1军之间也存在着隔阂。当时整29军也进到了延安城郊，刘戡也接到了胡宗南按兵不动的电报，头功让整1军抢了去，刘戡心里极不舒服。记功的时候忘了老子的29军，现在1军的部队掉进窟窿里去了就要老子来救，没门！

李纪云指挥部队顽抗了一阵，但解放军那排山倒海的气势，怎么也阻挡不了。

他又赶紧向胡宗南求救。

胡宗南正和裴昌会、薛敏泉以及董钊闲谈。董钊在安塞扑了个空后，此时已气鼓鼓地回到延安了。接到李纪云的求救电，薛敏泉盯着董钊大声责问："谁让31旅到青化砭去的？"董钊没反应，倒触痛了胡宗南。他转过脸就吼了起来："现在还问这个屁话干什么，赶紧救人去！董钊，你带5个旅火速增援青化砭，要快，一要救李纪云，二要与共军主力决战！"此时的胡宗南还念念不忘与共军主力决战。为了实现他"与共军主力决战"这个不灭的信念，他接着又电令刘戡整36、76师保持机动，策应整1军主力作战。

等到董钊下午4时赶到青化砭时，战斗早已经结束。战场打扫得干干净净，没有任何恶战流血的痕迹。要不是有几个俘虏逃回来给他当向导，他几乎连战场都找不着。董钊站在李纪云被俘的地方，命令电台兵给胡宗南发了电报：全军覆没，李纪云、周贵昌、熊宗继被俘，共军不知去向。

胡宗南接了电报，非常吃惊地说了一句话："这么快啊？！"

历史碎片
LISHISUIPIAN
大拼接
DAPINJIE

☆ 美国特使为蒋介石"把脉"

1947年8月，美特使魏德迈率考察团在华展开调查。7月，美国总统杜鲁门根据国务卿马歇尔的建议，派遣魏德迈为特使，率领考察团来中国调查，探询挽救国民政府的办法。7月22日，魏德迈使团到南京，此后，魏德迈使团巡行各战区，北到沈阳、抚顺，南至广州等地，考察后认为"国民党军队兵力虽占优势，但战略主动则操在共产党之手"。魏德迈回国后，美国在国民政府中派了更多的顾问，并在国统区获得了大量的基地，从各方面加强了对国民党政府的直接监督与控制。

☆ 刘邓大军挺进大别山

1947年8月，蒋介石煞有介事地在鲁西南排兵布阵，企图利用黄河水淹没刘邓大军。刘伯承、邓小平遵照中央军委指示精神，决定部队提前结束修整，乘敌人合击部署尚未完成之际，立即隐蔽，突然南进。蒋介石又作出错误判断，派20个旅的兵力尾追，妄图将其消灭在黄泛区。8月17日，刘邓野战军以惊人的毅力，胜利通过黄泛区。于27日胜利进入大别山。狭路相逢勇者胜，而蒋介石的自以为是也帮了刘邓大军的大忙。刘、邓大军进入大别山后的两个月中，共歼灭国民党军3万余人，解放县城24座，建立了33个县政权。

☆ 国民政府"换汤不换药"

1947年4月18日，蒋介石在南京宣布改组"国民政府"，并称：改组后的"国民政府"已是"多党之政府"。4月22日，周恩来为新华社撰写社论，称改组后的蒋介石政府是新筹安会，并表示蒋介石将步袁世凯的后尘，甚至会比袁世凯的命运更坏。社论说：旧筹安会出现之后，袁世凯不久就垮了台，新筹安会出现之后，蒋介石的命运决不会好过袁世凯，也许比他更坏些。

青化砭战斗捷报传来，中央领导在谈笑中得出结论：把陕北交给彭德怀，中央是放心的。胡宗南当头挨了一棒，遂采取国防部"方形战术"的笨办法。

董钊、刘戡率九旅之众连日"游行"，部队士气江河日下。记者们刨根问底，戳穿了胡宗南延安一役"俘敌5万"的骗局。

彭德怀虎口拔牙，在羊马河全歼敌整编第29军76师135旅。被俘的麦忠禹与王震、王恩茂同睡一炕，夜深人静的时候感慨万千：共产党人的胸怀真是伟大！

第三章

虎口拔牙，羊马河战捷报再传

"大扫荡"下的枣林子沟

就在青化砭战斗正酣之时，先期抵达子长县王家坪的周恩来、刘少奇、朱德、任弼时与前来的毛泽东会合了。当天下午，彭德怀发去的青化砭战斗的捷报就到了他们手里。在那样艰苦的战争环境里，辗转奔波再相见本来就是一件很令人高兴的事，而在撤离延安才6天彭德怀就送来了捷报，以牺牲256人的代价歼敌2,900余人，活捉国民党3个少将军官，几位领导更是喜上眉梢。他们见面的话题就以彭德怀为中心，从彭德怀临危请命、延安保卫战、撤离延安谈到今天的青化砭大捷，又谈到下一步与胡宗南的周旋，一直说了几个钟头，最后的结论是，把陕北交给彭德怀，中央是放心的。

这个时候的彭德怀正和西北野战部队干部战士们在一起，享受着撤离延安以来的第一个胜利。西北野战部队干部战士们没有一个不觉得这一仗打得痛快极了。它至少有3个特点可以成为官兵的美谈：一是快，打得快，撤得也快，从枪声响起到全部撤走一共不到3个小时；二是彻底，从旅长以下2,900

人一网打尽，无一逃脱，而解放军损失才256人；三是缴获丰富，子弹30万发，火箭筒4个，化学炮两门，骡马及粮食不计其数。

这一仗打下来，西北野战部队弹药问题基本解决，在陇东西华池战斗和保卫延安战斗中损失的兵力也得到了补充，更重要的是，与胡宗南在陕北大山里周旋的战法得到了发展。那几天里，从部队首长到营连干部，人人都在谈经验，谈体会，写总结，就连一个普通战士也能把毛泽东的"推磨战法"说得头头是道。那时的西北野战部队里，到处洋溢着胜利后的自信和喜悦。

而胡宗南在延安的前进指挥所里却充满着失败的情绪。裴昌会、薛敏泉皱着眉头给国防部起草了个检讨报告：31旅被歼，一因兵力太单薄，二因疏于搜索警戒，三因未走山地而专走大道，致使遇伏不能迅速占领高地作坚决的反击，云云。

拿着这个检讨报告，胡宗南面无表情地说道："通过这一战摸清了共军的底数，也找到了共军主力的大致方向，对下一步作战起到了侦察作用。"胡宗南认定，共军主力就在延安东北方向不远的地方。

裴、薛互相递了个眼色，拿2,900人马作侦察，天大的笑话！但他们还是把这句话加了进去。有失必有得嘛，符合辩证法原理。

胡宗南一连几天都这样面无表情，话也不多。不明不白吃了这么一闷棍，心里自然是不好受的。何况事先李纪云已有敌情报告，是因为自己的武断主观才导致了31旅的全军覆没。

胡宗南不说话，整个指挥所里也就悄无声息，各忙各的事，谁也不招惹他。

但胡宗南制造的沉默，还得要胡宗南来打破。他踱到地图前，指着延安东北方向延川至清涧一线以西的地区对裴昌会、薛敏泉说："共军肯定没走远，就在这一带，无线电测向台也侦得这一带电波比较密集。但现在的问题是具体位置不明确。"胡宗南刚刚挨了一棍，头脑已不那么发热，处理问题也不那么武断，说话语调降了很多，也开始听取裴昌会、薛敏泉的意见了。

"你的意思是……"裴昌会还是有点谨慎，说话轻言细语。

"我的意思是不如来个死办法，就用国防部的'方形战术'，把董钊和刘戡的两个兵团排成一个方阵，并列前行，把整个山头梳一遍，不怕找不着共军主力。难道他还飞了不成？"

薛敏泉马上就听出了破绽："这样翻山越岭，部队经得起拖吗？给养也很

难跟上啊！万一……"

薛敏泉的万一还没说出来，只见胡宗南脸色变了。

胡宗南冷冷地甩出一句："那你看怎么办？挨了一棍不能就这样僵持下去呀！"

薛敏泉红着脸不说话，裴昌会马上发言解围："行则同行，宿则同宿，这样走是有好处，至少暴露弱点的可能小，可以避免遭受解放军的各个击破。不过，薛副参谋长提出的也确实是个问题。"

经裴昌会这么一说，气氛稍微缓和了些。胡宗南最后拿出意见："整编第1军、29军9个旅，由安塞、延安、临真镇出发，分兵3路，经延长向延川、清涧地区并列前进。如果解放军愿意决战，就与解放军决战；如果解放军不愿意决战，就把他们赶到黄河那边去。至于给养，带足上路，不够的就地征取。还不够，部队就开到蟠龙补给。"

裴昌会、薛敏泉不再说话，应了一声就发命令去了。

27日，董钊、刘戡两路大军出发了。浩浩荡荡的数万之众，密密麻麻排满了陕北的山山岭岭，开始了所谓的"大扫荡"。彭德怀已感觉到，再像青化砭那样三面埋伏伏击敌人的可能已经不大，他便把部队分散隐藏起来，只派小股部队与敌军保持接触，牵着董钊、刘戡两军向北、向南，又向西，再向东，再向西，既"推"又"磨"，将胡宗南几万之众把玩于陕北的大山之中。几天下来，董钊、刘戡来来回回好几趟也没有发现解放军主力，折腾于山山沟沟里，还经常受到小股解放军的袭击，部队都成了一堆稀泥，士气低下，纪律松弛。胡军每过之地，翻箱倒柜，搜粮抢物，连老乡的锅碗瓢盆也不能幸免。胡宗南进占延安时号称的"英雄部队"，此时成了名副其实的胡匪军。

胡宗南要找的解放军主力就在他搜索的那块山地里，昼伏夜出，行动无常；而他要找的中共首脑机关，此时就在清涧县北面石咀驿附近一个叫枣林子沟的地方，开一个紧急的政治局扩大会议，讨论中央机关的行动问题。

中央到底是留在陕北还是转移到其他地方，全党全军一直高度关注，各大战略区的同志纷纷打电报来，请党中央从安全角度考虑，转移到晋西北或者太行比较安全的地方，指挥全国解放战争。但到底是留在陕北，还是东渡黄河，中央领导同志内部争论也很激烈。

周恩来说："是走是留，要从战略全局来考虑。"任弼时主张，中央的安全就是战略全局，陕北太危险，还是转移到其他地方比较稳妥。刘少奇则以

★周恩来同志在转战陕北途中。

★毛泽东同志转战在陕北。

XiangGuanLianJie
DaSaoMiao

☆ 以退为进转战陕北

1947年，延安处于危机的关头，毛主席一方面力争好的可能性来守住延安，另一方面，又为最坏的可能性而放弃延安作准备。对此，毛主席认为如果要保卫延安最好的方法是外线配合内线作战，遂于3月16日发布了《关于边区各部队保卫延安的部署的命令》，内称我边区部队必须"再抗击10天才能取得外线配合粉碎胡军进攻延安的企图"，并且调集有限的兵力进行了积极的防御。命令还称："在防御战斗中疲劳与消耗敌人之后，即可集中部分兵力打运动战各个歼灭敌人，彻底粉碎敌人进攻。"然而，由于敌人过于强大，敌我实力相差悬殊，为从长远打算，我党中央决定以退为进，转战陕北。

为，丢了延安就人心浮动，现在又离开陕北，恐怕人心更难稳定！朱德说："党中央和毛主席继续留在陕北，可以吸引住胡宗南的兵力，这样就能减轻山东和华北战场的压力。但这样的话，中央和主席的安全又必须慎重考虑。"……

毛泽东一直吸着烟，但是去是留，他早已有所定夺。等到发言气氛渐渐安静下来，他弹去烟灰，盯着那一缕轻轻飘起的轻烟慢条斯理地说："长征结束的时候，我们党像生了大病的孩子，是延安的小米和延河的水使我们党恢复了元气，使革命站稳了脚跟。前几天离开王家坪的时候，房东见我们又要走，拉着我的手问延河的水甜不甜，陕北的小米香不香，当时我无言以对。"

屋内的气氛随着毛泽东的语调骤然沉重起来，毛泽东猛吸了一口烟继续说："现在离开陕北，叫陕北的老乡怎么想？叫全国人民怎么想？叫历史怎么评价？从感情上来说，我们不能走。从事实上来说，我们也是不走为好。我们一走，胡宗南几十万部队就会过河，会从山西一路扑过去，这样对其他战场的作战极为不利！我的意见是，中央要留在陕北，与陕北老乡一起奋战，打破胡宗南的进攻。至于安全，我相信哪里的人民拥护我们，哪里才有安全！陕北人民好，地势也好，我看安全是有保障的。"

毛泽东的发言为整个会议确定了一个基调，到27日上午，会议作出最后决定：毛泽东、周恩来、任弼时留在陕北，主持中共中央和中央军委的工作；刘少奇、朱德、董必武东渡黄河，组成中央工作委员会，负责中央委托的工作；叶剑英、杨尚昆在晋西北地区，负责中央机关的后方工作。中央机关也相应地分成三大块，组织部、宣传部、党校、解放日报社、社会部、政治部、青委，还有中央办公厅及秘书处、机要处、卫生部、军委总供给部的一部分，随刘少奇、朱德、董必武去华北；中央和军委的大部分工作机构暂留在晋西北组成后方委员会，叶剑英为书记，杨尚昆为后方支队司令；陕北只留下少数中央机关和一个精干的军事指挥机构，随毛泽东、周恩来转战陕北，指挥全国解放战争。

捏造战绩露出马脚

4月中旬，国民党国防部组织的包括中央社、美联社、合众国际社和国内金陵、沪杭一带的报馆通讯社共35家新闻单位组成的65人记者团，从南京出发转道西安，在战区参谋长盛文的亲自陪同下到了延安。国防部事先已有电文，要求胡宗南高规格热情接待。

此前，胡宗南刚刚回了西安一趟，要盛文全权代表、秘书处长赵龙文具体负责记者的接待事宜，还顺便把自己的婚事安排了一下，决定打几个胜仗后就和叶霞翟完婚。叶霞翟堪称军统一枝花，是老关系戴笠送给胡宗南的。

现在占领延安已近半月，舆论早已平息，国府也从占领延安的狂欢中冷静下来，而胡宗南二等大绶云麾勋章早已挂在胸前，再也不需要利用记者去捞取什么了，所以对记者的到来，胡宗南早已没有了先前的热情。更何况青化砭一劫还痛在心头，而董钊、刘戡两大主力铺排式"扫荡"又陷入僵局，眼前共军主力都找不着，哪有心情去管那一大帮叽叽喳喳的记者呢？

胡宗南背着手站在偌大的陕北地图前，边察看敌我形势，边回忆着这十来天的战场情况。

3月27日，董、刘两军东进到清涧"扫荡"后，又于4月2日分别以瓦窑堡和永平镇为目标从清涧折向西进，一路又是一次大"扫荡"。4月5日董、刘继续北上，准备与南下的邓宝珊22军会师于绥德。结果6日在行进过程中，刘戡29军17师12旅的尾巴在永坪北面被解放军狠狠铡了一刀，死伤600多

人，刘戡怕孤军深入再遭31旅的下场，扔下100多具尸体又往南撤，8日晚惊魂未定赶到永坪与董钊会合。至此，几万大军前后十天的铺排式大"扫荡"毫无结果，部队既劳累又缺粮，只能回到蟠龙休整补充。从10日回到蟠龙又是4天过去了，空中侦察与地面搜索仍然没有结果。几十万大军屯在大西北毫无作为，胡宗南真是焦头烂额，一筹莫展。但恰在这时，又听得熊向晖报告，记者参观时刨根问底，结果问出了马脚。

记者们到的第一站是"战俘管理处"。有一个细心的美联社记者发现有好多个"战俘"在上一个"战俘管理处"见过面，并且还问过话，觉得挺蹊跷，就上前诈了一下："我刚刚见过你，你怎么又跑这儿来了？"因为事前的训练没有这一项问话内容，结果那个假俘虏被问得哑口无言，涨红着脸吱吱唔唔说不出话来。从"战俘管理处"出来，接着又到了"战绩陈列室"，望着那一排排美制轻重机枪和刚刚生产出来的中正式步枪，记者们更是糊涂，当场发问。一个说："这些武器到底是国军的还是共军的？如果是共军的，那他们是怎么搞到手的？难道是你们送给他们的吗？"另一个又说："如果不是你们送给他们的，那就是他们先缴过去，你们再缴过来。是不是？这种缴去缴来的东西也叫战绩吗？"还有一个更细心的说："武器上还贴了你们部队的番号和代号，这是怎么回事啊？武器到底是谁的呀？"一个个问题犀利又尖锐，参观现场尴尬极了。几个外国记者连喊："Trickery,trickery！（骗局）"

听完熊向晖细声汇报，胡宗南当即拍起桌子喊了起来："谁叫他们来了，谁叫他们来了？！"狂怒一阵，又软软地坐在硬邦邦的土炕上，一言不发。熊向晖会意地退了下去。

不到半小时，熊向晖又来了。胡宗南以为又是关于记者的那些屁事，没等熊向晖开口就示意退下。

熊向晖轻轻走到胡宗南跟前，躬着腰打开机要文件夹，拿出一份电文说："先生，刘戡急电。"

刘戡急电？难道是发现了共军主力？现在，最能触动胡宗南神经的就是解放军主力。

胡宗南展开电文，脸色顿时铁青，眼睛乌黑。刘戡说，76师135旅在羊马河遭解放军伏击，全旅覆没……

再胜羊马河

3月28日，周恩来已去山西临县布置中央机关的转移工作。到3月31日，也就是枣林子沟会议后的第4天，朱德、刘少奇、董必武带领部分中央机关工作人员也要出发到华北了，时间是晚饭后。

那晚黑暗如漆，寒气袭人，地面上还结下了厚厚一层冰。在嗖嗖北风中，毛泽东、任弼时和朱德、刘少奇、董必武一一握手道别。

经过10个月的解放战争，消灭蒋介石100万军队，粉碎国民党的全面进攻后，马上又将粉碎其重点进攻。在这种时候的分别，已不再是一次简单意义上的分别，而是一次战略上的大分工。无论是留在陕北的毛泽东、周恩来，还是远行到华北的朱德、刘少奇、董必武，都将支撑起解放战争中的一方蓝天。而此时，对朱德、刘少奇、董必武三人来说，却还有另一番情绪在心头，因为此时要告别延安、告别陕北，而这一别，又不知何时是归期！

简短而温暖的祝福之后，怀着拳拳惜别之情，朱德、刘少奇、董必武上了吉普车。马达开响时，毛泽东在后面挥着右手大喊道："一路保重！要是我、恩来、弼时都被胡宗南捉了去，就全靠你们喽！"语气轻松，话题却很沉重。毛泽东呵呵憨笑时，朱、刘、董三人一齐挥手说："主席保重！弼时保重！我们华北再见！"说完，一声喇叭声划破夜空，朱、刘、董三人随即消失在夜色里。

送走朱德等人回到住处，毛泽东只觉得心里空落落的。朝夕相处的战友，一起散步，一起谈笑，一起讨论时局，一起商量决策，有时也为一些问题而意见相左，甚至争得面红耳赤，这些时光总是那么融洽而快乐。现在都走了，只和恩来、弼时在一起，昔日热闹的窑洞好生清冷。

那一晚毛泽东没有睡着。他翻来覆去，快天亮时才渐渐把思绪从朱、刘、董三人的离别，转移到西北战场上来。

毛泽东以为，青化砭伏击战为粉碎胡宗南的进攻创造了一种模式。在敌强我弱的形势下，对付胡宗南除了埋伏袭击外，别无他途。第二天一大早，他就特地给彭德怀和习仲勋发了份电报：我军歼击敌军必须采取正面及两翼三面埋伏之部署方能有效，青化砭打31旅即是三面埋伏之结果。

但彭德怀拿起电报却皱起了眉头："必须三面埋伏，太绝对了嘛！战场情况是变化的，打法也要相应变化嘛！胡宗南现在整师整旅一字排开，从这个山头排到那个山头，怎么三面埋伏呀？"他把毛泽东的电报递给习仲勋，说："副政委，你看主席这个电报怎么个回法？"

其时，在全党全军，毛泽东的领袖地位是不可动摇的，他的意见，就是全局的决策意见。他这个电报就是命令，就是西北野战部队必须遵循和执行的原则。习仲勋把电报翻来覆去研究了一番，最后对彭德怀说，还是实事求是吧，跟主席把前线的实际讲清楚。彭德怀点点头，说他也是这个意思，当即拿笔就写下了复电：敌自青化砭战斗后，异常谨慎。不走平川大道，专走小路爬高山；不进房屋设营，多露宿设营；不单独一路前进，数路并列间隔很小，以致三面伏击已不可能。

彭德怀"三面伏击已不可能"的措词也很绝对。毛泽东拿到电报时，不由得想起十多年前自己写给彭德怀的一句诗："谁敢横刀立马，唯我彭大将军。"他微笑着哼起湖南花鼓戏小调，给彭德怀回电：敌十个旅密集不好打，你们避免作战很对。

毛泽东、彭德怀之间的这次电报交往，可以看作是陕北战场上的一个插曲。

彭德怀知道，要打垮胡宗南的进攻，必须要在运动中大量歼敌。"敌进我退，敌驻我扰，敌疲我打，敌退我追"的游击精典，仍然能够发挥巨大的威力。游击战能拖垮搞瘫胡宗南，为运动战提供一个好的进攻机会。彭德怀对毛泽东复电的"绝对"，就建立于这个基础之上。董、刘两支大军铺排式搜索的时候，彭德怀的基本战术就是"推"和"磨"，用他的话说是"长期疲困他消耗他，迫其分散，寻找弱点，各个击破"。他坚信，把胡宗南拖疲了搞垮了，歼敌的机会自然而然就来了。

到4月中旬，这样的机会终于来了。

6日，西北野战部队在永坪镇把敌整29军17师12旅尾巴铡了一刀后，胡宗南发现我军野战部队主力在蟠龙、青化砭西北地区，迅速令整编1、29军主力向青化砭西北方向推进，又令驻清涧的整76师72团开向瓦窑堡，接替驻瓦窑堡的第135旅的防务，135旅沿瓦窑堡至青化砭大路经羊马河南下策应整1军、整29军作战。

对胡宗南来说，这样的部署方案，当属绝密。但就这样一份绝密情报，也被中共西安地下党搞到手，在胡宗南的部队还未开拔之前就传到了毛泽东手里。毛泽东赶紧又电传给彭德怀，要西北野战部队歼胡宗南135旅于羊马河地区。地下工作本来就是秘密的，我们已不知道这份情报是哪位地下工作者搞到手的，只知道彭德怀得到情报后，马上通知各纵队和各旅首长到驻在瓦窑堡西南桑树坪的野战部队司令部开紧急会议。

10日天刚蒙蒙亮，各路首长全部到齐，挤满了彭总那间小小的窑洞，甚是暖和。彭德怀穿一件旧棉袄，却容光焕发、精神抖擞。他已令参谋人员把135旅的历史搞清楚了，因此他的讲话就从这里开始："国民党整编第135旅前身是第135师，抗战胜利后由鄂西进出湖北江陵和沙市一带，在那里担负驱逐我湖北大洪山区地方武装的任务，归国民党第六战区指挥。去年中原突围时，135旅追击359旅到陕南，从此就被胡宗南'收养'过去。今年3月份被调到洛川集结，编入刘戡的29军17师。旅长祝夏年因腿部骨折在西安住院，副旅长麦宗禹任代旅长。麦宗禹的特点是忠于国民党，忠于胡宗南，反共到底，并且还有几分军事才能。"窑洞小，人又多，彭德怀讲得浑身发热，解开几颗纽扣，又要了碗水，介绍了胡宗南的部署方案后表明自己的决心："在135旅与由南向北推进的整1军、29军主力靠拢之前，在这个地方——"彭德怀拿根树枝，转向地图，在羊马河上狠狠敲了几下说："把它吃掉！"

决心表达完，彭德怀要大家自由发表意见，看这一仗如何打。大家你一句，我一句，气氛甚是热烈。等大伙话都说完了，彭德怀站起来伸出两个指头："这一仗要注意两点。第一，必须拼全力阻击敌南面主力，不能让它前进半步；第二，北面战斗要速战速决。南面阻击是为北面争取时间，北面速战速决是减轻南面的压力。这两点任何一点都不能有丝毫闪失！我们这一仗等于是虎口拔牙，如果哪一面稍有闪失，那我们都会受两面夹击，后果可想而知。"各部队首长听了不由得一阵紧张。

彭德怀考虑了很久，决定把南面阻击敌整1军、整29军共9个旅的任务交给第一纵队。他对张宗逊、廖汉生说："装成主力，把他们引到西边去，并且每天只让他们前进5～10公里。他们前进得越慢，135旅就会跑得越快，这样我们就胜得越快。"

12日，我军358旅和新编第4旅与董钊的5个旅在夏家沟、安家崖底、李家岔一带交上了火。野战部队火力集中使用，异常猛烈，董钊5个旅也丝毫

不能前进。董钊确信对面就是解放军主力无疑，赶紧报告胡宗南，要求刘戡的整29军赶紧北上和135旅火速南下，力争三面夹击解放军，并且还煞有介事地说，"绝好战机，失不再来"，搞得胡宗南也胃口大开，立即按董钊的情报发了命令。

彭德怀不紧不慢，把独立第1旅和警备第7团放在白云寺、元子沟一线，阻击北进的整29军。另外命新4旅由西向东、第二纵队和教导旅由东向西，在羊马河夹击南下的135旅。

14日清晨，刚刚和第72团把瓦窑堡的守备事项交待完毕，135旅就火速南下执行"夹击解放军"的任务。执行这么个"神圣"的使命，代旅长麦忠禹感觉到崭露头角的机会来了，先前就开了个团级干部会议，作了一番热情洋溢的战前动员，把几个团长的热情也调动起来了。麦忠禹求功心切，决定采取战备行军方式，第405团为前卫，另派一个营为左侧卫，旅部、特务连、通讯连、工兵连、化学炮连、第404团、辎重营和卫生队为本队，沿瓦蟠大道向南急速行军。

麦忠禹并没有考虑自己按战备行军方式急速南下有什么不妥，他只知道，根据上级的命令和友邻部队的通报，现在的敌情已经很明朗，解放军主力正与整1军、整29军展开激战，并且节节败退，等着自己去做的事，就是截断解放军退路，毕其功于一役，合歼解放军主力于蟠龙西北地区。这一仗完了，自己的职务也就该扶正了，前途一片光明！

麦忠禹的一厢情愿似乎也合情合理。但这个时候，我军358旅已经把董钊的5个旅吸引到羊马河西边去了；独1旅也在羊马河南边悄悄展开了决战架势，准备迎击兼程北上的整29军；而新4旅、第二纵队和教导旅已在羊马河布置了一个大口袋，静候135旅的到来。

麦忠禹部出发不久，彭德怀风尘仆仆来到了独1旅阻击刘戡整29军的阵地。他觉得，伏击135旅很大程度上取决于独1旅阻击刘戡整29军的情况。阻击整29军成功，则伏击135旅成功；阻击整29军失败，则伏击135旅失败。彭德怀拉着王尚荣的手说："只要能堵住整29军到下午2时，伏击135旅就成功了。有没有信心？"王尚荣也知道独1旅与整29军这一仗在伏击麦忠禹135旅战斗中的分量，早就做了一番细致周密的安排。他打个立正，敬了个不甚标准的军礼，但回答很坚决："请老总放心，保证完成任务！"彭德怀拍拍王尚荣的肩膀，满意地走了。

★ 在羊马河战役中，西北野战军教导旅宣传队深入二纵队进行宣传工作。1947年4月14日，我军在子长县西南山区隐蔽待机，敌第135旅4,700余人进至羊马河地区被我一举歼灭。

　　麦忠禹带着部队兴高采烈由北向南一路赶来。到三郎岔北面的时候，突然听到枪声四起，子弹像雨点一样朝自己的部队打来，不由得从白日梦中惊醒，和参谋主任朱祖舒迅速爬上附近一高地，放眼望去，只见全旅浩浩荡荡几千人已全部钻进解放军的伏击圈。麦忠禹迅速镇定下来，令第405团占领三郎岔以北的河川东山，掩护旅主力向蟠龙攻击前进，待旅主力通过后立即脱离现场，作为旅的后卫，随旅主力行进；第404团以一个营向蟠龙方向攻击前进，与旅主力保持联系；第404团其余两个营兵力占领三郎岔以北的河川西山各制高点，巩固加强现有阵地。

　　在当时情况下，麦忠禹的部署是完全正确的。如果能达到目的，解放军伏击135旅的计划就会化为泡影。但135旅被解放军的绝对优势兵力压迫在几座山头之间，丝毫动弹不得。405团占领河川东山的企图没有实现，第404团以一个营向蟠龙方向攻击前进也受阻滞。

　　直到这个时候胡宗南才明白，董钊整1军向西一路追击过去的，只是解放军的少量佯动部队，而真正的主力则在羊马河撒下了一张围捕135旅的天罗地网！他在指挥所里背起手，踱着步子恶狠狠地骂道："饭桶，十足的饭

桶。"裴昌会、薛敏泉都瞪着眼睛，不知道胡宗南骂的是谁，面面相觑。往往在胡宗南大怒的时候，只有熊向晖能够向他靠近。裴昌会、薛敏泉向熊向晖使了个眼色，熊向晖会意地向胡宗南走去，躬下腰说："先生，平日里我们找共军主力找得好苦，现在虽然135旅有险情，但共军主力的位置已十分清楚了。现在要刘……"熊向晖还没说完，胡宗南侧过身大声喊道："传令：董钊部奋力向西推进，必须两小时之内赶到羊马河；刘戡部加速向北推进，从解放军的右侧展开进攻；135旅必须坚守待援。另外，立即派飞机助战。"胡宗南的一道道命令颇有点"气壮山河"的架势。

但董钊已被我军358旅吸引到羊马河西边50多公里的地方去了，在两个小时之内怎能赶到羊马河？而我军独1旅在羊马河以逸待劳等候多时，任凭敌整29军怎么冲击，王尚荣指挥的阵地都岿然不动。

两个小时过去，整1军和整29军仍然原地踏步。此时，麦忠禹405团丢了自己原来的几个阵地后被我军新4旅彻底击溃，少部分官兵阵亡，绝大部分做了俘虏。麦忠禹在山头上手足无措，南面整29军与解放军对阵的枪炮声都听得清清楚楚，但整29军就是过不来。而西边的整1军更是见不到身影。野战部队逐步逼近，404团也渐渐支撑不住。不到4个小时，135旅4,700多人被如数全歼。麦忠禹和参谋主任朱祖舒、政治部主任王文之想夺路逃走，拐到一个山沟，却正好碰到解放军一个迂回包抄的小分队，麦忠禹等三人就这样做了俘虏。

麦忠禹三人随解放军下山，就碰到了二纵司令员王震、副政委王恩茂。王震摇着麦忠禹的手说："久闻大名，今日才能相见，遗憾！"麦忠禹羞愧难当，有道是"败军之将不敢言勇"，今天王司令员对己还称"久闻大名"，真是让麦忠禹不知如何是好，正尴尬着，王震又说："我们条件差，今晚吃米粥睡土炕吧！"当时西北野战部队粮食匮乏，能喝上米粥已算是最高规格的接待了。

当晚，麦忠禹度过了一生中最难忘的一夜。吃饭时，王震、王恩茂不断给他们夹菜，还叮嘱炊事班给他们三人做了点稠的。晚上麦忠禹又与王震、王恩茂同睡一炕。王震鼾声渐起时，引发了麦忠禹万千感慨：几个小时以前还在战场上互相冲杀，现在却像朋友一样同睡一炕。他在后来的回忆中说："共产党人的伟大胸怀真令我非常敬佩。"

☆ 豫北攻势意义重大

1947年3月23日，晋冀鲁豫野战军遵照中央军委指示，以4个纵队和地方武装一部，共60个团10万余人发动豫北攻势，转入战略性反攻。至5月25日，经过连续作战，攻克濮阳封丘、延津、阳武（今原阳）、淇县、浚县、滑县、汤阴等城，歼灭国民党军计4万余人，俘暂编第三纵队中将司令孙殿英，解放了豫北广大地区，迫使国民党军退守到安阳、汲县、新乡等少数据点内。晋冀鲁豫野战军的这次攻势，有力地配合了人民解放军在山东、陕甘宁粉碎了国民党军"重点进攻"的作战计划，并为下一步转入战略进攻创造了有利条件。

☆ 新政策　新法规

1947年3月20日，华东野战军司令部、政治部联合发布了《对收复新解放区六项》的政策，提出：一、扩大爱国统一战线，结束国民党一党专政，实现政协的路线，反对美帝国主义侵略中国；二、建立民主秩序，保护各阶层人民利益和权利；三、对一切失足人员实施宽大政策……六、我军保持三大纪律八项注意之优良传统，所到之处爱护人民利益。此政策的发布不仅标志着解放区的扩大，更代表了一种对解放区认识与管理的新概念。

☆ 《我为人民扛起枪》激发野战军将士斗志

1948年1月，一首《我为人民扛起枪》的歌曲在野战军中广泛流行。这首由丁洪作词，一鸣作曲的歌曲，大大地鼓舞了我野战军的斗志。其歌词中说到：我为谁人来打仗，我为谁人来扛枪？为革命，为祖国，为了你，为了他，我为人民扛起枪。我为人民，人民为我，人民解放我解放。我为人民求解放，我为人民扛起枪。鱼和水，不能分，血和肉，紧相连，军和民一条心……歌词深刻地表现了中国共产党领导的军队是为了解放全中国，为了人民大众的利益的人民军队。

在青化砭、羊马河连输两着，胡宗南着实有点沉不住气了。

彭德怀还是紧锁眉头，反复告诫部下不能骄傲，一遍一遍地讲"骄兵必败、哀兵必胜"的道理。

胡宗南狂言5月在绥德开记者招待会，而彭德怀却把目光投向了胡宗南的战略补给地蟠龙镇。守备蟠龙的李昆岗少将战战兢兢，在5月2日傍晚，终于等来了解放军的枪炮声。三天三夜的激战，敌167旅李昆岗以下近7,000人全部覆没。胡宗南仰天长叹，精神状态一蹶不振。

第四章

蟠龙攻坚，陕北战局初步稳定

羊马河之后

4月中旬的延安乍暖还寒，春色显露。但此时胡宗南的心里仍然没有解冻，那严寒的冬天似乎永远没有尽头。他是在第一时间里得知第135旅在羊马河全数被歼的。他真的不知道彭德怀用的什么"障眼法"蒙住他的眼睛，把主力悄悄摆在了羊马河，也更不明白整1军、29军9旅之众为何突不破解放军两个旅的阵地！

大胜之后手舞足蹈、大败之后沉默寡言是胡宗南多年来的习惯。现在他像往常打了败仗那样，背着手来回踱着步子。如果说第31旅2,900多人在青化砭被歼是因为自己指挥太大意，那么135旅在羊马河全旅覆没就值得好好反省反省。地形不熟悉，群众被赤化，劳师远顿，弹粮补充困难，这是先天不足。除此之外还有吗？指挥艺术、作战技术、士气等等，好像都不如解放军嘛。不管怎么说，以整1军、29军9旅之众突破不了解放军两个旅的阵地就足以说明了问题。

★ 1947 年 4 月，蒋介石宣布改组政府。4 月 23 日，蒋介石主持首次会议，通过行政院各部部长人选。

　　两仗下来，损失虽然不到一万人，只不过占胡宗南所有部队的二十几分之一。但这是在不到一个月的时间里的净损失，照这样的速度下去，一个月一万人，差不多两年的时间就会彻底完蛋。想到这里，胡宗南冒出一身冷汗，他突然想起了毛泽东留给他的那张纸条："进又不能进，退又不能退。"他小声念道，念完突然哈哈狂笑两声。他清楚，自己已陷入进退不能的泥潭之中。

　　当然，不仅仅是胡宗南陷入了泥潭，就连整个国民党政府都陷入了泥潭。在战场上，国民党到处都在丢盔弃甲，损兵折将；而在大后方，物价飞涨，企业倒闭，工人失业，学生罢课，经济学上定义为"政府行将崩溃"的种种症状正潮水般袭来，纵使蒋介石有十八般武艺，也会有些应接不暇。现在的蒋介石就像个"救火队长"在全国各地飞来飞去到处"救火"。4 月 13 日，他在上海召集党政要员及金融各界巨子们开会，商讨对付物价飞涨的办法。不到三天，又折回南京主持召开国民党中央常务委员会会议，准备实施《新政府施政方针》。接着又在国民党政府"奠都南京 20 周年纪念日"的 4 月 18 日，宣布"改组政府"，成立"介乎训政与宪政之间的政府"。蒋介石自任主席，孙

★ 在陕北转战途中，毛泽东和周恩来在一起。

科任副主席，由张群任行政院院长，社会贤达王云五任副院长，以青年党的曾琦、左舜生等为国府委员，蒋介石说，这个政府是"三党政府"，集合了"一大群有进步思想的自由主义分子"。

蒋介石希望用改组政府的办法来缓和军事失败和经济崩溃所带来的矛盾，但他不知道，一个政府合法而稳定地存在，是以经济作基础、军事作支柱、人民的支持作决定因素的。这三者，蒋介石都不具备，决定了这样的政府改组只是一个沙滩楼阁，垮台是不可避免的。

此时胡宗南并不关心这些虚无缥缈的政府改组动作，这几天里，他一直在苦苦思索。他已经失去同解放军主力决战的信心。二十几天的实践证明，在陕北的茫茫大山里，他根本无法找到共军主力，而即使找到了共军主力，说不定又是自己再一次踏入陷阱的开始。

用焦头烂额、一筹莫展来形容此时的胡宗南一点也不过分。他转头问薛敏泉："山西那边情况怎么样？"薛敏泉本来要向他汇报山西的情况，但看见胡宗南始终阴沉着脸，便没有开口，免得他又是一阵狂怒。现在既然胡宗南问了起来，他就没有什么好顾及的了。薛敏泉顿了顿开门见山地说："情况比较糟糕。"胡宗南浑身抽动了一下，嘴角动了动，想说什么，又没说出来。薛敏泉继续说："自4月4日来，共军陈赓、谢富治的部队和太岳军区部队一起，连克新绛、稷山、河津等五城，羊马河战斗后又攻占绛县等地，横扫晋南三角地带，严重威胁着我侧背安全。"胡宗南"哦"了一声，明显感觉到了形势的严峻性，继续问："董钊、刘戡部现在情况如何？""情况也不理想，前几天的急行军没有找到共军主力。昨天南撤的时候，整29军36师的165旅又遭埋伏，死伤2,000多人……"

"什么？又遭埋伏？不是叫他们按'方形战术'整队行军吗？"胡宗南急红了眼，气得从矮凳上一跃而起。现在的胡宗南宛如一头狂怒的雄狮，又如一只挨了弓箭的小鸟，既可恨，又可怜。刚占领延安那会儿，他言必谈与共军主力决战，现在别说与共军主力决战，就是提起共军，他都有点胆战心惊。他无力地摆摆手，有气无力地说："告诉那两个笨蛋，就在蟠龙地区补给休整，每天派出少量侦察部队侦察共军行动，大部队没有命令，不许轻举妄动。另外通知空军，加派飞机进行侦察，有情况随时报告。"

薛敏泉"嗯"了一声，转身传令去了。

还在青阳岔的时候，中央机关就按照军事编制编为了4个大队，代号"三支队"，任弼时任司令员，陆定一任政治委员。周恩来提议，为了保密，每人都起个代号。毛泽东说："这个意见不错，我们一定得胜，我就叫李得胜。"周恩来说："革命事业必定成功，我就叫胡必成。"任弼时说："那我叫什么呢？"毛泽东眯着眼，微微一笑："你是司令，就叫史林吧；定一同志是政委，就叫郑位。"说完毛泽东又规定，以后称呼一律用代号，禁止使用以前带职务的称呼。从这时起，这个代号为"三支队"的神秘队伍就频繁活动于陕北的各个乡村。有时候在老乡家里住了好些天，到要走的时候，房东也不知道他们是谁，更不知道他们是干什么的。

接到彭德怀羊马河报捷电报的时候，毛泽东、周恩来、任弼时已转移到了靖边县西北方向的王家湾。这是一个很小的山村，半坡上几排简陋的窑洞里，就住着二十来户人家。毛泽东、周恩来、任弼时三人住在贫农薛如宪老汉腾出的两孔半窑洞里，毛泽东住里面那间，周恩来和任弼时合住外面那间。这是转战陕北以来住宿条件最差的时候，窑洞里除了一个土炕和一张柳条木桌外，其他一无所有，而毛泽东等在陕北转战期间，在这里住的时间却最长，

前后共有 57 天。

周恩来拿着彭德怀的报捷电，抑制不住内心的激动，朝毛泽东大声喊道："李得胜同志，老彭又有捷报！"毛泽东正在埋头起草电报，周恩来这么一喊，兴趣来了，抬头说："说说看。""老彭在羊马河全歼敌 135 旅 4,700 余人，而我军伤亡只有 479 人。俘代旅长麦忠禹、参谋主任朱祖舒、政治部主任王文之以及敌 404 团上校团长成耀煌、405 团上校团长陈简。""我说嘛，我们的彭大将军就是能横刀立马！"毛泽东说着扔下笔，从口袋摸出一支"薛仁贵"牌香烟很有滋味地闻了闻，这烟还是上次青化砭战斗后彭德怀送来的战利品。

点燃烟，深深地吸了一口后，毛泽东又风趣地说："看来彭总又要给我们送战利品来啰！"说着走出窑洞，伸了个懒腰，望着远处开始泛绿的山坡，心里正在打着向全军通报羊马河战斗的腹稿：这一胜利给胡宗南进犯军以重大打击，奠定了彻底粉碎胡军的基础。这一胜利证明，仅用边区现有兵力，不借任何外援即可逐步解决胡军。

彭德怀把所有的高兴和自信全都藏在心底，接到军委的通报时，那张布满皱纹的脸还是一如既往地不苟言笑。他对习仲勋说："我们才 6 个旅，不到 3 万部队，胡宗南十几个整编旅二十几万人哩！加上马鸿逵、马步芳、邓宝珊和阎锡山那就更不得了了。军委的通报是战略上的，但我们是搞战术的，要谨慎，不能翘尾巴哩！"

习仲勋点点头，连声答"是"。

彭德怀看了他一眼，又说："上次青化砭战斗后，队伍里就出现了一些骄傲情绪，教育了一下，好了一点。这次胜利更大，我看哪，同志们的尾巴又免不了要翘起来！"彭德怀转过身，望着习仲勋说："你做政治工作的，在这种关头上可要抓紧抓好喔，千万不能骄傲起来！"

习仲勋笑着说："老总放心，不会的，教育计划我昨天就发下去了，今天只怕都在搞教育呢！"

"好，这个好，很及时！"彭德怀扭头道："胡宗南可以输一两次，可以损失几千、万把人，但我们一次战斗也不能输，一个连、一个营也不能损失。我们这点家当，真是损失不起啊！……再发个通知，教育从整顿战场纪律开始，一个一个地过，然后查有没有骄傲轻敌情绪，人人都要对照检查，特别是指挥员，要带头查！"交待完这些，彭德怀还有点不放心，叫上警卫员下连队去了。

　　彭德怀到各个阵地转了一圈，一路走一路说，话题离不开"骄兵必败、哀兵必胜"。尤其是在教导旅的时候，跟陈海涵讲了两个多小时。彭德怀从巴顿带兵讲起，又讲到李自成为什么会失败，最后把话题落在了西北野战部队身上。彭德怀说："哪个部队不希望打胜仗？胜仗越多越好嘛！但打了胜仗以后不能满足，要争取再打胜仗。我们做指挥员的呀，自始至终都要保持清醒的头脑。打个把胜仗，尾巴就竖起来；打个把败仗，就把脑壳垂下去。这是什么指挥员呀！这叫无能，叫蠢！"陈海涵跟在彭德怀旁边静静地听着，只觉得句句钻心，字字扎人。若干年后他回忆这一幕时说："接触过彭总的人都晓得，无论他暴跳如雷，破口大骂，还是耐心说理，循循善诱，都能使你明显感觉出他的真情实意，使你觉得他的确是发自内心、设身处地关心人，爱护人，因而使你自愧，使你永远难忘！"

绥德会师——胡宗南又一个幻想

　　这厢蒋介石是忙得不亦乐乎。4月18日宣布政府改组之后，又是约见美国大使司徒雷登先生，又是召开记者招待会，24日又匆匆赶往已于15日开训的南京军官训练团发表演说。

　　开办军官训练团是蒋介石钦定的一件事，在全国战局日益吃紧的时候，把前线高级将领们一批批召过来受训两个星期，意义可谓非同一般。那天的讲话里，蒋介石说得很明白：我这次召集前方各将领到本团受训的目的，不仅在于训练你们将领本身，而且希望你们将来回到部队以后，分别召集你们所部的师旅团各级军官，予以同样的训练，将本团训练的精神以及你们在团受训所获的心得，传授给他们。

　　将领们都睁大着眼睛，但听进去的却很少很少。蒋介石仍旧大言不惭地宣告他解决中共的时间表，他说："今年10月以前，一定能打败中共。"

　　在这种时候开办这个军官训练团，又宣布这么一个不切实际的时间表，正说明蒋介石在军事上正在走下坡路。

　　此时，王家湾里的毛泽东向全党全军发布羊马河战斗的通报后，又向彭德怀、习仲勋发出了"蘑菇"战术的指示。毛泽东说："敌现已相当疲劳，尚未十分疲劳；敌粮已相当困难，尚未极端困难……我之方针是继续过去办法，

同敌在现地区再周旋一时期（一个月左右），目的在使敌达到十分疲劳和十分缺粮之程度然后寻机歼灭之……这种办法叫'蘑菇'战术。"17日那天，毛泽东觉得新华社的稿子《战局的转折点——评蒋军135旅被歼》写得不过瘾，又在后面加了两句。第一句说："可以预计，4月开始后的两三个月内，蒋军将由攻势转变成守势，人民解放军将由守势转变成为攻势。"第二句话说："历史事变的发展表现得如此出人意料，蒋介石占领延安标志着蒋介石的灭亡，人民解放军的放弃延安标志着中国人民的胜利。"

蒋介石并没有感到占领延安标志着自己的失败，但身处延安的胡宗南感觉到了。刚占领延安那会儿，延安的土街，延安的窑洞，延安的山山水水，一切都那么新鲜，那么令自己有成就感。但现在的胡宗南一看到这些东西，就感到压抑和不自在。那些日子不是叶霞翟一天几个电话的话，胡宗南在延安是根本呆不下去的。叶霞翟确实陪胡宗南度过了一段非常苦闷的日子。一听到叶霞翟那风铃般的声音，胡宗南所有的忧愁就全到九霄云外去了。这时，胡宗南才第一次感到对于男人而言，女人是多么的重要。都说女人是祸水，但叶霞翟分明是自己的港湾嘛！到这个时候，他真是感谢戴笠这个老朋友给自己送来了一颗忘忧草啊。只可惜，戴老兄命中缺水，一年前的3月17日，在大雨滂沱中坐飞机撞死在江宁县的岱山上，喝不了自己的喜酒了。

此时的胡宗南还是想和共军决一死战，或者把共军赶过黄河去，赶快结束陕北战事，陷在这个泥潭里自己实在受不了。3月25日，空军侦得绥德、米脂以东的黄河各个渡口摆满了船只，还有多路小分队从绥德、米脂方向源源不断开到黄河边上，看样子共军主力要渡过黄河去了。蒋介石得到报告如获至宝，立即电令胡宗南以其主力沿咸榆公路北进，令榆林邓宝珊第22军南下配合，南北夹击，把共军消灭在佳县、吴堡地区。

这时候胡宗南心里正痒着，部队在蟠龙附近休整了个把星期，肚子也吃饱了，觉也睡好了，该是出击的时候了。他迅速作出了部署，整编第1师167旅旅部率499团及陕西保安第3总队守备蟠龙；整编第76师仍守备清涧、子长、延长、延川一线；整编第1军董钊率第1师两个半旅、第27师一个旅、第90师两个旅、第38师一个旅共6个半旅为左路，整编第29军刘戡率第17师一个旅、第36师两个旅（欠一个团）共两个半旅为右路，于4月26日由蟠龙、永坪北进绥德。发布完命令，胡宗南又吹了一通牛，信誓旦旦要打通延榆公路，又夸下海口说，5月份要在绥德接见中外记者，宣布陕北战事正式结

★第一次国内革命战争时期，蒋介石到军官训练团视察。

XiangGuanLianJie
DaSaoMiao

GuanJianCi
相关链接
大扫描

☆ 胡宗南情史

1936年的春天，胡宗南到杭州去探望他在西湖结识的"小兄弟"——军统局局长戴笠，在戴笠家第一次见到了叶霞翟。而当时的她也是军统人员，又是戴笠的情妇，再后来，随着时间关系微妙的变化，戴笠有意陪胡宗南到上海去拜访叶霞翟。而当时的胡宗南和戴笠已不分你我，鉴于此，戴笠下决心把叶霞翟作为自己最大的"礼物"，献给胡宗南，聪明的戴笠便随即开始给双方做工作。没过多久，胡、叶就成了形影不离的朋友。1947年3月19日，胡宗南在夺取延安得到蒋介石的嘉奖后，派人把叶霞翟接到西安兴隆岭官邸，在他们谈了十年恋爱后，终于举行了隆重的婚礼。

束。话虽这么说，但胡宗南此时的心跳比以往任何时候都要快，他不知道这一仗又会是个什么样的结局。

事实证明蒋介石的判断是错误的。当时绥德、米脂以东的黄河各渡口上确实摆满了渡河工具，但要渡河的是从延安撤出来的庞大的中央机关，他们要渡过黄河撤到山西去，而此时的西北野战部队主力正在瓦窑堡西北以及瓦清（瓦窑堡至清涧）大道南侧隐蔽待机。如此暴露地渡河，正是毛泽东的安排。殊不知，蒋介石就真的上了圈套。

彭德怀这几天来一直在静观胡宗南的行踪。4月26日刚刚吃过早饭，侦察部队就报告，蟠龙地区有国民党大军集结，一部已上了咸榆公路，正在北上。一听胡宗南动起来了，彭德怀马上来了精神，立即吩咐道："继续侦察，随时报告。"

董钊坐在吉普车上意气风发，率领所部6个半旅沿咸榆公路一路北上。到27日下午3时，部队已进驻瓦窑堡。董钊坐在吉普车上把瓦窑堡"巡视"一番后，命部队向绥德方向前进。彭德怀就是站在瓦窑堡东南方向的一个山头上，举着望远镜看着董钊"巡视"瓦窑堡，又看着董钊命令部队东进的。就在看董钊的那一刻，彭德怀已经定下了战斗决心：待董钊北进绥德后围歼蟠龙之敌。

这一回彭德怀的胃口比较大，他要一口吞下蟠龙这块肥肉！

★蟠龙战役前，彭德怀正向各纵队指挥员讲述当前形势。

蟠龙是胡宗南在陕北战场上的战略补给站，董、刘两兵团每次搞过"武装大游行"后就回到蟠龙来要吃要喝，酒足饭饱后又开始四处出击，到处"游行"。当时蟠龙存有刚从西安等地筹措过来的4万余袋面粉和5万多套军服以及不计其数的枪械、弹药。要是拿下了蟠龙，我军西北野战部队的吃喝不用愁，枪枝弹药也不用愁了。

毛泽东等人收到彭德怀的决心电是28日早上6时。毛泽东、周恩来、任弼时都被彭德怀的"胃口"鼓舞了起来。毛泽东当即回电：计划甚好，让敌北进绥德或东进清涧时，然后再打蟠龙等地之敌。毛泽东草拟完电报，周恩来风趣地说："老彭应该成全胡宗南，胡宗南不识路，可以派几个人给他带路，把他带到绥德去嘛！"任弼时在后面补充一句："带路的人少了还不行，少了怕胡宗南说咱们是骗子，不跟咱们走，多一点他心里就踏实一点。"话毕，几人哈哈大笑起来，笑声在王家湾清晨宁静的空气中荡漾。

彭德怀把为胡宗南"带路"的任务交给了我军359旅和绥德军分区的第4团和第6团。彭德怀对359旅旅长郭鹏说："你的任务就是大模大样地走路，把董钊带到绥德就算完成了任务。"郭鹏说："这个好办。天气渐渐热起来了，我们把一些不中用的破棉袄破棉裤扔在路上，还在路边挖几个洞，烧几把火，就可以完成任务了。"

这么简单的手段，居然使董钊对解放军已向绥德方向逃窜确信不疑，他带着几个旅的兵力，沿着野战部队做的"路标"向绥德浩浩荡荡开过去了，有时候还唯恐赶不上解放军，不断命令各部队加快行进步伐。

望着董钊率军远去，彭德怀下令各部开始向蟠龙镇运动。不到一天工夫，各路部队已分别在指定地点集结完毕。

"打下蟠龙换夏衣"

4月30日，天气有些阴沉，虽然时已暮春，但风里还略带一丝寒意。彭德怀带着各纵、旅首长到了蟠龙东北一个山头上侦察地形。多年来彭德怀养成了一个习惯，就是只要条件许可，每战必事先实地侦察地形，这是他与胡宗南截然不同的地方。胡宗南从军校出来就当连长，两年之内职务由连长一路飙升到军长，没有切身体会部队基层的生活，在作战上，习惯于地图作业

★☆★ 一野战事珍闻全记录

和主观臆测，在情报获取上，过分依赖侦察部队和部属。彭德怀却不一样。彭德怀当过士兵，表现突出才提干，当上连长，后来考入湖南陆军讲武堂，毕业后又从排长干起，等干到团长时前前后后一共用了13年。彭德怀在基层的这一段战斗经历练就了他脚踏实地的工作作风，战前不到实地勘察地形，他就觉得无法下达作战命令。

时近午时，太阳出来了，云层也渐渐散去。彭德怀略有热意，解开几个纽扣，和各纵、旅首长们一边走一边看。站在山头上，蟠龙镇能尽收眼底，167旅士兵操练都可清楚看见。作战参谋们一阵忙碌，把彭德怀指出来的每一个高地、每一个山沟以及每一条小道都在作战地图上标得清清楚楚。

等回到司令部所在地薛家沟时，已是下午2时，匆匆扒了几口饭，就开起了作战会议。彭德怀还是那么干脆，没有任何开场白，上来就开始布置战斗任务："一纵由核桃坪南北高地自西北向东南夺取田子院、庙梁、磨盘山敌阵地，二纵独4旅由何家峁子自东南向西北夺取集玉峁阵地，新4旅由卧虎沟、刘家坪自东北及北面向西南及南面，配合独4旅夺取集玉峁一带敌主阵地，尔后各攻击部队协同聚歼蟠龙之敌。"各纵、旅首长飞快地记，彭德怀继续说："蟠龙到绥德和清涧大概要7天的路程，也就是说，我们发起攻击后，董钊、刘戡回援的时间也是7天。打起仗来，情况紧急，他们肯定急行军，这样的话很可能4天或者4天多就可以赶到。那么我们的战斗必须在4天之内结束！"

4天之内拿下蟠龙，各纵、旅首长都感觉到了压力。

蟠龙虽是一块肥肉，但吃这块肥肉与在青化砭吃31旅和在羊马河吃135旅这两块肥肉是完全不一样的，因为蟠龙这块肥肉里面有骨头，或者说，蟠龙镇就是块难啃的骨头。

蟠龙镇四面环山，有三条隘路，东达永坪、清涧，南下延安，北通瓦窑堡、绥德，难攻易守。胡宗南选中这里作他的战略补给站，也就是看中了蟠龙险要的地势。蟠龙四周的高地都派了重兵把守，修筑了坚固的防御工事，有碉堡、有铁丝网，外面又有壕沟，壕沟里面还埋了不计其数的地雷。镇北的集玉峁高地，可以火力控制进出蟠龙的三条隘路以及周围相当范围的区域，那里的工事更是坚不可摧。守备蟠龙的又是蒋介石嫡系整1师的精锐部队167旅，虽少了一个团，但总兵力也有将近7,000人，全部美械装备。旅长李昆岗当过蒋介石的侍从参谋，又当过胡宗南的参谋长，善谈兵事，胡宗南称之为

"智勇双全、有雄才大略",号称为胡手下的"四大金刚"之一,在军事上还是有那么几下子的。但167旅孤军守蟠龙,只要能集中力量拔除其一个据点,突入城内就有希望了。彭德怀最后给大家打气道:"现在天气热了嘛,咱们还穿棉袄棉裤,打下蟠龙换夏衣去!"各纵、旅首长心情顿时爽朗起来。一时间,"打下蟠龙换夏衣"成了此次蟠龙攻坚战最强有力的口号!

郭鹏按彭德怀"只能败,不能赢"的指示,率"带路"部队且战且退,于5月2日把董钊带到了绥德城。董钊轻而易举占领了绥德城,初步实现了胡宗南的战役意图,胡宗南5月份要在绥德开记者招待会的愿望可以实现了。而这个时候,与自己同期从永坪镇出发的刘戡还在路上。上次占领延安自己先刘戡一步,而在青化砭、羊马河两仗中刘戡表现都不怎么样,现在自己又先一步占领绥德,董钊颇有点得意。

他自恃有功,但又没有具体的战绩,只好向胡宗南发了份模棱两可的电报:"第1军5月2日占领绥德城,毙敌甚多,残敌向东北方向狼狈逃窜。"

"毙敌甚多!"胡宗南一看就知道是假的。但至于到底有多少,胡宗南也懒得去问,他不也是这样蒙哄蒋介石的吗?此时,他据董钊的电报已经认定,董钊毙敌甚多是假,但残敌向东北方向狼狈逃窜为真。

占领绥德,董钊高兴,胡宗南也高兴,李昆岗却高兴不起来。胡宗南命令董钊率主力北上绥德之时,他就感到很不踏实。蟠龙如此重要之地,居然只派不到7,000人把守,万一有个闪失,就可以说基本上确定了国军在陕北战场的败局。当时李昆岗就不同意主力全部北上,按他的意见,留守蟠龙至少还应增加一个旅的兵力。但董钊求功心切,丝毫不把李昆岗的意见放在心上,执意率军北上与邓宝珊会师去了。李昆岗转身对副旅长涂建和参谋长柳届春说:"除非无事,有事则咱们全部完蛋。"涂建和柳届春都有同感,但都无可奈何。

董钊率整1军主力北上后,李昆岗加强了蟠龙镇周围的戒备。30日彭德怀率各纵、旅首长查看地形的时候,167旅的侦察部队就侦察到了一些情况,还捕获了野战部队一名传令兵。李昆岗眼皮连跳几下,感觉大势不好,立即直接向胡宗南作了报告。胡宗南正懒洋洋地静候董钊的战绩,不但没有相信李昆岗,还斥责他有意夸大敌情。李昆岗拿着胡宗南的回电哀叹几声,欲哭无泪,同涂建和柳届春战战兢兢熬到5月2日晚上,果不其然,解放军围攻蟠龙的枪声打响了。

★ 1947 年 5 月 4 日，我军搭人梯攻上蟠龙城墙。

第三捷——蟠龙

本来，李昆岗的厄运在 5 月 1 日就要降临的。因为那天淅淅沥沥的雨下了一整天，彭德怀只好把进攻时间推迟。

5 月 2 日，淅淅沥沥的雨终于停了。云层渐渐散开，太阳泼洒下来，还能感觉到些许炎热。雨水刚刚洗过的蟠龙镇显得特别清新夺目，群众已经坚壁清野，镇上没有了往日人群熙攘的繁荣景象。在镇东头的一片开阔地上，堆满了还没来得及入库的物资，黄油布盖着，一堆一堆的连绵起伏，让野战部队战士们心里痒痒的。下午时分，彭德怀在司令部里踱着步子，还在想有没有考虑不周全的地方，接着又和前方纵、旅首长通了一次电话，一切无虞后，方才扒了几口饭，靠在土炕上打了个盹儿。黄昏时分，一切准备就绪，彭德怀下达了对蟠龙的总攻令。

我军西北野战部队从 4 月 20 日开始，共进行了 8 天的休整。现在，战士们精神饱满，斗志昂扬，特别是攻击蟠龙这个"资源宝库"，"打下蟠龙换夏衣"更成了很有号召力的战斗口号。战斗一打响，所有部队按预先规定的进攻路线，对蟠龙镇发起了四面强行攻击。

358 旅的任务是夺下敌田子院阵地。该阵地在蟠龙西北方向，地势高，碉堡群多，且地形狭窄，很难攻取。野战部队没有重型火炮，5 月 1 日这天，利用推迟进攻的时间，黄新廷和余秋里特意要求全旅开了个"诸葛亮会"，专门研究怎样拿下敌人建在悬崖峭壁上的坚固碉堡的问题。战士们出谋划策，各抒己见，发明了个"膏药战术"，就是把炸药放入米袋子里，战士每人背一个，摸到敌碉堡底下后，就把袋子挂在碉堡上，待炸药足够就一起引爆。

5 月 2 日晚 9 时，我军 358 旅 716 团攻到了田子院。但寨子很高，敌炮火又十分密集，强攻了两次，牺牲很大，却都未能攻上。7 连 2 班班长王有才急了。他咬着牙，看着从碉堡里吐出来的火舌，把袖子一挽，从阵地上一跃而起，借着夜色带领全班战士一口气冲到了寨子底下。战士们把所带的手榴弹全部扔了过去，炸得敌人人仰马翻。王有才迅速架起云梯，一举攻到了寨子里面。这时 7 连全连跟上，战斗 3 小时后全部攻到寨子里面。田子院守敌节节败退，7 连一直攻到了蟠龙正北的敌主阵地。

★ 我炮兵向蟠龙镇敌阵地轰击。

★ 占领敌前沿阵地的我军向纵深发展。

我军358旅向田子院发起攻击的时候，独4旅、新4旅也一起对蟠龙东南的敌集玉峁阵地展开了进攻，占领了集玉峁阵地的外围警戒阵地。

彭德怀不断接到前线各纵、旅报告，敌工事太坚固，火力太猛烈，前进困难；而李昆岗也不断接到各阵地报告，解放军在蟠龙镇四面展开进攻，炮火猛烈，正向主阵地逼近。

李昆岗在旅指挥所里心急火燎，虽然依靠坚固的防御工事能够抵挡一阵子，但他心里明白，要想打退解放军的进攻那几乎是不可能的。他估计，解放军大概集中了5个旅的兵力，几倍优势于己，而眼看主阵地的外围阵地一个个落入解放军之手，他不知道下一步怎么去应付这个局面。战斗刚刚打响的时候，便立即向胡宗南发了告急电，声称解放军集中了9个旅的兵力围攻蟠龙镇，因寡不敌众已丢失了很多外围阵地。

胡宗南早上刚刚看到董钊"绥德大捷"的电报，董钊明明说共军已向东北方向逃窜，怎么在蟠龙又出现9个旅的解放军呢？胡宗南一时间六神无主，不知道信谁的好。但蟠龙镇的战略地位太重要了，那可是自己的命根子，10个绥德也没法比，而李昆岗的告急电又言之凿凿。宁可信其有，不可信其无。于是不管三七二十一，胡宗南当晚就给董钊、刘戡去了急电：蟠龙告急，星夜驰援！

董钊还在吃"绥德大捷"的庆功宴，接到胡宗南的急电不禁大惊失色。而在一旁的陈武想到前几天的那一幕，更是一身冷汗。

那还是4月27日傍晚，陈武率整90师向绥德开进，先头第61旅旅长邓钟梅率部队经过王家湾的时候，看到山那边有好大一支解放军队伍浩浩荡荡向南开进。邓钟梅睁大眼睛看了老半天，百思不得其解。不是说解放军主力全部北上了吗？一下子哪来这么多解放军部队向南运动呢！他当即向师长陈武作了报告。陈武赶忙爬上山头，举起望远镜，只见一支行进整齐、组织有序的解放军队伍向南开进。陈武也是一头雾水，与邓钟梅想到了同一个问题。但他仍故作镇定，不紧不慢地说："这是彭德怀在耍诡计，这支部队是在作佯动，目的是要动摇我们北上的决心。兵者，诡道嘛！"邓钟梅在一旁将信将疑，摸着下巴说："师座判断极是。但我总感觉解放军北上的部队是在作佯动，而这才是真正的主力，目标是蟠……"陈武立即转头，拉下脸说："胡说！胡先生的判断还有错吗？军人以执行命令为天职！走，继续前进！"邓钟梅不好再说什么，转身率部队继续前进。但走了十来分钟还是觉得不踏实，回头

又跟陈武说："师座，万一这是解放军主力，去打蟠龙镇怎么办？蟠龙可是个军事重地啊！还是给军座报告一下吧！"陈武在吉普车里摇晃，半晌才道："即使去打蟠龙也没什么呀，那里有整1师的167旅，还有胡先生的'金刚级'大将李昆岗。怕什么！整1师延安都能拿下来，守蟠龙自然是不成问题的喽！咱们现在的任务是执行胡先生北上绥德的命令，其他的，咱们不管，也管不了！"

提到进占延安一事，邓钟梅心里的那团愤怒之火就重新燃了起来。当时胡宗南所有的部队中，走在最前面的就是邓钟梅率领的61旅。3月18日晚就已抵近解放军由教导旅守卫的最后掩护阵地七里铺，比整1师的先头部队整整领先了7.5公里。当晚宿营后，全旅官兵都等着领赏了，结果胡宗南一纸命令把全旅官兵先前的努力化为泡影。"整1师是英雄的部队嘛，现在整1师的167旅守卫的蟠龙肯定固若金汤，自己操这份闲心干什么？"想到这，邓钟梅反倒觉得有一丝快意，再也不说话，带着部队朝绥德一路赶去。

现在蟠龙被围攻已成为事实，但无论是陈武还是邓钟梅却都高兴不起来，先前的幸灾乐祸早已无影无踪。毕竟，无论90师还是90师的61旅，与1师和1师的167旅都是唇亡齿寒的关系！蟠龙没了，自己整师整旅的补给从何而来？

为避免解放军的埋伏，董钊、刘戡选择了一条小小的山路作为行军路线。九旅之众按一路排开，先行的部队已走得有气无力，而后面的还没有出发。本来，董钊、刘戡是可以走大道的，因为西北野战部队所有部队已兵分三路，一路以王尚荣带队作佯动，一部以阎揆要率领深入敌后破袭延安以南的公路，另外主力正在围攻蟠龙镇，只是以少部分兵力在蟠龙东北的山区作了机动防御，根本没有兵力在大道边上设伏。但此时的董、刘两人已如惊弓之鸟，偏偏就选择了那么一条羊肠小道。

5月3日清晨，解放军停止了进攻。胡宗南却感到更加的恐惧，因为与解放军交手这么多年来，他深知解放军打仗的习惯，通常是昼伏夜出，一轮攻击停止后，接着而来的是又一轮更加猛烈的进攻。

果然不错，到5月3日傍晚，彭德怀指挥西北野战部队对蟠龙发起了第二轮进攻。5月3日一整天，野战部队都在开"战时诸葛亮会"，讨论夜间进攻的问题。讨论中几乎所有的人都认为，对壕作业是抵近敌人碉堡的唯一办法。

★ 我军在集玉峁敌阵地上捕捉俘虏。

★ 我军攻占敌人的集玉峁主阵地。

★蟠龙战役中被我击落之敌机。

★蟠龙战役中被我俘虏的敌第167旅官兵一部。

所谓对壕作业，就是把壕沟一直开到敌人阵地的碉堡下，靠壕沟的掩护冲到敌人的阵地上去。在5月2日晚上第一轮进攻的时候，358旅就采取了"对壕作业"的战法，效果比较明显。

5月3日晚间战斗一打响，我军的每个连每个排都安排了大量的对壕作业部队拼命地挖啊掏啊，到5月4日清晨，一条条壕沟弯弯曲曲伸向了167旅的每一个阵地。野战部队从壕沟里不断冲向敌阵，嘶杀声、喊杀声、枪炮声响成一片。

167旅的主阵地在集玉峁高地，理所当然这就成了野战部队的主要攻击阵地。守这个高地的是敌499团2营5连，3日晚间，敌5连连长在乱枪中毙命，阵地群龙无首，一时乱作一团。我军新4旅突击队一拥而上，当即拿下了阵地。

集玉峁被攻，李昆岗不得不把紧靠集玉峁的旅指挥所向后撤退。这一撤不要紧，守备集玉峁附近几个阵地的部队也跟着撤了下来。不到几个小时，李昆岗丢失了蟠龙东山的全部阵地。

3日战斗再次打响的时候，胡宗南隐约感到了灾难正在降临。他一再电令李昆岗必须坚守待援，但事实上，胡宗南手上并没有机动应急部队可供支援李昆岗。董、刘两军正在山间小道里疲于奔命，金盆湾一带的陕西保安部队被阎揆要咬得死死的，一个兵也抽不动。他只好按惯例派了一些飞机去助战。但谁都知道，在两军短兵相接的战场上，飞机是没有任何用处的，仅仅能壮大声威而已。派到蟠龙去助战的飞机除了胡扔一气炸弹，没有起到任何实际作用。

望着解放军部队一步步攻进镇内，李昆岗除了一次次向胡宗南哀求，没有任何作为。到4日晨，胡宗南不得已，把留守延安的一个旅也投了过来。但那个旅一动，阎揆要就摆出一副要进攻延安的架势。这个时候的胡宗南才感觉到，自己指挥的陕北战场已如一只破船，到处漏水。董、刘部队迟迟未到，从延安派来助战的部队担心后院起火又不敢进。李昆岗已感到大势已去。

4日傍晚，彭德怀已有足够的把握于当晚结束蟠龙战斗。他给军委的电报说：3日黄昏前后，我用坑道爆破，夺取蟠龙东南与西南高地。蟠龙战斗今晚可解决，此刻已攻占蟠龙镇一半。

彭德怀给军委发完电报，立即下达了总攻令。我西北野战部队4个主力旅从蟠龙四周的制高点上排山倒海般冲杀下来,李昆岗的最后防线随之崩溃。

经过三天三夜的激战，被李昆岗包装得像"铁桶"般的蟠龙镇被西北野战部队的优势兵力一举攻破。蒋介石嫡系整编第1军第1师第167旅旅部及第499团6,700多人被俘，300多人被打死。我军生俘167旅少将旅长李昆岗、少将副旅长涂建、少将参谋长柳届春和旅政治部主任陈献金。

看到那些堆成小山的军用物资，我军战士像阿里巴巴闯进了大盗的藏金库，换掉自己的烂棉袄，个个欢天喜地，一个劲儿地感谢胡宗南这个"运输队长"。

李昆岗把自己化妆成一个伙夫，灰头土脸混在士兵里。做过蒋介石的侍从参谋，当过胡宗南的参谋长，如今成了解放军的阶下囚，这样的身份转变他是怎么也接受不了的。他梗着脖子直嚷要见彭德怀，他要看看彭德怀是怎样一个不同凡响的人物。但当彭德怀一身灰尘出现在他面前时，他怎么也不敢相信，捉了李纪云，捉了麦忠禹，今天又捉了自己的彭德怀居然是这样的相貌平平！

西北野战部队得胜而归，董、刘两军才姗姗迟来。看到昔日物资堆积如山的蟠龙此时已人去物空，整1师师长罗列无限感叹，向胡宗南发电说：竟日行军，每于拂晓出发，黄昏入暮始克到达。夜则露营，构工戒备，毫无休息。是以人则疲劳，马则困顿。伤落倒毙日渐增多，战力消耗极剧。人马时致枵腹，故不特军纪日衰，且士气亦远非昔比。临履实境，时切心痛。

拿到罗列的电报，胡宗南眼中无光，面无表情。他已经好几天不见客、不理公事、也不刮胡子了。整天整天的沉默，不说话，精神恍惚，思维几乎陷于停顿。他已经感觉到，自己正一步步跌入深渊，他在给蒋介石的报告里写道："当前战场我军均处于劣势，危机之深，甚于抗战。"

历史碎片
LISHISUIPIAN

大拼接
DAPINJIE

☆ 扭转华东战局的鲁西南战役

1947年6月30日，刘邓大军实施中央突破，强渡黄河天险，发起了鲁西南战役。蒋介石慌忙调兵遣将，企图副迫刘邓野战军主力背水一战，而刘邓采取"攻其一点，吸其来援，啃其一边，各个击破"的作战方针，将大量国民党军吸引到自己身边，协同西北战场和山东战场的人民解放军粉碎了国民党军对陕甘宁边区和山东解放区实施的重点进攻。缓解了华东战局的压力。此役历时28天，共歼国民党军2个师、9个半旅，5.6万人。打乱了国民党的全盘战略部署，揭开了人民解放军战略进攻的序幕，为晋冀鲁豫野战军主力跃进大别山创造了有利条件。

☆ 蒋介石改变进攻战略

经过近8个月的作战，国民党军队士气低落，作战能力明显下降。人民解放军则愈战愈勇。战场的主动权逐步从国民党手中转移到中国共产党所领导的人民军队的手中。此形势下，蒋介石被迫将全面进攻的战略方针改为重点进攻。即集中兵力于山东战场和陕北战场，企图首先消灭共产党军队的主力，捣毁人民解放军的统帅机关，或将其驱逐到华北战场，而后一举歼灭。但是蒋介石进攻战略的改变并没有从根本上扭转国民党军的败局。

☆ 全力准备大反攻

新华社1947年5月1日发表了《全力准备大反攻》的社论。社论在深入分析了国际形势后指出：10个月的战争证明，中美反动派想要征服中国人民的梦想是永远不会实现的了。我们的任务是动员一切力量，全力准备大反攻。这个大反攻将是长期的，不论在军事方面和经济方面，都要作长期的打算，在长期的、全面的艰苦奋斗中取得胜利。这一社论发表3个月后，人民解放军三路大军挺进中原，将战争引向国民党统治区，从而在全国战场转入战略进攻。

新华社评论文章里，"志大才疏""饭桶""阴险虚伪""常败将军"，哪一条都直指胡宗南要害。

真武洞马王滩上彩旗飘飘，人声鼎沸，周恩来庄重宣布：中共中央和毛主席自撤离延安后一直留在陕北，同边区全体军民共同战斗！

"二马"在陇东三边作威作福，彭德怀决定主力西进讨伐贼军。

中央脱险，彭德怀重重松一口气，接着挥师北上，所向披靡收复了三边。

第五章

主动歼敌，出击陇东收复三边

真武洞祝捷

新华社 5 月 12 日发表了《志大才疏阴险虚伪的胡宗南》一文。"蒋介石的最后一张王牌，现在在陕北卡住了，进又进不得，退又退不得，胡宗南现在是骑上了老虎背。"这段话让胡宗南深有感触。在扑朔迷离的陕北大山里，自己的部队散不开，也收不拢，而解放军则时聚时散，神出鬼没。胡宗南早就感到自己骑上了老虎背，进退不得，上下两难。

文章里对胡宗南形成足够刺激的还是后面那几段话。"事实证明，蒋介石所依靠的胡宗南，实际上是一个'志大才疏'的饭桶。……胡宗南'西北王'的幻梦必将破灭在西北，命运注定这位野心十足、志大才疏、阴险虚伪的常败将军，其一生的劣迹必在这次的军事冒险中得到清算，而且这也是蒋介石法西斯统治将要死亡的象征。"

"志大才疏""饭桶""阴险虚伪""常败将军"，哪一条都直指胡宗南的要害，让他感到刺心地痛。胡宗南把文章看了一遍又一遍。可以说，这篇文章

XiangGuanLianJie
DaSaoMiao

☆ 红军三大主力胜利会师

1936年10月22日，红一方面军为迎接红二、四方面军北进，于8月底派一部兵力南下，占领会宁城。本月8日，红四方面军先头部队在会宁等地，分别同红一方面军的73师、1师胜利会师。9日，红四方面军总指挥部到达会宁城。红二方面军于本日到达静宁东北的兴隆镇，同红一方面军2师胜利会师。至此，全部红军胜利地结束了举世闻名的长征。不言自喻，三大红军主力会师，对于中国革命的胜利发展，具有十分重要的意义。

是胡宗南最好的学习材料，比蒋介石十次、百次的精神讲话效果都要好得多，因为这里面，有自己血的教训。现在，他自比越王勾践，要去卧薪尝胆，积聚重新雄起的力量。这个时候，他想到了自己的"克星"彭德怀。这个没有进过黄埔，也没有喝过洋墨水，就上过两年私塾，后来去陆军湖南讲武堂学了几下射击的湖南人，竟把自己搞得如此狼狈如此丢人现眼，这是胡宗南万万没有想到的。

应该说，在十多年前的山城堡一战中，胡宗南就领教过彭德怀的厉害了。1936年冬，中国工农红军二、四方面军经过长征同一方面军会师后，胡宗南奉蒋介石之命向红军展开进攻。彭德怀指挥红军在甘肃环县境内的山城堡与胡宗南决战，战斗从10月31日开始一直打到11月22日，以胡宗南大败而告终。山城堡一战让胡宗南刻骨铭心，1939年，彭德怀去重庆与蒋介石谈判返回的时候，胡宗南还特地约见过他。在胡宗南的想像中，大名鼎鼎的彭德怀应该威风凛凛，英姿飒爽。但彭德怀一身的土布军装、略显驼背的身材和不太善言谈的性格让胡宗南大失所望。胡宗南以貌取人，从那以后渐渐忘了山城堡之痛。直至今日，才知道彭德怀正是在平静中酝酿惊雷的！

胡宗南一个人在延安指挥所里安静地回想着这些，他并不知道，此时的彭德怀正同周恩来和陆定一在离延安不过几个山头的安塞县真武洞，开一个

★ 我军在蟠龙战役中缴获的敌军山炮。

盛况空前的祝捷大会。

　　传说中，真武洞是当年武当派祖师张三丰发现道教真武大帝的遗物与武功道法的地方。张三丰将之融会贯通，发扬光大，遂成立了后来名震武林的武当派。还说真武洞一直通到甘肃、通到宁夏，里面保存着武当派各种不传的武术典籍，还有历代掌门遗留下的宝物手迹。

　　祝捷大会会场设在真武洞南边的延河滩上，当地人叫它马王滩。滩上已搭建了一个偌大的战绩陈列台，枪炮、子弹、手表、香烟、钢笔等各种战利品陈列其上，林林总总，不一而足。大会定在14日下午召开，但大清早马王滩上就已人声鼎沸。刚打了胜仗，无论是群众还是战士，精神面貌都焕然一新。两个多月前的3月8日，延安也开过一个保卫延安的动员大会。如果说那次大会总的情绪是充满激动和希望的话，那么，这次祝捷大会总的情绪就是喜庆。下午大会开始时，不大的马王滩上聚集了战士、群众共5万多人。飘展的红旗，鼎沸的人群，还有嬉笑打闹的孩子们，一切都使马王滩上洋溢着从未有过的喜庆气氛。

　　周恩来、彭德怀和陆定出现在会场的时候，5万多战士群众一齐欢呼起来，刹那间呼声震天，地动山摇。从3月19日撤离延安到5月5日两个月不到的时间里，西北野战部队先后"三战三捷"，加上零零碎碎的小伏击战，共消灭敌人14,000多人，俘获少将官佐8名，还拿下了蟠龙，夺取了胡宗南的全部物资。经过这几仗，彻底打击了胡宗南的锐气，使胡部在精神上受到了重创——这是最致命的。胡军现在粮食没有着落，士气低迷，连一场像样的战斗也没有能力进行了。失了蟠龙，可以说胡宗南是元气大伤。

　　5月中旬的陕北，天气已完全转暖。迎着从延河上轻轻吹来的河风，周恩来、彭德怀健步登上了主席台。一起登上主席台的还有中共中央宣传部部长陆定一、中共中央西北局副书记马明芳和陕甘宁边区政府副主席贾拓夫。贾拓夫是带着边区政府主席林伯渠拨出的6亿元专款来犒劳我军将士的。

　　周恩来穿着一件草绿色夹衣，左手伸直自然下垂，右手还是习惯性地弯曲着，这是1939年在延安骑马时摔伤后留下的毛病。他笑容满面地望着漫山遍野的人群。此时此刻，周恩来有些激动，这种激动与两个多月前在保卫延安动员大会上的那种激动不同。周恩来静静环视了一下黑压压的会场，良久，用宏亮的声音说："同志们，西北野战部队在不到两个月时间里'三战三捷'。今天我们就特地在这里召开一个祝捷大会，我代表中共中央祝贺你们，代表中国人民感谢你们！"

　　"从去年6月到现在一年时间里，我们共消灭蒋介石正规军九十七个半旅共78万人，加上非正规军，总共是112万人。这是一个巨大的胜利。这一年里我们基本上是在内线消灭敌人，到现在为止，内线作战就要告一段落，我们马上就要转入外线进攻作战。对夺取全国的胜利，党中央、毛主席是有信心的。你们有没有信心？"

　　黑压压的人群从胸腔齐声爆发出了一个"有"字，震耳欲聋，群情振奋。

　　周恩来笑了，他有力地挥舞着手继续说："我现在告诉大家，中共中央和毛主席自从撤出延安后，一直留在陕北，同边区的全体军民共同战斗！"

　　毛主席还在陕北，这无疑是一条惊人的消息。在当时，在陕北老乡心里，毛主席就是救星，毛主席就是福音。周恩来宣布毛泽东还在陕北，并与他们共同奋斗，会场立刻躁动起来。老乡们个个面露喜色，保卫边区、保卫延安的斗志顿时更加高涨起来。

会场的热烈气氛久久才平息下来。彭德怀走到了前台，作为"三战三捷"的直接指挥者，他今天也要讲几句。他整了整衣冠，背着双手说："党中央、毛主席还留在陕北，这是对我们极大的支持。自3月19日到5月14日，我们平均每半个月消灭敌人一个旅。这个战绩超出了我们先前的预料！我们有广阔良好的回旋余地，有英雄的野战部队，最关键的是，我们有边区人民的拥护和帮助，只要我们不犯错误，不骄傲，共同努力不松懈，和人民团结一致，就能全部消灭蒋胡军！"

在一片欢呼声中，彭德怀开始检阅野战部队主力部队和游击队。刚刚打过胜仗，战士们换上了蟠龙缴获的新夏装，又更新了一些装备，加上连日来天天吃小麦馍馍，官兵们脸色渐渐红润起来，精神状态格外地好。彭德怀沉稳地从队列前走过，不时抬起手臂向战士们回着敬礼，眼里流露出坚定的、不可战胜的光芒。每到一处，彭德怀都向战士们问声好，作为回应，战士们也一齐高呼"首长好"或"为人民服务"。

夜幕渐渐降临，皓月当空，繁星闪烁，生起的一堆堆篝火照亮了整个马王滩。那一夜，陕北老乡们载歌载舞，与西北野战部队一起狂欢到夜里两点多才渐渐散去。

马王滩祝捷大会对胡宗南是一个极大的讽刺！自己二十几万部队陈师于此，却让解放军在距延安不到40公里的地方载歌载舞，又是祝捷又是阅兵，

★继青化砭、羊马河、蟠龙三战三捷之后，我军又进行了"三边"（安边、定边、靖边）战役。西北野战军司令员兼政委彭德怀在"三边"战役的动员大会上讲话。

这说明解放军现在根本不把自己放在眼里。对这一点，蒋介石也极不满意。他一日数电，令胡宗南无论如何要找到中共中央和毛泽东、周恩来，能一网打尽，那是最好，即使不能，也必须把中共中央赶过黄河去。为此，蒋介石还特地从南京送来一个无线电测向组，专门测量中共中央的所在地。但胡宗南自感犹如一头伤了元气的猛虎，虽然眼里依然放射着要吃人的光，但手脚已没有丝毫力气了。他软软地坐在土炕上，像是在等候命运下一步的裁决。

胡宗南已被打倒在地，彭德怀不想再踏上一只脚，还是给这位陆军上将在蒋介石面前留下一点余地吧！彭德怀已把目光投向了陇东和三边地区（安边、定边、靖边），在这里，马鸿逵和马步芳匪军们还盘踞着大片地区，我西北野战军任重而道远。

出击陇东

马鸿逵和马步芳都是中国封建军阀的嫡传子弟。马鸿逵的父亲马福祥和马步芳的父亲马麒都是旧式军人，一个在宁夏，一个在青海。马鸿逵和马步芳从父辈手中接过军权后，在与其他小军阀争雄的斗争中逐步建立起了自己的统治，随着权力的膨胀，他们俩都成了雄踞一方的土皇帝。

蒋介石为拉拢他们，封官加赏，1933年初委任马鸿逵为宁夏省主席，1938年3月委任马步芳为青海省主席，从此，"二马"就成了蒋介石围攻陕甘宁边区的过河卒。1935年底，中央红军长征到达陕北后，马鸿逵惊恐万分，生怕红军的发展威胁到自己的地盘，接连好几次"上书"蒋介石，痛陈陕甘宁红军之"祸害"，还多次主动请缨去"围剿"红军。蒋介石甚为满意，还特地去过宁夏一趟。

马步芳更是有过之而无不及。1936年10月，红四方面军组成西路军，在甘肃靖远西渡黄河，进军河西走廊时，马步芳唯恐青海有失，倾其所部对西路军围追堵截。在这场河西战役中，21,800人的红军西路军几乎全部死于马步芳刀下，一时间血流漂杵，尸横遍野。马步芳回到张掖，还用活埋、枪杀、火烧、挖心、取胆、割舌等手段，把3,200多红军俘虏全部处死。对被俘女红军战士，先行强奸，然后分给部下作妻妾丫环，甚至转卖多处。西路军的惨痛之状，令人不堪回首。

对过去的惨状,彭德怀仍记忆犹新。现在,趁胡宗南进攻延安的机会,"二马"又趁火打劫,把边区陇东分区和三边地区的几座县城席卷一空,并且还大有继续东进的趋势,严重威胁着西北野战部队的侧背。现在胡宗南已成一摊烂泥,恢复过来尚须时日,彭德怀决定,利用这个机会出击陇东,歼灭"二马"一部,收复庆阳、合水,尔后相机南下关中或北上三边。彭德怀的这个意见得到了周恩来和陆定一的支持,电告毛泽东后,毛泽东当即回电表示完全同意。

连续几天的侦察,彭德怀摸清了陇东地区"二马"的部署情况。马步芳整编第82师师部和100旅分驻西峰镇、宁县地区,新编骑兵第8旅分驻庆阳、合水、西华池地区,骑兵第2旅驻木钵、曲子、悦乐、阜城地区,独立骑兵第5团和甘肃保安第1、第3团等驻毛居井、孟坝、镇原、西峰镇等地区;马鸿宾的整编第81师师部和其暂编第16旅驻环县、元城、蒋台地区,第35旅驻羊圈山地区;在北面的安边、定边、盐池一线驻扎着马鸿逵的整编第18师。

彭德怀依然采用"先打孤立分散之敌,再集中力量攻打集中强大之敌"的原则,把我军野战部队分成三路:第一纵队(缺35团)及陇东军分区骑兵团为右纵队,消灭蒋台、元城、曲子之敌后,留骑兵团于曲子向环县之敌侦察警戒,主力指向庆阳城北;以新编第4旅附野战部队直属炮兵营为中纵队,消灭悦乐、阜城之敌后向庆阳逼进;以第二纵队及教导旅为左纵队,消灭合水城之敌和可能增援的驻扎在宁县的100旅。整个陇东战役以夺取庆阳和合水为目的。

庆阳、合水城还是2月底3月初被国民党军何奇部占领过去的。因为3月初何奇部在西华池受到重创,守备力量非常薄弱。4月中旬,马步芳骑兵第8旅在旅长马步銮率领下来到庆阳、合水,加强了两城的防务。但一到这里,马步銮感觉就不好。庆阳、合水两城已伸入陕甘宁边区腹部,尤其是合水,向前突出百里,孤悬于子午岭南麓。这里的群众与解放军鱼水情深,仇恨国民党,马步銮不能从群众嘴里得到任何情报,也不能得到任何补给。他心里感到特别恐慌,生怕再蹈何奇覆辙。尤其进入5月份后,解放军"三战三捷"的神勇已给每一个国民党兵造成了心理压力,曾经不可一世的胡宗南都被共军打没了脾气,自己以一旅之寡力能守住这座孤城?他感到心里没底。当时青海南部边区警备司令部上校秘书兼政工处处长李庆芬随骑8旅一起到了陇东地区,他也有同样的感觉,心里直哆嗦。

★ 我军西北野战军一部向陇东方向进发。

　　5月21日清早，踏着夜露，迎着朝寒，西北野战部队主力向陇东方向进发了。部队刚刚休整过十多天，按照彭德怀的要求，干部战士都检讨了战斗情绪和群众纪律，战斗热情不高、群众纪律不好的现象都受到了严厉的批评。彭德怀带兵的一贯思想是，越是打胜仗的时候越要强调搞好检讨和自我批评。羊马河战斗结束后，他就骂过一些骄傲自满的干部。所以蟠龙战斗结束后搞了几天的整顿反省，现在部队士气更加高涨了。

　　我野战部队浩浩荡荡一路西进，翻过人烟稀少、树林密布的子午岭，就到了怀安、悦乐、合水一线。战事发展异常迅速，30日拂晓，右纵队一举攻克蒋台，消灭马鸿逵一个团，俘虏了上校团长马奠邦。中纵队攻克悦乐，消灭马步芳5个骑兵连，还抓了骑2旅少将副旅长陈应权和3团上校团长汪韬。左纵队28日也抵近了离合水仅10公里的蒿草铺。

　　马步銮率骑8旅旅部驻庆阳。自野战部队到达子午岭，他就加强了庆阳、合水的戒备，令两城守军派出若干骑兵小分队，每天坚持外出搜索警戒。28日晚间，我军教导旅一个侦察小分队去合水城附近侦察时，刚好与马步銮的骑兵警戒队遭遇。两支分队不由分说地打了起来。马步銮的骑兵分队非常强

悍，机动灵活，来去迅速，尤其是那股冲击力，以步当车的教导旅侦察分队不占优势，不得不且战且退，最后脱离战斗现场时，一名侦察员被敌人俘虏。

王震皱着眉头，从这场小小的遭遇战看到了进攻合水的难度。他决定提前发起攻击，免得夜长梦多。王震把罗元发、郭鹏、顿星云叫到跟前，摊开地图简单明了地下达了战斗任务："教导旅继续打警戒，声势大点儿，吸引他们的注意力。359旅派出两个团隐蔽绕到合水城西北方向，把袁家山、李家山、芦家塬3个据点扫干净，再派一个团从东往合水正面进攻。进攻时间定在明早7时。"说完顿了一下，侧过脸对顿星云说："独4旅加强给359旅一个团作正面进攻，余下的作为应急机动部队，准备打援。"顿星云当即把12团的指挥权交给了郭鹏。

合水之战

自警戒部队与解放军遭遇，马步銮就感到一阵阵心慌。他不断打电话问驻扎在合水的重兵器营营长马生智有没有情况。28日晚，我军二纵和教导旅全都在安心睡觉，合水城安静得出奇。马生智向马步銮报告，没有任何情况。这样一来，马步銮感到更加无法入睡。他总感觉到，一场暴风骤雨就要来临。果然不错，到29日早上7时，马步銮接到了马生智的告急电。马生智说，解放军以优势兵力从北、东、南三面进攻合水城。

王震的指挥所就设在离合水不到10公里的一个小山沟里。战斗一打响，马生智的重武器作用就发挥出来了。一颗颗重磅炸弹落在野战部队阵地，爆炸间尘土掀起，我军不时有伤亡报告传来。更可怕的是，马步銮已令部队在合水城四周地势较高的山坡上设了许多暗堡，一串串子弹像长龙一般打过来，野战部队一次次冲锋都被打退。从各个方向反馈过来的情况无一例外，都是炮火太猛烈，进攻很难开展。

战至傍晚，虽然部队伤亡较大，但战况出现了一些转机。合水守敌火力渐渐缓慢下来，我军野战部队也攻占了合水外围的好些阵地。王震当即命令，各部队简单调整一下部署，晚8时再发起一次冲锋，争取在天亮前拿下合水城。

敌重兵器营和保安团渐渐感到势单力薄，有些招架不住了。晚8时解放军再次发起冲锋时，马生智再次向马步銮发了特急电。那时候解放军一纵部队也抵近庆阳城下，眼下庆阳也要告急。马步銮六神无主，不知如何是好，只好把矛盾上交给直接上司马继援。马继援这个马步芳的大公子此时担任整编第82师师长（整编前为第82军，马继援任军长），年轻气盛，给马步銮下了死命令，必须守住合水。马步銮即率旅部和第1团倾巢出动，向东急驰，准备解合水之围。马步銮自恃3,000多骑兵人强马壮，冲击力强，解合水之围不成问题，便没作过多考虑，取道板桥，既不走岭，也不派侧卫部队，就向合水一路进发。但部队行至合水半川时，两边山坡上突然枪声大作，倾刻间马步銮部人仰马翻，死伤甚众。

我军独4旅在这里埋伏多时，专候马步銮的到来。现在来了，趴了大半天的野战部队战士只有拿敌人来出气，憋足了劲把马步銮援军往死里打。马步銮大呼上当，又中了解放军围城打援之计。马步銮带领旅指挥所爬上一个小山包上，只见东、北、南三面山坡上全是解放军，3,000多骑兵连人带马全部被围在一个山沟里，首尾不能兼顾，已乱作一团，骑兵的优势发挥不出来，所带重武器也无法使用。他惊出了一身冷汗，听说李纪云在青化砭就是在这样的口袋里完蛋的。他觉得再战下去，恐怕要变成第二个李纪云。他站在山包上，舞着大刀发疯似的大喊："撤，快给我撤！"

令马步銮感到欣慰的是，他的部队是骑兵，机动灵活，行动迅速。他一声撤令，几千人马掉头就跑，争先恐后，潮水般向原路涌去，十多分钟时间，大部队就冲出了解放军的包围圈。

马步銮带着部队灰头土脸回到庆阳城的时候，死守合水的重兵器营长马生智和保安团长李鸿轩如热锅上的蚂蚁，虽然借坚强的工事和猛烈的炮火能扛一阵子，但他们知道，解放军兵力占绝对优势，没有援军迟早是要完蛋的。马生智歇斯底里向马步銮一次次发出哀鸣请求援兵，但他哪里知道，马步銮刚刚吃了一个大败仗。

但马继援绝不甘心就这样把合水城拱手交给解放军，更不甘心随便就把重兵器营放弃掉。那些重炮武器是其父马步芳向蒋介石讨价还价好多次才要来的美械装备，全给了解放军，回去怎么向老父亲交待？他当即就拨通了马步銮的电话，以质问的口气说："重兵器营你不要啦？！"马步銮当然知道重兵器营在82师中的份量，哆嗦几下才回答说："军长，先前救援失利，我请求处分。我现在马上再组织兵力去解合水之围。"马继援听出马步銮有些心

XiangGuanLianJie
DaSaoMiao

☆ 马步芳虚伪的掩饰

在马步芳同蒋介石的合作中，他深恐加深蒋介石对其的疑虑，因此千方百计掩盖，如广发拥护国民党的文告、宣扬国民党统治的小册子，并时时声称他的武装是"国家的军队"……抗日战争胜利后，马步芳秉蒋介石忙于派人赶赴各地"接收日军投降事宜"之机购买了大量军火，并利用蒋介石有驱其参加内战的打算，不失时机地请求蒋介石拨给军械，在得了一个整师的美式装备后，终使马步芳更加不遗余力地听命于蒋介石的调遣。

虚，给他打气道："你不要怕。我派马福寿去帮你。另外再派马全义副军长和韩有禄高参率部队去打，我不信还救不了合水之围。"

马步銮救援受挫，让我军野战部队大大松了一口气。其实从战斗一打响，野战部队进展就并不怎么顺利。敌人暗堡太多，到处都在扔手榴弹，到处都有机关枪扫射，防不胜防；敌人骑兵机动灵活，冲击力太大，有时候一个战斗阵形刚刚摆好，骑兵一来就冲得七零八落的。唯一有效的战法就是顺着山势往前爬，小分队作战，待靠近合水城后再集中力量发起冲击。

马步銮撤回后，王震抓住这么个简短的战机，集中了二纵和教导旅所有的重炮火力，把合水城南门轰开了。借着炮火，教导旅和359旅一起冲杀进去，从巷战到白刃战，把敌重兵器营和保安团一直压缩到了城内西山坡城角上。马生智令后勤、政工以及医务人员一起投入战斗也无济于事。马生智的通信设备丢的丢、坏的坏，全部丧失殆尽，无法与马步銮取得联系。他一屁股坐在一个小土堆上，吧嗒吧嗒抽起旱烟来，一副束手就擒的样子。此时增援的敌军凭借骑兵的优势，向我攻城部队发起了反冲锋。

经过一番激战，战士的鲜血已染红了半个塬子，连旅长郭鹏也负了重伤。王震怎么也想不到，南征北返、无往不胜的359旅今天却输给了四条腿的畜牲！太惨烈、太残酷，伤亡太大了！王震心里一阵紧似一阵，万箭钻心。"马家军"似乎越杀越有劲，连驻宁县的第100旅也分两路向合水直扑过来。

再迟疑下去，我军势必会造成更大的伤亡。彭德怀果断下令全线撤退。

中央历险与北上三边

西北野战部队就在合水西北的不毛之地就地休整，这里雨水稀少，长年飞沙走石。彭德怀把部队放在这里，是要卧薪尝胆，进行彻底的反思。

合水一战是我军西北野战部队与"马家军"的初次交锋，值得总结和反思的东西实在太多：不能轻敌，不能指望靠敌人自己的失败来获得胜利；与骑兵不能正面交锋，也不能短兵相接；必须控制强大的预备队，随时应付机动灵活的骑兵所带来的各种问题；必须发挥重炮的作用，步枪解决不了根本问题等一连串的问题，都是这次合水一战的切肤之痛。合水一仗说明了一个真理：战争中没有常胜将军。

身处延安的胡宗南近日接连得到从南京空运过来的无线电测向台报告，靖边县的王家湾一带电频密集，可能就是中共中央所在地。胡宗南立即组织人马直扑向王家湾。

这是中共中央首脑机关撤离延安以来，第一次面临生死存亡的危急关头。6月9日，毛泽东、周恩来还在王家湾像往常一样处理全国军情，警戒部队突然过来报告：离王家湾只有一个山头的寺湾出现大量国民党兵。周恩来放下手中的公务，立即出门爬上一个山坡，举起望远镜一看国民党兵就在眼前，正气势汹汹朝王家湾扑来，望远镜里还可以清楚地看见，延河两岸也密密麻麻全是国民党兵，正沿延河北上。

千钧一发之际，不能有任何迟疑！

周恩来立即通知所有中央机关人员，立即收拾东西，准备转移。他还特别要求，东西必须收拾干净，片纸不留，不能有中央机关在此逗留的任何迹象！

一阵紧张的忙碌，所有东西都准备好了。幸好，在寺湾的国民党兵没有立即找到王家湾，使中央机关和毛泽东能及时转移。

6月9日夜，雷电交加，狂风大作，借着一片夜色，中央机关冒雨转移。这个时候，彭德怀正指挥着西北野战部队主力从曲子镇出发向环县进发，准备用围城打援的办法，消灭马鸿逵驻环县、蒋台、元城地区的整编第81师。

在西北战场上，一场进攻与转移、成功与失败的惊险战役正在上演！

风狂雨疾，天黑路滑，这支近800多人的队伍静悄悄地行进在羊肠山路上，没有谈笑，没有灯火，甚至连咳嗽声都没有。

当时所谓的中央警卫团也就是4个连，共300来人，而且武器都是从前线各部队淘汰下来的。蟠龙战斗结束后，彭德怀曾提出过，从前线部队抽调一些好的枪支充实中央警卫团，保卫党中央和毛主席的安全。但毛泽东坚持，最好的枪枝必须留在前线消灭敌人，只有前线大量歼敌，才会有中央机关的安全可言。彭德怀曾偷偷送了一批从蟠龙缴获的美式卡宾枪过去，但数量有限，中央警卫团的整体装备还是十分落后。按当时中央警卫团的兵力和装备，遇到小股敌人还可以扛一扛，但遇到如此情景，却仅仅能起一个掩护的作用。

率国民党兵沿延河北上的是刘戡，当时他的兵力是四个半旅，共约3万人。刘戡从延安出发时，胡宗南咬着牙向他交待任务："就是损失两个师也要捉住中共首脑！"

刘戡知道胡宗南此时的心情。连挨三棍，真是晕头转向，再不拿出点战绩来，真是无法对蒋介石作交待。要知道，蒋介石在胡宗南身上投入了多少本钱，寄予了多少希望啊！而自己在占领延安以来，虽然吃了不少苦头，但一次次表现都令胡宗南非常失望。羊马河援助不力就曾遭胡宗南点名臭骂一通。这次率几万之众围剿中共首脑，要是大功告成，那将是何等战功啊！蒋介石日夜围剿的不就是中共首脑吗？刘戡越想越来劲，不断催促部队加速冒雨前进。

毛泽东还是那种大手笔气概。离开王家湾时，他还对"三支队"司令员任弼时、政治委员郑位、参谋长叶子龙和政治部主任廖志高打趣地说："你们4个人负责组织一个'政府'，管理我们800人的这个国家，你们必须把这个'国家'办好。"是命令，语气却很轻松幽默。

一路急行军，8月10日中央机关到达靖边县小河村。

这是一个很小的村子，地处毛乌素沙漠南缘，群山环抱，两条小河汇合于此，因此得名"小河村"。

刘戡的追兵紧追不舍，中央机关到达小河村后也无法安定。到11日，敌人又摸到了离小河村不到5公里的山头，正朝这边扑来。是夜，雷电交加，风雨大作。周恩来令警卫团长刘辉山派一个排带一挺重机枪，到村东的制高点监视敌人。敌人不进村，不许开枪。中央机关则冒雨迅速向同属靖边县的天

★我军向"三边"挺进。

★我军解放定边后，向盐池方向进军。

★ 转战陕北途中的毛泽东。

XiangGuanLianJie
DaSaoMiao

☆ 国民党中央军

国民党中央军是由蒋介石为首的国民党中央及其中央政府直接控制和指挥的那一部分军队，称为国民革命军，简称国军。其起家部队是以蒋介石为校长的黄埔军校师生为主编成的国民党军。其后，蒋介石以各种手段分化瓦解和吞并其他军队，努力扩充自己的部队，使中央军系部队急剧膨胀，成为国民党军中实力最大的一个派系。

赐湾转移。

当夜小河水猛涨，把河上小桥连根冲走，我军部队迅速搭起浮桥，半小时之内全部渡过小河，安全到达天赐湾。

刘戡赶到小河村时，又没了我中央机关的踪影。部队已到了与马鸿逵防区的交界处，再往哪走呢？

天已完全黑下来，伸手不见五指。在风雨里折腾了好几天，刘戡早没了先前的那股热情。现在他唯一的希望是找个地方换掉那身湿衣服，再泡个脚，美美地睡上一觉。刘戡想到做到，当即命令部队在小河村宿营。

就是这个懒惰的想法，让刘戡与捉住中共首脑的梦想失之交臂。如果他再前进一步，渡过小河去，或许，一切都会改写。

刘戡部人困马乏，一堆堆篝火升起，映红了半边天。毛泽东已经确信，刘戡没有发现自己。他站在天赐湾，面对着河这边的刘戡笑谈："我们现在的位置，正好处于胡宗南和马鸿逵防线的结合部。胡马勾心斗角，矛盾很深，各人都想保存实力，削弱对方，所以他们谁也不想来，让我们钻了空子。"

第二天，刘戡带着部队撤回了延安。刘戡带出去两个师，带回来还是两个师。胡宗南"以两个师换取中共首脑"的意图没有实现，对此次刘戡"完师归延"极不高兴。

彭德怀却大大地松了一口气。自己作为西北野战部队司令员，对毛泽东和中共中央的安全负有义不容辞的责任！虽然打了几个胜仗，基本上打消了

胡宗南的锐气，稳定了西北战场的局面，但如果中共中央机关和毛泽东等中央领导人有个什么闪失，那再大的胜仗也就成了败仗，而且是全局性的败仗！因为在当时的情况下，"毛泽东和中共中央还在陕北"已成为全党全军同国民党蒋介石进行殊死斗争的精神支柱，毛泽东的安全、中共中央的安全已成了战略全局！要是这根精神支柱垮了，这个战略全局破了，谁承担得起这份历史责任？！

彭德怀正率着部队斗志昂扬北上三边。先前已攻占了环县，歼敌1,100余人，缴获满载弹药粮食的汽车6辆，结束了陇东战役。

时间已到了6月底，时值盛夏，骄阳似火。从环县到三边，必须经过一片无人区，这里黄土漫漫，飞沙走石，越过这片无人区，又要翻过一片沙漠，方能到达紧靠长城的三边地区。

这是一次艰苦的行军。带的水早已喝光，没有喝光的也即将被蒸发殆尽。好多战士由于极度干渴，嘴唇干裂，呼吸急促，严重者嘴鼻流血，生命不保。彭德怀号召同志们发扬长征精神，互助互爱，共渡难关。

经历了这样场景的人们，才真正懂得水对于生命的意义。好多战士的葫芦里还有一些水，但都没舍得喝——那是留下来救命的。一个因干渴而垂死的人，嘴角突然接触到一滴水，也会立即露出灿烂的微笑。

互相支撑，互相搀扶，西北野战部队25日从环县出发，29日终于越过人烟绝迹的涧水地区，进入了定边南山。在这里，西北野战部队看到了青山，也看到了流水，一种生命的激情立刻从这支部队里喷发出来。

马鸿逵不知道西北野战部队是在这样的状态下行军的，也不知道他们要去干什么，只知道这支英雄的部队正大步流星向北运动。他摊开地图，瞅着西北野战部队的行军路线，大感形势不妙——西北野战部队有从宁夏同心县的下马关、韦州直捣宁夏老巢的可能。他赶紧急调驻盐池的第168旅第504团到韦州把守宁夏门户，又令第59兵站支部以百余辆卡车昼夜抢运盐池、定边的粮草、弹药等其他军用物资。他已经下令，定边、安边、靖边能守则守，不能守则走。

有了这道命令，哪个还去拼命守城，只要能逃，那就赶紧逃呗！30日下午，我军野战部队一纵和新4旅才放了几枪就占领了定边县城。7月2日下午，独4旅攻占安边县城。到7月7日，野战部队主力全部西进，又收复了盐池地区。

历史碎片
LISHISUIPIAN
大拼接
DAPINJIE

☆ 罪有应得的谷寿夫

1947年2月26日下午2时，南京宣判战犯军事法庭在励志社对战犯谷寿夫开始为期3天的公审。80多名主人出庭陈述谷寿夫等部日军在南京所犯的暴行。开庭审判时，上千人出席旁听，庭外装有播音器，许多市民聚集庭外收听审判实况。3月10日，南京审判战犯军事法庭判定战犯谷寿夫在南京大屠杀期间所犯罪行成立，判决谷寿夫在南京大屠杀期间，共同纵兵屠杀俘虏及非战斗人员，并强奸、抢劫、破坏财产，处死刑。4月26日，血债累累的日本战犯谷寿夫被绑赴刑场，执行枪决。成千上万的南京市民，都站在街道两旁及刑场周围，目睹了屠杀南京人民的罪魁祸首谷寿夫的下场。

☆ 影片揭露国统区黑暗

1947年5月，由张骏祥执导的喜剧电影《乘龙快婿》以诙谐形式反映了严肃的内容，揭露国民党的贪污舞弊，描绘了国民党统治区黑暗与混乱的不争事实。此外，该片又从侧面反映了小市民的真实心理和国民党以"胜利者"自居作威作福的事实。影片对国民党的贪污官员与落水汉奸、流氓恶棍之间的狼狈为奸，以及"暴徒"捣毁报馆、打伤记者等事加以暴露，勾画出了国统区贪污成风、乌烟瘴气的腐败景象。可以说，《乘龙快婿》这部影片无不是对国统区真实的写照与现实的反映！

☆ 迈向胜利的扩充

1947年7月2日，根据形势发展需要，也为了支持长期作战，中共晋冀鲁豫中央局、晋冀鲁豫军区决定再组5个纵队。这5个纵队分别是：第八纵队（司令员兼政治委员王新亭），第十一纵队（司令员王秉璋、政治委员张霖之），第十二纵队（司令员赵基梅，政治委员文建武），第九纵队（司令员秦基伟，政治委员黄镇），第十纵队（司令员王宏坤，政治委员刘志坚）。此决定的发出和贯彻，对全国战局都起到了积极的作用。

第三卷

DISANJUAN

大步进退全面反攻
西野驰骋势如破竹

　　毛泽东慷慨陈词："我们最困难的时期已经过去！"如果说蒋介石以前忙于放火的话，那么他现在就是忙于救火。"打倒蒋介石，解放全中国"的口号随即响彻大江南北。被毛泽东称为西北战场第一大捷的宜川一仗，彻底打开了通向西北的门户。为此，蒋介石第一次痛骂胡宗南。也致使临死前的刘戡百思不得其解：是什么力量竟让解放军如此勇敢！

毛泽东作了一个大胆的决定：陈赓、谢富治部不进入陕北战场，南下渡河直出豫西，与挺进中原的刘邓大军形成犄角。彭德怀率军主动进攻榆林，调动胡宗南主力北上，配合陈谢纵队南下。

邓宝珊慌慌张张进入情况，几夜战斗有惊无险。胡军南北对进，中央纵队再次历险。钟松援榆有功，趾高气昂率军出击，结果在沙家店全军覆没。

毛泽东及时总结："打了这一仗，我们就过坳了！"

第一章

一打榆林，调敌北上沙家店过坳

小河村会议

一年了，我军在全国共消灭蒋介石正规部队九十七个半旅78万人，加上被消灭的伪军、保安部队等杂牌部队34万人，共歼敌112万人。蒋介石总兵力由430万人降为370万人，解放军则由战争开始时的120万人增至195万人。在西北战场上，从3月到7月连续作战，共歼敌2.6万余人，而西北野战部队总兵力由开始时的2.6万人增至4.5万人。

敌我双方的这一组数据对比显示，局势正朝着有利于我军的方向发展。

蒋介石还是那样忙，但忙的内容已有根本变化。如果说以前蒋介石忙于到处放火的话，那么他现在就忙于到处救火。无论是前方，还是后方，局势的发展都足以令蒋介石无法招架。

从1947年2月开始，国统区物价飞涨，企业倒闭，工人失业，经济几乎陷于崩溃状态；而北京、南京、武汉等地的"反饥饿、反内战、反迫害"的民主运动正蓬勃兴起；各民主党派也加快活动，连后台老板美国也开始"逼

★1947年5月，国民党统治区的学生发动了震撼全国的反饥饿、反内战、反迫害运动。这个运动很快与工人运动联系在一起，有力地配合了人民解放军的作战。1947年5月20日，北平学生举行反饥饿、反内战游行示威。

官"，一再要求改组政府……政治、经济上的危机已预示着蒋介石正面临着一场巨大的灾难。

蒋介石的头发几乎在一夜之间全部掉光。按中国民间的说法，头发脱落是智慧的象征，蒋介石的头发光了，按理应该是大智大慧。但偏偏与共产党在仅仅一年的较量中，就已败相毕露。他摸着那颗光光的脑袋，搞出了个"国家总动员提案"，在7月4日的国民政府会议上通过，随后，又下达了《戡平共匪叛乱总动员令》。尽管蒋介石如此殚精竭虑，但对已经恶化的局势仍然无济于事，因为，作为政府支柱的军事已滑向崩溃的边缘。

胡宗南是已经卡在陕北动弹不得，而在另一个重点进攻的地点山东，情况也同样糟糕。王牌部队整编第74师在孟良崮全军覆灭，后果丝毫不亚于胡宗南在陕北蟠龙的失败。蟠龙失败使胡宗南元气大伤，陕北战场从此进入守势状态；孟良崮一役后，国民党在山东战场也同样进入守势状态。蒋介石收

缩兵力的两拳出击战略，此时已败相毕露。

不过，蒋介石真正的失败，不是失败于此。他伸开手臂两边出击，胸膛却露在了外面——这才是他真正的硬伤，一个战略的硬伤。

蒋介石没有发现自己的硬伤，而此时在陕西省靖边县的小河村，毛泽东、周恩来、彭德怀、贺龙、陈赓等人，正聚在一起，讨论确定全国解放战争第二年的战略任务、战略方针和战略部署。这就是1947年7月21日到23日的中共中央前委扩大会议。出席这次会议的还有任弼时、陆定一、杨尚昆、习仲勋、马明方、贾拓夫、张宗逊、王震、张经武等。

小河村杨柳依依，河水涓涓，时值盛夏，也不显得那么炎热。警卫们用柳树枝在"三支队"司令部前搭了个凉棚，再摆几张旧桌子，外加几桶凉水和几个粗瓷碗，就算是前委扩大会议的会场。会议作出了一个令中国为之震动的决定：陈赓、谢富治的晋冀鲁豫野战部队第四纵队南渡黄河挺进豫西。

这是一个大胆的决定，但历史证明，这是正确的！

当时西北战场敌强我弱的态势没有得到根本扭转，非常需要加强兵力击破胡宗南系统的进攻。本来中央已决定，让陈谢纵队西渡黄河，与西北野战

★1947年7月，中共中央在陕北靖边小河村召开会议，研究战略进攻等问题。左起：彭德怀、任弼时、毛泽东、贺龙；左六为王震。

XiangGuanLianJie
DaSaoMiao

☆ 国统区再触民怒

国民党政府于1947年2月宣布冻结生活指数，即不管物价如何飞涨，工人工资只能维持在同年1月份的水平。为此，国民党统治区的居民、工人和店员都举行了大规模的游行示威等抗议活动，坚决反对这一方案的公布与实施。在全国各地人民的强烈抗议下，国民党政府被迫于6月份宣布解除对生活指数的冻结。这一切无不从侧面反映出国民党统治的不稳定性，毁灭是必然的。

部队一起打破胡宗南的进攻。6月12日的时候，周恩来还代表军委向陈谢纵队发电，提出要作好西渡黄河的准备。6月14日时，周恩来又致电陈谢，要求隐蔽集结准备西移。6月20日，毛泽东也致电陈谢，要求7月中旬出击榆林。

但6月30日，整个局势发生了戏剧性的变化。那天，刘伯承、邓小平率领晋冀鲁豫野战部队15万人一举突破黄河天险，直逼鲁西南，直接威胁着国民党统治的心脏——中原地区。蒋介石看到了危险，惊恐万状，连夜调动几十万部队前去堵截。而毛泽东则感到，一个新的战略格局正在展开。

他摊开地图，把华东、华中、华北等地的战略情况反复地进行研究，他发现，如果在豫西和豫皖苏地区再插上两把刀，而刘邓直挺中原，则蒋介石的处境就要告急，整个战略格局就要改变。在7月4日的时候，毛泽东就下定了决心，改变陈谢纵队的使用方向，南渡黄河，直逼豫西，与刘邓成犄角之势，直接威胁国民党的统治心脏。

但这是有风险的，挺进国民党统治区，等于是不要后方去作战。而解放军的战略战术，从来都以有利的人民、有利的地形为依托。现在不要后方，挺进国统区去，结果会不会是孤军深入？更何况，蒋介石对山东和陕北发动的重点进攻并没有完全停止。

毛泽东也有顾虑，7月4日特地发电报给彭德怀、刘伯承、邓小平及陈

赓、谢富治征求意见，询问是否妥当。

对毛泽东这个大胆的想法，所有被问及的领导都赞不绝口。蒋介石把主力154个旅中的128个旅放在山东和西北，而内部守备兵力不足30个旅，这正是出击蒋介石心脏部位的天赐良机。只要三支部队一齐出动，刘邓直逼中原，蒋介石必定方寸大乱，疲于奔命。

此想法战略上看起来是缥缈的，但落实在行动上却是实在的。战术上一招不慎，只会损兵折将；但战略上一招不慎，却会满盘皆输。

当然，陈谢纵队使用于豫西还有战术上的有利因素。一是可以减少陕北粮食的压力，二是这里国民党兵力空虚，可以迫使胡宗南分兵于此，又可减少陕北战场的军事压力。

经过充分论证，在小河村会议上，毛泽东统一了大家的意见后，说："我们决心不等敌人的进攻被完全粉碎，不等解放军在数量上在装备上超过对方，立刻由战略防御转入战略进攻，以敌人兵力薄弱的中原地区为主要突击方向，实施中央突破，转入外线作战，直插敌人的战略后方，将战争引向国民党区域，从而改变整个战争的态势。"

23日，会议的第三天，毛泽东又致电刘伯承、邓小平、陈毅、粟裕、谭震林，刘邓要"下决心不要后方，以半个月行程，直出大别山"；"陈粟谭率鲁中兵力并在刘邓到大别山后指挥陈（陈士榘）唐（唐亮）担负整个内线作战任务。"

一个改变中国内战格局的决定，在不到十天的时间里就完成了。

在座的所有将领们都感到了一个新的局面正徐徐展开，才一年时间，主力就可以打到外线去，战局的发展确实有些出乎人们的意料。

对蒋介石的战争，毛泽东还列出了一个时间表。"用五年时间来解决。"毛泽东激动地伸出五个指头，却比蒋介石多了几分理智几分冷静，"但这个时间不对外宣布，不像蒋介石那样，先说几个月消灭我们，不能实现又说再过几个月，到了现在又说战争才开始。"

彭德怀一直端坐在一条没有靠背的木凳上，他额头发亮，眼睛有神，思维一刻没有停止，他正在筹划着陈谢纵队出击豫西后，西野在陕北如何展开下一步行动。按照毛泽东先前的说法，陕北战场是一个战略牵制区，西北野战部队的任务就是把蒋介石的战略预备队牵制在陕北，配合其他战场的战略行动。怎样把胡宗南钳制在陕北，这是彭德怀思考的焦点。

★ 1947年6月30日夜，我刘邓大军在炮火掩护下，以突然勇猛的动作，一举突破敌人黄河防线。

XiangGuanLianJie
DaSaoMiao

GuanJianCi
相关链接
大扫描

☆ 刘、邓大军强渡黄河，挺进中原

　　1947年6月30日，刘、邓率领晋冀鲁豫野战军主力第一、二、三、六纵队共15万余人，遵照中央军委指示，从山东阳谷以东到菏泽以北的临濮集之间150公里的8个地段上，突破国民党的黄河防线，转入外线作战，随即发起鲁西南战役。蒋介石急忙调兵遣将，力图挽回败局。但刘、邓大军在正确的方针指引下，创造了以15个旅歼国民党军4个师部9个半旅6万人的战例。刘、邓大军挺进中原，揭开了人民解放军战略进攻的序幕。

胡宗南现在长进了很多，兵力轻易不分散，十几万兵力抱成一团，行则同行，宿则同宿。靠直接出击胡宗南来牵制他，效果不会很理想，弄不好还会被胡宗南的优势兵力反咬一口。彭德怀在脑子里把陕北战场形势过了一遍，渐渐把目光盯住了榆林。

邓宝珊与榆林

榆林可以称为一座塞外古城，原为陕西军阀井岳秀的老巢，从民国初年起他就盘踞于此，一直到1936年，死后其职由部下高双成继承。榆林坐落于长城脚边，西边有一条时断时续的榆溪河，西、北均是没有边际的浩瀚沙漠，而东南全是黄土高坡，沟壑纵横，少有人烟。这么一座偏僻的小城，能引起彭德怀对它的兴趣，源于它重要的军事地位。

榆林是国民党晋陕绥边区总部所在地，总司令为邓宝珊。驻军有邓宝珊所部第22军以及胡宗南整编第29军第36师第28旅，总兵力1.5万余人。防区东起府谷、神木，沿古长城经榆林西至横山、宁条梁、安边一线，绵亘350公里，把西边的马鸿逵、北面的傅作义、东边的阎锡山连成一线，又与南边的胡宗南遥相呼应，形成对陕甘宁的全面包围。榆林是这个包围圈上的重要据点，出击榆林，足可以牵动整个陕北战场。

总司令邓宝珊与榆林的历史要从十年前说起。那时他任新编第1军军长，驻防甘肃兰州。1937年秋，太原、归绥、包头相继落入日军之手，日军趁胜大举西进，大有席卷大西北之势。国民党军事委员会紧急下令，把驻甘肃的新编第1军、第165师和驻榆林的第86师（师长为井岳秀部下高双成）编为21军团，以邓为军团长进驻榆林，堵击西进日军。

邓宝珊到榆林的时候，察、绥两省政府及其他机构和办事人员，还有万数逃难的群众，潮水一般涌入到榆林地区。原来冷冷清清的榆林城，因为大批流亡群众的到来而立刻热闹起来。摆在邓宝珊面前的任务，不仅要派兵堵击日军的西进，还要妥善安置各地涌来的难兄难弟。从这时起，榆林作为在军事上堵击日军西进的桥头堡，同时作为在政治上安抚各方难民的避风港，它的地位立刻突显出来。

邓宝珊处变不惊，把供奉在百灵庙的成吉思汗灵位运到兰州安放起来，初步稳定了蒙古人的动荡心理。接着立即组织了5个游击支队，进驻包头的黄河沿岸，日夜骚扰日军，阻其西进，又与第二战区司令长官阎锡山、第二战区北路军总司令傅作义联系，加强了晋陕绥三省联防力量。邓宝珊所下的一番苦功，初步稳定住了榆林的局面。从此，他在榆林的地位也与日俱增，无人能及。

抗日期间，西北局面比较稳定。邓宝珊集团的职能由刚开始阻日西进，逐步转变为配合胡宗南封锁陕甘宁边区。

对邓宝珊来说，这是一段非常苦闷的日子。前线炮火纷飞，多少热血儿女陈尸疆场，而他的第21军团却在陕北这个小镇封锁共产党，无所作为。因为不是嫡系，有时候连粮食、饷银以及枪枝弹药都无法到位。部下埋怨，百姓指责，邓宝珊也感到非常难堪。封锁边区时间一长，有时候又与八路军一起与日本人打上几仗，不久就与共产党混熟了。邓宝珊曾几次去延安，毛泽东亲自接待，不仅热情招待，还在政治上给予很多启发，邓宝珊既感动，又激动，对毛泽东的钦佩与日俱增。而共产党将领如肖劲光、王震、南汉宸、陈其涵等更是走马灯似地跑榆林，或公或私与邓宝珊频繁往来。在与共产党相处的这些日子里，他逐渐发现共产党的主义、纲领还有路线、政策与自己的想法是如此地相近，并且能得到老百姓如此热烈的拥护。他明显感到，共产党要比国民党得人心。

邓宝珊与共产党这种密切的关系，蒋介石、胡宗南都心知肚明。在1946年国民党六届二中全会的时候，国民政府要邓宝珊绕道宁夏去重庆开会，而邓宝珊以路途遥远为由，故意经过延安，并且在延安一住就是二十多天，与毛泽东、朱德彻夜交谈。邓宝珊时而为时局叹气，时而为毛泽东的大智大勇击掌叫好。临走时，还拉着毛泽东的手依依不舍。

在会间，蒋介石有一次问邓宝珊对国内时局的看法。邓宝珊胸脯一挺，振振有词地说："我愿意把领袖拥护成华盛顿，而不愿意把领袖拥护成拿破仑。"蒋介石一愣，没想到邓宝珊会如此回答。当时没说什么，但已经感到邓宝珊与自己在感情上有了距离。正好，六届二中全会一开完，邓宝珊就告了个病假跑回老家陕西三原去养病了。蒋介石喜上眉梢，一面劝邓宝珊赶快回榆林，一面又密令胡宗南选得力可靠之人去榆林主持大局。胡宗南也早就感到邓宝珊靠不住，立即派了自己的心腹董钊去榆林，安了个副总司令的头衔，邓宝珊仍为总司令。

当时榆林的第二号人物是第22军军长左世允。1944年高双成病死后，他接替了高双成的职务。他办事一丝不苟，对邓宝珊忠诚不二。左世允与董钊是同乡，按理，左世允应该与董钊好好共事，同谋党国大计——这也是蒋介石和胡宗南选中董钊去榆林的一个重要原因。但榆林守军带有浓厚的封建地方观念，从左世允以下对董钊的到来，表面上客客气气，但私下里却结成了"拒董"统一战线。几个月时间里，董钊除了看过几处防御工事，其他一事无成，有关军机大事，更是一句话也插不上。董钊越来越觉得没有意思，还不如继续做他的整1军军长去。为了脱身，他向胡宗南说，根据老弟几个月来的观察，榆林军事非邓宝珊坐镇不可。

这几个月里，告病回家的邓宝珊也浑身不自在，日夜魂牵梦绕的地方还是榆林，那里的山，那里的水，那里的古长城，还有那里的百姓，哪一件他都无法放下。在榆林十年的感情，像开了闸的洪水一样，猛烈地撞击着他的心。这个时候他才意识到，自己已与榆林结下了生死之缘。

在蒋介石的再次催促下，邓宝珊又到了榆林。

他到榆林的那一天，榆林全城军民打着腰鼓，扎着大红花，夹道欢迎他的到来。邓宝珊完全被感动了，坐在吉普车里心潮起伏，不能平静。

蒋介石要邓宝珊继续出马榆林，是因为邓在榆林的威望，而不是出于对邓的信任。派人取代邓宝珊不成，就只有给邓宝珊安钉子了。在1947年3月胡宗南大举进攻延安的时候，蒋介石以加强榆林防务为由，授意胡宗南空运了整编第28旅6,000多人去榆林，胡宗南还派了一个姓蔡的高级参谋常驻榆林，加强联络。过了好些年相对和平生活的榆林，一下子被弄得火药味十足。不仅老百姓不习惯，连邓宝珊及其部下也极不习惯。

整编第28旅旅长徐保和这个蔡参谋对胡宗南都是绝对忠诚的。胡派他们两人去榆林，一则联络榆林共同进剿共产党，另一则是加强对榆林的控制。打那时起，邓宝珊心里就极不舒服。当时他作了两种打算，一是，只要有机会离开榆林，他就离开，这个是非之地已今非昔比了；万一走不掉，对上面的命令就阳奉阴违。

这是邓宝珊的两种打算。他也曾考虑过起义的事情，那个时候，国民党将领率部向共产党投诚的比比皆是。但此时的邓宝珊还没有足够的勇气和把握来做这件事。

彭德怀率领西北野战部队驰骋陕北，打得胡宗南、马鸿逵、马步芳连连叫痛的时候，邓宝珊也在密切注意着彭德怀的行动。虽然他曾派部队配合胡宗南出击西北野战部队，但那些行动都是象征性的，没有什么实质作用。

无论从感情还是从信仰上来讲，邓宝珊都不愿意与共产党为敌，更不愿意与解放军兵戎相见。他拿着国民党的俸禄，捧着国民党的饭碗，配合胡宗南采取行动实则不得已而为之。他也相信，凭自己与共产党的交情，共产党是不会对自己真的采取行动的。

但在共产党眼里，邓宝珊是邓宝珊，不等于榆林守军。榆林守军一万多人，把守着陕甘宁边区北边的咽喉要地，让西北野战部队时时都有腹背受敌的威胁。对这么个据点，当然是拔之而后快。

战前较量

7月30日，烈日当空，阳光泼洒下来，像着了火似的热。有道是"冬练三九，夏练三伏"，西北野战部队主力顶着骄阳，在这个三伏天轻装出发了——沿大、小理河向榆林开进。第二天，军委来电，决定由彭德怀、习仲勋、张宗逊、王震、刘景范五人组成西北野战部队前委，彭德怀任书记，同时决定将西北野战部队定名为西北人民解放军野战军，彭德怀任司令员兼政治委员。

彭德怀和张文舟各骑一匹高头大马，行进在队伍中间。小河会议上决定晋绥军区重归陕甘宁晋绥联防军建制，贺龙任司令员，习仲勋兼任政治委员。会后，习仲勋就同贺龙一起到山西组织后方工作去了。

彭德怀下定了决心要拿下榆林，这样就可以得到充足的给养和弹药。他说："战士只带了6天的口粮，我们必须在一个星期之内解决榆林战斗，打下了榆林，粮食、弹药还有药品、兵源就都不成问题了。"

天太热了，坐在马上还汗流浃背。张文舟抹了一把汗："是啊。榆林可比第二个蟠龙。中央决定陈谢出击豫西是完全正确的，要是西渡黄河，上万人的口粮根本没法解决。我们的后勤司令刘景范可愁死了喽！"

彭德怀深有感触地说：

"晋绥军区许光达、孙志远的第三纵队马上要西渡黄河来陕北，这样一来，粮食的压力更大了。军委这次决定贺老总统一领导陕甘宁和晋绥的地方武装和后勤工作，我们有了可靠的大后方了。晋西南可是个富饶之地啊。去

★收复"三边"的我军，沿长城东进，直插榆林。

小河村开会的时候，陈赓几匹骡子驮得满满的，全是绿豆、木耳、大米，好货色呢。我和习政委一身的泥巴跑过去，两手空空，还白吃白喝了几天，真是不好意思哦！"

俩人说着说着，话题又转到了邓宝珊身上。张文舟说："咱们大军北上，突然围攻榆林，只怕邓宝珊还没准备好呢！"

"没准备好才好呢！我们待他不薄，抗战时他封锁咱们，咱们大生产运动搞起来，还接济过他的粮食。这几个月你看他都干了些什么？蒋介石要他干啥他就干啥，还派兵南下要合击咱们。那天中央在王家湾那么险，要是真让邓宝珊手下那帮混蛋撞着了，你说那怎么办？主席说邓宝珊可以争取，我看也是可以争取。但他这个人有些优柔寡断。我估计他现在的心理是安守现状，国共两边都不得罪。蒋介石的命令，应付一下；共产党这边，也不正面交锋。但这是不行的，战争嘛，必定有个敌我之分。他坐镇榆林，我心里怎么都不痛快。这次非要敲痛他不可，是战是和，得有个说法。"

对邓宝珊，彭德怀有种说不出的感受。习仲勋派人与新11旅旅长曹又参、国民党陕北保安指挥部副指挥胡景铎联系时，也曾试探过邓宝珊的态度。但邓宝珊老是装傻，不哼不哈的。习仲勋曾跟彭德怀讲过，邓宝珊对共产党有感情，但要他完全放弃国民党，他又下不了决心，态度比较犹豫。要他率部起义，就一定要揍他几下，并且还要把他揍痛。不打痛他，不让他陷入困境，他就会维持现状，偏安榆林，过着他优哉优哉的日子。

邓宝珊第一时间得到了西北野战军沿大、小理河北上的情报。左世允满头大汗跑过来："总司令，彭德怀率7个旅几万人气势汹汹过来了。来者不善啊！"

邓宝珊摇着蒲扇，不紧不慢地说："共产党进攻榆林还用得着这样大的兵力？他们真要进攻榆林，也不一定要使用武力嘛！不要那么慌张，我看共军是'醉翁之意不在酒'！"

"醉翁之意不在酒？"左世允倒有点摸不着头脑，"那在于什么呢？"

"调动胡宗南主力北上！"邓宝珊扭过头，略带微笑地说："这样有两个目的，一是在胡宗南主力运动起来后，彭德怀就开始玩'围城打援'的把戏，找准机会吃掉胡一部或几部；二是把胡宗南主力牵制在陕北，配合其他战场的行动。你没发现，晋西南的陈赓、谢富治部正在休整，估计要有大的动作了。"

邓宝珊老谋深算，把中共中央军委和彭德怀的作战意图看得一清二楚。他的一番分析，让左世允吃惊不小。但邓宝珊对西北野战军攻打榆林的决心估计得还是不足。他不相信解放军真的会攻打榆林，在他看来，凭他与边区的交情，解放军要打榆林也要先通知一声，先礼后兵嘛！

彭德怀带着西北野战军一路风尘仆仆赶往榆林。当时的战斗序列是：第二纵队、新4旅、教导旅经镇川堡首先向鱼河堡、归德堡、三岔湾、赵庄等外围据点发起攻击，力求歼敌于城外，随后第二纵队包围城北及西北部，新4旅包围城东南部，教导旅为机动兵力；绥德军分区第4、第6团归一纵指挥，包围响水堡之敌，掩护第一纵队主力经武家坡北渡无定河，协同歼灭三岔湾之敌后，包围城南及西南部；晋绥军区第三纵队（司令员许光达、政治委员孙志远）、独立第5旅（旅长李夫克、政治委员王赤军）由米脂东北沙家店经杏树塔、银匠峁攻击刘千河、青云山之敌，独立第2旅（旅长唐金龙、政治委员梁仁芥）于8月4日西渡黄河后，经万户峪攻击高家堡、乔岔滩之敌，包围城东部。

响水堡、波罗堡、归德堡、鱼河堡、康家湾等地，都是4月间国民党榆林部队南下时所侵占的。因为野战军忙于与胡宗南周旋，没去搭理这回事，榆林部队现在仍然在这些地方驻有少量兵力。

西北野战军一路凯歌高奏，疾风般迅速扫尽了那些小镇，各路部队直逼榆林城。

这时，邓宝珊还在他的桃林山庄消遣，听得报告，心里不禁一阵寒颤。他相信，解放军确实是要进攻榆林了。

邓宝珊部署防守榆林的动作与野战军进逼榆林的动作一样迅速。他把所有外围据点的兵力全部撤回到榆林城里，决心固守榆林城。

西北野战军的神勇和顽强早就出了名。榆林外围各据点的国民党守军争先恐后往榆林回撤，生怕动作慢了被解放军抓了俘虏。一时间连接榆林的各条大小道路上，到处都是狼狈不堪的国民党兵，队不成队，列不成列，武器辎重还丢了一地。

彭德怀下令部队加速前进，不然的话歼敌于城外的计划就会落空，到时候仅仅只能得几座空城而已。

王震、王恩茂带着二纵跑在最前面，向着撤退的国民党军一路追赶过去。在三岔湾的公路上，截获了徐保的国民党第82团的一个营和一批辎重。接着，许光达、孙志远带着三纵渡了黄河，一路攻城掠地，拿下了高家堡、乔岔滩后，直逼榆林城下。

邓宝珊把榆林的第一道防线设在三岔湾。二纵消灭了徐保一个营后，三岔湾守军新11旅2团和徐保第82团2营感到大势不好。赶紧向邓宝珊报告，解放军来势凶猛，恐有不测。左世允向邓宝珊建议："不如干脆全部撤回来算了，一个多团孤零零摆在外面，势单力薄。"邓宝珊思考片刻，下了撤退令。

说时迟，那时快。贺炳炎、廖汉生带着一纵也一阵风似地赶了上来，与二纵一起左右夹击三岔湾。不到3个小时，就解决了三岔湾之敌。国民党新11旅2团团长周效武受伤被俘，1营营长萧炳南、2营营长魏长林被击毙，第3营营长张梯青和徐保第82团2营营长被俘。

邓宝珊慌慌张张从桃林山庄撤到了城内。他心情很坏，阴沉着脸，额上青筋毕露。周效武、萧炳南、魏长林、张梯青都是自己当年带出来抗日的家乡子弟，与自己出生入死多少年，没做上大官，也没发上大财，今天一战却阵亡的阵亡，被俘的被俘。

三岔湾一战让邓宝珊很伤心，也让邓宝珊下定了死守榆林的决心。那天下午，他在一所基督教堂里把守城兵力作了重新布置，把榆林全城分为东、西、南、北4个防区，第86师师长徐之佳、陕北警备司令部副司令张之因、

★ 三岔湾敌堡虽十分坚固，但难挡我军进攻。在榆林外围战斗中，三岔湾为我军收复。

第28旅旅长徐保和第86师副师长张云衢分别担任指挥官。邓宝珊作了一番有力的战前动员，命令部属坚守阵地，不许疏忽。还把榆林县长叫来，令他发动民众，组织担架队、救护队和运输队，他要像解放军那样打一场人民战争。

三岔湾战斗后，我野战军各部都已按预先部署到了指定集结位置，把榆林全城围得严严实实。彭德怀带着司令部参谋人员到榆林四周转了一大圈，决定把主攻目标选在榆林南门的凌霄塔高地。这里地势高，是榆林城外唯一的制高点，突破了凌霄塔高地，攻城的任务也就完成了一半。

将第28旅旅长徐保押在这个首当其冲的位置，是邓宝珊有意安排的，但徐保挺高兴。把凌霄塔交给他，说明在关键的时候邓宝珊还是信任他的，并且这也能证明在榆林一战中，第28旅举足轻重的作用。他要好好施展一下，好体现出中央嫡系与地方杂牌的不同来。8月6日晚上回到旅部就把几个团长叫到跟前，拍着胸脯讲了一气，再三叮嘱不能丢中央嫡系的脸。

一打榆林

攻城的一切准备工作都做好了，殊不知6日晚间突然狂风大作，顷刻间大雨倾盆，整个榆林城像遭了一次大水灾。彭德怀在司令部里彻夜未眠，脸色跟天气一样，乌云密布。本来可以趁邓宝珊收缩兵力立足未稳之际，一举拿下榆林城的，现在一场大雨，让邓宝珊就有了喘息的机会。

7日天明时，下了一夜的雨才极不情愿地停了下来。整个黄土高原被洗刷一新，晨风吹来，还有一丝凉意。天不那么热了，空气也没有那么多灰尘，而榆林城在朝阳的照耀下，更显得清新夺目。彭德怀走出屋外呼吸了一口新鲜空气，一夜未眠的疲倦一扫而空。我军各部队踏着泥泞不堪的道路继续攻击前进。下午2时的时候，358旅715团步步进逼，一举拿下了飞机场，截断了榆林与外界的空中交通线。

邓宝珊愈来愈感到情况危急。起初他判断彭德怀不是真的要打榆林，现在解放军都已兵临城下，残酷的现实再也无法回避了。他赶紧给蒋介石、胡宗南发了榆林告急的电报，望大军星夜驰援。

胡宗南没有太大的反应，倒是蒋介石马上就慌慌张张地飞到了延安。

拿下延安是蒋介石多年来的夙愿，到延安来看看这个"赤匪之都"的模样，也是他的一个愿望。

蒋介石到延安，使胡宗南的注意力从陕北战场转移到了迎驾上来。他赶紧组织了庞大的欢迎队伍进行紧急训练，又从西安空运了最好的生活设施和美味佳肴，任凭榆林步步告急，自己却安坐延安静候蒋委员长的到来。

蒋介石来了，带着空军副司令王叔铭和国防部的司长罗泽铠。胡宗南的欢迎仪式搞得隆重极了，但在这样的紧要关头，蒋介石并没有为这一出戏显示出特别的好感。他行色匆匆，甚至连毛泽东、朱德、周恩来住过的窑洞都来不及看就开起了军事会议。

榆林告急，但蒋介石并没有沿着彭德怀设计的思路往下走。他的总体作战方针是：趁解放军主力胶着于榆林外围的时机，胡部迅速北上，侵占陕北各县和战略要点，并力求寻机与共军主力决战。

蒋介石要借榆林被围的被动，变胡部北上攻城掠地的主动。

时值雨季，天降大雨，道路泥泞。十几万大军北上是可以，但补给怎么解决？自从失了蟠龙，胡宗南总感到寸步难行。

"领袖"毕竟是"领袖"，解决问题总是雷厉风行，说一不二。蒋介石指着王叔铭说："运输机集中到西安机场，空投补给！"一句话解决了胡宗南的大问题。以前要空军第3军区出动飞机配合作战时，一个个都懒洋洋的，有时候还阳奉阴违。现在不一样了，老蒋一句话，顶自己好多个近似哀求的电话。

7日入夜，彭德怀下令对榆林城发起了全面进攻。霎时间，榆林城四周炮声隆隆，火光冲天，枪炮声、喊杀声嘈杂地混在一起，彻底打破了雨后榆林的宁静和清新。

野战军的主攻方向是南城的凌霄塔阵地，这里是榆林全城的制高点，也是进出榆林的门户，拿下了凌霄塔阵地，攻取榆林就成功了一半。所以在凌霄塔，无论是作为攻方的我军358旅716团和独1旅2团，还是作为守方的国民党军徐保28旅82团3营，都拼足了劲，使出了浑身的解数来打这场攻守战。

战斗是激烈的，也是惨烈的。358旅716团和独1旅2团的战士们早已置生死于度外，他们只有一个信念：打下凌霄塔，解决榆林城就大有希望。而凌霄塔守敌也格外的顽强，以一个营抵挡几倍于自己的对手。激烈的战斗持续了两个小时，守敌终因兵力单薄而渐渐败退。营长古遂东不断向旅长徐保呼救，但此时的徐保也是焦头烂额，他负责防守的南城到处都有解放军在进攻，还哪里有援兵来救呢？最后只好把矛盾集中到邓宝珊那里。这时北关的官井庙阵地正在缩小，东门外的东岳庙已被解放军占领，手上的应急机动部队早已压了上去，包括卫生队、通信兵都用上了，还是感到兵力不够。邓宝珊也无可奈何，只能下令"坚守待援"。他相信，既然蒋介石都到了延安，他绝不会坐视榆林不管的。

蒋介石和胡宗南正在密谈，密谈的内容我们不得而知。第二天，国民党

★我军发射的炮弹在敌人碉堡上爆炸。

★ 我军在大沙漠上行军。

钟松部就停止了对解放军骑兵第 6 师的追击，带着他的整编第 36 师踩着泥泞的道路，偷偷从西华池方向朝榆林急速进发了——这应该是蒋、胡密谈的结果。

邓宝珊正在指挥部里火烧眉毛地着急，突然接到了徐保凌霄塔失守的报告：3 营全部覆没，营长古遂东阵亡。邓宝珊长长地叹了一口气，阴沉着脸从炕上一跃而起，急匆匆地冲出指挥部，坐上吉普车径直去了南城。

凌霄塔的地位实在是太重要了！它地势高且险要，恰好把榆林南门堵个严实。阵地上筑了许多防御工事，易守，却不好攻。当时凌霄塔不仅是一个战场上的防御阵地，还是众多榆林官兵心理上的一个防御阵地！凌霄塔在，就说明榆林城还是安全的。如果凌霄塔不在了，那么榆林城就可以称得上大势已去。邓宝珊心里明白，那时官兵们仍然奋力抵抗，很大程度上都是因为凌霄塔还在。现在解放军占了凌霄塔，不仅从阵地上动摇了榆林的防御体系，还从心理上动摇了榆林的防御斗志。无论如何，凌霄塔必须夺回！

徐保早没了以往的神气劲，灰头土脸地耷拉着脑袋，像是等着邓宝珊的发落。他知道凌霄塔对于榆林的意义有多大。邓宝珊把凌霄塔交给他，是委以重任。而现在凌霄塔被自己丢了，作为总司令的邓宝珊是有权处理他的。他开始庆幸自己幸亏没向胡宗南打过邓宝珊的什么小报告，不然的话，今天死定了。

邓宝珊怒气冲天闯到了徐保面前，不由分说就骂开了："徐保，你给老子听着！凌霄塔的重要性你是知道的。老子把它交给你，你却给老子搞丢了。你必须给老子夺回来，夺不回来，老子非找你算帐！"邓宝珊一向温文尔雅，今天一急，不禁把徐保破口大骂了一通。

徐保眼都不敢抬，两条腿像筛糠似地颤得厉害。待邓宝珊气嘟嘟地走后，徐保马上组织兵力直扑凌霄塔阵地。

彭德怀一直密切关注着前线战况，自6日战斗打响，他几乎就没合过眼。这是他第一次与邓宝珊正面交锋，没想到邓宝珊那万把人还那么经打，野战军虽然夺得了榆林城外围一些小阵地，但城墙怎么都突不破。凌霄塔阵地一度攻占，但那个不要命的徐保自己挥着大刀督阵，硬是把凌霄塔又夺回去了。西城的小西门也曾一度被突破，但对方炮火太猛烈，冲锋了好几次都没能冲进去。第二次爆破，又因为地形不熟、药量不够而没能成功。看来还真不能看轻了邓宝珊，他的部队还是有一定战斗力的。

邓宝珊虽然着急，但守住榆林的把握已经比较大了。一方面凌霄塔又重新掌握在自己的手里，另一方面其他防线基本能与解放军打个平手，更重要的是，钟松带着整编第36师的第123旅、165旅正由东华池沿长城星夜驰来。

彭德怀已非常清楚，攻下榆林已不大可能，在此情况下，唯有"围城打援"一计可施。彭德怀及时调整了战役目标：决定把我军分成两部，一部继续攻击榆林，吸引钟松部快速运动，另一部于有利地形设伏，准备打援。

钟松鬼头鬼脑，生怕中了彭德怀的埋伏，再次成为解放军"围城打援"战术的牺牲品，竟不惜带着部队绕进一片荒无人烟的沙漠地带，避开了我军的设伏圈，于12日早上赶到了榆林城。

无可奈何，彭德怀下达了撤退令。第二纵队向长乐堡转移，主力向榆林东南地区集结，待机歼敌。

沙家店过坳

从榆林外围撤退后，彭德怀正在搞榆林战役的总结，他对各纵旅首长说："这一仗我们俘敌3,200余人，毙敌2,000余人，收复和解放了横山、响水堡、

鱼河堡、归德堡、高家堡等城镇和地区。榆林城虽未能攻克，但调动胡宗南主力北上、配合晋冀鲁豫纵队南下的目的达到了。所以榆林一仗仍然是一个胜仗。胡宗南现在派他的整1军、整29军气势汹汹扑过来，又要找我们的主力决战，我看，战机又要来了。"

钟松带着部队进了榆林城。他现在是援榆功臣，邓宝珊待他更是不薄，一边向蒋介石为他请功，一面又是好酒好肉地招待。12日晚，邓宝珊为钟松搞的那个丰盛的招待晚宴，把钟松连日来的疲乏打扫得一干二净。邓宝珊喝红了眼，钟松也喝红了眼，推杯把盏中兄弟相称，气氛甚为融洽。但胡宗南像是存心不让钟松过舒服日子似的，他明明知道晚上八九点钟的时候邓宝珊肯定在宴请钟松，他却偏偏在这个时候发了一封急电，令钟松带部队火速南下，到绥德与刘戡会合。

钟松解榆林之围后南下与董、刘会合，是蒋介石来延安之时就设计好了的。蒋介石告诉胡宗南，陕北战场不要再稳打稳扎了，要急推猛进。钟松神不知鬼不觉突然出现在榆林周围，然后再急速南下，与大摇大摆北上的董、刘会合，要一举歼敌于榆林周围地区，或者压迫解放军于黄河。

但胡宗南的胃口比蒋介石还大，他不仅要找西北野战军决战，还要捉住中共中央首脑机关。上次刘戡带两个师出去转了一大圈无功而返，他十分不满意。这次蒋介石亲临延安下达任务，他发过誓一定要拿出点战绩来的。

中共中央机关是在董钊、刘戡两军北上后，于8月1日离开小河村的，他们沿着大理河东进，向野战军主力靠近，这时中央纵队代号由"三支队"改为"九支队"，周恩来兼任司令员和政治委员。13日这天，"九支队"通过无定河大桥，进入了黄河与无定之间的南北长约三四十公里、东西宽约五六十公里的夹道区域。在这里，中央纵队面临着第二次危机。南有刘戡7个旅之众的追兵，北有钟松的两个旅前来围堵，又处浩瀚的沙漠地带，东为滚滚黄河，西有水势日益看涨的无定河。如果南北两敌会合，向东封锁黄河渡口，并控制无定河、米脂、佳县一线，中共中央机关和西北野战军将被挤在佳县、米脂、榆林三县间南北十五公里、东西二三十公里的狭小地区，这样将处于回旋余地几乎等于零的困难处境。

彭德怀审时度势，他心里明白，要解己之围，唯有集中力量歼灭钟松，但"九支队"800人马又不能不保护——这可是事关全国战局的大事。彭德怀决定赶紧开前委会议，在这样的重要关头要用集体智慧来应付局面。会上几乎

★ 我军在无定河上架设的浮桥。

没有争议，一致认为保卫党中央的安全是当务之急。彭德怀权衡了好长时间，决定把这个任务交给三纵。

许光达接到南下接应中央机关的电令时，既激动又感责任重大。刚刚从山西大后方赶来，就直接参加围榆战斗，围榆结束，又去保卫党中央毛主席。在山西时，只是与阎锡山、胡宗南的小股部队打一打而已，但一来陕北，就遇上了保卫党中央保卫毛主席这么重大的任务。他想起了临行前贺老总的交待："陕北战场敌情严重，战况瞬息万变，一定要听从彭老总的调度。如果你们不听从指挥，不服从安排，就说明贺龙带的部队有问题了！"许光达回想着这些，扭过头对政委孙志远说："老孙啊，咱们这次把命豁出去也要完成任务啊！"

钟松气势汹汹，带着部队朝南一路扑来。自进入陕北以来，他带着整36师走南闯北，从无定河到三边，从西兰路到古长城，陕北的每个角落都到过，有的地方还到过两三趟。军事会议上分析起陕北的地形来，他钟松最有发言

237

★ 沙家店战役：西北野战军撤围榆林后，继续调动胡宗南主力往返奔波，以求在运动之中歼其一部。1947年8月18日，当敌整编第36师进至米脂西北沙家店地区时，我军对该敌展开歼灭战。至20日，将敌全部歼灭，毙俘6,000余人。我军某部指挥员在沙家店战役中观察敌情。

权了。

刚刚解了榆林之围，钟松嚣张得不得了，一心想继解榆林之围后再立个大功。他把第123旅放在最前面，作为师的前卫部队。14日，123旅出发不久，就在归德堡碰到了解放军的抵抗。但胶着了一会儿，解放军突然朝南一路逃去。旅长刘子奇满腹狐疑，"难道共军引诱我急速南进？"他不敢贸然出动，把情况报告给了钟松，钟松也变得谨小慎微起来。他拉着队伍在陕北转了这么多圈，又有青化砭、羊马河的前车之鉴，现在应该小心为上。他原计划是走无定河东岸沿绥榆公路南下的，怕遭埋伏，现在也不走这条大路了，全师改无定河西岸南进，一路上果然平安无事。

彭德怀早就判断到了钟松的行军路线，把三纵派去南下接应中央机关后，就把余下的主力部队全部布置在沙家店，另派小部分部队与钟松保持接触，把他吸引到沙家店来予以消灭。

8月18日这天，董、刘两军逐步靠紧，向中央纵队直逼过来。中央纵队正在黄河汊道葭芦河边上，情况万分危急。

毛泽东骑在马上，神情凝重地思考着。根据侦察员的报告，敌人正一步步紧逼过来，中央纵队目前的处境很不让人乐观，弄不好真有可能让敌人"包了饺子"。他曾经说过，不打败胡宗南绝不过黄河。毛泽东向警卫员要了一根烟，狠狠地抽了一口，他将余下的烟往地下一扔，眼里闪烁着坚毅的光，他勒住缰绳，说了一句："我们回去！"大队人马静静地跟在毛泽东的后面，沿着葭芦河向黄河相反的方向翻山而去……

中央机关刚走，刘戡就到了葭芦河边。河水滔滔，汹涌澎湃。刘戡怎么也想不到，毛泽东没有过黄河，而是朝相反的方向去了。他报告了胡宗南，胡宗南命令，迅速寻找解放军主力决战。

彭德怀把队伍安在沙家店附近有一天多了，他相信，钟松一定会来的！

18日，也就是毛泽东在葭芦河脱险的时候，钟松带着整36师师部和第165旅由镇川堡到了沙家店。这时他的部队分为两个梯队：123旅（附165旅493团）为前梯队，由镇川堡向乌龙铺方向推进；他率师部和第165旅为后梯队，在沙家店以西地区跟进，准备在乌龙铺与董、刘两军会合。

彭德怀站在一处高高的山头上，向各部队首长下达了围攻沙家店之敌的命令。

一纵、二纵以及教导旅迅速出动，把钟松围在了沙家店附近地区。

　　钟松刚与前面的刘子奇联系上，准备出发到乌龙镇，这突如其来的变故令他手足无措。时至深夜子时，大雨滂沱，雷电交加。西北野战军步步向前，而钟松则在泥水坑里打转转。他赶紧命令刘子奇率整123旅来援。刘子奇在乌龙埔，距沙家店仅30多公里，但中间隔着几道山梁，夜色一片漆黑，险象环生，刘子奇不敢贸然出动。一直到第二日6时，天亮了雨也停了才带着队伍向沙家店赶来。

　　沙家店周围的有利地形已被解放军占领，钟松只抢占了几座无足轻重的山头，劣势已非常明显地显现出来了。

　　胡宗南得到钟松被围的消息，立即电令刘戡急速驰援。刘戡刚刚追中央纵队到黄河边上，现在又要掉头翻山越岭赶到沙家店，心里极不痛快。但自从进入陕北以来，他一直在挨骂，特别是羊马河一仗，他甚至被胡宗南指着鼻子骂了一顿。怒归怒，命令是必须执行的。但带着队伍快到沙家店时，又遇到了解放军的阻击部队，组织了几次冲锋，也未能通过。

　　毛泽东和中央纵队已经安全转移到了米脂县的梁家岔。沙家店战斗最激烈的时候，毛泽东接连抽烟，茶饭不思。他对周恩来说："恩来，这一仗生死攸关啊！打得好，我们转危为安，不走了；打不好，我们就往西走，出长城，进沙漠。"

　　20日晚8时，终于传来了我军全歼整36师的捷报。

　　毛泽东兴奋异常，在窑洞里大声喊道："打了这一仗，我们就过坳了！拿酒来！"

　　沙家店一仗，全歼敌整36师师部和123旅、165旅6,000余人，俘123旅少将旅长刘子奇和少将参谋长罗秋佩。师长钟松和165旅旅长李日基逃走了。

　　刘子奇被送到了后方，在那里他见到了先前被我军俘虏的前167旅旅长李昆岗、31旅旅长李纪云、135旅代旅长麦宗禹、123旅36团副团长何干林、31旅副旅长周贵昌、参谋长熊宗继、92团团长谢养成等国民党团以上军官。

☆ 国民党公然通缉毛泽东

1947年6月25日，国民政府最高法院检查署发布"平字第190号训令"，"通缉"毛泽东。7月2日，新华社就此事发表题为《蒋政府又一穷极无聊的尝试》的评论。评论指出："此种反动举措是企图挽救蒋军将士与国民党官员普遍绝望情绪之又一穷极无聊的尝试。此项行动的另一动机则是对美国国务院赠送子弹一亿三千万发的一种立时响应。"这一做法"致命地打击了蒋介石自己在中国人民中残存的一点威信，并把他自己完全孤立起来"。蒋介石的这一拙劣的行动无异于自掘坟墓。

☆ 国民党军节节败退

解放战争的第二年度是国民党军发动的反动战争风云变化最大的一年。到1947年6月底，国民党的重点进攻战略严重受挫，被迫由战略进攻转入战略防御，实行全面防御，后又被迫将全面防御改为分区防御。此时，人民解放军的攻坚能力已大大提高。据不完全统计，1946年7月底至本月底，国民党军侵占了解放区191,000平方公里土地、1,800万人口和84座城市，使解放区的面积缩小为220万平方公里，人口缩减为13,100万。但人民解放军在一年内歼国民党军和非正规军112万人，战争的主动权转移到中国共产党的手中。

☆ 蒋介石的"日本情结"

抗日战争胜利以后，蒋介石为了彻底抢占中国革命的胜利果实，用尽了各种手段。有着曾留学日本经历的蒋介石和日本人保持着千丝万缕的联系，以图能够借助日本的力量消灭中国共产党。回顾历史，从"攘外必先安内"到"消极抗日，积极反共"，再到战后的暧昧不明，蒋介石似乎一直都有着一份"日本情结"。其实这不过是他为了满足个人私欲而采取的一种手段。

沙家店再挨一棒，胡宗南赶紧收缩兵力至延安附近地区。西北野战军趁胜追击，在岔口使胡宗南又遭一劫。

陈谢纵队渡河南下，直逼潼关，胡宗南西安告急，关中告急。

蒋介石十万火急赶往西安，调集十万大军拱卫西安，护卫关中。

西北野战军兵分两路，一路出击黄龙山区，一路直逼两延清涧。野战军攻城十日终成功，廖昂踏上被俘路。

第二章

内外协同，"两延"清涧唱响反攻序曲

岔口截击

沙家店战斗的总结已经搞过，会上毛泽东挥动着大手作了评价："侧水侧敌本是兵家所忌，而我们的彭老总指挥的西北野战军英勇奋战，在短短一天时间里就彻底改变了陕北的局势。这一仗确实打得好，对西北战局有着决定意义，我们最困难的时期已经过去了！"

沙家店确实是关键一仗，不仅毛泽东、彭德怀看到了它的重要性，胡宗南也看到了他的重要性。战斗正在进行的时候，胡宗南寸步未离指挥所，日夜关注着沙家店的战况。有人说，胡宗南在西北战场一共挨了三棍：第一棍是在晋南的时候，整1军整1师整1旅被陈谢纵队一网打尽，他"天下第一师"的神话从此被打破；第二棍是在蟠龙，他费尽周折从西安调运来的全部物资被解放军如数虏获，从此元气大伤；第三棍就是沙家店了，开了一个整编师被歼灭的先例，从此由攻势转入守势。

熊向晖在5月21日已经离开延安去美国留学，再也没有一个人能在这种

时候及时地靠近他，说几句得体的安慰话。胡宗南一个人阴沉着脸，在指挥所里站也不是，坐也不是，其他人与他离得远远的，就怕招惹他这头狮子。蒋介石刚刚来过，将陕北战场作了重新部署，但校长前脚走，后脚就打了个大败仗。这不是对校长的一种讽刺吗？胡宗南现在想到了盛文。蟠龙刚失的时候，盛文就建议放弃延安，把兵力收缩起来，以逸待劳，与解放军打持久战。当时胡宗南一听就直摇头："出的什么馊主意？放弃了延安，老头子还不要我的命！"

现在的事实摆在面前，十几万部队整天在山里头窜来窜去，根本就没有任何出路，并且还时时存在被解放军打伏击的危险。放弃延安、以退为进，是目前唯一的招数。但是，目前全国的军事形势江河日下，蒋介石还要利用陕北和延安在政治上来大做文章。放弃延安，蒋介石是说什么也不会同意的。他前几天来延安最主要的意图就是要胡宗南马上出击，占领陕北各县，他回去后好造舆论。

此时的胡宗南深深陷入了陕北军事和全国政治的矛盾之中。全国政治占据着矛盾的主要位置。既然如此，就只能按蒋介石的意图来作出部署了。胡宗南决定，在延安以北的广大腹地中只固守绥德、清涧和瓦窑堡三点，构成保护延安的屏障，主力全部收缩到延安及关中地区休整。

这是一个很危险的部署，胡宗南自己也知道，这等于是把绥德、清涧和瓦窑堡三地置于解放军的控制之下，只要解放军乐意，要吃掉这三城的守军，简直是易如反掌。胡宗南也是没办法，他是根据蒋介石的政治意图作出的部署。所以当廖昂极力反对这一决定的时候，胡宗南没有发怒，反而很平静，只是说按命令执行。

胡宗南的部队还没南撤，陈庚、谢富治就带着晋冀鲁豫第四纵队开始南下了，在河南孟津和茅津渡过黄河后直逼潼关，直接威胁着胡宗南的老巢西安和关中地区。

中共中央军委的这着棋令胡宗南措手不及，他只觉得处处被动，时时难过。只得于26日令绥德以北的主力立即南撤，拱卫西安和关中地区。

南撤部队由董钊统一指挥，他把队伍分成两拨儿：陈武率整90师（辖第53、61两个旅共4个团）为先头部队，沿咸榆公路急速南下，占领九里山、石嘴驿，掩护主力南下；董钊自己率整1师（辖整第1、78两个旅共4个团）及整第47旅两个团、钟松的师直属部队残部、整第55旅两个团在后，依次沿咸

榆公路南下。

时值 8 月，阴雨连绵，加之刚打了一个大败仗，粮食又不够吃，部队士气滑落到了进入陕北以来的最低点。士兵走起路来跌跌撞撞，队不成队，列不成列。因为肚子饿，部队一路上搜刮抢劫，见什么抢什么，能吃的就吃，不能吃的就烧。一时间，董军所过之处鸡飞狗跳，满目狼藉。董钊坐在吉普车上面毫无表情，看到部队纪律如此败坏，他也懒得去管，事到如今，他也失去了刚打入延安的那股气概。透过玻璃窗，看着阴雨笼罩下的黄土高原，无限苍凉涌上了董钊的心头。带兵打仗多年，抗日战场上还曾立下显赫的战功。但与解放军交手几个月，局面就搞得如此狼狈不堪，这是他没想到的。从 3月到 8月，整天拖着部队在大山里转，扑一个空又扑一个空，共产党用"大游行"来描绘国军的状态，实在是再恰当不过了。转了这么一大圈，今天终于南下了。董钊隐约感到，这一去，可能就再也回不来了。

陈谢纵队南下后，毛泽东就一直在静观胡宗南的变化。他料定，胡宗南不会再把主力放在绥德、清涧一线而会南下的。因此西北野战军在前东元村开会的时候，毛泽东就对到会的旅以上干部提出，西野要作好准备追击胡军。董钊率军动起来后，毛泽东在28日急电彭德怀：率全军立即转至敌之先头（米脂、绥德之间或直出清涧），阻敌南进；29日又发去一电：以三天至四天急行军赶到石嘴驿、九里山一线，夺取先机，置敌死命。

彭德怀决定采取"前伏后追"的办法来解决董钊，一部兵力急速南下，绕到董军前面，寻找有利地形设伏，另一部兵力沿咸榆公路直追过去。

伏击地选在岔口村，我野战军已搞清，董钊部要绕道这里向延安前进。岔口村村东一条长长的凹道加上两旁连绵不断的高地，构成了一个天然的口袋。西北野战军把两旁的高地都占了去，趴在山地上专候董军的到来。

9 月 1 日，董钊率主力来了。先钻进口袋的是主力整 1 师。以前整 1 师就遭到过伏击，因此师长罗列慎之又慎。殊不知在岔口这里还是碰上了解放军的阻击。山两边枪炮声一响起，罗列就向董钊作了汇报。董钊找到刘戡，决定罗列指挥整第 1、78 两旅攻占凹道以北高地，钟松指挥整第 12、55 两旅攻占凹道南侧高地，占领高地后尽量向外扩张，然后交替前进。

董、刘两军共有 8 个旅之众，比解放军的伏击部队多出了好几倍，但战斗进行得仍然不顺利。一直到当日傍晚才攻占了几个小山头。解放军趁着胜利的好心情，劲头十足，手榴弹一个劲地往山沟里扔。

这一仗比以往陕北任何一仗规模都要大，程度也要激烈。胡军8个旅的兵力被解放军全部围在一起，应该是一个歼敌的绝好时机。但解放军伏击部队太少，又因为雨后路滑，后续部队没有跟上，战斗打到第三天早上，董、刘两军渐渐攻上来，占住了两侧高地。

"看来我们一口还吃不下胡宗南！"彭德怀举着望远镜对张文舟说，张文舟也举着望远镜，他接过彭德怀的话头："老总，那就先放他们一马，以后再慢慢吃。吃快了会噎着呢！"彭德怀也有此意，立即拿下望远镜，扭头对电台兵说："撤！"

董钊、刘戡看着解放军渐渐远去的背影，无声地叹气。队伍已经被打得七零八落，死伤上千，而自己作为一军之长，肩上的那几颗金星也失去了往日的光泽。他们同时摇着头，都有一种袭遍全身的失败感。

兵分两路

毛泽东起草的《解放战争第二年的战略方针》一文，在西野截击董钊之时发了出来。他写得颇激动人心："举行全国性反攻，主力打到外线去，将战争引向国民党统治区，在外线大量歼敌；部分任务是在内线继续歼敌，恢复失地。"

战争进行到这个时候，刘邓、陈谢、陈粟三路大军已卷入外线进攻作战，成"品"字形直插蒋介石统治的心脏地区，毛泽东断定全国性的反攻可以开始了。这些日子他一直在紧张地工作，部署全国性的战略反攻计划。在西北战场上，他也不断地发出指示，西北野战军应适时转入内线反攻。

彭德怀被眼前的局势所鼓舞。胡宗南现在只留少量兵力固守延川、延长和清涧，而主力则收缩到延安附近整补，完全丧失了出击之力。他自己更是慌慌张张跑到了西安，又是开会，又是调兵来对付陈谢纵队出击豫西带来的威胁。拿到毛泽东起草的"战略方针"一文的时候，彭德怀心里初步勾画出了一个进攻延（延川、延长）清（清涧）的内线反攻作战计划，但他还是显得心事重重，似乎还有什么东西放心不下。

此时放不下的东西就是粮食。西北战场上胜仗不断地打，但粮荒也闹得越来越厉害。干部战士们基本上都是在半饥饿状态下进行战斗的。从3月

到8月，最好的时候，是蟠龙战斗刚刚结束那会儿，吃了好几天的小麦馍馍，白嫩嫩的馍馍，干部战士们爱不释手地捧着，都舍不得吃。

这一年整个陕北都兵荒马乱，粮食根本谈不上收成。而胡宗南的部队又一路烧杀抢掠，本来就贫瘠的黄土高原更是遭了殃。到8月份，粮食的缺乏已经到了不能再恶化的地步。那时候，陕北老乡把一种用黑豆、糠秕、树皮和野菜做成的稀饭叫"钱钱饭"，但就连这种"钱钱饭"，也不是餐餐都能吃上。沙家店战斗前，部队基本上没有了粮食供应，只要是绿色的，几乎是见什么吃什么，最后就连野菜、树皮也被吃了个精光。部队饿着肚子，中央也跟着饿肚子。毛泽东、周恩来跟着战士们一起吃野菜，吃树皮。因为吃多了这类食物，消化不了，毛泽东还有一段时间大便排不出来，把警卫们急得团团转。

粮食在战争中的地位，军事家们老早就有过结论，孙武还留下了"兵马未动，粮秣先行"的名言，以警示后人。熟知兵法的毛泽东自然是知道这个道理的。延安保卫战之前，他就以文件的形式，命令部队勤俭节约，多储存粮食备作后用。但连月战乱，本来就贫瘠的陕北因受自然地理条件的影响，任凭怎么节约，粮食还是供应不上。陈谢纵队不渡河进入陕北，一个很重要的原因就是因为粮食的问题。从延安保卫战打响之时，彭德怀就感到西北战场上有两个敌人，一个是胡宗南，一个是自己的肚子。在某种程度上来说，西北战场打的就是粮食。小河会议上，中央把筹粮的重担交给了贺龙。在8月下旬，毛泽东又给贺龙去了要粮食的专电。

得知毛主席也没有粮吃，贺龙才切实感受到西北野战军粮食缺乏到了何种程度。他立即专门组织了一个庞大的筹粮队，自任队长。队伍出发前，他简单地讲了几句，说："陕北的兄弟部队天天饿着肚子打仗，连毛主席也没有饭吃了。这是咱们的失职啊！中央把筹粮的任务交给咱们，咱们就不能辜负了党中央、毛主席的信任。这次出去，无论如何要完成任务！"贺龙敲了敲烟斗，把话题转了过来，"当然喽，要注意群众纪律，不能做国民党兵！"

筹粮队出发了。根本就不需要做过多的动员，一听说毛主席也只能吃黑豆豆，群众就拿出自家的粮食，排着长队捐了出来。几天工夫，十万石粮食就筹到了手。粮食到手了，但运输又成了个大问题。阎锡山眼睁得大大的，自己的部队也正愁着没吃的呢。他派了好几个旅去劫获这些宝贝，结果被贺龙精心布置的护粮队打了个落花流水。贺龙把粮食送到黄河边上，就由任弼时

XiangGuanLianJie
DaSaoMiao

☆ 战争方略

中共中央1947年9月1日发出了《解放战争第二年的战略方针》的党内指示，指示明确指出，解放军第二年作战的基本任务是："举行全国性的反攻，即以主力打到外线去，将战争引向国民党区域，在外线大量歼敌。"指示认为："到国民党区域作战争取胜利的关键，第一是在善于捕捉战机，勇敢坚决，多打胜仗；第二是在坚决执行争取群众的政策，使广大群众获得利益，站在我军方面。"同时，"指示"还根据人民解放军长期作战特别是解放战争第一年作战的基本经验，系统地阐述了我军在转入战略进攻后必须继续遵循的作战方针和作战原则。方针的整合与思想的贯通将是使敌人进一步趋向死亡的开始。

接了过去，继续西运，一直送到西北解放军的驻地。

粮食的到来，让彭德怀激动不已。"贺老总这是雪中送炭啊！"他捧起一把黄灿灿的小麦，向身边工作人员发出了由衷的感慨。但这点粮食对已经大大壮大的西北野战军来说，还是显得不够。粮食问题仍然困扰着彭德怀。

南下的陈谢纵队已经彻底打瘫痪了陇海路，东逼洛阳、郑州，西叩潼关，东西往返作战，逐步解放了新安、陕县、灵宝、阌乡、洛宁、卢氏等地，接着又出击渭南，直逼关中。此时西北野战军主力也全部南下，我军南北联合展开攻势，直接威胁西安。

关中告急，西安告急。胡宗南吓出了一身冷汗，蒋介石更是惊恐万分，连夜飞到了西安。上次飞延安，这次飞西安，前后不过一个多月，但西北战场的局面已经发生了天翻地覆的变化。如果说上次去延安的时候胡宗南还有一点进攻能力，那么经过沙家店一战和陈谢出击豫西，胡宗南就完全处于被动防守的位置上了。蒋介石行色匆匆地来了，他没有责备胡宗南，只是一直脸色铁青，少了以前见到胡宗南的那股热情劲。蒋介石的打算是，迅速从大别山、运城、榆林等地调集10个半旅的兵力，在西安、潼关、洛阳布防，阻止

★人民群众运粮支援我军作战。

陈谢西进。

毛泽东与周恩来、任弼时研究过后，觉得陈谢再西进已没有了意义，于是把陈谢进军的路线调了个180度的方向，转向东进攻，配合刘邓进攻中原，西北野战军也由原来的南下转为继续在内线作战，歼灭延安以北孤立之敌。

清涧、延川、延长已成为陕北大山里头的几座死城，彭德怀把作战箭头瞄准了这些位置。现在彭德怀手里已经有了4个纵队加教导旅共五六万人的兵力，其中第四纵队是9月21日军委决定组建的，王世泰任司令员兼政治委员，阎揆要任副司令兼参谋长。辖警备第1旅，旅长兼政治委员高锦纯；警备第3旅，旅长黄罗斌、政治委员高维嵩；骑兵第6师，师长胡景铎、政治委员李宗贵。

兵多将广，仗好打多了。彭德怀决定兵分两路，内外线同时展开作战，密切协同，互相配合。9月23日这天，秋高气爽，艳阳高照，彭德怀把各纵、旅首长叫到了延长西北的安家渠，开了一个兵分两路的动员会。彭德怀的部署是：二、四纵队南下挺进黄龙山区，进行外线作战，开辟黄龙根据地；一、三纵队及教导旅、新4旅继续在内线作战一个月，扫除延安以北之敌。

出黄龙击清涧

黄龙山区包括洛川、宜川以南，白水、澄城、合阳以北，咸榆公路铜川至延安段以东，黄河以西的广大山区。黄龙山区山高沟深、地形复杂，东与吕梁、晋南解放区连在一起，西与关中分区相接，北与延属分区毗邻，南可作为出击关中东府地区的依托。占领此地，可以大大拓展西北野战军的进攻阵地，彭德怀也正是看中了这里的战略地位才命二、四纵开过来的。其实早在第二次国内革命战争的时候，这里就是陕甘宁革命根据地的一部分。抗日期间，胡宗南的部队不断骚扰边区，把这块地方占了去。这次西北野战军挺进黄龙山区，等于是重返故地。

王震率领部队是在24日出发的，那天彭德怀发来了电报，令其翻过大、小劳山经南泥湾、九龙泉向南开进。拿到电报的时候，王震兴奋得脸颊飘红。又要到南泥湾了，这块自己曾经战斗过的地方，曾经被称为"陕北的好江南"的地方，被胡宗南占去几个月后，如今会是什么样呢？

王震骑着马，一边走一边回忆着当年大生产运动的情景。那丰收的场面，毛主席、朱总司令视察南泥湾的场面，都还历历在目；那首传唱大江南北的《南泥湾》歌曲，更是时时在耳边萦绕。这里流下了自己的汗水，也铸就了359旅的辉煌，南泥湾这一方沃土，连同着那一段辉煌的历史，王震是无论如何也放不下的！

国民党兵已如惊弓之鸟，听说王震带着大军来了，早就逃之夭夭了。部队翻过大、小劳山，就到了南泥湾。但此时的南泥湾已面目全非。胡宗南这几个月里在南泥湾"大闹天宫"，他的部队作恶多端，把陕北的这一片好江南弄得伤痕累累。地里一棵庄稼也没有，杂草丛生；房屋的门框、窗户都被卸下做了工事，留下那一片片的残垣断壁；刻着毛泽东、贺龙题词的碑石被推倒，以前墙上刷着的革命标语也被铲得一干二净；还有当年鲁迅艺术学院演《打渔杀家》和《三打祝家庄》的礼堂到处都堆满了粪便，臭不可闻。

王震阴沉着脸，一言不发地静静往前走着。如今的南泥湾，放眼望去一片荒凉，哪有几年前那个人欢马腾、热闹非凡的场面？郭鹏能理解王震的心情，不断传下令去叫部队保持安静。实际上，此时359旅和独4旅战士的心里，也早已升起了一团怒火。

部队在南泥湾休整了几日继续前进。此时，王世泰已率第四纵队由白水县北上，开进了黄龙山区。10月1日，二、四纵队在洛川东南的石头镇会师。

二、四纵队会师后，彭德怀就带着一、三纵队和教导旅、新4旅放心大胆地在两延、清涧发起了攻势。10月1日，三纵和教导旅一起出手，首先拿下了延川、延长，消灭了国民党的两个营。一纵358旅又连续出击，攻下了清涧城南的三十里铺，割断了清涧、子长、绥德与延安的联系。

扫清了这几个外围，清涧就完全暴露在西北野战军的眼皮底下了。

清涧还是在3月底被廖昂占去的。起初守备清涧的是国民党整第76师直属部队和整第24旅，师长廖昂一直坐镇清涧，指挥部队在清涧外围搞了好多坚固的防御工事，又是碉堡又是壕沟，还有一层又一层的铁丝网，铁丝网的外围，又埋了一片片的地雷。廖昂曾向胡宗南报告，清涧工事固若金汤，好守易攻保证能万无一失。4月份135旅在羊马河被歼后，整24旅的第72团由清涧移防到瓦窑堡去了，清涧兵力开始显得有些不足。胡宗南在蟠龙、沙家店又接连失败后，廖昂开始着急起来。特别是沙家店一战后，胡宗南主力全部南下，清涧就被孤零零地甩在了外头。廖昂平时能说会道，又熟知兵法，但一到这种时候，就开始动摇起来。他曾经和参谋长刘学超、24旅旅长张新商量，以守备兵力不够为由主张撤出清涧，同主力一起南下。但胡宗南没有同意。自那个时候起，廖昂师长就整日整日地呆在自己坚固的窑洞中，以扑克牌算命占卜自己的命运。

廖昂的迷信，在胡宗南师长级的高级军官中，那是出了名的。他率部参加山城堡战斗的时候，就测过风水，说此役必定大功告成，奠定陕北的安定局势，结果却一败涂地，自己的性命也差点不保。不过，廖昂这个人粗俗迷信中还有点儒雅。他喜欢古诗古籍，也爱藏书，有时候还能摇头晃脑吟诗作赋。但这样一来，清涧城里藏了点书的书生们就遭殃了。一个清末老秀才，家里藏有些珍贵的古书，听说有的还价值连城。廖昂听说后如获至宝，想不到这黄土高坡的小城里还有这些宝物，他当即放下师长的架子，假装风雅，替

★群众平毁清涧敌碉堡。

那位老先生"整理"书籍去了，结果"整理"出一部四库全书的影印珍本。廖昂大喜，当即调了军用卡车，连同其他的古书一共装了两卡车，一路武装押运送到了西安，后来又转运到四川老家去了。可怜那老秀才，祖宗几代读书人留下来的这点宝贝，就这样断送了。

廖昂这等的迷信而且爱财如命，刘学超、张新看见了直摇头，他手下的官兵也给他编了一首兵谣："廖昂廖昂，吃饭拿饷，万事不管，毫无主张，唯有四库，一心思想！"

我野战军的突然降临，将廖昂从他的财梦中惊醒。他甩掉手里的扑克牌，提起手枪径直赶到了笔架山阵地。笔架山是清涧全城的制高点，与城东北的九里山构成了清涧城的东西屏障，廖昂的主阵地就设在这里。他举起望远镜，只见漫山遍野全是解放军，正向清涧城扑来。

打清涧又是一场攻坚战。解放军没有重火力武器，也缺乏攻坚经验。1946年，贺龙、聂荣臻曾发动的绥远战役，归绥、包头就久攻不下，部队损失惨

★我军攻克清涧时缴获了敌人一批枪支。

重。西北野战军在8月份进攻榆林，也同样是久攻不入，又遇钟松来援不得不撤退。对于以往的经验教训，彭德怀不是没有考虑、总结过。为此10月3日，彭德怀特意开了个纵队、旅首长会，他拍着桌子喊道："必须准备数日的连续战斗，要不怕疲劳，发扬高度英勇、坚决顽强的战斗精神。在战术上，攻击每一据点，事先要有充分准备，不草率从事，不放过每一个战机。隐蔽运动，突然攻击与短促火力相结合，集中优势兵力、火力突破一点，割裂敌人阵地。"喝过一碗水，又继续说："各兵团必须协同动作，先打弱敌，后打强敌，争取在敌人援兵到达之前歼灭守敌。"

彭德怀料定，围攻清涧的战役打响后，胡宗南绝不会坐视不管的，回调

★延清战役中我军机枪手正在向敌射击。

休整的主力极有可能来援。彭德怀把地图研究了很久，在甘谷驿以北的山区划了一道线，扭头对新4旅旅长程悦长说："你们就在这里。隐蔽起来，准备阻击延安的来援之敌。"

捉　廖　昂

10月6日，一个晚霞婀娜的黄昏，彭德怀吃过晚饭，背着手在指挥部的院子里走了一圈，看看时间，又问了问前线指挥官的准备情况。少

★我军攻上清涧城头。

顷，一道对清涧发起总攻的命令飞到了西北野战军各攻城部队。

一纵和三纵担任主攻，教导旅到了清涧以北的九里山，负责切断清涧与绥德的联系；绥德军分区的第4、第6团负责解决子长之敌，新4旅按彭德怀的要求，已经到了甘谷驿北面的山区。

358旅的任务是从西南向东北攻击前进，先攻占马其原、钟楼山等地，得手后再拿下清涧全城的制高点——爬子山。

爬子山是野战军奋力夺取的地方，也是廖昂必须死守的地方。它矗立于清涧城西300米的地方，山顶呈长方形，宽不足百米，但蜿蜒长达500多米。地势高，四周山势陡起，全是几丈高的悬崖，是个修筑防御工事的绝好地方。廖昂刚到清涧城时，就在山上设有明碉暗堡大大小小几十个，又在山坡上设了铁丝网、外壕，还埋了大量的地雷。廖昂把这个制高点搞得跟铁桶似的密不透风，他相信，只要爬子山还在，清涧城就能保住。

我军715团打头阵，攻占马其原后，一路冲锋，爆破了铁丝网，又突破了壕沟，最后来到山脚下，在山脚下与爬子山顶的守敌激烈地交上了火。

廖昂在他坚固的窑洞里急得直跺脚。他已向胡宗南发去了求援急电，但此时的胡宗南也是疲于应付。王震、王世泰在黄龙山区"大闹天宫"不说，陈赓、谢富治还在豫西一带活动，简直是要他的命。对廖昂的电报，胡宗南没作太多的反应，极为简便地写了几个字：固守待援。拿到胡宗南的电报，廖昂燃起了一些希望。但左等右等，就是不见援兵来。到10月6日，西北野战军的总攻发起后，他再次拟了一封急电：敌围攻甚急，战斗激烈。再不救援，唯死与降耳！廖昂的再次悲号，引起了胡宗南的怜悯。他命还在延安的刘戡，立即率部驰援清涧。

彭德怀急了。攻城两天两夜，部队仍然胶着于外围据点。他情急之下，一口气跑到了358旅的阵地，炮弹就在身旁落下，子弹也呼啸而过，但此时的彭德怀什么也顾不上了，他只有一个决心：必须在两天之内解决战斗，不然，又会跟围攻榆林一样。

黄新廷和余秋里大惊失色，连忙用自己的身体把彭德怀围了起来。

"老总，这里危险，赶快撤离！"余秋里大声喊道。彭德怀不依，倔犟地扭动着身体："你们在这里不怕，我怕什么！"

这不是讲理的地方，也不是讲理的时机，黄新廷打了个手势，几个士兵一起上去把彭德怀架了回去。刚走，几梭子弹就打了过来，彭德怀咧咧嘴憨

笑一声，说："看来任务还没完成，马克思还不要我！"

刘戡带着部队从延安一路奔来。在陕北战场上，刘戡一直充当救火队长的角色，哪里有难，他就扑向哪里。但往往又因为碰到解放军的阻击部队不得前进，丧失战机而受到胡宗南的斥责。这次又是一样，走到甘谷驿时，埋伏在那里的新4旅鸣鼓出击，又杀得刘戡措手不及。

攻城战斗还在紧张地进行。按照彭德怀的要求，黄新廷、余秋里决心调整部署，把主攻爬子山的任务交给716团。团长储汉元、政委栗光祥领受任务的时候，黄新廷、余秋里两人一人扶着一个，重重地拍了他们几下肩膀，没有说话。储汉元、栗光祥会意，敬礼的同时，深情地望着两位旅首长，表示了决心：一定完成任务。

9日晚，我军716团3营9连作为突击连出发了。刘僧山排为尖刀排走在最前面。他们在陡壁上挖了很多防弹坑、屯兵洞，敌人从山上扔下的手榴弹基本上打不到。他们躲在防弹坑里，一步一步往上爬，和梯子结合，借着夜色一直摸到了山顶边上。刘僧山一声令下，全排战士一跃而出，一口气冲上了爬子山顶，展开了一场短兵相接的白刃格斗。紧跟着，11连、12连也跟了上来，经过近一个小时的战斗，终于在爬子山顶有了个立脚点。

团长储汉元立即组织1营、2营向山顶攻击，准备打退敌人的反扑。一夜的战斗，一场血战后，716团终于拿下了爬子山阵地。

"爬子山失守！"廖昂扔掉电话就瘫坐在地上，感觉到失败正在来临。

在一开始，廖昂是力主突围的。但鉴于解放军的火力实在是太猛，且兵力占据绝对优势，恐怕突围很难成功。后来胡宗南发来电报，已令刘戡部前来增援，廖昂就打消了突围念头，准备凭坚固的防御工事一心固守，等着刘戡来解围。只要刘戡部一到，解放军必定又会像围攻榆林那样，不打自退。但到现在，刘戡仍没有消息，而守城制高点又被攻占，那下一步恐怕只有束手就擒了。

廖昂正在为爬子山失守惊恐万分时，又传来了东城被轰开的消息，解放军少量攻城部队已突入城内，正与国军进行巷战。

廖昂再一次受到沉重打击。他走出窑洞，城东的喊杀声、枪炮声已清晰可闻。又过一会儿，从城东败退下来的国军官兵如潮水一般涌来，挡都挡不住。

廖昂的司令部里已乱作一团，军官们有的正化装准备突围，有的正收拾

★ 在清涧战斗中，被我俘虏的第76师尉级以上军官。

东西准备转移。

　　廖昂心情坏到了极点，自己也是泥菩萨过河，自身不保。解放军的进攻愈来愈猛烈，廖昂站在窑洞前，听着城内枪炮声不断，千思万绪。

　　张新也从前线赶过来了，与参谋长刘学超一起，准备与廖昂商讨最后的解救办法。走到廖昂的窑洞前，只见一堆大火熊熊燃起，廖昂哭丧着脸，如丧家之犬，正在烧胡宗南前几天空投过来的30亿法币。廖昂已经作了最后的打算，他要把钱烧到阴间，再供自己去享乐。

　　望着一师之长廖昂在这紧要关头的如此作为，刘学超、张新真是失望至极。廖昂有点小聪明，分析敌情，讲起道理，都能口若悬河，甚至入木三分。但在情况瞬息万变的战场上，要他在几分钟之内拿出决策的时候，他却支吾吾，犹豫不决起来。要是把这笔钱用来奖励官兵，肯定还会鼓舞一下斗志。如今被一把火化为灰烬，无论是刘学超、张新，还是帮助廖昂烧钱的士兵，都感到痛心！

　　刘学超和张新把廖昂拉到窑洞里，问他怎么办。廖昂抬起头，脸色仍然

那样惊恐，说："还能怎么办？！"张新说："师座，不能这样等下去啊？"刘学超伸出三个指头："有三条路：一是再组织部队进行反冲击，争取把解放军打到城外去；二是迅速组织突围，保存部分实力；三是坐等就擒，准备作俘虏。"

听说要作俘虏，廖昂的眼皮跳动了几下，他无法接受这个现实。但他又拿不出一个方案来，仍然低头不语，唉声叹气。张新急了，眼巴巴地望着廖昂，再看了看刘学超说："参谋长的这几个方案都不行的话，那就只有一条路了。"廖昂抬起头，像是看到了希望。张新顿了一下，边拔手枪边说："'不成功，便成仁'，按师长、我、参谋长的顺序来进行！"

城内的枪声仍急促地响着，门外的喊杀声、马叫声，还有解放军的大喇叭里传来的"缴枪不杀，解放军优待俘虏"的喊话声，一起进入廖昂死寂一般的窑洞里。三位长官都没说话，静静地等待着什么。良久，刘学超说："我们尽了最大的努力，事至于此，也不是我们愿意看到的。张旅长，把枪收起来吧！把师部和旅部剩余的现钞和大洋发给弟兄们，能走的就走，不能走的就等着解放军来吧！李昆岗说解放军优待俘虏是真的，咱们也不必为以后过多地操心！"说完泪如雨下，小声啜泣着回了自己的窑洞。

夜完全黑下来了。因为实行灯火管制，城里面一片漆黑。廖昂、张新和刘学超都呆在窑洞里，等候着那一刻的来临。

过了几个小时，守城兵力全部崩溃，解放军潮水般从四面八方涌进来。在国民党俘虏兵的带领下，一个搜索分队马上就到了师部廖昂的窑洞前。廖昂早就等着这一刻的来临，他没有抵抗，几乎在隐瞒身份方面也没作什么努力。旅长张新更是爽快，在解放军打开窑洞门的时候，他大声说："带路。我们走！"时间是1947年10月11日凌晨。

我军新4旅已完成阻击任务，闪开路让刘戡扑了过来。打扫完战场，我军也及时撤出了清涧城。

历史碎片
LISHISUIPIAN
D 大拼接
DAPINJIE

☆ 《中国人民解放军宣言》发布

为动员全党全军和全国人民加倍努力夺取解放战争的全面胜利,中国人民解放军总部于1947年10月10日发布了由毛泽东起草的《中国人民解放军宣言》。《宣言》重申人民解放军的作战目的是"为了中国人民和中华民族的解放"。该宣言在彻底揭露蒋介石反动集团一贯反人民反革命历史和残害人民的滔天罪行之后,发出了"打倒蒋介石,解放全中国"的伟大号召。宣布了中国人民解放军亦即中国共产党的八项基本政策。最后宣布了解放军对蒋方人员并不一概排斥,面对拒不缴械投降者,全体将士必须勇猛前进,坚决彻底地消灭敌人。

☆ 胡景铎毅然率部起义

国民党军原陕北保安指挥部副指挥胡景铎,在人民解放军陕甘宁晋绥联防军发起榆横山战役时,率部2,000余人,于陕西省横山县宣布起义。起义后,其原所属部队被改编为西北民主联军骑兵第6师,胡景铎任师长,归陕甘宁晋绥联防军建制。相信随着形势的转变,起义之人会越来越多,当然,这是最明智之举。

☆ 美国居心叵测的援蒋计划

1947年10月6日,以美国众院军事委员会主席柯尔为团长的美军事考察团抵华。在北平、青岛、南京、上海一些大城市考察后,柯尔于11日在南京发表谈话,支持美国驻苏联、法国大使布立特的援蒋计划。紧接着,布立特又提出"三年击败共军"的计划,继而又"执行国务院令",在《生活》杂志上发表了这个报告,提议在反苏的名义下以13.5亿美元的代价动员中国人民为美国战略利益而战,并以麦克阿瑟为帅。国民党政府对布立特的建议表示了欢迎,但是,无论美国再耍什么花招,在蒋介石注定走向灭亡的命运安排中,一切都似竹篮打水。

毛泽东第一次喊出"打倒蒋介石，解放全中国"的口号，蒋介石在南京狂怒不止，摔坏了正在播放《中国人民解放军口号》的收音机。

中央军委让西野"三中选一"，彭德怀决定再打榆林。西野坑道爆破成功，但动作迟缓而攻城受阻。邓宝珊到处搬兵，傅作义急飞宁夏。马鸿逵受到启发，令儿子领军援榆。西野伤亡四千有余，彭德怀权衡利弊再撤榆林。

第三章

三中选一，权衡利弊二撤榆林

"打倒蒋介石，解放全中国"

在葭县朱官寨度过了 1947 年的中秋节，毛泽东一行又于 10 月初转移到了葭芦河边的神泉堡。

周恩来在 9 月 28 日给中央机关工作人员作形势报告的时候，总结了蒋介石的三大弱点：兵力不足、后方空虚和人民反对。周恩来的总结可谓一针见血。蒋介石现在兵力不足 300 万，比战争开始时少了 150 万，因为兵力不足，不得不实行分区防御。在国统区，被毛泽东称为"第二条战线"的"反饥饿、反内战、反迫害"的民主运动持续高涨，大有打倒蒋介石的气势。而共产党这方面，解放军越战越强，解放区迅猛壮大，打破几千年封建土地制度的土地改革也在轰轰烈烈地进行，尤其是刘邓、陈谢、陈粟三路大军南下，过黄河，越陇海，直逼长江，使战争形势发生了戏剧性的变化，可以说，士气高涨，民心归一。

夜已深了，借着柔和的月光，窗外高低起伏的山峦隐约可见。窑洞里的毛泽东抽着烟，不断回味着这两年来与国民党的斗争经历。从毅然决然赴重庆谈

XiangGuanLianJie
DaSaoMiao

☆ 谈判——为了抗日，我们让步

这是中国共产党为促成国共共同抗日局面的形成而与国民党进行的谈判。周恩来于1937年5月27日由西安飞上海，上山前在庐宁停留，同各方人士谈话，争取中国共产党的合法地位。6月8日，周恩来同蒋介石在庐山举行会谈。但蒋介石置共产党起草的合谈纲领于不顾，直接提出两党合作的形式问题：成立国民党革命同盟会，由国共双方推选同等数量的干部组成，由蒋介石任主席等一系列有利于自己的要求。为从大局着想，6月25日，中共中央书记处提出了同国民党谈判的新年提案，并且在重要问题上作出了让步。因为我们的目标只有一个，那就是共同抗日！

判开始，他顶住压力，历尽艰辛，终于拉开了今天军事反攻的序幕。这期间有陕北历险的惊心动魄，有东北战局的初期失败，有绥远战役的无功而返，也有如蟠龙、孟良崮战斗的酣畅淋漓，更有三路大军直插蒋介石心脏的大智大勇。

军事反攻的局面已展开，毛泽东决定起草一个中国人民解放军对国民党蒋介石战争的政治宣言，在政治上进一步给蒋介石致命的一击。

他猛吸一口烟，提笔疾书，写下了宣言的第一段话："中国人民解放军，在粉碎蒋介石的进攻之后，现已大举反攻。南线我军已向长江流域进击，北线我军已向中长、北宁两路进击。我军所到之处，敌人望风披靡，人民欢声雷动。整个敌我形势，和一年前比较，已经起了基本上的变化。"在这里，毛泽东把他一手创立和领导的这支人民军队正式定名为"中国人民解放军"。

毛泽东历数了蒋介石的滔天罪恶，从1927年"忘恩负义地背叛国共两党的革命联盟""背叛孙中山的革命的三民主义和三大政策"，一直写到"美国人出钱出枪，蒋介石出人，替美国人杀中国人"的内战开始。"蒋介石二十年的统治，就是卖国独裁反人民的统治。"这是毛泽东给蒋介石作出的最后结论。

喝了口水，毛泽东继续写到："到了今天，全国绝大多数人民，地无分南北，年无分老幼，都认识到了蒋介石的滔天罪恶，盼望本军从速反攻，打倒

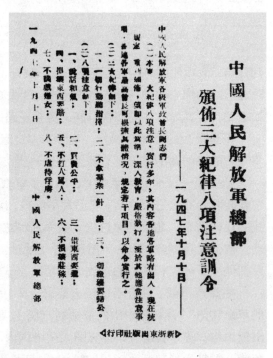

蒋介石，解放全中国。"

"地无分南北，年无分老幼"这句话，是1937年蒋介石在庐山谈话中，"如果战端一开，那就地无分南北，年无分老幼，皆有守土抗战之责任，皆应抱定牺牲一切之决心"的用语，今天毛泽东把它用在此处，对蒋介石有一种特别的讽刺意味。

当然，现在的毛泽东对蒋介石，并不满足于这种讽刺，他需要的是"打倒蒋介石，解放全中国！"

毛泽东宣布了中国人民解放军的也就是中国共产党的八项基本政策，要组成民族统一战线，打倒蒋介石独裁政府，成立民主联合政府；要逮捕、审判和惩办以蒋介石为首的内战罪犯；要废除蒋介石的独裁制度，保障人民言论、出版、集会、结社的自由；要没收蒋介石、宋子文、孔祥熙、陈立夫兄弟四大家族和其他首要战犯的财产；要废除封建剥削制度，实行耕者有其田的制度；要承认中国境内各少数民族有平等自治的权利；要废除蒋介石的一切卖国条约，废除蒋介石卖国政府的一切外债。

过去以领袖自居的蒋介石，此时早已成为罪大恶极的人民公敌！

10月10日新华社全文播发了此宣言。蒋介石怀着一种特殊的心情，以极大的忍耐力，把广播听完了。他紧咬牙关，额上的青筋突兀，眼睛直盯着桌上的收音机。他静静地站着，没有发火，内心有一团怒火在燃烧，也有一种失败的情绪在慢慢升起。在原地伫立了好久，找来吴忠信："给我把'共匪'的这篇宣言整理一份出来，我要好好地研究。"

★ 1947年10月10日，解放军总部关于重行颁布三大纪律八项注意的训令，要求全军各部队"以此为准，深入教育，严格执行"。

★ 我军部队在炎热的夏天行军，路过瓜田而不入，真正做到"不拿群众一针一线"。

吴忠信遵命转身走了，收音机里又传来了播音员的声音，说是解放军总部颁发了《中国人民解放军口号》，第一个就是"打倒蒋介石，解放全中国"。

蒋介石阴沉着脸，继续听着。"打倒卖国的蒋介石""打倒独裁专制的蒋介石""打倒战争罪犯蒋介石"……一个比一个尖锐刺耳，蒋介石几乎快要窒息了。他嘴鼻突然扭曲变形，再也忍不住了，咆哮了一句"娘希匹"，冲上去把收音机摔得粉碎。

此时的毛泽东意犹未尽，天色已渐露出曙光，可他仍倦意全无。

毛泽东接着又起草了《中国人民解放军总部关于重行颁布三大纪律八项注意的训令》。

"三大纪律、八项注意"是毛泽东在第二次国内革命战争中为中国工农红军制订的纪律。红军建立之初，他要求部队对待群众要说话和气，不拉夫，不打人，不骂人。1928年春，红军在井冈山的时候，毛泽东又规定了三项纪律：行动听指挥、不拿工人农民一点东西、打土豪要归公。1928年夏又提出六项注意：上门板、捆铺草、说话和气、买卖公平、借东西要还、损坏东西要赔。1929年以后，毛泽东又将三大纪律中的"不拿工人农民一点东西"改为"不拿群众一针一线"，把"打土豪要归公"改为"一切缴获要归公"。对于六项注意，又增加了"洗澡避女人"和"不搜俘房腰包"，从而成为"三大纪律、八项注意"。这些纪律，曾经是红军政治工作的重要内容，在那个特殊的战斗

时期，对红军建设和发展起到了特殊的作用。

现在红军已脱离了游击状态，队伍日益壮大，随着胜利的渐渐到来，部队中一些破坏纪律的现象又严重起来。调戏妇女、拿吃拿喝、破坏群众庄稼等违纪现象时有发生。毛泽东用典型的"毛氏"字体，写下了人民解放军现在的"三大纪律、八项注意"。三大纪律：一切行动听指挥、不拿群众一针一线、一切缴获要归公；八项注意：说话和气、买卖公平、借东西要还、损坏东西要赔、不打人骂人、不损坏庄稼、不调戏妇女、不虐待俘虏。

解放战争中的几个重要文件，毛泽东在这一日完成了。时间已近晌午，毛泽东又困又乏，在警卫的再三督促下，匆匆喝了口黑糊粥，又服了几片药，才慢慢睡去。他渐起的鼾声，均匀而有节奏，恰如中国革命跳动的脉搏，从容而笃定。

"三中择一"

部队已拉到绥德地区进行休整。大战后组织休整，这是彭德怀用兵的一个特色。哪怕休整两天、三天，对于部队来说，也能减少疲劳，调整精神状态。不过，彭德怀组织的休整，并不是吃饭睡觉，而是战斗的继续。整顿纪律、检查斗志是休整的必定内容。这样一来，好多斗志顽强的战士得到鼓励表扬，作风稀拉、纪律松弛的现象被严肃批评。风气正了，纪律也好了，可以以饱满的热情、昂扬的斗志投入到下一场战斗。

彭德怀在各部队走了一趟，刚刚由教导旅、新4旅组建起来的第六纵队营以上干部在司令员罗元发、政治委员徐立清的组织下，正在开一个关于团结的动员大会。新4旅的同志们在旅长程悦长、政治委员黄振棠的带领下，都表了态，一定完成上级首长交给的每项任务。其他部队也都在开班务会，学习毛泽东起草的解放军宣言和"三大纪律、八项注意"的训令，还有一些连队在刷标语，喊口号，把"打倒蒋介石，解放全中国"喊得山响。看着战士们士气高涨，彭德怀心里也像灌了蜜似的甜，这比吃上一碗白米饭、喝上一碗小米粥的感觉好多了。11日，毛泽东给各战略区首长转发了西北战场的战斗经验，把彭德怀领导的西北野战军大大地表扬了一番，弄得彭德怀怪不好意思的。在彭德怀看来，西北战场的胜利完全是在党中央毛主席的领导下取得的，

XiangGuanLianJie
DaSaoMiao

☆ 战果辉煌的张家店战役

1947年9月底，刘伯承、邓小平针对国民党军统帅蒋介石调集主力于大别山北麓，而山南空虚的情况，即以第一、第二纵队主力会同第六纵队向鄂东、皖西再次展开。10月6日，第88师第62旅由舒城西进，次日，第三纵队拟将其围歼于落马岭等地区。8日，第62旅察觉解放军的企图后，仓皇向北撤逃。第三纵队当即发起追击，9日至10日，蒋其全歼于张家店；并击退了整编第46师3个团自六安的增援。11日，乘胜重占舒城，歼保安团队一部。此役，我军共毙伤、俘虏国民党军4,800余人，战果辉煌，打出了我们的军威。

他彭德怀只不过执行了党中央毛主席的正确意图而已，谈不上什么功劳。

12日，毛泽东给刘伯承、邓小平起草完祝贺他们在张家店、歧店、李家集歼敌两个旅的电报后，又给彭德怀出了道选择题。对西野下一步行动提出了三个方案：一是现地打刘戡；二是以两个纵队打榆林、神木、府谷，一个纵队南下会合二王（王震、王世泰）开辟渭北；三是不打刘戡，也不打榆林，全军南出洛川、中部（今黄陵）、宜君、同官（今铜川）。

彭德怀把西野旅以上首长召集起来，形成了这样的共识：胡宗南重点把守的是西安、潼关一线，徐保的第28旅已空运到西安，这样榆林就只有第22军军部、整第86师、新编第11旅和陕西保安第5团共9,000余人担任守备，兵力比较薄弱，而其中第86师的257、258团和新11旅第1团又分散在榆林城南、神木、府谷和刘官寨，榆林守敌更加薄弱。况且上次进攻榆林的时候，已夺下了榆林外围的许多据点，使榆林完全成了一座孤城。这样，进攻榆林似乎是理所当然的最佳选择。如果能拿下榆林，可以获得粮食弹药的补充，巩固后方，解除下一步南下的后顾之忧，又能保证中共中央和中央军委机关的安全。何况胡宗南现在又自顾不暇，援榆可能性不大，即使援榆，疲惫之师远道而来，战斗力也是很有限的。西边的马鸿逵，一味地保守地盘，他不会

轻易出动的。

但上一次进攻榆林失败的阴影还笼罩在首长们的心头，不少首长对榆林坚固的城防表示忧虑。不过，在众多的有利因素面前，这点困难是可以克服的。何况，只要集中使用火力，在战术和技术上多研究多准备，再坚固的城墙也是有办法的。清涧不就很坚固吗？五六天时间就解决问题了！方方面面的因素都分析过后，彭德怀最后拍下桌子："就这么定了，进攻榆林。赶紧作好出击准备，按军委意见，等刘戡部南下后再行出击。"

现在的榆林不仅成了一座孤城，在某种程度上来说还成了一座死城。自遭了西北野战军第一次打击之后，城南归德堡迄东南青云山一带已成为解放区。整个榆林，只有榆包公路能把它和外界联系起来。榆林土地贫瘠，生产极少，军民三万余人，所需粮食几乎完全靠榆包公路运来。而榆包公路中途要穿过绵延几百里的鄂尔多斯草原，这里人烟稀少，路途荒凉，并且解放军伊克昭盟军区就设在乌审旗，陕甘宁边区警4、警6两团经常出没于榆林和扎萨旗之间，榆包公路并不能完全畅通。这个问题，使邓宝珊大伤脑筋。

那时的邓宝珊，内心苦闷到了极点。与共产党打了一仗，脸皮已经撕破，往日的睦邻友好关系只能作为一种回忆保留下来。而蒋介石方面，他早就料到迟早是要垮台的，继续留在蒋介石系统里与共产党为敌，将来兵败城破，不仅性命难保，还要遗臭万年。而胡宗南已如一堆烂泥，拱卫西安、关中还来

XiangGuanLianJie
DaSaoMiao

GuanJianCi
相关链接
大扫描

☆ 独臂将军贺炳炎

　　湖北松滋人。1929年参加贺龙的中国工农红军第4军。后因战功卓著被誉为"孤胆英雄"。1936年率部长征。同年12月，在战斗中被机枪打断右臂。抗日战争时期，任鄂皖湘赣军区第三军分区司令员。解放战争时期，历任绥野战军独立第5旅旅长、第三纵队副司令员兼第5旅旅长、晋绥军区副司令员、西北野战军第一纵队副司令员、司令员，在解放战争中率部发挥了重要作用。

不及，对榆林的防务更是无暇顾及，不仅如此，还在榆林的危难时刻把徐保运走。指望胡宗南，能有什么结果！

幸好榆林军事同时划归傅作义的第十二战区和胡宗南的第一战区，邓宝珊与傅作义又一向私交不错，10月上旬，他带着电务科长王炳林、军需科长张景文飞赴北平傅作义那里去了，暂时远离了榆林这事非之地。

邓宝珊一走，榆林城防就交到第22军军长左世允和晋陕绥边区总参谋长俞方皋手里。左世允和俞方皋与邓宝珊不一样，他们都是在榆林土生土长起来的，邓宝珊可以跑，但他们没法跑。他们在榆林生活、战斗几十年，性命、荣誉已和榆林紧紧地连系在一起。榆林存，则他们存；榆林亡，则他们亡。因此在邓宝珊走后，他们开始大兴土木，把榆林城防从头至尾再筑了一遍。加了碉堡、铁丝网，又修了壕沟，尤其是在防务重地城南的凌霄塔，各种各样的明碉暗堡不计其数，铁丝网拉了一道又一道，地雷铺了一片又一片。左世允和俞方皋相信，把这里搞好了，守城工作就等于做了一半。

再击榆林

听说西野要再打榆林，贺龙赶紧调集了一批炸药、手榴弹，又送来了一大批粮食，并从晋绥部队里调来一个野炮排支援战斗。上次进攻榆林失败，武器弹药缺乏是主要因素。一是重火力武器缺乏，不能形成足够威力的轰击；第二是炸药缺乏，两次爆破城墙均因炸药不足而遭失败。彭德怀接到这批物资，信心顿时倍增，他把各部队首长召集起来，对战斗中的技术问题和纪律问题再作了一次明确的要求。

22日，一个艳阳高照、秋风中略带一些寒意的日子，西北野战军主力部队由绥德向榆林开进。在开进途中，彭德怀又接到王震、王世泰黄龙战役结束的报捷电。

看罢电报，彭德怀露出了少有的笑容，扬起电报对张宗逊说："副司令，王震、王世泰打大胜仗了！"

张宗逊是9月13日被军委任命为西北野战军副司令员的，前几天从一纵司令员位置上到任，贺炳炎继任一纵司令员。他一边说着"是吗"，一边接过电报，不禁大喊起来："哎哟，不得了了。连克黄龙、白水、韩城、宜川，还

捉了许用修（胡宗南宜川据点指挥所中将总指挥）。"张宗逊竖起大拇指，"战绩不小啊！"

彭德怀笑了两声，说："是啊，咱们得努力呢！等拿下榆林，我们也给他们报捷！"

两位首长带着部队在一片笑语中朝榆林开进。

扫除榆林外围据点的战斗迅速而顺利。一纵北渡无定河，截断赵庄、三岔湾、刘官寨一线敌新11旅1团的退路后，主力迅速经归德堡以东向韦家楼、花月沟、三岔湾攻击前进，27日拂晓分别围歼上述各点之敌，迅速逼近榆林城南。三纵经米脂、石窑坪开进，围歼了殿皇峁、长乐堡之敌，尔后主力逼近榆林城北。六纵25日经石窑坪、漩水湾隐蔽集结于赵家峁附近，27日拂晓以一部包围青云山之敌，主力逼近榆林城东。

虽然左世允早有准备，但解放军的迅速到来，还是使他吃惊不小。邓宝珊不在榆林，第22军军长左世允、第86师师长徐之佳、总司令部参谋长俞方皋以及总司令部高参胡景通立即组成了临时指挥所，徐之佳为城防总司令。

蒋介石再一次为保住榆林而忙碌起来。他立即令空军第3军区马上派飞机助战，并要胡宗南筹措粮弹空投补给榆城守军，还给马鸿逵发了电报，令他急速援榆。而远在北平的邓宝珊，神经也高度紧张起来。

有了第一次榆林被围的险中求胜，没有人再敢相信这次榆林城还能保得住。都说共产党共产共妻，是杀人不眨眼的魔鬼，那不赶紧逃还坐而等死吗？此时榆城军民的恐慌，已经到了极点。从西安空运物资的飞机一到，就有很多军官眷属拖儿带女一齐挤向飞机场，哭喊哀告，争相搭机。而国民党的飞行员们，因为政府财政紧张，已有好些天没领到饷银了，这个时候，要是收取点费用，那发财简直是太容易了！于是他们向"难民"们宣布，每人次需交黄金一两，才能坐上飞机去西安。

只要能活命，安全出了榆林城，一两黄金算什么？军官眷属们排起长队，把那一两买来生存希望的黄金，十分大方地交给了飞行员。这样一来，榆林机场的地勤人员眼红了，他们也要求分红。但飞行员们怎么也不答应，一定要私吞了这笔飞来横财。

"不给就不给吧，看老子怎么收拾你们！"榆林机场的地勤人员恶狠狠地骂道，报复的计划已经想好。飞行员们美滋滋地回去了，等着第二天再来收黄金。但到了第二天，也就是27日，飞行员们满载枪枝弹药和粮食再次驾机

★ 在榆林战役中，陕北人民将大批粮食弹药运到前线。

来到榆林时，他们发现，怎么也与榆林航空站联系不上，最后在没有指航的情况下迫降，但刚降下来，恰好被解放军逮着。解放军几发炮弹过去，把飞机连同飞行员，还有飞行员们的黄金梦以及大量的物资，一起化成了灰烬。

这次飞机失事葬送了许多榆林急需的弹药和粮食，左世允听说后大为震怒，拍着桌子要查明失事原因。但兵荒马乱之时，一架飞机失事就如国军一个旅一个师被消灭一样，太正常了。解放军进攻愈来愈猛，这件事也就不了了之了。直到解放后被俘的胡景通等人写回忆录时，才道出了其中原委。

西野仍把凌霄塔作为主要攻击目标，仍然采用对壕作业的办法接近敌人。在27日下午，完成了对凌霄塔南的五里墩和"九一八"高地的占领。守卫凌霄塔的国民党军第86师第257团，在上次榆林战役时就领教了西野的厉害，这次随着解放军对壕作业的逐步逼近，士气也滑落到了极点。团长高凌云组织了多股小分队配合"六〇"炮发起反冲击，但都无济于事。到30日傍晚，野战军一纵358旅714团、独立第1旅2、3团以及第六纵队新编第4旅771

★ 第二次攻榆林时，西北我军为歼灭榆林守敌，于 1947 年 10 月 27 日发起外围作战。至 11 月 1 日止，将其外围据点全部肃清。在进行攻城作战时，因敌驰援，我军于 10 日晚主动撤围。我军突击队冒着炮火攻打榆林城。

团，以步炮联合向凌霄塔和三义庙主阵地发起了猛攻。

　　高凌云在指挥所大汗淋漓，把预备队，包括炊事员、卫生员等非战斗人员全都压了上去，但仍然招架不住西野的进攻。左世允、徐之佳立即决断，不顾其他阵地同时受攻的威胁，下令从西、北两城守军中抽了两个连驰往增援，一定要保证与榆城存亡攸关的凌霄塔的安全。

　　凌霄塔的地雷阵已被扫除，铁丝网也被突破，一些明碉暗堡也被解放军的工兵部队穿插拔除，调来的两个连对此时的局势起不到任何作用，眼看着解放军就要攻上来，高凌云再向左世允发出告急电，建议撤出凌霄塔，保存实力，准备再战。

　　左世允并不相信凌霄塔的情况已严重到如此程度，构筑那么多的坚固工事就这样被突破了？他把第 86 师副师长张云衢派过去作了一番现地考察，张看到战斗这般惨烈，自感高凌云已无力回天。最后无力地摆摆手："撤吧！"高凌云团扔下一个营的阵亡，一阵风似地跑回了城内。这个时候，我军 358 旅 714 团也占领了三义庙。

彭德怀拿着铅笔，把榆林城外的敌阵地和据点一个一个地勾掉，待勾掉凌霄塔和三义庙后，野战军各部队就在榆林城外连成了一个大圈，实现了对榆林的再次包围。张宗逊也为目前的战况所鼓舞，他看着地图，小声地问："彭总，您看什么时候发起总攻？"

彭德怀用铅笔敲了敲地图，点着头说："就在 11 月 2 日的下午 5 点。告诉各部队，巩固现有阵地，扩大战果，作好攻城的一切准备！"

傅作义急飞宁夏

邓宝珊飞到北平时，正好赶上蒋介石来北平，遂与李宗仁、吴奇伟、孙连仲、傅作义等一起，参加了蒋介石在中南海怀仁堂召开的华北军事会议，蒋介石大讲了一番《一年来剿匪军事之经过与高级将领应注意之事项》。会议结束后，傅作义就到了张垣（张家口）。张垣是他去年从晋察冀野战军手中夺过去的，现在成了他坐镇指挥的地方。在傅作义的察绥防线上，榆林也占据着重要一角。榆林不保，包头的屁股也就露了出来。解放军轻装简从，从榆林出发一路北上，只要轻轻一脚，就可把包头踢个底朝天。然后再挥戈东进，与贺龙的晋绥军区部队和聂荣臻的晋察冀部队联合，察绥就有极大的威胁了。对这一点，能文善武的傅作义还是看得明白的。

邓宝珊拿着左世允的告急电报，风尘仆仆地飞到了张垣。邓宝珊这是求救来了，傅作义还是很够意思，一副大哥对小弟样子，拉起邓宝珊的手说："你不要怕，你的事就是我的事。胡宗南不管，我来管！"但事实上，邓宝珊比他年纪要大！

邓宝珊手还没抽回，脸上已露出了十二分的感激。他原以为傅作义会打一番太极拳的，没想到他这么爽快。他握紧傅作义的手："傅司令官，我邓某人会记得你的，榆林军民会记得你的！"

傅作义忙摆手道："不要不要！我手头上也吃紧，并且防线绵延上千里，给你的兵力也很有限，最关键的还是要榆林军民齐心协力呀！刚开始我准备把交警队空运给你，但现在机场已失，空运不成了。这样吧，我马上命整 17 师副师长梁泮池带一个加强团，从包头乘汽车到扎萨旗，由你指挥，相机援榆。"

虽然一个团的兵力太少，但邓宝珊还是有一种备受关怀的感觉，比起胡宗南来，傅作义是好多了。半晌，邓宝珊说道："一个团的兵力略显少了点。但如果你实在抽不出更多的部队，你看马鸿逵那边你能不能去动员一下。委员长的命令已经下过去了，但马鸿逵只顾保护自己的地盘，他轻易是不会下本钱来援榆的。"

"这个可以，我明天就飞宁夏，跟马鸿逵把利害关系讲清楚。"傅作义一起身，转过头说："事不宜迟，你也不要在张垣久呆。你即刻去包头，与梁泮池联系加强团的事去。"

傅作义的义气、干练和果断，使他在邓宝珊心里的印象更加深刻。邓宝珊不再说什么，虽然榆林还是危如累卵，但他已感到踏实多了。

邓宝珊和傅作义商谈的结果，左世允在第一时间就获悉了。前两天已把驻神木、府谷的第86师第258团弄到了榆林城，现在又有援兵来救，左世允搓起双手，不禁笑眯眯地又说起了他那句口头禅："我就说嘛，'事到着急处，就有出奇计'！咱们不要怕，坚守待援，定有出路。徐师长、俞参谋长，你们上阵地去，给弟兄们打打气！"

布置完任务，左世允哼起了好久不曾哼过的小调，在指挥部里踱起步来，这是自解放军围城以来，左世允心情最好的一刻。但没过半个小时，前方传来报告：东南城角魁星楼附近的城南段和南城东段，发现解放军正在挖掘地道各一处，地道已快伸入到城脚下！

"啊！"左世允转过身，脸色惨白。

左世允经历过抗日战争，当年中国远征军在云南松山，就是用挖地道的办法，在地道里装满炸药后将日本人在松山上构筑的久攻不下的据点一锅端掉的。现在解放军也用起了坑道爆破战术，并且地道已伸到城下，这太危险、太可怕了！左世允刚才的兴奋心情一扫而光，霎时间就惊得满头大汗。

使用坑道战术之前，我野战军在2日黄昏时曾强行攻城，但因云梯太短、城墙太高、敌火力太猛，并且暗火力点太多，遭到失败。彭德怀赶紧下令，停止强攻，改用坑道爆破，把任务交给了一纵独1旅。旅长王尚荣挽起袖子，亲自督阵坑道工程，至左世允发现之时，坑道作业已完成近70%。

我野战军在城外地面下正酝酿着一个巨大的死亡威胁，恐慌再一次袭卷了榆林全城。高凌云特务排的一个士兵突然神经失常，大喊"八路军挖开地洞了"，榆林城里一时间风声鹤唳，草木皆兵。混乱的局面令左世允再也无法控制，他又一次次向邓宝珊发出哀鸣，似乎破城在即。邓宝珊远离榆林几百里，也无能为力。

左世允想方设法破坏解放军的坑道作业，却始终找不到解放军坑道作业的准确地点而收效甚微。

我独1旅分"三班倒"昼夜不停地实施坑道作业，到8日上午，在城东南魁星楼附近完成了长达60米和120米的坑道作业，坑道里炸药堆得像小山一样，形成了足够的爆炸威力。

11月8日夜，月色朦胧，万簌俱静。

入夜11时，彭德怀下达了第二次攻城令。

我军炮兵部队集中火力猛轰榆城守军，独1旅爆破部队迅速点火，随着两声巨响，整个榆林城地动山摇，城内国民党军军心动摇。

为防止爆破产生的冲击波，我军突击队2团1营配置比较远，一团浓黑的烟雾升起后，才看清城墙炸开了一个长20米的缺口。1营迅速出击，喊杀着向缺口冲去。榆城守军也发现了这个缺口，立即组织火力进行封锁，刹那间千万发炮弹从全城的四面八方射来，密集的火力网把那个缺口封锁得严严实实，1营冲击了好几次，都被猛烈的火力挡了回来。营长报告："火力太猛，无法突破！"

彭德怀直跺脚："怎么搞的嘛！突击队配置那么远，怎么搞的嘛！"

王尚荣也大发雷霆，辛辛苦苦挖了四五天的坑道，冒着巨大的风险炸开那么个缺口，却在几分钟时间里被敌人用火力封锁。他操起电话把2团团长狠狠地训了一顿。彭德怀阴沉着脸："不要骂人了，继续坑道作业，再行爆破攻城！"

坑道还没挖好，邓宝珊来了，带着暂编第17师约6,000余人，由三边、包头出发增援榆林。

马鸿逵的援兵也来了，浩浩荡荡3万多人！

本来马鸿逵是不想出兵的，开始以各种借口拖延观望。后来在蒋介石的一再催促下，准备派整编第18师暂编第9旅，再加两个团去应付一下。但暂9旅旅长卢忠良建议："解放军善于围城打援，去的部队少了，会被吃掉。要去就多去点，否则不但不能完成任务，对整个宁夏的影响也不好。"

马鸿逵还是犹豫不定。恰在这时，傅作义来了。马鸿逵满腹狐疑，不知道傅作义葫芦里卖的什么药。傅作义拍拍马鸿逵厚实的肩膀，笑着说："少云

兄，我给你提建议来了。"马鸿逵还是一脸戒备："宜生老弟，有话就直说。"傅作义一拍手："好！"喝了一口水："少云兄，宝珊与共产党的关系你是清楚的，但解放军还是要打他，上次在三边把你赶走后不是趁胜追击，而是掉头打榆林。打一次还不够，这次又来了。为什么，老兄你想过没有？"

马鸿逵摇摇头，眼睛直盯着傅作义。傅作义在屋里踱着步子，故意卖了会儿关子，把马鸿逵的胃口调得老高才说："你没想过，我来告诉你吧！解放军不是不敢打你，也不是没有力量打你，而是榆林在后面，有威胁。所以他们先要消灭进攻宁夏的腹背威胁！榆林和宁夏是唇亡齿寒的关系，榆林不保，宁夏危急！等解放军拿下榆林，下一个目标就是你！"傅作义突然转身，一脸严肃，右手直指马鸿逵。

马鸿逵眼角跳动了几下，身子也似乎在抖动，而心里在问自己："有这么严重吗？"

傅作义调整了一下语气，坐了下来，头倾向马鸿逵继续说："榆林是委员长封锁陕甘宁北大门的一座堡垒，也是连接你我的一座桥梁，其军事地位怎么估计也不过分！胡宗南现在被打怕了，自顾不暇，西北的局面，靠他恐难再维持下去。马步芳那边，一向与你争宠争功，事事想走在你前面，上次在合水打那么一仗，大吹大擂什么'合水大捷'，出尽了风头。现在榆林危急，但并不意味着榆林就不堪一击，上次解放军久攻不下就是证明！你派出两万人马由西向东袭击解放军的侧背，我再派点部队正面出击，榆林之围就可迎刃而解，你宁夏的地位、你'马家军'的实力，就可以一战见分晓！可以说，现在正是你为党国立功的时候，正是你超越胡宗南、超过马步芳的绝好时机！"

傅作义有意停了停，起身望着屋外起伏的群山，放慢了语速："但你仍然在观望、在等待。你这样下去，不仅要丢掉宁夏，还会丢掉自己的一世功名！"

马鸿逵呆呆地坐在那里，内心似乎有万马在奔腾。孤城榆林还有这么多文章可做，难怪委员长死保不放！

再撤榆林

傅作义走后，马鸿逵迅速召开了一个军事会议，把傅作义给他讲的话给自己的部下讲了一遍。他赌出了身家性命，令次子马敦静担任指挥官，率领

★ 榆林外围作战中，马鸿逵部3万余人来援，我军在榆林西北元大滩的沙漠地带进行阻击。

暂编第9旅旅长卢忠良部3个团（附保安第2团）、整编第168旅旅长马光宗部3个团（附保安第5团）、宁夏保安部队一纵队马全良部2个团，及其长子马敦厚整编骑兵第10旅3个团，加上炮兵、骑兵、工兵营总计共3万多人，在"增强三边防务"的名义下，于11月7日向榆林开进。

不过，老谋深算的马鸿逵还是留了一着。傅作义的话固然好听，但万一遇到实战，弄个全军覆没，或者损兵折将，那他岂不是一败涂地？所以，马敦静、马敦厚兄弟俩出征之前，马鸿逵特地交待："能打就打一下，不能打就退回来。在保存自己的前提下去消灭共军！"

马敦静第一次带领大兵出征，路上又未遇什么敌情，心情颇为舒畅。11日，马敦静接到蒋介石用飞机空投给自己的一封亲笔信，声称"此次援榆，关系西北全局和贤世侄（指马敦静）父子前途。"马敦静读信后，心中更是一阵沸腾，脑子里已经浮现出了援榆成功后榆林军民热烈欢迎自己的场面。

马敦静率部继续前进，突然得到报告，说碰到解放军一个侦察分队，从打死的军官身上搜到一封信，信上说："马匪到达巴兔湾一带的只是骑兵一部，已停止前进，似再不敢东犯。"

★ 在元大滩打援战斗中，我机枪手向逃敌射击。

★ 在元大滩战斗中，我军俘虏马鸿逵部官兵之一部。

"不敢东犯？给我加速前进！"马敦静完全让乐观的情绪冲昏了头脑。

马匪部队加速前进，12日赶到了榆林西北60公里的元大滩。到了元大滩，仍然没见到解放军的动静，马敦静更加胆大起来，又令部队继续东进。但东出元大滩不足10公里，在野茅滩这个地方，遇到了解放军的阻击，双方立即展开了激战。

解放军部队是358旅的714、715团。西野司令部前天得到邓宝珊带着暂17师已抵五道河子、孟家湾一带的不实情报，害得部队主力向北扑了个大空。这次又听说马敦静率部前来，就派714、715团去摸摸情况，还真一下子就跟马敦静的部队交上了火。

马敦静一直害怕解放军围城打援，一遭遇上714、715团，神经立刻紧张起来，还向胡宗南直喊，要求飞机参战，两个小时后，胡宗南的3架飞机到了。

马敦静有点小题大做了。黄新廷、余秋里并没有要714、715团在这里跟马敦静一拼高低的意思，等基本上摸清马敦静的虚实后，两团就主动向后撤退了。马敦静也很知趣，下令部队后撤到元大滩，构筑野战工事。

彭德怀神情严肃，摊开地图看了很长时间，然后沿着马敦静、邓宝珊率兵来援的路线在地图上画下了两个锐利的箭头。彭德怀端起茶杯喝了口水，又把目光落在了地图上的元大滩。从榆林出发，他又画下了三个箭头，直指元大滩，分别标上一纵、三纵、六纵。彭德怀下定了决心，少量部队继续围城，主力西出歼灭马敦静部。

13日黄昏时分，西野主力从北、西、南三个方向同时向元大滩马敦静部展开了攻击。

马敦静完全被这突如其来的变故吓得不知所措，侦察兵报告，解放军一共有8个纵队。8个纵队，这还了得！这岂不是马家军的好几倍！

前方阵地的枪炮声已越来越急促，战况报告也不断送过来。卢忠良的正面阵地战斗最激烈，解放军发起了好几场冲锋，现在已冲到阵地上来了，两军已展开肉搏，亮起了刺刀。而北面马光宗的阵地上，也是炮声隆隆，据点已被解放军夺走好几个。还有南面，战局也似有支撑不下去的迹象。

马敦静坐在指挥部里筹划着怎样配置兵力，忽听外面枪声大作，不禁一阵紧张。他所在的位置可是核心阵地，难道解放军冲到这里来了？他心脏狂跳不止，哆哆嗦嗦起身外出，只见阵地上自己的士兵在互相对射，而又没有

解放军冲上来，显然这是一场误会。事后查明，第168旅第502团营长李寿春的马脱缰，饲养兵追马过来，阵地守军连问口令不答，因而开枪射击，于是自己内部瞎打起来。

"乱弹琴，真他妈的乱弹琴！"马敦静恶狠狠地甩手就骂。

激战仍在进行，马敦厚的骑兵已溃退下来。马敦静不禁向大哥怒喝："叫骑兵顶住，立刻顶住！"马敦厚也不是省油的灯，坚持说骑兵夜间不能独立作战。前方炮火纷飞，兄弟俩争吵不休。这时候，步兵也开始溃退下来，一连接一连的，止都止不住。但先前叫胡宗南派来的飞机又不见踪影，叫左世允派兵出城在元大滩夹击解放军，左世允的兵也未到。难道就这样眼看着部队被解放军吃掉？

到14日中午，马敦静已明显感到力不从心了。他犹豫再三，决定向老父亲报告一切。他本来和其他人约定，不到万不得已，是不向父亲报告战况的，免得他在千里之外独自担心。

马鸿逵二话不说，立即给左世允发了封措辞激烈的电报："我派我的两个儿子，率领我所有的部队前去为你们解围，但总不见你们的队伍出击，我才明白我是上了你们的当！"

左世允也是一肚子的苦水，队伍已被解放军打得七零八落，根本找不到一个完整建制的连队。收到马敦静的电报后，他东拼西凑，终于组织了差不多一个团的人马，但刚刚到城门口，解放军队伍就冲了过来，不得已又退了回去。这回收到马鸿逵的电报，只好又组织了一团人马，由杨仲横率领，冲出城去。

战斗进行的这几天，彭德怀一直寝食难安。部队在沙漠地带连日作战，风餐露宿。虽谈不上饥寒交迫，但肚子一直是没填饱的。榆林城攻了十多天，没攻下；元大滩攻了两天，也没拿下。各部队报上来的伤亡统计已达4,000多人——这是西北战场从来没有过的！眼下邓宝珊率着6,000多人一步步朝榆林开过来了，杨仲横团也来了。再坚持下去，势必要付出更多的牺牲。

面对严峻形势，彭德怀权衡利弊后再次命部队撤出了榆林。

历史碎片
LISHISUIPIAN

D大拼接
DAPINJIE

☆ 国民党窘境中的挣扎

1947年6月，在国统区的四川，国民党进行了反共大搜捕，当时的四川省主席邓锡侯宣布在成都实施全城戒严，派出军警搜捕共产党、民主党派和亲共人士。知名人士田一平、杨伯恺等68人被逮捕。《华西晚报》等新闻机构被捣毁。蒋介石此举最根本反映出一个"怕"字，但更多反映的是一种穷途末路的窘境，这也标志着蒋介石离失败已经不远了！

☆ 将革命进行到底

中共中央于1947年10月27日发出《必须将革命进行到底》的指示："在我军反攻胜利发展中，全国各阶段、各党派必须考虑自己的立场，计算将来出路，蒋介石集团自己及美国主子也必须预筹退路。"针对三分天下等言论，指示说："我们必须彻底宣传新民主主义的思想和政纲，反对一切不彻底的资产阶级妥协思想或改良主义政纲。只有动员全中国绝大多数人民站在我解放军双十协定的主张上，并彻底实行之，才能真正摧毁大地主大资产阶级的反动统治和消除帝国主义的侵略。此指示不仅是对以前胜利或失利的概述，更是对将来行动目标的一种预见与展望。

☆ 冯玉祥宣布与蒋介石决裂

1947年10月10日，冯玉祥在美国纽约召开记者招待会，希望美国政府不要再干涉中国内政和以军援借款援助国民党政府。晚上，冯玉祥出席在哥伦比亚大学教职员俱乐部举行的中国学生欢迎庆祝会上还表示：中国今天的形势，就好比1927年北伐大革命成功的前夜，只要各党各阶级一切民主的力量精诚团结，我们便可以促进民主胜利的更早到来。同年11月5日，美国《民族报》发表冯玉祥《我为什么与蒋决裂》的谈话，冯说，蒋介石政权是中国所有腐败政府的顶峰，外国的金钱是无法使它免于垮台的。

358旅发明的"诉苦三查"教育形式，迅速在西北野战军里传开了。战士们控诉、算帐，终于找到了自己受苦受难的根源所在。蒋介石作为地主老财们的总头子的本质，被战士们彻底认识。"打倒蒋介石，解放全中国"再一次响彻整个陕北高原，成为一个最有战斗力的口号。

根据中央"十二月会议"和西野前委扩大会议精神，彭德怀决定西野出击陕中，钳制胡宗南兵力，配合刘邓、陈谢、陈粟经略中原。

第四章
"诉苦三查"，士气高涨南出陕中

诉　苦

西伯利亚寒流掠过鄂尔多斯草原到达陕北后，黄土高原又恢复了它本来的颜色。彭德怀端碗野菜糠粥，在一个土围子上足足蹲了一个小时。他望着远处光秃秃的山峦，心里也油然而生出一种荒凉。两次攻打榆林都没成功，这在他心里形成了一个巨大的疙瘩。4,300余人的伤亡，这个数字是彭德怀无论如何也不能接受的。3月初西华池一仗伤亡1,300人，他就拍过桌子骂过人。而今天，一下子搭进去4,300多人。彭德怀认定，这是自己犯的一个大错误。在后来《关于陕北九个月作战的基本总结》中，他说："十月打了清涧后，应该休整南下，但犯了一个错误，去打榆林。"在20年后他写自述的时候，对榆林一仗还是不能忘怀，还是坦言这是一个错误。榆林两攻不克，说明榆林非急功能下！

这一仗，彭德怀在感情上打得也很痛苦。当时粮食奇缺，西野战士都是饿着肚子扛枪上战场的。11月22日，彭德怀、张宗逊致电军委说：三纵队，

4、6团，五日来未得一顿，战士们饿得哭。为了充饥，马杀光了，骡也杀光了，战士饿得实在是没有办法。天气也已经冷下来，好多战士只穿一件单衣，冻不过了，就从死尸上扒下衣服来御寒。这等状况，让彭德怀心里难受极了。用"饥寒交迫"来形容当时西野战士的状况，一点也不为过。

彭德怀蹲在土围子上，苦涩地回忆着这些，心里像打翻了五味瓶，不知道是啥滋味。不过，真正令彭德怀寝食难安的，还是这支部队的人员素质和阶级觉悟。近9个月的作战，没有补充解放区的新兵，补充的都是俘虏，即俘即补。由于俘虏的大量补充，使俘虏兵在整个野战军中的比重急剧上升，普遍达到70％，个别团营甚至达到80％。这样一来，问题就出来了。

当时对俘虏兵有一个特定的称呼，叫"解放战士"。余秋里说他们旅714团2营4连有个解放战士，叫路新理，是蟠龙被俘解放入伍的。见夜行军走山路，他就说"钻山沟，走夜路，和土匪一样"。发了一顶新帽子，因为式样不大好看，他见没人就扔在地上踩，边踩边骂"他妈的什么破烂玩艺，老子不戴"。发的津贴是边区票子，他转身就撕了。打环县时见了国民党的俘虏，他上去声色俱厉地说："你他妈拿的是枪，又不是木棍，为什么不抵抗就投降？"打榆林时，他畏缩不前，头埋在泥土里，不瞄准就乱放枪……

余秋里说这件事的时候，彭德怀一直皱着眉头："还有这种事啊！？"

"当然有这种事，路新理还仅仅只是'解放战士'中的一个典型。部队里解放战士思想不稳定，'吃谁家粮就当谁家兵'的雇佣思想特别严重，贪生怕死、违反纪律、喊苦喊累，甚至阳奉阴违、打滑头仗。现在，不听班长指挥的多了，新老战士吵架的多了，解放战士和子弟兵不和气的也多了。还有什么谣言，'共产党先甜后苦，打起仗来拿俘虏兵顶头阵'。打榆林的时候，滑头兵多得不得了……"

彭德怀突然想到了"乌合之众"这个词，但没有说出口。是啊！80％的国民党俘虏，怎么会没有问题呢？要是哪个国民党军官混在里面，串通一些国民党俘虏战士，来一场"兵变"都是有可能的呀！

彭德怀心事重重，问余秋里："有没有什么好法子？"

"有！"余秋里响亮地回答："我们旅714团2营就是一个典型。在山西打下卓资后，他们营补充了一批解放战士。开始这些解放战士狂妄得很，被我们俘虏很不服气，说我们'打仗不正规，总是偷偷摸摸地干'，还说'要是摆开阵势干，还不知道谁俘虏谁呢！'为这些问题，经常和子弟兵争论，有

些时候甚至还动手，很不和气。营教导员夏伟同志很关心解放战士，问寒问暖，行军中还让老兵和子弟兵帮他们背东西。一个解放战士很感动，很动情地对夏伟说，'我们在家里受地主老财的欺负，在国民党队伍里，又受长官的打骂，还挨过拳头，也挨过鞭子。没想到，共产党队伍里的长官这么好。虽然缺衣少食的，但我们心里舒服！'夏伟从中受到启发，立即在全营搞了一个诉苦活动，让大家把心里的苦，在家的苦、在国民党队伍里的苦说出来。一诉苦才知道，几乎所有战士都出身贫寒，在家里受尽了地主老财的欺负折磨。解放战士大部分都是被国民党抓丁抓过去的，都挨过国民党军官的耳光和皮靴，重的还挨过鞭子。而到我们这里后，不仅没挨过打，还经常受干部的照顾。这样一对比，一诉苦，效果就出来了。解放战士战斗积极性上来了，和子弟兵关系也好了。后来2营的经验在全团推开，效果非常好。在后来的历次战役战斗中，714团都冲锋在前，屡立战功。"

彭德怀不断地点头，连说："这个好，这个好！这个要在全军推广！"

这一天，他躺在床上思考了一夜，决定搞一次长时间的整训，就根据358旅的经验，从国共两军的对比教育入手，以诉苦的形式，引导战士挖掘造成他们苦难的根源，再结合土改的纪律教育，搞一次轰轰烈烈的整军运动。

11月29日，彭德怀把西野旅以上首长叫到一起，把任务布置下去了。

余秋里心里沉甸甸的，他们旅解放战士的问题最多，在某种程度上来说，这场诉苦运动，也是他们旅首先搞起来的。整训刚刚开始，他就带着政治部宣传科科长杨浩到了714团。刚刚坐下，团政委就告诉他，诉过苦后，就在昨天晚上，那个有名的"解放战士"路新理趁其他战士睡着了，半夜里悄悄爬起床，拿着一大包东西往外跑。连指导员以为他开小差，就悄悄跟上了。跟到一个山沟里，只见路新理掏出一个木牌牌插在土坑上，又点燃几根蜡烛和供香，磕了3个响头，又是喊爹，又是喊娘，一边痛哭一边诉说起自己的那本血泪史。路新理的哭喊声触动了指导员，也让他想起了自己的血泪史，再也忍不住，上去与路新理抱在一起，哭了大半夜。后来路新理告诉指导员，他平时在连里表现不好，又是国民党的俘虏兵，他怕把自己的血泪史说出来得不到同志们的同情，才跑到外面来哭的。

"好呀！走，到2营去，我们都去听路新理诉苦去！"听说路新理都被感化了，余秋里兴致特别好。

余秋里一行赶到路新理所在部队时，诉苦会正在进行当中，轮到路新理

★ 在新式整军运动中，从国民党军解放过来的战士何八学，在诉苦大会上控诉地主和保甲长残酷压迫、剥削他家的罪行。

发言时，还未开口，路新理眼泪就跑出来了。战友们同样的遭遇早已经触动了他隐藏在内心深处的那段伤痛。路新理的老家在山东曹县，有一个小妹妹。父亲给地主当长工，自己稍大点后也帮着打短工。父子俩一年累死累活还养不活一家人，后来父亲硬是被活活累死，死后穷得连买草席送葬的钱也没有。草草掩埋了父亲，就和母亲、妹妹一起逃命到了晋南的夏县。为了活命，他去给一家盐场晒盐。因为穷，连鞋也没有，常年光着脚干活，时间一长，脚就被盐汁沤烂了，痛似万箭钻心。但为了母亲和妹妹不致饿死，他还是咬着牙干下去了。母亲饿病交加，不久就离开了人世。从此，他就和妹妹流浪乞讨，相依为命。一次拾破烂回来，路过母亲的坟头时，内心的伤痛再一次爆发出来，就和妹妹趴在母亲的坟头痛哭流涕。正在这时，一群如狼似虎的国民党兵路过，不由分说把他抓走了，从此当上了国民党的兵。

路新理泣不成声地说："现在我还记得，国民党兵把我抓走的时候，我妹妹又喊又哭的情景。我给他们下跪，给他们磕头，但国民党兵根本不理不睬。现在几年过去了，也不知道我的妹妹在哪里，她是不是还活着……"说到这里，路新理再也说不下去，嚎啕大哭起来，嘴里直喊着"妹妹，我的妹妹"！

★我军某部在"吐苦水""挖苦根"之后，举行复仇宣誓，决心为全国的被压迫者复仇！

　　在场的所有同志都流下了眼泪，余秋里也不例外。

　　哭了一会儿，路新理用袖子把眼泪一抹，抓起枪往上一捣，说："我现在明白了，是谁让我这么苦！我也明白了，我手里的枪要打谁！以后我要好好打仗，为我的父亲母亲报仇！等打完仗，我还要去找我的妹妹！"

　　会场响起了热烈的掌声！

　　干部战士们都是穷苦人出身，都受过地主老财的欺负，解放战士也都挨过国民党的皮鞭。同样的出身，同样的遭遇，把他们的心紧紧地联系在一起。他们深埋在心底的那些悲惨记忆，此时此刻也渐渐清晰起来。路新理讲完之后，干部战士们又一个接一个地走上台去发言，声泪俱下，痛哭流涕，内心深处那一段悲伤的情感，像火山爆发一样，无法阻挡。

　　如果说在此之前他们因为不断打胜仗而欢欣鼓舞的话，那么，在此之后，整个西北野战军里就充满了一种别样的感情。

一场使西北野战军精神面貌为之一变的整训教育运动，就在这样"句句血、声声泪"的控诉中轰轰烈烈地开展起来了。

"三　查"

毛泽东边抽着彭德怀送来的"战利品"边听着彭德怀关于西野整风运动的汇报，他的眼角也湿湿的。显然，他也被感染了。良久，他把那还剩半截的烟猛吸一口，吐出一团浓厚的烟雾，狠狠地掐灭烟头说："诉苦，诉什么苦？就是诉地主阶级给予劳动人民的剥削之苦，诉国民党反动派给予士兵群众的压迫之苦。通过诉苦，达到深入的阶级教育之目的。"说完，又点了一支烟，转头对彭德怀说："老彭，这种教育形式很好，激发了同志们的阶级感情。但还要深入下去，把诉苦作为一个切入点，让干部战士们彻底认识到反动派的剥削本质，并自觉地拿起武器跟反动派作斗争。"

认识反动派的剥削本质是从算帐开始的。

716团战士张学成边说边算："我和另一个长工给地主种了140坰地，每坰地大概产粮7斗。"其他战士帮他一算，140坰地每年产粮98石。每个长工生产49石，折合细粮24石5斗。

有战士问张学成："你一年工钱多少？"

张学成说："我一年的工钱在当时可以买7斗米。"

"那种子、牛工及其他开支呢？"

"大概10石。"

一算，大家明白了。张学成辛辛苦苦干一年，被老财剥削了12石8斗米！张学成干了三年，一共被剥削38石4斗！

连里的文书王生福接着说："地主的剥削还不止这些。他们手里的钱又不是死的。每年青黄不接的时候，就拿出去放高利贷。一石要还一石半，息钱也要算利。这样利滚利，息滚息，滚得长工根本就还不起。这样下去，老财们吃香的喝辣的，而长工一年累到头，不仅一个子儿赚不到，还欠下老财们一屁股的债。偶尔老财们开恩了，给长工一个铜板，长工还要下跪磕头，感恩戴德！把自己卖了还在给他们数钱！"

这一帐算下来，气得战士们个个挥着拳头喊打，打死那些狗日的地主老财们。

团领导不失时机地给战士们提了一堆问题。"为什么各处的地主都这么坏，心都这么黑？""为什么天下的穷人都这么苦？""为什么共产党要分土地，要打地主，而国民党蒋介石不让，要跟共产党打内战？""我们为谁当兵，为谁打仗？"当时连里还有个战士叫刘四虎，他父亲受地主欺负，把状告到县里。但县里的老爷们却说刘四虎父亲是刁民，判他赔地主10石米。连里针对这个问题又提出"刘四虎的父亲为什么打不赢官司"？

很简单的问题，却包含着穷人为什么受苦、地主为什么能作威作福的答案。战士们说呀，谈呀，讨论呀，分析呀，像剥树皮一样，把地主阶级的剥削本质层层剥开。说到动情处，他们抱头痛哭，彻夜难眠，终于把他们受苦受难的根源挖到了。原来，蒋介石就是地主老财们的总代表，蒋介石的军队就是地主老财们的保护伞。不打垮蒋介石，穷人们永远翻不了身；不打垮蒋介石的军队，地主老财们就会永远作威作福！

"打倒蒋介石，解放全中国"的口号，再一次在战士们中间响起。但这一次响起时，它不再仅仅是一个政治口号。此时，它已经是战士们肺腑里喷发出来的强烈呼声，也是他们从心底里喊出的最迫切要求！通过诉苦，通过算帐，蒋介石的反动面目终于被战士们彻底认识！

这真是一场伟大的整军运动，惯于发号施令的反革命总头子蒋介石，是永远也学不来的！

诉过苦，算过帐，彭德怀又出了一招："三查"，查阶级、查工作、查斗志。"要查别人，也要查自己。一定要把以前存在的贪生怕死、畏缩不前、阳奉阴违、违犯群众纪律的问题查清楚！"

一查，358旅就查出了问题。715团6连战士刘登旺和王金盛是清涧战中一起解放入伍的，王金盛表现不好，经常找刘登旺，还指使刘登旺暗中捣乱。听了战友们声泪俱下的控诉，刘登旺也想起了自己的苦难。他从人群中站起来，脸色发紫地说："国民党把我抓了丁，像犯人一样被送到陕北。当官的怕我们开小差，白天像蚂蚱一样，10个人拴着胳膊连一串，拖着绳子走。从延安到清涧，当官的让我一个人挑4箱子弹，走不动，当官的就在后面一步一棒子。最后，我累得晕倒了，当官的……"说到这里，他发疯似地指着王金盛，说："就是他，这个狠心贼，把我推到山沟里……"后来搞清楚，王金盛

★ 在"三查""三整"运动中，我军广泛开展批评与自我批评，以提高政治思想水平。我军某连为改进工作方法，请战士给干部提意见。

★ 在查思想活动中，战士们互相帮助，弄懂为谁扛枪、为谁打仗的道理。

★ 经过诉苦和"三查"，战士思想觉悟大大提高，纷纷表示：不打倒蒋介石，决不罢休。

是国民党的排长，家是襄城县的大地主。在清涧被俘后，他要刘登旺串通几个解放兵拖枪投奔国民党，还说不干就杀了他全家。"共产党先甜后苦"的话也是他说的。

刘登旺这一被"查"，查得原来思想有这样或那样问题的解放战士们心里不安起来。夜深人静的时候偷偷找到连长、指导员谈话，一边哭诉自己的悲惨遭遇，一边作检查，有的还写下了请战血书。

西北野战军的"三查"活动就从这里开始，后来一直查到工作、经济、纪律、领导、党支部的作用，等等，无所不查。查出了隐藏在队伍中的敌伪军官、阶级异己分子、自首变节分子和企图组织投敌逃跑分子……

关于"三查"的作用，时任358旅政治委员的余秋里后来是这样说的："经过群众自觉的三查，解决了许多长时间没有解决好的问题。干部战士立场更加坚定，斗志更加旺盛；新兵与老兵、子弟兵与解放兵、干部和战士、党员和群众之间更加团结；党在群众中的威信更高了。部队中涌现了大批积极分子，不少同志订出立功计划，写了入党申请……达到了审干和整党的目的。"

"十大军事原则"

一场大雪染白了整个黄土高原。

彭德怀和张宗逊各骑一匹好马,踩着皑皑白雪,迎着12月的寒风向米脂杨家沟缓缓而行。他们去那里参加中共中央扩大会议。中央是11月22日迁移到杨家沟的。杨家沟是米脂县东20公里外一个较大的山村,原来是一个地主的庄园。这里不通大路,偏僻安全,保密性好,房子又多,中央就在这里驻扎了下来。在陕北转战8个月,居无定所,到了这里,才得到一个比较安定的环境。

骑在马上,望着高山,彭德怀第一次发现平日里光秃荒凉、飞沙走石的黄土高原,在鹅毛大雪的覆盖下,景色竟然如此不同凡响。置身在这个白色的世界里,彭德怀突然感觉到自己的心也跟着纯净起来。我们的彭老总平时一直领兵打仗、南征北战,经历的都是暴风骤雨、刀光剑影,现在有这样的感觉,足见彭德怀意志能横刀立马、情感也能细腻如水。

望着远处高低起伏的山峦,彭德怀不禁轻声念起了毛泽东的《沁园春·雪》:"北国风光,千里冰封,万里雪飘。望长城内外,唯余莽莽;大河上下,顿失滔滔。山舞银蛇,原驰蜡象,欲与天公试比高……"

"词写得好,祖国的河山也好啊!"彭德怀不禁发起感慨来。

榆林战役的阴影在彭德怀心里已经散去,此时,他只记得四个字——"诉苦三查"。

先前,彭德怀带着政治部主任甘泗淇到了358旅,搞了三天的调查研究。他们听了战士们的诉苦,也看了战士们如何清算地主老财们的剥削帐,还参加了"三查"会。这个由358旅首先搞起来的整军运动,此时在彭德怀的心里已经有了相当的分量。天气很冷,但他心里一点都不冷。战士们那些发自肺腑的检讨书、按着手印的杀敌请愿书,还有那些"声声血、字字泪"的诉苦场面,在他脑海里怎么也挥之不去。他不曾想到,二败榆林后,在这个寒冷的冬季,西北野战军会有这么大的收获,会有这么一个泪洒陕北的场面。

在358旅的三天,彭德怀一直心潮起伏,情感难抑。彭德怀也是穷苦人出身,受过地主老财的剥削,也挨过地主老财们的鞭子。听得动情的时候,他

也是泪流满面。他扭头对余秋里说："翻身农民参军的子弟兵，受地主老财的剥削压迫，只受过一重苦；俘虏过来的解放战士，绝大多数是贫雇农，他们在家受地主老财剥削压迫，在国民党军队又受压榨打骂，受的是双重苦。"

回想着这些，彭德怀现在还有些情绪难抑，他与张宗逊走在人迹未至的雪地里，感觉自己正在走进另一片天地。

那边彭老总为"诉苦三查"感怀，这边毛泽东、周恩来、任弼时一边烤火，一边也在说着"诉苦三查"。

"听说西野的'诉苦三查'现在搞得有声有色，尤其是那个358旅，战士们诉苦都诉得痛哭流涕呀。"周恩来说。

"是的。"毛泽东拿一根木棍，边拨着火边说："老彭说，那个场面，谁见了谁都要哭。他就哭过！"

"彭老总一向不苟言笑，严肃得很，他都哭了。要是主席您去了，那就哭得更厉害喽！"任弼时打趣地说。

"哎！咱们中国老百姓真是太苦了，哪个穷人家里没有一本血泪史！逼良为娼、草菅人命，到处都是呀！1937年我们的老朋友斯诺到陕北来的时候跟我讲，他说他刚到中国的时候，几乎不敢相信中国这个世界文明古国会是这个样子！我问，那在你的想像中，中国应该是个什么样子呢？他说，中国应该很富饶，物产丰盈，可现在到处都是要饭和饿死的人。我说，中国是很富饶，但被帝国主义者和中国的反动统治集团搜刮完了，我们穷人现在连草根树皮都吃不上，当然只有要饭了，要不到就会饿死！你说，我们不革命，谁来救我们……"

毛泽东的一番话说得周恩来、任弼时直点头。毛泽东又拨了几下，火烧得更旺了，映得他们三人脸颊红扑扑的。

短暂的沉默中，彭德怀掀帘子进来了。

"我们刚才还在说你呢！你就来了。真是'说曹操，曹操到'！"周恩来用棍子拨了一下柴禾，火扑扑地烧了起来。

"说我什么？"彭德怀抖了抖身上的雪，脱了大衣。

"'诉苦三查'呗！老彭同志，你又立了一大功啊！"毛泽东侧过脸说。

"主席过奖了！我们只起了批准作用，具体是358旅搞出来的。"每次受到表扬，彭德怀总会像个害羞的小姑娘，脸颊飘红，这次也不例外。

"不管怎么说，这都是你们搞出来的！我们从中央苏区起，就想找到一个

XiangGuanLianJie
DaSaoMiao

☆ 人民解放军推广"诉苦"经验

东北民主联军总政治部将《辽东三纵队开展诉苦运动经验》向中共中央军委和总政治部作了报告。其主要内容是：部队诉苦运动，提高了对土地政策的认识，已形成一个轰轰烈烈的普遍运动。主要经验：一、打通糊涂思想，认清土地政策；二、检查糊涂观念，查阶级、查思想、查立场、审查与研究成分；三、干部带头诉苦、启发战士；开展一条心运动，挖苦根、吐苦水；部队诉苦与农民诉苦结合起来。四、组织工作队，实际参加土地改革运动。毛泽东对此报告作了亲笔的修改，并批转人民解放军各部队。要求各部队今后还应继续开展，以提高部队的阶级觉悟，一心一意为人民服务。此报告对部队建设与发展起了巨大的推动与互助作用。

教育俘虏兵的好形式，这次'诉苦三查'的办法把这个问题解决了。"毛泽东手一挥："358 旅情况现在怎么样？"

彭德怀应声而答：

"形势很好，教育正在深入。好多战士写了请战血书。我来的时候，黄新廷、余秋里跟我说，战士们热情很高，现在已经拉到外面搞起了战斗训练。战士们拿着刺刀战风沙、战大雪、战严寒，几乎没有什么可怕的。这股子训练热情，是从来没有过的！"

"很好嘛！就要这种效果！"毛泽东比谁都兴奋。周恩来、任弼时也跟着鼓起掌来。

这次被称为"十二月会议"的中央扩大会议，就是在这样的喜庆气氛下召开的。会议从 12 月 25 日开到 28 日。毛泽东作了《目前形势和我们的任务》的长篇报告，第一次提出了"十大军事原则"。

回到住处，彭德怀把毛泽东的报告看了又看，尤其是"十大军事原则"这一部分，彭德怀为毛泽东的雄才大略所折服。毛泽东不愧是一位军事实践家，还是位军事理论家。彭德怀把这十大军事原则择其要点，写在了自己的笔记本上：

1、先打分散和孤立之敌，后打集中和强大之敌。

2、先取小城市、中等城市和广大乡村，后取大城市。

3、以歼灭敌人有生力量为主要目标，不以保守或夺取城市和地方为主要目标。

4、每战集中绝对优势兵力，四面包围敌人，力求全歼，不使漏网。

5、不打无准备之仗，不打无把握之仗。

6、发扬勇敢战斗、不怕牺牲、不怕疲劳和连续作战的作风。

7、力求在运动中歼灭敌人。

8、在攻城问题上，一切敌人守备薄弱的据点和城市，坚决夺取之；一切敌人有中等程度的守备、而环境又许可加以夺取的据点和城市，相机夺取之；一切敌人守备强固的据点和城市，则等候条件成熟时然后夺取之。

9、以俘获敌人的全部武器和大部人员，补充自己。我军人力物力的来源，主要在前线。

10、善于利用两个战役之间的间隙，休息和整训部队。

这十条，就是解放军打败蒋介石的方法，是人民解放军在和国内外敌人长期作战的实践中总结出来的，并完全适合解放军当时的情况。蒋介石在这年的7月17日也发布了国军的"作战四大守则与六项要目"。这么个东西，早被中共地下党员搞到了手。"四大守则"是积极进攻、迅速行动、注意火网之构成和夜间行动；"六项要目"为搜索、警戒、侦察、掩护、联络和观察。彭德怀翻出来看了看直摇头，与毛泽东的"十大原则"比起来，不知道逊色到哪里去了！

出击陕中

彭德怀收起各种文件，准备回野司去，这时候毛泽东来了。

"老彭，就走啊？"

"坐不住啊！你这个'十大原则'要好好学习，好好研究，还要跟干部们传达。"

"不着急嘛！还有时间呢！"毛泽东在彭德怀的窑洞里转了两圈："你们还是开个会吧，把前几个月的作战情况好好总结一下，还有这个'诉苦三查'

运动，也一起总结。在这里的干部都参加。就叫'西北野战军前委扩大会议'。怎么样？"

彭德怀转过身："好哇，我正准备回去召集旅以上干部开个会呢！"

"别回去了，就这里开，我们也参加。"

"好！好！"彭德怀放下手中的东西，为毛泽东搬了把凳子："搞这么隆重啊！"

"你们立了大功，再隆重也应该嘛！不坐了，我还有事。"毛泽东转身出了门，又扭过头说："就这么定了，你们好好准备一下。"

1948年1月7日，西北野战军前委扩大会议在米脂杨家沟召开，这个会议后来又叫西北高干会议。

会议从7日一直开到20日，周恩来代表中央作了《关于全国战争的形势》的报告，彭德怀代表西野前委作了《关于陕北九个月作战的基本总结》的报告，中共中央书记处书记任弼时作了《土地改革中的几个问题》的报告，贺龙就后方动员与后勤供应问题作了专题报告，华东野战军司令员兼政治委员陈毅介绍了华东解放军一年来的作战情况和经验。

会快结束时，毛泽东找到彭德怀："老彭，你看'诉苦三查'是不是也去总结总结？正好贺龙同志、陈毅同志都在，也可以学学经验嘛！"

彭德怀说："让余秋里去讲吧！'诉苦三查'是他们搞起来的，他们的报告最有说服力了。"

毛泽东手一划："行！"

一个旅政委在这么高规格的会议上作经验报告，在建军史上，这可能是少之又少的。

余秋里赶紧准备，写了厚厚的一沓纸。20日那天，他健步登上主席台，从教育的方针和目的、教育的原则和方法以及经验和教训三个方面着手，用大量的事实说话，前前后后讲了好几个小时。整个会场的气氛和领导们的心情完全跟着余秋里的报告在起伏。悲伤处，他们黯然泪下；激动处，他们情绪难抑。358旅首先发起的这场整训，已经感染了在场的每一个人。在此，"诉苦三查"的历史地位基本奠定，直到后来毛泽东给它正式取名为"新式整军运动"。

1947年到1948年的冬春之交，在陕北发生着一系列影响历史进程的事件时，蒋介石正风尘仆仆，飞北平、飞沈阳、飞汉口，对全国军事指挥机构和

兵力配置做了一次大手术。12月撤销了华北的保定、张垣两个绥靖公署，成立了"华北剿匪总司令部"，傅作义任司令官，掌管晋、察、冀、热、绥五省的党政军大权。在东北，1月又成立了"东北剿匪总司令部"，由卫立煌接替陈诚掌管东北军事。在各战区之下，分设若干个绥靖区，由绥靖区司令官掌握辖区内的军政大权。蒋介石总的战略也调整为尽可能坚守东北和华北，争取中原，大力经营华南、西南和台湾的方针，并决定由全面防御转为分区防御的新战略。至此，蒋介石的战略经历了一个全面进攻、重点进攻、全面防御、分区防御的转变过程。当然，历史证明：下一步蒋介石走的是一条由分区防御到重点防御、再到全面失败的不归路。

胡宗南已经好久没有在公共场合露过面了。自踏入延安之日起，他就没有过过一天好日子。当初执行《攻略陕北作战计划》的狂热，现在已经丝毫找不着痕迹。中共三路大军挺进中原后，蒋介石如万箭穿心，惶惶不可终日，立即要胡宗南抽出整1师、整36师和整30师到潼关及以东地区，与整65师组成裴昌会兵团，由裴昌会指挥先解军事重镇洛阳之围，再配合徐州顾祝同集团、武汉白崇禧集团进而争夺中原。

胡宗南部本来就"气息奄奄，大病未愈"，抽兵组成一个裴昌会兵团东出潼关，无异于在他的"病体"上再捅一刀。胡宗南顿感全身发虚、通体无力。在陕北战场上，他只能一改往日骄横傲慢的姿态，放弃"寻中共主力决战"的进攻战略，采取"机动防御"的部署，

★彭德怀与西北野战军副参谋长王政柱在朱脂杨家沟合影。

XiangGuanLianJie
DaSaoMiao

☆ 蒋介石败局已定，但野心不减

1948年1月10日，蒋介石由南京飞抵沈阳，召集军事会议，对东北全局战事进行新的部署，决定将范汉杰兵团由山东战场调入锦州，并研究成立了东北"剿匪"总部，卫立煌兼任司令。15日，蒋介石在南京主持了三天的陆军训练会议，决定在北平、沈阳、汉口、重庆、西安设立5个新兵训练中心，由汤恩伯负责；在南京、沈阳、台湾等地再设立8个轮训前线部队的机构和1个军官学校。不知蒋介石这个野心勃勃的计划还能为他日渐衰落的统治带来多大效益！

以整编第17师和陕西保安第11团守备延安和维护延安到富县的公路交通线；以整编第76师24旅守备延安西南的宜川；以整编第24旅72团和陕西保安第6团驻守黄河边上的韩城和禹门口，控制黄河渡口；以暂编第2旅、新编第9旅和陕西保安第3团等部驻守铜川、三原等地，以保护咸铜铁路及咸榆公路的交通补给线；主力整编第29军两个整编师为机动兵团，集结于富县、宜川以南的洛川、黄陵、宜君地区，向北可策应延安、宜川作战，向南可拱卫关中，保护西安。

胡宗南的国民党军在与西北野战军的对垒中，虽然连吃败仗，但其主力仍在。所以对胡宗南，中共中央还是慎之又慎，规定西北野战军的任务仍然是钳制和打击胡宗南，继续配合刘邓、陈粟、陈谢经略中原；方法是转入外线作战，把战争引向国民党统治区；原则是"稳扎稳打，不求速胜"。

彭德怀领受完任务，骑马连夜就赶到了野司，把野战军旅以上干部全叫到了吕家沟，讨论这个外线作战的问题。其时，"诉苦三查"的整军运动已接近尾声，从各部队反映上来的情况看，士气高涨、斗志旺盛，并且经过大练兵，技战术也大大提高。

屋里生了一堆火，暖融融的。彭德怀坐在靠窑洞里面一张没靠背的木凳上说开了："中央扩大会议和我们这次前委扩大会议给我们定下了转入外线作

战的任务。就目前的形势来看，外线作战的目标有3个，一是北面榆林的邓宝珊，二是西边陇东的'二马'，三是南边一线的胡宗南。目前我们的任务仍然是起一个战略牵制的作用，就是把胡宗南牵制在陕北，配合刘邓、陈粟、陈谢经略中原。如果北上榆林或西进陇东，胡宗南就会腾出手来调兵东援，加强中原战场的力量，这样的话，战略上就没起到牵制作用，对中原战场不利。另外，在榆林、陇东作战，粮食都有很大的困难。所以，为了有效地牵制住胡宗南，我们一定要南下。南下也有几个目标，一个就是延安。中央也考虑过打延安。但考虑到对国民党而言，延安的政治意义重大，蒋介石、胡宗南会拼出老命来保延安的。这样的话，我们打延安一方面会付出很大的伤亡代价，另一方面，也会给延安造成破坏。主席说，还是等将来时机成熟后，'和平收复'延安为好。综合以上情况，前委的意见倾向于出击陕中，奋力夺取宜川，并准备打援。10月份王震曾一度占领了宜川，但后来刘戡带兵来援，敌强我弱的形势下，王震就主动放弃了，现在在河东待机。宜川是胡宗南精心经营起来的一个进攻我们的桥头堡，地理位置非常重要。东可过黄河，北可通陕北。出击宜川，胡宗南不会坐视不管的，这样的话，既能牵制住胡宗南，又能得到二、四纵队的配合，形势对我有利。如果得手，汉中到陕北的门户就掌握在我们手中，延安也就悬在天上了。那个时候，延安的守军就会不战而逃。大家看看，对出击陕中有没有什么意见？"

彭德怀简短的话把几个方案的利与弊已讲得再透彻不过了。还有什么说的，干呗！

"既然没有意见，那就定下来了，出击陕中。时间暂定在2月中旬，你们回去后作好准备。"彭德怀最后作出决定。

临散会时，彭德怀又补了一句："这次是进入国民党统治区作战，各方面情况与在解放区内作战都不一样，尤其是群众纪律问题。整军运动刚刚搞过，你们都说部队斗志高涨、纪律观念强，是不是吹牛，这一次拉出去就可见分晓。你们把部队管好了，谁出了问题，我要打谁的板子！"

各纵、旅首长们吐着舌头，散会了。

☆ 翻身农民喜分地

　　1947年12月12日，新华社报道，苏鲁豫皖新解放区之商水、上蔡、项城诸县城数百万翻身人民，热烈掀起分粮、分地、武装自卫运动。在随后的几个月中，中共中央在《关于老区、半老区进行土地改革工作与整党工作的指示》中规定：在一切封建制度已被推翻的老区半老区，不再平分土地，实行填平补齐。在土改比较彻底的老区，为了解决某些贫雇农土地和其生产资料不足，可在较小范围内采取抽肥补瘦、抽多补少的办法进行调剂。随着新解放区相关专署的正式成立，各县、区、乡政府亦相继产生，沙河南岸纵横150平方公里的平原上，解放区的政令通行无阻。这是一个新时代的起点，一个新的中国即将诞生。

☆ 国共力量对比变化

　　到1948年6月30日为止，解放军共歼国民党正规军94个旅，连同非正规军共歼152万余人，收复与攻占土地面积15.5万平方公里，收复与攻占重要都会与县城164座，人口3,700万，至此，解放区面积达235.5万平方公里，占全国面积的24.5%，人口增至16,800万，占全国人口的35%，城市增至586座，占全国城市总数的29%。国民党军总数减至365万人，解放军总数增至280万人。

☆ 冯玉祥被国民党开除党籍

　　1948年1月7日，国民党中央以冯玉祥"行为不检，言论荒谬，违反党纪，不听党的约束"为名开除了冯玉祥党籍。14日，冯玉祥为被国民党开除党籍一事在纽约发表公开谈话，宣布抗拒国民党政府命令，将效忠于一切推翻蒋介石的势力。此后，冯玉祥、吴茂荪等人在冯玉祥纽约寓所商讨准备出版《我所认识的蒋介石》一书，他自勉不怕"要被蒋介石枪决、要被蒋介石特务杀害"。就是抱着这种思想，该书出版了。该书出版后，更加详实地揭露了蒋介石的真实面目。

春节没过完，刘戡、严明一伙人就被胡宗南赶到了前线。彭德怀又是"三中选一"，正确设伏瓦子街。

宜川告急，刘戡带着队伍心惊胆颤踏上了洛宜公路。

南山一战事关成败，危急时刻彭德怀把任务交给了358旅。358旅714团化仇恨为力量，以自己的血肉之躯堵住了南山缺口。彭德怀总攻令下，七万部队万炮齐发，刘戡部人仰马翻，三天之后全军覆没。

第五章

宜瓦大捷，南进门户彻底打开

瓦子街设伏

前不久，胡宗南把驻陕北部队的人事和编制调整了一番。董钊被免去整1军军长职务，就任陕西省政府主席；严明取代陈武任整90师师长。原属整1军的整27师、整90师划归整29军建制。

解放军进入冬季整训，胡宗南的部队也暂时获得了一个喘息的机会。对任何一个中国人而言，在春节与家人团聚的愿望，是任何力量也阻挡不了的。在1948年春节来临之际，胡宗南在陕北的旅长师长们纷纷跑到西安，带着姨太太下馆子进戏院，喝酒打牌，过起歌舞升平的新春佳节了。

胡宗南也一样，乘组建裴昌会兵团东出潼关之机，从延安溜到了西安，那个象征着征服的延安指挥所也随之撤销。

年关刚过，春节的气氛还没散去，胡宗南突然接到前方报告，共军主力正大举南犯，意图不明。胡宗南立刻紧张起来，抓起电话把刘戡、严明、王应尊（整27师师长）、邓钟梅（整27师副师长）一伙人统统从戏院酒馆里赶

★ 宜川战役：西北我军为把战争引向国民党区域，创立新的解放区，采取围城打援的战法，于1948年2月24日首先将宜川城包围，诱洛川敌29军东援。我集中主力于宜川西南瓦子街地区设伏，29日援敌进入我军预伏地带。3月1日，我军经5个小时战斗，将援敌2.3万余人全部歼灭，宜川亦于3日被我收复。瓦子街战斗中，西北野战军司令员彭德怀（左四）与甘泗淇（左三）、赵寿山（左二）、张宗逊（左一）在一起研究作战方案。

到了前线。

在西安住了那么几日，心已被那里的酒绿灯红陶醉了，开始几日他们怎么也进入不了情况，总觉得心里头空落落的，悔不该穿上这身军装。穿上这身军装，又悔不该出生在这么一个兵荒马乱的年代！幸好他们到部队驻地的那几日敌情还没有像胡宗南说的那么严重，可以让自己的心态慢慢地过渡一下。

这个春节，西北野战军的首长们过得并没有胡宗南这伙人那么滋润，他们唯一的精神大餐，就是部队通过冬季整训所爆发出来的士气和斗志。2月12日部队一喊开拔，战士们就像脱了缰的野马，恨不得一口气跑到宜川去。好多原29军的解放战士还说，以前从没见过他们的军长刘戡，这次一定要亲

XiangGuanLianJie
DaSaoMiao

GuanJianCi
相关链接
大扫描

☆ 阎锡山的暴政

在阎锡山统治期间，他对宜川人民的经济剥削显得格外残酷。为了解决兵源和粮食问题，他实行所谓"兵农合一"的政策，打仗前强迫百姓为他修筑城墙，打起仗来要人民群众为他充当炮灰，不打仗为他生产财富。他还推行"平民经济"的政策，弄得私商倒闭，民不聊生，饿殍遍野。竟在饭摊上的碗里发现小孩指头、小贩的提篮里摆着卤煮的人肉。而阎锡山却从人民身上榨取大量财富，供其挥霍与进行反革命战争。但是，多行不义必自毙！

手活捉他。

这个时候，原国民党第3集团军总司令赵寿山，已于2月6日被中央军委任命为西北野战军第二副司令员。抗日的时候他与八路军并肩作战，为蒋介石所不容，1946年被解除兵权勒令出洋，在1947年7月初冲破阻挠来到解放区，发表了反蒋通电。看到野战军战士的斗志和精神状态，赵寿山对彭德怀说，这是他在国民党军部队里从来没见过的。

17日，西野进到金沙镇、甘谷驿、延长后，在延长以南的佛古原又开了个旅以上首长会。这次，彭德怀的决心是要一口吃掉刘戡，即使吃不掉，也要吃掉他的大部分，让他再无出击之力，彻底解决陕北的战事，所以战役前的各项工作都要搞得细上加细。

这是一个神仙会，没有固定的模式和套路，谁愿意说谁就说。大家集思广益，往往能想出好的点子来。比如说，这次会议就得出了这么个结论：部队打宜川的话，集结在富县以南、宜川西南的洛川、黄陵、宜君一线的刘戡主力驰援宜川就有三条路。一条是沿洛（川）宜（宜川）公路经瓦子街到宜川；一条是由黄陵、洛川经石堡到宜川；还有一条是由黄陵、洛川沿洛宜公路以北的金狮庙梁到宜川。三条道比较起来，第一条路程近，但沟深林密，易受伏击；第二条路程远，比第一条道远一倍，对刘戡来讲，这条道似乎并没什么有利条件可取；第三条虽遭伏击的可能小，但要翻山越岭，重火器不易通过。以刘戡在陕北这几个月的作战规律和他现在谨小慎微的作战心理来看，他可能会向胡宗南提出走第三条道。但情况紧急的时候，出于急于解宜川之围的心理，以胡宗南的脾气，他极有可能自恃兵强人众，命刘戡走第一条道。

那么，伏兵到底设在哪里呢？有着料敌如神美誉的彭德怀也陷入了长时间的思考之中。

彭德怀背着手独自在窑洞里来回踱步，这是彭德怀酝酿决定性意见的时候。因此会场静悄悄的，没有一个人打扰他思考。

瓦子街是洛宜公路的咽喉，两侧都是高山，山势险峻，荆棘丛生，把瓦子街夹在中间，形成一条长约15公里的峡谷。只要刘戡走洛宜公路来援，就必经瓦子街！而要吃掉刘戡的两个整编师的来援部队，也一定要借助瓦子街的这种"口袋地形"，只要刘戡到这里来，战局就会像在青化砭解决李纪云那样顺利。但问题是，刘戡会不会走洛宜公路呢？出于急于解宜川之围的心理，刘戡走这条道的可能性是比较大的！

彭德怀下定决心："以第一条道为设伏重点，兼顾第三条道。为了使刘戡走第一条道，那么，围攻宜川的动作就要突然、迅速，以神兵天降的姿态出现在张汉初（守备宜川的整第76师24旅旅长）面前，迎合胡宗南急于解宜川之围的心理，使他下令刘戡取道瓦子街。"

这个决定，既有重点，又有实现重点的策略。当时在场的首长们看着彭德怀，立即鼓起掌来。

我军受命围攻宜川的是三纵和六纵，当许光达、孙志远带着三纵，罗元发、徐立清带着六纵，突然出现在宜川城外的时候，张汉初如梦初醒——原来解放军是在打自己的主意啊！

先前，张汉初也得到了解放军主力大举南下的通报，但解放军忽东忽西，17日又停了下来，他摸不透解放军的意图所在，猜测解放军可能是去收复"老首都"延安，就放松了警惕。殊不知才过了5天，解放军就神不知鬼不觉地打到自家门口来了。

张汉初跟胡宗南汇报完情况后，就赶到城外阵地上去了。令他比较欣慰的是，宜川的城防搞得很坚固。早在阎锡山盘踞时期，他就在城四周搞了许多永久性、半永久性的工事和掩体。胡宗南接防后，更是不遗余力，请了好多军事专家和外国军事顾问到这里考察，又拉了几百民夫搞了几个月，壕沟

挖了四尺宽四尺深，碉堡修了一座连一座。等张汉初去年十月份带着队伍到这里后，他又把防御工事收拾了一遍，加宽的加宽，挖深的挖深。再加上城西的七朗山、城北的老虎山、西北角上的太子山、东北的凤翅山等几座天然屏障，真有一夫当关，万夫莫开之势。张汉初举着望远镜，解放军部队正在攻击城外的一些小据点。一起来的参谋长陈玉武有些不安，说："旅长，解放军这次来者不善啊！"张汉初心里也有点发怵，但还是很镇定，扭头冷冷地说："怕什么！胡先生来电说刘戡军长的两个师已集中到了洛川，只要宜川告急，他就命刘戡星夜来援。"

其实陈玉武不知道，张汉初是窝着一肚子气来当这个旅长的。先前整第24旅在清涧一战中被全歼，旅长张新也被解放军捉了。胡宗南不甘心失败，把24旅番号重建了起来，叫张汉初来当旅长，划归他3个团，一个是赵仁团，一个是蔡钟芳团，还一个是原来就属24旅的高宪岗团。本来张汉初任整第27师副师长，曾和赵仁、蔡钟芳关系不和，并且当时宜川形势也比较危险，所以他心里一百个不愿意来。但胡宗南以党国正处于危难之中、正需要将士用命为由，硬是把张汉初赶到了24旅旅长任上。现在张汉初虽然有些紧张，但还是比较坦然，他抱定了一个理：我尽最大努力，能守就守，不能守我也没办法！

陈玉武不再说什么，和张汉初一起下了山。

24日，野战军三纵和六纵突然一起向宜川城发起了攻击。许光达指挥三纵和六纵从城西到城东全面摆开，以城西的外七朗山、城北的老虎山和西北的太子山为重点。强攻到26日，三纵独2旅旅长张开基亲自上阵，在城西北角轰开了个口子，野战军战士们置身家性命于度外，拿起枪就往里冲。

听到赵仁报告的时候，张汉初从椅子上忽地站起，在旅部边打转边骂："他妈的，打的什么鸟仗！"

24日，三、六纵刚开始进攻的时候，张汉初就给胡宗南发过一封急电，请求援兵。后来胡宗南复电说，刘戡已率大军星夜来援。两天过去了，还没见到影子！张汉初抓起笔，又向胡宗南起草了一封告急电，并转刘戡，要求急速来援，不然宜川不保！

刘戡来得慢，不仅张汉初着急，彭德怀也着急！自三纵和六纵开始围攻宜川，彭德怀就一直把关注的焦点落在刘戡身上。现在刘戡手上还有整27师、整90师两个整编师，随时保持着机动状态，以致彭德怀的每一步行动，都必

★ 我军向敌90师指挥部所在地发起攻击。

须考虑刘戡的存在。所以，这次彭德怀下定决心要敲掉他。西野准备阻击的部队按他的命令在山沟里已经埋伏好几天了，战士们在"诉苦三查"中诉出来、查出来的那股子士气早就憋不住，直往外冒了。彭德怀急不可耐，抓起电话要通了许光达："光达，抓紧点哦，现在还没见到刘戡的影子呢！"

刘戡踏上黄泉路

从西安过完春节到前线，刘戡的感觉就不太好。前些日子虽然带着队伍在山里头乱窜了一气，吃了不少苦头，但每次与彭德怀交手的时候，彭德怀都没有把自己率领的机动兵团定为主要打击目标，只派小股部队阻止自己前进就了事了。比如说在羊马河、在清涧，都是如此。但这次不一样了！解放军几万人马绕过延安一起南下打宜川，宜川又只有一个3个团的旅，攻下宜川用不了这么大的声势，解放军这次一定是有来头的！

★ 我军向瓦子街方向运动。

刘戡带着队伍异常谨慎地朝宜川开进，整 90 师 61 旅和整 27 师 47 旅分别沿公路南北两侧搜索前进，并且两旅还派了先遣营进行火力搜索，搜索工作搞得细而又细，就怕中了解放军的埋伏。

彭德怀派去搞侦察的是一纵独 1 旅。26 日，独 1 旅神不知鬼不觉地跑到瓦子街时，正好碰上了整 90 师的搜索连，王尚荣二话没说，叫 3 团出马，迅速解决了整 90 师的搜查连。抓得几个俘虏，一问，得知刘戡大军正沿洛宜公路来援，已经到了离瓦子街不足 25 公里的永乡了！

王尚荣决定去看个究竟，免得让敌人骗了。26 日晚，队伍到达观亭探听虚实，果然不错，刘戡已到永乡，正准备宿营。

事实上，王尚荣还没到观亭时，刘戡的侦察兵就发现他们了。刘戡早就料到彭德怀一定会玩"围城打援"的一招。根据当时的情况，唯有先解决阻击部队，才有可能解宜川之围。所以在胡宗南一再催促刘戡加速向宜川开进的时候，他向西安绥署发了封加急电，提出先集中力量解决解放军的阻击部队，然后再去解宜川之围。并指出，这是目前唯一的选择！

那晚，胡宗南正好去参加一个宴会，又是喝酒，又是跳舞，潇洒极了。胡宗南不在，对于这么重大的事情，西安绥署的什么副主任呀、参谋长呀，统统不敢作主。在那种兵败如山倒的时候，哪个愿意去担这个担子！弄不好，宜川失守，刘戡覆没，蒋主席怪罪下来，胡宗南再把责任一推，那就是人头落地的结局呀！因此，能躲就躲吧！所以刘戡这封十万火急的电报，就这么被耽误了。

是时，三纵、六纵为了吸引刘戡带着部队快点来援，使出了全身的力气，以全面进攻之势对宜川发起了猛攻。26日的整个晚上，胡宗南在醉生梦死中度过，而刘戡在焦急的等待中度过，宜川的张汉初，则在越来越激烈的战斗中度过。野战军的主攻方向是老虎山和外七朗山那边。张汉初除了命部队坚守待援外，别无他策。到27日拂晓，蔡仲芳不断来电，说太子山战况惨烈，恐有不保；后来又是赵仁来电，说外七朗山危险也不小。再过了几个小时，守军如潮水一般退下来，接连丢了老虎山、万灵山、外七郎山等守城要点。城破的危险已步步逼近，张汉初在旅部站也不是，坐也不是。悔不该当初听了胡宗南的花言巧语，跑到这里来受这般惊吓。他再次给胡宗南发出了告急电，几乎是哀鸣一般，还带着一些斥责刘戡救援太慢的语气。

玩了一夜的胡宗南回绥署时，已是27日中午时分。秘书把张汉初和刘戡的电报同时送达胡宗南处，他先看的是张汉初的。看着看着，脸色顿时阴沉下来。自己才去玩了一个晚上，局势就恶化到这般地步了啊！那个刘戡在干什么！？磨磨蹭蹭的！再等到看完刘戡的电报，一股怒气就上来了。"宜川危如累卵，还不赶快去救，以解决什么阻击部队为由，畏缩不前。贪生怕死，贻误战机，死罪！！！"胡宗南拍着桌子，怒不可遏。喘了几口粗气，转过身对参谋长盛文说："告诉他，现在没时间解决什么共军的阻击部队，必须急速去解宜川之围！宜川之围不解，我拿他是问！"

对胡宗南既不符合实际、又不权衡利害的回电，刘戡一干人几乎是完全绝望了！"彭德怀早就在前面布置了一个'口袋'，这等于是赶我们往口袋里钻呀！"刘戡欲哭无泪。"要不，再请示一下？把利害关系给胡先生讲清楚。"整27师师长王应尊说。刘戡没说话，良久，从椅子上站起来，脸色阴沉，捏起拳头说："不要了！大不了老子钻口袋为党国捐躯去。不过，如果我刘戡要是死了，我看，他胡某人离死也不远了！"说完转过身吩咐："走！继续前进！"

刘戡带着队伍，无可奈何地上路了！是夜，天空飘起了雪花，纷纷扬扬，笼罩了整个大地。

正如刘戡所料，彭德怀确实在前面布置了一个大"口袋"，"口袋"就在瓦子街。彭德怀的部署是：三纵（司令员许光达、政治委员孙志远）、六纵（司令员罗元发、政治委员徐立清）以一部兵力继续猛烈地进攻宜川城，另以一部西进，准备正面抗击刘戡，不使敌援军与宜川守军会合；一纵（司令员贺炳炎、政治委员廖汉生）在观亭附近隐蔽待命，待刘戡过后截断其退路，然后从左侧后攻击；二纵（司令员兼政治委员王震）迅速从山西西渡黄河，从南向北进攻刘戡右翼；四纵（司令员兼政治委员王世泰）由北向南击敌左翼，最后合围全歼刘戡。待解决刘戡后，再回过头来收拾张汉初。

雪越下越大，十米开外不见人影，这给本来就十分危险的救宜行动又增加了几分恐惧。刘戡的精神高度紧张，他似乎已经预感到：这可能就是他的一条不归路。为了保证安全，刘戡派了许多支搜查分队，沿着洛宜公路两侧山梁搜查前进。但因地面积雪太厚，分不清哪是路，哪是坑，派出去的搜查

★我军冒雪向瓦子街挺进。

分队里不少人掉进荆棘丛里就再也没有出来，因此搜查工作无功而返。

刘戡一路上都心惊肉跳，队伍快到观亭时，他甚至紧张到不敢再往里走的地步。那时，我军一纵的独1旅和独7旅就在观亭附近的山沟里埋伏着，他们的任务是断后，所以让刘戡安全通过了观亭。随后，独1旅、独7旅立即跟进，尾随刘戡的屁股向瓦子街方向前进。

野战军三、六纵队围攻宜川的战斗还在激烈地进行，开始抢占的几处阵地还在手上，并且战果还在不断扩大。我军除二纵因为雪大路滑没有即时赶到预定地点外，其他纵队都按事先安排，进入了预伏地点。

当部队还没进入瓦子街的时候，刘戡就已经闻到了火药味。为了尽早赶到宜川与张汉初会合，他一再下令快速通过瓦子街，所以部队一进入瓦子街，速度就加快起来，并且警惕性非常之高。

彭德怀举着望远镜，远远地看见刘戡两万多人的队伍挤在一起，渐渐进入了伏击圈。

这个时候，刘戡紧张，彭德怀也有些担心。两万多人，一口能不能吃下呀？要是吃不下，宜川那边也就没了指望。

刘戡的队伍首尾相接足有十多里路长，个个都左顾右盼，神色慌张，显然是怕在这里中了埋伏。28日傍晚时分，刘戡的队伍在一片恐惧中通过了瓦子街口。贺炳炎、廖汉生带着一纵迅速从后面赶了上来，把瓦子街口严严实实地封锁住了。

南山大血战

把瓦子街口封锁了，彭德怀感觉有了把握。他捏紧拳头，向传令兵下达了命令："打！"

霎时间，瓦子街里冒起了浓浓的硝烟，密集的枪炮声此起彼伏。刘戡担心了一天一夜的事，终于发生了。

刘戡看清楚了，解放军的火力是从正面、左侧面和后面打来，唯独右侧面枪声稀落。在战斗打响一开始，整27师师长王应尊就提出从南侧面的缺口突围出去，然后走山梁到达宜川城。在几面受攻的情况下，走缺口出去当然是好事。但刘戡想了好久，还是觉得里面有蹊跷。他说："彭德怀在三面都布

置兵力，唯独留出一面。有这样的打法吗？我看，他多半是在声东击西，说不定，南面那道山沟里，隐藏着更大的阴谋！"王应尊也觉得有道理，便不再坚持，一心一意与解放军打起了阵地战。

野战军凭险据守、居高临下，渐渐占尽了优势，解放军的包围圈也渐渐缩小。如果再不想办法，恐怕就会全军葬身于此了。他打电话给王应尊，命立即派一个团占领南面山梁，探明情况。

南面那座山梁串连了6个山头，横亘在瓦子街东南方，是围住瓦子街的一道天然屏障。如果山梁在我手，则可居高临下，可完成对刘戡的弧形包围，堵死敌军的最后一条退路；如果在刘戡手，他们守则可作为最高支撑点，退则可以成为侧翼的有力掩护。因为二纵为大雪阻挡没有及时赶来，战斗刚打响时，彭德怀就在沙盘前看着这道山梁，想从其他纵队里面抽出点兵力先行攻占。但这么大兵团的作战，战士们都是一个萝卜一个坑，其他纵队是一点兵力也抽不出来。但现在不一样了，王应尊派出的那个团迅速抢占了有利地形，并且刘戡部队有从这里突出去的迹象！

彭德怀几步跨到电话机旁，接通了贺炳炎："炳炎，命358旅迅速派出一个团，不惜一切代价抢占南面山梁！"

358旅的战斗作风，彭德怀是信得过的。在这种紧要关头，把这么重大的任务交给358旅，黄新廷、余秋里也备感欣慰。他们俩在指挥所里商量了很久，最后决定把这个任务交给率先发起"诉苦三查"运动的714团。黄新廷在电话中向团长任世鸿传达作战命令时，语重心长地说："714团是一个光荣的集体，以前屡立战功，刚刚结束的'诉苦三查'运动又立了新功。这次把这个任务交给你们，是上级对你们的信任，也是对你们这次'诉苦三查'工作的检验！"任世鸿心里顿时升起一团火焰，他抓紧电话说："旅长、政委放心，完不成任务，我和文礼（徐文礼，714团政治委员）不回来见你们！"

任世鸿、徐文礼带着队伍出发了。

可以说，这是围歼刘戡的整个战斗中的关键一战。打好了，可以抢占阵地，完成对刘戡的包围；打不好，刘戡就从这个缺口溜走了。

担任主攻的6连从正面突击，4连从敌右翼出击。

6连长赵贵荣到了突击班2班。班长叫刘四虎，在冬季整训中，是一个带头搞起"诉苦三查"的典型。刘四虎把全班拉出来，在雪地里站了一排。赵贵荣端着一碗雪水，非常激动地说："你们是尖刀班，是要插入敌阵地的心脏

★ 我军战士开赴瓦子街前线。

部位的！本来要用酒给你们壮行，但现在没有酒，就用这碗雪水代替了。等仗打完，你们胜利归来的时候，再补上这顿酒！"说完，把那碗雪水一饮而尽。

我军冲击开始了，刘四虎一马当先，带着全班迅速穿过了铁丝网，又越过了壕沟，向南山阵地直插而去。守敌的榴弹炮一串串打了过来，刘四虎一干人毫不畏惧，趴在雪地里向前匍匐运动。浓烟散尽，刘四虎扭头清点了一下人数，十个，人员都在。"继续冲锋！"刘四虎大声下令。

这时候，6连长赵贵荣带着全连其他同志一起跟了上来。敌人的炮火再一次向这边打了过来，突然，二班阵地上连着两声"哎呀"，倒下了两名战士，鲜血染红了白雪。刘四虎咬着牙，新仇旧仇一齐涌上心头，他眼里迸出仇恨的火花，带着其他战士几个箭步冲到了敌阵地跟前，他们立即扔过去几个手榴弹，随着一声声巨响，守敌阵地上的火力随即减弱。刘四虎扬出事先准备好的红旗，打出了冲锋的联络号。赵贵荣带着全连从阵地下一齐攻上阵地，与守敌面对面展开了肉搏。刘四虎一连放倒了四个敌人，脸上、身上，全都溅满了血。他正准备再向前冲去，突然听到后面熟悉的嘶杀声音。扭头一看，一班长舒照明被一个敌人打倒在地，那个敌人正举着铁锹劈下来。在这千钧一发之刻，刘四虎一个飞跃，拿起刺刀向敌人刺去。敌人身子一偏，铁锹没劈下来，舒照明脱险了，刘四虎却因用力过猛而跌落在旁边的壕沟里去了。刘

★ 在瓦子街战斗中，我军向敌阵地发起冲击。

★ 在炮火掩护下，我军冲向敌阵地。

四虎没来得及翻身，刹那间涌来四五个敌人，他们挥着枪托、举着刺刀，雨点般朝刘四虎身上打来。顷刻间，刘四虎被打得体无完肤，倒在血泊里。

这个时候，714团所有部队都冲了上来，在那个小小的山头上，展开了最原始的搏斗。在冲锋和刺杀之间，守敌渐渐败退，而被刘戡派过来的增援部队，停在山脚下看到山上这一幕幕血战后，再也不敢上来。

黄新廷、余秋里一直关注着这边的战事发展。他们心里一次次涌起无名的感动，为了报仇，为了雪恨，为了阶级弟兄们的永久幸福，714团的弟兄们早已置生死于度外！以前许多熟悉的士兵、干部，就在那一瞬间倒下了，永远地倒下了。直到几十年后，余秋里还记得这一串名字：714团团长任世鸿、714团参谋长武治安、2营副营长陈占彪、6连连长赵贵荣、6连指导员郭志山、6连突击排长陈占元、714团2营6连战士李长芝、714团2营4连战士路新理……

这是一串用理想和热血铸成的名字，他们倒在了那个阵地上，用自己的血肉之躯堵住这个缺口，把刘戡几万人马围在了瓦子街。

刘戡看得心惊肉跳！他不明白，是什么力量让解放军战士能如此勇敢，如此的置生死于度外。他搞不清楚，在这些不到二十岁的小伙子的内心里，为什么会积聚那么多仇恨？他更搞不清楚，从那些瘦弱的身躯里，为什么会迸发出如此势不可挡的战斗力？

刘戡来不及思考这些问题，彭德怀的总攻已经开始了。

王震的二纵已经赶过来，配合其他纵队，从四面八方一齐压向国民党整29军。在南山那一场战斗中，刘戡派过去的守敌还能与解放军战士英勇地肉搏一阵子，但这次，面临解放军排山倒海的气势，他的部队早已魂不附体，从前线节节败退下来。

在国民党将军行列里，刘戡也可谓是身经百战了。黄埔一期毕业，参加过北伐，"围剿"过红军，也打过日本。根据他的战斗经验，他已经认识到，虽然人马还有近两万，但军心已经动摇，斗志已经瓦解，要想在今天突出重围，除非奇迹出现。

刘戡把所有的希望都寄托在了援军的身上。但援军从何而来？天降大雪，飞机派不出来；裴昌会兵团尚在潼关，远水解不了近渴；而守备延安的整第17师又势单力薄，不能轻举妄动；留守洛川的整27师91团等部兵力又太少，到瓦子街以西的小寺庄的时候，又被解放军击垮。

胡宗南把薛敏泉、盛文连夜找来商量对策，大家围着坐了一圈，谁也不开口。胡宗南急了，拍着桌子喊起来："你们说话呀！平时一个比一个会说，到这种时候就不说话了！"

会场还是一片沉寂。战局已经到此，谁能有什么对策！充其量等雪停下来后派几架飞机去壮壮声势，除此之外一切的一切，只能依靠刘戡自己了。

此时的刘戡已万念俱灰。前线失利的消息不断传来，指挥官也一批批地倒下，整90师师长严明、整31旅旅长周由之、整47旅旅长李达、整53旅副旅长韩指针⋯⋯

解放军大喇叭里"缴枪不杀"、"解放军优待俘虏"的喊话声已清晰可闻了，这意味着，失败已经来临。想起黄埔毕业时的豪情壮志，想起在紫荆山、阳泉关与日军血战到底的辉煌战史，想起从蒋介石手中接过中将军衔的光荣场面，刘戡心中不禁充满了无限悲凉。"三十功名尘与土，八千里路云和月"！"不成功，就成仁"，绝不做苟且偷生汉！给胡宗南发完最后一封电报，再一次哀鸣"败局已定"后，刘戡拾起一颗手榴弹，拉开了保险盖，自杀身亡。

西北战场第一大捷

刘戡一死，全军军心大乱。到3月1日下午4时，所有残敌一万多人全部龟缩在一条沟内，狼奔豕突，纷纷投降。恰好这天天气转晴，胡宗南把西安机场能调动的飞机全部派来助战，但战局至此，扔再多的炸弹也挽救不了局势。飞机低空盘旋几周，向"成仁"的刘戡表示哀悼后无可奈何地走了。下午5时，瓦子街战斗结束，刘戡两个整编师全部被歼。

张汉初爬在宜川城墙的一个垛口上用望远镜亲眼目睹了刘戡的覆没。刘戡两万大军尚且如此，自己区区3,000兵力如何能挡？三十六计，走为上计！家里上有老，下有小，被解放军俘获或被打死，家里如何安排？3月1日晚上，张汉初带着卫士乘黑跳城而逃。不料摔伤腰部，行走更为不便。在卫士护卫下，在炮火硝烟中乱窜了一日，跋山涉水，衣服湿透，结果还是被我野战军三纵独2旅两个送饭的炊事兵抓获。

无意中抓到一个国民党少将旅长，两个炊事兵真是喜出望外，立即把张汉初送到了旅部。领了旅长张开基奖励的两个馒头，高兴得不亦乐乎。

我军战士冒着敌人的炮火登上宜川城，1948年3月3日，我军乘胜攻克宜川。

★ 大批俘虏被押出宜川城。

张汉初全身湿透，一边哆嗦一边很戒备地看着张开基。

"不用怕，解放军优待俘虏！李纪云、麦忠禹、李昆岗、廖昂、刘子奇都在一起，天天下棋打牌，日子过得比我们还舒服！等见了许司令员（许光达）也把你送去！"张开基脸带微笑，叫警卫员给张汉初拿了棉衣棉裤，又叫炊事员备了酒菜。第二天把张汉初送到许光达司令部，许光达更是关怀备至，爱护有加。若干年后，张汉初回忆这一幕的时候说："过去我对解放军宽待俘虏的政策有所怀疑，尤其是对于被俘将官的宽大更有怀疑，这次身临其境，备受优待，心中大为感动。"

3月3日早上，宜川城破，守敌全部被歼。

毛泽东抑制不住内心的激动，在2日、4日给彭德怀、张宗逊、赵寿山连发两电，称宜川战役为西北战场第一大捷。其基本原因在于两个多月的冬季整训。经此役后，胡宗南部除守延安之整17师两个旅，及近由豫西开返潼关之第1师约两个旅尚有较强之战斗力外，已无主力。我向渭北、陇南进军之门户，业已洞开。

从来不唱歌的彭德怀在司令部里哼起了湖南小调，胜利带来的欢乐，此时在彭德怀心里压也压不住。太阳已经出来，大地一片晴朗，彭德怀几天来的紧张心情，因为宜川战役的胜利而一扫而光。

俘虏一批批地送过来，缴获的物资也堆积如山。彭德怀转了几圈，拉起张宗逊、赵寿山说："走！到前面去看看战果，还看看我那位湖南老乡（指刘戡，湖南桃源人）去！"张宗逊笑笑，小声地说："老总，你那个湖南老乡'成仁'啦！"

"自杀啦？"彭德怀惊讶得一扭头，半晌又道："我以为国民党军官都是怕死鬼呢！刘戡这小子总算还有点骨气，不贪生怕死，没给咱湖南人丢脸，是条好汉！"说得张宗逊、赵寿山呵呵笑了起来。彭德怀走了几步，又补一句道："刘戡虽然反动，但他抗日还是有功的。把尸体包好，还有严明，一起还给胡宗南！官都当到中将了，也让胡宗南给他们开个追悼会吧！"

胡宗南正在接见整27师师长王应尊。王应尊是乘着天黑逃跑出我军的包围圈的。他一路玩命似地跑到了洛川，搞了一辆破车，又在山里颠簸了两天，终于活着到了西安。此时，他衣衫褴褛，面如死灰，嘴里不停地叨叨"太惨了，太惨了"。显然，他还没完全从瓦子街的恶梦中清醒过来。胡宗南已经有两天没与前线联系上了，他不知道刘戡到底输成了什么样，但见到王应尊这般模样，顿时一切都明白了。胡宗南没有责备谁，到了这种时候，责备谁都没有了意义。最大的不应该，就是不应该轻易否定刘戡的作战意见。如果听刘戡的意见，至多也只能丢一个整24旅和宜川城，不至于这样的一败涂地。

胡宗南无奈地靠在椅子上，打开收音机，把频道调到了解放军电台处。通过解放军电台来了解具体战况是胡宗南自进攻延安以来的一个习惯。蟠龙失守后，这个习惯一度中断，但后来又渐渐恢复。

收音机打开不久，电台里就传来了解放军女播音员的声音："胡宗南先生和国民党官兵死伤者家属请注意：你们负伤的官兵我们正在治疗，阵亡官兵我们已替你们掩埋。整编第29军中将军长刘戡和整编第90师中将师长严明的尸体已经装殓，明天上午9时特给你们送至洛川城，请派人接运。再播送一遍……"

胡宗南眼睛睁得圆圆的，嘴也张开了！他不知道居然会听到这么一则消息！这到底是解放军的宽厚，还是解放军对自己的侮辱？胡宗南只觉得脸颊发热，羞愧难当。过了半晌，他忽地站了起来，捶着桌子大喊："耻辱，耻

辱……"

　　但是，即使是耻辱，胡宗南也得认了。不接运，何以面对三军将士？堂堂国军的陆军上将，有勇气输，就应该有勇气面临由于输所带来的一切后果！第二天，胡宗南派人到了洛川，接回了刘戡、严明的尸体。他亲自主持，隆重地开了个追悼大会，号召部下向刘戡、严明"为党国捐躯的英雄壮举学习"，接着又呈请蒋介石追认刘戡、严明两人为陆军上将！

　　蒋介石已被胡宗南彻底激怒。宜川一仗，使他还颇为自信的陕北战场彻底陷入了困境，毛泽东说解放军向渭北、陇南进军的门户业已洞开，这一点都不假。得到宜川遭劫的消息时，蒋介石整个脸都变了形，抓起电话就向胡宗南骂开了："娘希匹，打的什么仗，两个师又没了。胡宗南，你给我听着，我现在宣布：撤你的职，留任察看……"

　　电话这头的胡宗南一声不哼，木头一般立在原地。这是蒋介石第一次如此凶狠地训斥他！但蒋介石在电话里骂完后还不过瘾，又发电报再骂一次：宜川丧师，为国军"剿匪"最大之挫折……

　　胡宗南拿着蒋介石的电报，死人一般坐在椅子上，一动不动。彭德怀啊彭德怀，你下手也太狠了点儿吧！我的主力整编第29军军部、整编第27、90师及整编第76师24旅，共计5个整编旅、2.94万人全被你消灭；我的将军们，除整27师师长王应尊腿长跑了回来外，其余或毙或俘，无一幸免。这一仗，你把我打出了致命内伤啊！还有，刘戡、严明的尸体，你们找个地方埋了不就得了！还非送回来不可，还在广播里喊，显示你们所谓的宽厚仁义，你这是在侮辱我啊……

　　胡宗南欲哭无泪，欲喊无声，只觉得万箭穿心，心窝子一阵阵地痛。那令人敬畏的上将头衔曾给他带来无尽荣耀、无上荣光，但此时，这一切令人眼花缭乱的虚幻之物，都已经如破灭的肥皂泡一样，消失得无影无踪了。现在，他第一次感到了痛苦、耻辱和无可奈何。他霎那间明白，做官可以失败，但做将军，却不能失败。将军的失败，意味着千万人头落地，意味着万里沃土丧失，甚至意味着政权的倒台、国家的破灭！

　　太沉重了，太沉重了！

　　数年后，国民党在其所谓的《戡乱战史》中对宜川战役作了定论：是役，自刘戡军失利后，关中空虚，被迫调晋南、豫西大军进至关中，以致造成晋南开放，临汾被围，洛阳失守，伏牛山区共军强大之局面。

历史碎片
LISHISUIPIAN

大拼接
DAPINJIE

☆ 社论揭实质　蒋介石危机四伏

1947年6月5日，新华社发表社论《破车不能再开》，评论第四届三次国民参政会。社论指出：蒋介石政府的政治、经济和军事危机正在猛烈发展，蒋介石的反动统治不但是一辆车，并且已经抛锚了，一切反动派在参政会上还结合起来要帮蒋介石推动破车，但是他失败的命运决非他们所能挽救。简单的几句话把蒋介石每况愈下的情形概括得淋漓尽致，正如文中所讲，没有任何人可以挽救蒋介石的失败。

☆ 不能一碗水端平

战争至1948年，蒋介石已经是危机四伏。而且内部矛盾激化，不信任危机日益加重，其中之一就是蒋嫡系和非嫡系之间的矛盾。而这一矛盾的主要原因就是蒋介石不能一碗水端平，站在客观的立场主持公道。日益吃紧的战事让国民党军人困马乏，缺吃少穿，军队中怨声四起。在军备物资的补给上，蒋嫡系与非嫡系部队存在着巨大的差别，使得人心涣散，大量国民党军或起义或向解放军投诚。1948年10月17日，国民党第60军军长曾泽生率部在长春起义，其所属2.6万人的部队被改编接收。此前，在解放军的包围下，长春守军坐困孤城，军品枯竭，士气涣散，面临绝境，这也从侧面反映出蒋介石集团内部的一种混乱与无序。

☆ 人民解放军的灵活战术

1948年1月27日，为继续贯彻党中央将战争引向国民党统治区域的方针，使中原解放区迅速得到巩固。中央军委于1月27日、28日和2月7日分别致电华东野战军、中原野战军和刘邓大军："3个月内先打小仗；等候新兵到达再集中力量打中等仗；最后须协同陈赓等人的部队机动打中等及大的歼灭战……"此面对战场形式的灵活战术，使我军在以后的战斗中在最短的时间内消灭了最多敌人，加速了国民党军的瓦解。

第四卷

DISIJUAN

国民党军大势已去
西北国土红旗飘飘

国统区游行民众"打倒蒋介石，打倒国民党"的呼声不绝于耳，蒋介石为之愕然！一向傲慢的胡宗南也陷入一种欲哭无泪的深思。毛主席在1949年元月"将革命进行到底"的新年贺词，标志着国民党在中国统治倒计时的开始。在彭德怀"不入虎穴，焉得虎子"的至胜理念下，野战军一举攻克汉中，裴昌会仓皇出逃。西北门户从此打开。

3月23日，中共中央结束转战陕北的艰苦生活，于陕西吴堡县川口东渡黄河，开始转战华北。打洛川久攻不克，彭德怀决定4月16日西击西府，调虎离山。

延安、洛川守敌丢盔弃甲，纷纷南撤，我军21日、25日相继收复延安、解放洛川。西野以"无敌于天下"的雄壮气势，10天之内就攻下了宝鸡城。

蒋介石调集两路大军直逼宝鸡，西野陷入重围。彭德怀指挥部队北上东出，历尽艰辛冲出了重重封锁。

第一章

西击西府，收复延安解放洛川

中共中央作别陕北

冰雪开始融化。彭德怀和许光达、孙志远、罗元发、徐立清几个人在宜川城里走了一圈。战场已基本打扫完，城墙上被轰开的口子也正在修复中，大批大批的俘虏兵正集中在一起接受政策教育，缴获的物资弹药已如数登记造册，准备分发到各部队。

战后的这些工作都有条不紊地进行，彭德怀很是放心。走了一段，又向随行人员叮嘱了几个有关纪律的问题，彭德怀就满意地回到了野司。

张宗逊、赵寿山都在，见彭德怀搓着冻红的手进来，连忙叫警卫员生上了一堆火。

"情况怎么样？"张宗逊递上去一把凳子问。

"不错，比较满意。战场上有勇敢，战后有纪律！"彭德怀从不掩饰自己的感情："我看啊，咱们要乘士气旺盛扩大战果。"彭德怀径直走到地图跟前，指着渭河以北、洛河两岸20余县的广大地区上说："你们看，这么大一片地方胡宗南只据守几个重点城市。整17师守着孤城延安，新组建的整第61旅守洛川，整编第135旅、暂编第2旅、新编第9旅、骑兵第2旅分散守备着铜川到咸阳和西安以东陇海铁路沿线，黄龙山麓的黄陵、宜君、白水、蒲城、合阳、澄城、韩城、石堡这么大一片地区只有3个保安团和各县的保警队守备。我想，趁裴昌会兵团从豫西抽身回援之前，一、四纵队迅速南下，发起黄陇山麓战役，进攻黄陵和宜君，三、六纵队向洛川挺进，准备围城。这么一来，就可以彻底搞断咸延公路，把延安的整17师甩在外头了。洛川得手后，几个纵队一齐北上，把胡宗南在陕北的最后一个整编师给吃掉，这样我们就可以放心大胆地出击关中了！"彭德怀越说越激动，涨红着脸问他们俩："你们看怎么样？"

"没问题！胡宗南这次是伤到了内脏，现在动弹不得。以前他熟悉了我们打一仗休整一下的打法，今天我们连续出击，可杀他个措手不及！"张宗逊也是信心十足："这样吧，彭总，我率一、四纵队南下，二纵队配合行动，怎么样？"

"好啊，副司令员率军南下，再好不过了。"彭德怀当即就答应了。

去年3月，在陇东西华池一仗就是张宗逊指挥的，那一仗没打好，让彭德怀指着鼻子骂了一顿。这次，一定要打个漂亮仗让彭总看看，张宗逊从凳子上跳了起来："行，那我现在就通知一、四纵队做好出发准备！彭总，您还有什么指示？"

"没指示，没指示！"彭德怀边说边起身，拍了拍张宗逊肩膀："不过，这次可能会占领一些小城镇，一定要注意执行党的城市政策！占领城市绝对不能破坏工商业！我们在小城镇的城市政策执行的好坏，将影响西北大中城市工商业家的人心背向。千万不能马虎！"张宗逊答着"老总放心"，转身走了。

张宗逊出发两天后，参谋送来了毛泽东的新作《评西北大捷兼论解放军的新式整军运动》。

"这次胜利改变了西北的形势，并将影响中原的形势。这次胜利，证明人民解放军用诉苦和三查方法进行了新式整军运动，将使自己无敌于天下。"

看完这段话，彭德怀不断点头。越往后面看越觉得有一股热血涌上心头。"部队的纯洁性提高了，纪律整顿了，群众性的练兵运动开展了，完全有领导地有秩序地在部队中进行的政治、经济、军事三方面的民主发扬了……这样的军队，将是无敌于天下的"。

★1947年11月12日，我军解放石家庄。

　　毛泽东的这段话给诉苦和三查做了总结。这个总结，实际上是赞扬西北野战军的，也等于是表扬了彭德怀。彭德怀最怕人夸自己，但这次，他不像以往受到毛泽东表扬后那么不自在。因为毛泽东这次的表扬，不仅仅是给他彭德怀个人的，而是给整个西北野战军的。彭德怀把文章递给赵寿山说："咱们这支部队啊，与国民党蒋介石的部队最根本的区别就是，咱们是为着穷人利益着想的部队。中国99%的人是穷人，咱们掌握了中国99%的人！所以，咱们能无敌于天下！"

　　这样的话，完全是彭德怀从这次诉苦三查运动中感悟出来的。他背着双手在窑洞里踱了几步，又饶有兴趣地看起了近几日中央发来的全国战场报告。

　　这几天中共中央的电台，每天都能收到来自全国各战场的捷报。刘邓晋冀鲁豫野战军7个纵队自1947年6月30日强渡黄河、挺进大别山至今，已先后歼敌10万多人；陈毅、粟裕的华东野战军自挺进鲁西南，也歼敌10万多人；陈赓、谢富治部自挺进豫西，歼敌4万余人；林彪、罗荣桓的东北野战军12个师自1947年12月15日至1948年3月15日，在四平街至大石桥的中长路沿线和山海关至沈阳的北宁路沿线，发起了规模空前的冬季攻势，连续作战90天，歼敌15.6万余人，基本上掌握东北局面；聂荣臻领导的晋察冀野战军，自1947年9月初至11月中旬，先后展开了大清河以北地区、清风店地区和解放石家庄等战役，歼敌5万余人，解放了第一座大城市石家庄；西北战场上，宜川战役大败胡宗南，野战军已完全掌握了战场主动权。

毛泽东放下这一沓捷报，点燃一支烟，脸上露出了转战陕北以来少有的轻松，说："恩来、弼时啊，全国解放战争的严冬已经走过，生机勃勃的春天就要来喽！"

抽烟是毛泽东工作之余的休息方式，每每这时，周恩来、任弼时就都放下手中的工作，与毛泽东边聊边休息。他们三人这样的工作习惯和休息方式是在转战陕北的一年时间里形成的。

周恩来刚刚起草完一个致刘少奇、朱德的有关土改工作的电报，他一边起身把电报递给毛泽东，一边接过话头："是的！才1年零9个月的时间，战场主动权就抓在我们手里了！我开始都没有估计到战局会发展得这么快！"

"那是蒋介石成全我们呀！他要打败仗，我们也没有办法呀！我还想多吃几年延安的小米饭呢！"毛主席风趣地说。

"再吃几年延安的小米饭怕是吃不成啰！"任弼时说："主席，从去年3月18日撤出延安到今天快一年了。这一年里西北野战军在彭老总的率领下胜

XiangGuanLianJie
DaSaoMiao

GuanJianCi 相关链接 大扫描

☆ 攻克战略要地石家庄

清风店战役后，华北国民党军战略要点石家庄仅有1个师及地方武装一部防守，兵力单薄。晋察冀野战军遵照中央军委和亲临前方的朱总司令的指示，决心以一个纵队及地方部队担任阻援；集中主力二个纵队、炮兵旅及地方武装于1947年11月6日发起石家庄战役。经过3天激战，扫清了外围，占领了飞机场。9日发起总攻，至12日，攻克该城，全歼守敌24,000余人。石家庄战役，为我军一次较大规模的城市攻坚战，是人民解放军夺取国民党军所占重要城市的典型战例。

仗不断，刚刚结束的宜川战役使西北战场的主动权牢牢掌握在我们手上，胡宗南现在连防守都感到乏力，可以说我们已基本上打败了胡宗南。我看，可以过黄河了！"

周恩来说："随着战争胜利的到来，事情也多起来。除了军事，还有土改、财政、经济、整党、政权、外交、工青女运、宣传、组织、文教、城工、肃反等等，事情越来越多，并且情况也越来越复杂，好多事情还是要大家在一起商量一下才好。现在去西柏坡，主席你看时机成不成熟？"

"完全成熟！"毛泽东吐出一口浓烟："现在就通知机关人员，作好东移的准备。你们看10天时间准备够不够，也就是20日左右从这里出发。"

毛泽东的果断与干脆令周恩来、任弼时深为敬佩。离开陕北时，毛泽东一直强调，不打败胡宗南他是不过黄河的，哪怕刘戡的追兵追到了眼皮底下，毛泽东也岿然不动，所以一直以来，他俩从没有提过离开陕北的事。今天一提出，想不到毛泽东这么果断就作出了决定，这说明在毛泽东心里，早就有了安排。

3月21日，毛泽东给彭德怀发完告别电"中央机关本日动身东移。陕甘全局……由你们独立担任"，就和周恩来、任弼时从杨家沟出发了。彭德怀接到电报，心里忽地一热，站在雪地里遥望着毛泽东一行过黄河的方向，脑子里浮现出这一年来转战陕北的每一幕……

"裴昌会长了见识"

这几日，西北野战军拿出"无敌于天下"的气势，横扫了陕中。3月5日至6日，驻守在嵝峺镇的敌整编第24旅72团、整编第135旅404团和驻石堡的陕西保安第1团，听说野战军副司令张宗逊带着两个纵队来了，立即收拾行装就跑，逃到了南边的黄龙山区；驻扎在甘泉、富县的敌第34团和保警队也闻风而撤，收缩到了延安；配合一、四纵队作战的延属军分区部队和游击队没费一枪一弹，旋即收复了甘泉、富县等地，割断了延安与洛川的联系；王震带着二纵占领了石堡，8日西渡洛河，向白水、蒲城发起攻击，10日占领了白水，前锋推进到蒲城附近；一、四纵队主力10日攻占宜君，斩断了咸洛（咸阳、洛川）公路；三、六纵队9日完成了对洛川的包围，当晚就把城外的

★我军攻克宜川后，为扩大战果，继续向洛川进军。

一些据点扫了个精光，守敌纷纷逃到城内。

野战军几天时间里把黄龙山麓搅得天昏地暗，分别割断了延安与洛川、洛川与咸阳的公路联系，把还没从宜川战役中回过神来的胡宗南向悬崖又推进了一步。这天胡宗南做了一个恶梦，惊出了一身冷汗。他赶紧下令把裴昌会的第5兵团连夜调回，军令之急，犹如大厦之将倾。裴昌会拿着胡宗南的电令，顿时悲从中来，昔日威风凛凛的"西北王"，今日也落得了到处救火的局面。裴昌会刚把部队全部后撤到潼关以西，就传来了困守洛阳的第206师被围的消息。上次裴昌会西出潼关，解了第206师之围，蒋介石便把第206师划归胡宗南指挥。但今日第206师被围，胡宗南已没有任何能力再给这个"养子"送奶了。现在要紧的是，赶快去解洛川之围。

洛川是胡宗南丢了蟠龙之后重新建起来的一个物资供应基地，地处咸榆公路之上，北面接延安、南边连着咸阳和西安，其战略地位极为重要，在当时情景下是胡宗南的生命补给线。胡宗南当时被彭德怀打得急红了眼，他抓起电话向裴昌会下的命令是"不惜一切代价，驰援洛川"。

但裴昌会比胡宗南要冷静得多。他把师、旅长们召到一起，反复研究救援方案后，最后敲着桌子提醒大家，一定要吸取刘戡的教训，不要再重蹈复辙！

守备洛川的是国民党军整第61旅，副旅长杨荫寰凶狠异常，自己用重机

XiangGuanLianJie
DaSaoMiao

GuanJianCi
相关链接
大扫描

☆ 国民党陆军中将裴昌会

　　裴昌会，字同野。国民党陆军中将。保定陆军军官学校第八期毕业，后入孙传芳所办的金陵军官学校任教，随着孙出走天津，其所属主力被蒋介石收编，加入国民革命军。抗日战争胜利后，任第一战区副司令长官。后随着时局的不断明朗，裴昌会毅然选择了起义，全国解放后参加了部队的整编，1952年调任西南纺织工业局局长。1958年任重庆市副市长。建国后，裴昌会当选为一至六届全国人民代表，第五、六届全国人大常委会委员。1992年3月23日，裴昌会在重庆病逝，享年96岁。

　　枪对着城门口，将城外据点逃进城来的守军们来一个杀一个。一边放枪还一边喊着骂："给老子逃，给老子逃！你逃老子就打死你！"一时间，外城据点的守敌一部分被攻城的野战军消灭，另一部分逃回的也被杨荫寰干掉。杨荫寰这种在四面楚歌的绝境中所采取的惨绝人寰的方法，还真起了作用。城内的守军们被杨荫寰逼上了绝路，凶狠地抗击着我军攻城部队。到15日，毛泽东发电来询问战况的时候，洛川城仍没有攻打下来。

　　彭德怀把地图摊在桌上，把洛川城防看了又看。赵寿山说："彭老总，狗急了要跳墙，这人急了，就不要命了！"彭德怀突然像受到什么启发，接着赵寿山的话说："他们一不要命，就要跟咱们拼命了！咱们不跟他硬拼了，按主席说的，去打援！"

　　彭德怀以三、六纵各一部继续围攻洛川，诱敌北援；以第一、四纵队于黄陵、宜君待机；二纵从蒲城移到白水至冯原镇地区机动，准备歼灭可能北援的裴昌会部队。

　　裴昌会显然吸取了刘戡失败的教训，先头整编第36师28旅、123旅一到蒲城后，任凭野战军怎么围攻洛川，他们就是寸步不动。

　　彭德怀在野司急得直跺脚，"难道是我们的战术出了问题？多增加些兵力，再给我打，继续打，打狠点！"他在电话里给前方指挥部下命令。但过了几天，攻城部队仍未拿下洛川。洛川城守敌靠早就修筑好的坚固的防御工事负隅顽抗。

从15日打到28日，洛川城没有拿下，围城打援目的没达到。倒是拿下了城外的一些据点，如西安民、屯里、以及飞机场，还收复了一些小地方如韩城、合阳、澄城等。但这一次全是打的攻坚战，我军消耗极大。

彭德怀觉得这样打下去不行，又调整了部署，但目的仍然是打援。他的决心是一定要把裴昌会这个机动兵团干掉几个旅，要是能达到预想的目的，马上就可以打到西安去了。去年3月份胡宗南杀进延安，今年3月份我们杀进西安，这多鼓舞人心啊！

彭德怀刚把部队重新布置好，老天爷又接连下了十多天的雪，这期间裴昌会还是按兵不动。

"裴昌会长了见识！"彭德怀边说边走出窑洞，在雪地里站了半个多小时。等带着一身的雪再进屋时，一个新的作战计划已经在他心里形成了。

红旗插上宝鸡城

4月13日，在漫天雪花下的旬邑县马栏镇，西野纵队、旅首长会议正在召开。

"洛川不克，'围城打援'又不成，说明按现有打法已经不能解决洛川和裴昌会的问题。黄龙山区山多地少，粮食困难，这里已不是我们的久留之地。大家请看……"彭德怀拿起一根枯树枝，转身对着地图，指着泾河和渭河之间那一片古称"西府"的三角地区说："这一片地区胡宗南的防御比较空虚。在宝鸡，只有新组建起来的整编第76师师部、第144旅一个团（44团）及陕西保安第21团守备；而在耀县、淳化、泾阳这么大一片的三角地带，只有暂编第2旅、新编第9旅和骑兵第2旅守备。另外，青年军第203师布防于西安附近，马步芳整编第82师在镇原以东地区。我认为，我们目前在围攻洛川、围城打援双双受阻的情况下，出击西府是比较好的选择。第一，西府地区胡宗南兵力薄弱；第二，裴昌会来不及回援；第三，马家军与胡宗南有矛盾，形势对我们有利。我们留一部继续在洛川围城，牵制住延安守敌和裴昌会一部，主力大踏步全部西进，建立麟游山、陇山根据地，可以为将来进军甘肃作好

★1948年4月18日我军强渡泾河，向西府地区挺进。

准备。同时还可以相机夺取宝鸡，威胁胡宗南的战略后方，搞他的补给基地，他就顾不上延安了，可以逼敌人不战自退，这叫'调虎离山'。只要能调动敌人，就可以在运动中寻找消灭敌人的机会。"

野战军纵队、旅首长们来开会之前都在思考下一步怎么行动的问题。他们觉得，一个多月的作战已经证明，胶着于洛川已经没有出路。他们有的主张直接去收复延安；有的主张再进陇东，打击马步芳去；有的主张继续打洛川，即使攻不下，再围它个把月，困也要把他们困死；有的跟彭德怀想的一样，出击西府。

出击西府的前景是诱人的，就跟彭德怀讲的一样，建立麟游山、陇山根据地，相机夺宝鸡，威胁胡宗南的后方基地，调动裴昌会、何文鼎（守备延安的整17师师长）运动起来，这样就可以创造战机；如果把眼光再放长一些，建立麟游山、陇山根据地后，还可为下一步入甘作战做准备。

简直太妙了！

开始首长们还各持己见，现在思想统一起来了，当场就一致通过了彭德

328

★ 彭德怀司令员在动员大会上，号召部队向西府进军。

怀出击西府的意见。

4月16日，除三纵继续围攻洛川，西北野战军以张宗逊率第二、四纵队为左路，贺炳炎、廖汉生率一纵为中路，罗元发、徐立清率六纵为右路，踏着皑皑白雪，向西府地区浩浩荡荡出发了。

这段时间里，彭德怀对洛川久围不下，着实让胡宗南重重地松了一口气，他那张十天半月不见一丝笑容的脸上，又渐露喜色。他认定了，能保住洛川，就能保住延安，而只要能保住延安，老头子那里就可以应付过去。现在的问题是，怎么把彭德怀咬上一口，打次胜仗，把自己那个"撤职留任"的处分早点拿掉。堂堂国军上将，背这么个东西，实在难堪！

胡宗南踱到地图跟前，把黄龙山区的地形翻来覆去地反复琢磨，心里总是没谱。与彭德怀打了一年仗，打得自己连一点信心都没有了！正在琢磨着，盛文拿来了一份空军侦察急电：解放军分三路向西移动，似有西进企图！

"有这回事？"胡宗南将信将疑："打电话到洛川问问看！"

盛文即拨通洛川的电话，得到了同样的消息。

胡宗南的脸立即拉下来了。这些天自己的注意力整个都在延安、洛川之间游动，而可用的机动兵力也全部集结于咸榆公路以东，彭德怀在这个时候甩开我们的主力西进，没想到，没想到！

又过了两日，接连接到报告：解放军连克旬邑、张洪镇、职田、太峪、世店镇，连先前调防咸阳西北的监军镇一带的青年军第203师也在常宁镇被歼了两个团。胡宗南这才真正紧张起来，连忙命裴昌会兵团南下，取捷径堵击西北野战军。

但西北野战军一路所向披靡，真正显示出了"无敌于天下"的气势，从19日到25日，右路第六纵队拿下了宝鸡北面约150公里处的长武、灵台；中路第一纵队攻占了宝鸡西北约100公里处的彬县、麟游，在彬县，还俘获了彬县守军少将指挥官赵璋、少将保安司令乔维森，后又经80公里长途奔袭，攻占凤翔县城，直逼宝鸡城下；左路二、四纵队占领扶风，又占领了绛帐车站和文殊镇，掌握了扶风东南的绛帐到宝鸡以东的底店间长达75公里的陇海铁路线。至此，宝鸡已处于野战军的三面被围之中。

彭德怀南下时，他的作战决心是调动裴昌会，然后再找机会干掉他，而对宝鸡，是"相机"夺取。何谓"相机"，野战军有些首长不太理解。赵寿山说："我们是从胡马的夹缝中打出去的，不能陷得太深，太深了有危险，对宝鸡，所以只能'相机'夺取。"彭德怀的补充，把"相机"说得更明白："相机，就是有机会就夺，没有机会就不夺。"

现在已兵临宝鸡城下，机会肯定是有的，并且宝鸡是陇海线上的重要一站，战略地位重要；它还是胡宗南的后勤仓库，物资堆积如山，这对物资不足的西北野战军而言，其中的诱惑，简直是无法抵挡！彭德怀心里也直痒痒，全军几万人的粮食马上就要告罄，得弄点吃的呀！打，宝鸡一定要打！打下了宝鸡，部队的吃饭问题就解决了！

25日晚，野战军对宝鸡发起了攻击。

野战军以凌厉攻势直逼过来，宝鸡城内早就乱作一团了。替胡宗南掌管宝鸡的是徐保，这时他已是重新组建的整76师的师长了。这个徐保，是一个吃喝嫖赌样样精通的人。据说他当团长时，有一次领了全团的军饷，结果一夜之间输得精光。第二天他把全团官兵集合起来，爬上桌子大声宣布："弟兄们，本团长已把本月饷钱领来了！"话音刚落，底下响起了热烈的欢呼。徐保不慌不忙，扫视全场后接着说："但咱们弟兄们运气不好啊，昨晚本团长去

★ 在常宁镇战斗中，我军战士向前线运送攻城云梯。

★ 在常宁镇战斗中，我军机枪掩护步兵冲锋。

★我军在彬县与敌人进行巷战。

赌了一把，本想赢点钱，给弟兄们搞点补贴。但本团长不但没赢，还把饷钱全他妈的输光了！不过不要紧，本团长决定今晚再去，一定连本带息一起赢回来！明天给弟兄们发双饷！"他那帮弟兄们脸色早已大变："自己输了钱，还说老子们运气不好，真他妈的荒唐透顶！"

徐保因此荒唐出名，胡宗南把他召到司令部，足足骂了一个小时。后来有别的军务要处理，胡宗南骂得口干舌燥就出去了，等傍晚再回来时，胡宗南发现，这个徐保还是一动不动地站在原地，豆大的汗珠从额上滚落下来，已湿了整个衣背，并且浑身都在发抖。此情此景，胡宗南再也没了脾气，就动笔写了个再提一个月饷银的条子给了徐保，徐保感激万分，从此对胡宗南忠诚不二。而胡宗南呢，觉得徐保恶习虽有，但人心不坏，居然把他从团长提到副旅长，后来又封为旅长，直到今天又封为师长。徐保这一赌，虽在钱桌上赌输了，却在官场上赌赢了。

野战军逼近宝鸡时，徐保正在西安通济南坊公馆里搂着姨太太寻欢。不过他挺识时务，接到宝鸡告急的电报后，扔下姨太太就一溜烟跑到了宝鸡。

是时，宝鸡已人心浮动，乱作一团。徐保主持召开的防务会议上，宝鸡警备司令刘进就提出宝鸡兵力不足，不如先放弃宝鸡，部队向南撤，等援军到后再……没等刘进说完，徐保就嚷了起来："不行！宝鸡位置重要，物资又多，放弃宝鸡，胡先生是不会答应的！"喝了口水，徐保故作镇静地说："要撤，专员公署、警备司令部和县政府及其他行政人员撤，我是要留在宝鸡的！"说完气嘟嘟起身就走了。

去师部的路上，解放军已在城外架起了大炮的消息已传得沸沸扬扬。国民党官员家属拿着行李，拖儿带女，举家搬迁；上了年纪的老太太老大爷走不动，就趴在街旁呼天喊地……看此情景，徐保也觉得形势不大好了，连忙吩咐下属，立即备好车，加满油，把行李也捆好，准备应付万一。夜里10时，他收到了胡宗南的急电。电报说裴昌会兵团正由富平、三原地区分三路赶来，马继援的整编第82师也由陇东南下，正向宝鸡星夜驰援，要徐保务必坚守待援。等宝鸡战役结束后，再升徐保的官！

徐保摸着没有胡子的下巴，骂了起来："奶奶的，刘进就是他妈的一个胆小鬼，形势不好就逃，奶奶的，怎么对得起胡先生的培养之恩……"还没骂完，就听见城外大炮真的响了，震耳欲聋，地动山摇！解放军一纵队从城西和城北灵原机场、二纵队从正东和东北方向向宝鸡发起了攻击。

战况发展得异常迅速，从25日晚解放军开始攻击前进开始，到26日上午10时，一纵就占领了飞机场并攻到了城内，到12时，二纵也从东南突到了宝鸡城内。

徐保慌了手脚，坐着待援肯定是死路一条。正在焦头烂额之时，从西安开过来的铁甲车队长跟徐保说："师长，我的铁家伙上弹药充足，给养也还能维持几天，靠那铁壳壳掩护，东奔西突，可以保证安全。你不如把师部转移到铁甲车上去吧？"徐保一听，眼睛顿时亮了起来："行！"说着跨出大门，和参谋长袁致中、参谋处参谋武乃栋一起上了铁甲车。

铁甲车一阵风似的西逃，刚开出几里地，就发现了大量的解放军正在撤铁轨，徐保大吃一惊，又令铁甲车往东逃，铁甲车调头向东开出不远，又发现前面铁轨已被拆断，一队解放军铺天盖地直扑过来。这时，这个铁家伙就悬在半路上，进不能进，退也不能退。

解放军二纵独4旅12团冲了上来。他们爬到铁甲车顶，挥舞着红旗又是蹦又是喊，"欢迎投降，解放军优待俘虏！"战士们向铁甲车内的国民党士兵展开了宣传攻势。

徐保早已吓得魂飞魄散，他不住地骂着铁甲车队长："你不是说铁甲车安全吗？如今老子快成瓮中之鳖了。"

★ 我军在缴获敌之铁甲列车上清查胜利品。

镇定了一下，徐保决定突围！连忙换了一件士兵服，烧了电报密码本，又撕了党员守则、军令训词，跟胡宗南发了封"准备尽忠"的电报后，就叫警卫打开了车门。带了几名警卫，鼓足了勇气，闭着眼睛就往外冲。刚到门口，一发炮弹不偏不倚落在了徐保身边，徐保当即面目全非，血肉模糊，倒在了车厢里。

徐保一死，国民党官兵失去了精神支柱，纷纷放下武器，束手就擒。

26日晚22时，解放军红旗插上宝鸡城头。

收复延安　解放洛川

当我西北野战军攻打宝鸡之时，蒋介石正忙着他的"行宪"。在19日的国民大会十三次会议上，蒋介石以2,430票（出席大会代表2,734人，投弃权票者269票，废票者35张）当选为中华民国"行宪"后的首任总统，蒋介石披红挂彩、容光焕发，演了一幕与前方败绩不断的军事局面极不协调的"行宪"闹剧。宝鸡被围时，他正在处心积虑地对付李宗仁的竞选，但李宗仁还是以1,438票击败了蒋介石极力支持的孙科，当选为中华民国副总统。

刘戡、严明、徐保相继阵亡后，胡宗南给他们三人一起开了个空前隆重的追悼大会，把他们树成高级军官的道德楷模而大大地赞扬了一番。让胡宗南受宠若惊的是，蒋介石来到了西安。还亲自登上了埋葬三人尸首的翠华山，又是鞠躬，又是革命英雄、党国功臣地赞扬一番。这种礼遇，在国军将领里面怕是空前绝后了！

不过谁都知道，蒋介石、胡宗南这种做法，是做给活人看的。当时的西安学生就写了一幅妙联，把这三位"党国功臣"大大地讽刺了一把。对联是"刘戡戡乱内乱未戡身先死，徐保保宝鸡宝鸡未保一命亡"，横批是"纪律严明"。

蒋介石亲自祭奠国民党阵亡的三位将领，那天他当着胡宗南手下那一帮将官们无限伤感地说："我们今天还能在这里祭奠他们，如果你们不努力作战，恐怕我们死后，都没有人来掩埋，更谈不到祭奠了！"

言之凄凉，犹如国之将破。

但与之相比，更加凄凉的，还是下令延安、洛川守军大撤退。

守备延安的部队，开始是整编第27师，到1947年9月，胡宗南在险

象环生的陕北迷宫里被搞得晕头转向后，主力开始南撤了，但他还是舍不得延安这个宝贝，又把它交给了当时还没怎么受打击的整编第17师，决心还要固守一下。整17师辖整编第12旅（旅长陈子干）和整编第48旅（旅长康庄），师长是何文鼎，就是在1946年贺龙、聂荣臻发动的绥远战役中丢了卓资山的那个逃跑将军。何文鼎领命时，一脸的不情愿。当时延安到洛川100多公里的补给线上，连警备部队都没有，一旦战事发生，马上就会陷入绝境。师、旅长们没有一个不认为守备延安完全是一件受虚名得实祸的蠢事。但上头那么重视，他们也没有办法，守就守呗，仗来了就打一下，打不赢就跑，反正败仗一个接着一个地打，谁也扭转不了局面。当时整29军军部还在延安，延安的人气还显得旺一点。11月份，延河上已冰冻三尺，这些守备延安的将军们，除了在窑洞里下棋，就到延河上去滑冰，在这段"苦闷"的日子里，滑冰是他们消遣的最好方式。到了12月份，整29军军部南移到洛川，整个延安，可以说整个陕北，就只有整17师孤军守备了。恐慌再一次袭遍整17师，军官们再也不去滑冰，从此过起了以酒浇愁的日子。

再过了些日子，传来了刘戡在宜川全军覆没的消息，又过了个把月，传来了解放军大踏步西进、直逼西府重地宝鸡的消息。此时，整17师犹如一只断了线的风筝，孤悬于几百公里之外，再不收回，恐怕只有任凭风吹雨打、孤单飘零了。

蒋介石清醒过来了，解放军都打到了后方基地，再苦守延安，无异于守活寡，有什么意义！？他闭着眼睛在沙发上回顾了这一年来所发生的一切，所谓的战绩，都是手下将领为了掩人耳目编造出来的，而事实真相却是抵挡不住的失败。这一年里，自己损失了100多万军队，丢了几十座大中城市，还丢了像石家庄这样的大城市，共产党"农村包围城市"的战略可怕呀！蒋介石有气无力地给胡宗南下达了从陕北撤退的命令，这一天是1948年3月18日，距占领延安整整一年。

4月21日，国民党整17师开始撤退，胡宗南一年前导演的那场"陕北大捷"，此时正式划上了句号。

随军家属们以及跟着南逃的地富分子，杂乱不堪地涌上了窄窄的洛延公路。何文鼎下令，轻装简从，以保证灵活机动，不受共军袭击，因此重型武器纷纷砸烂，面粉大米也随熊熊大火一起化为灰烬，从西安运来的家具、办公桌

★ 1948年4月22日，我军胜利光复革命圣地延安。延安军民正在召开庆祝延安光复的大会。

及其他用品一律捣毁。霎时间一座整洁清爽的延安城鸡飞狗跳、满目疮痍。

早上8时，担任后卫的国民党军整12旅撤出延安后，守候在距延安不到5公里山沟里的延属军分区游击队，就打着红旗、列着方队整齐地开进了延安。一年前胡宗南整1军整1师整1旅趾高气扬地开进延安城，今天整17师如丧家之犬撤出延安城，一来一去，已经预示了国民党军的失败不可逆转！

国民党军提心吊胆地在洛延公路上走了三天，23日晚到达洛川。此时许光达、孙志远率领的三纵队就在洛川附近，虎视眈眈盯着何文鼎。何文鼎不敢久留，25日一大早就带上杨荫寰团出发了。许光达留一部收复洛川，率领部队把何文鼎赶到了洛河边上。

敌整17师先前在洛川南面的石头镇、吴庄镇被三纵袭击了一下，死伤上千，军心早已涣散，何文鼎带领部队亡命似的往南逃，现在到了洛河。时值冰雪融化的4月底，河水暴涨。解放军几千人马杀声震天，从后面直扑了过

★ 我军步入庆祝延安光复大会会场。

来，而自己带着家眷及行政人员，还有好多的笨重武器，何文鼎在河边上急得直打转，怎么办？怎么办？

情况越来越紧急，再不容迟疑了。何文鼎一挥手："过河！"几千人马立即徒步涉河，官兵们个个争先恐后忙着逃命，重武器全留在了洛河北岸。等何文鼎像落水狗一样爬上岸时，许光达带着部队到了洛河北岸。吉普车、卡车、榴弹炮、山炮，还有坦克，随处可见。许光达乐呵呵的，东拍拍，西瞧瞧，大声喊道："给彭老总发报，咱们发洋财喽！"

西府大撤退

我野战军打下宝鸡后，缴获了不少弹药和粮食，部队的状况得到了改善。不过，此时宝鸡的形势突然发生了变化。

对彭德怀捣掉宝鸡，蒋介石的看法是，解放军孤军远征，深入到胡宗南的统治腹地，解放军失去了解放区的依托，正是歼敌的好机会。身处南京的

★延安军民合力修复被敌人破坏的延水河堤。

他连打几个电话给胡宗南："寿山呀，共匪孤军深入，这是个歼敌的千载良机呀！赶快令裴昌会急驰宝鸡，我再告诉马步芳，让他从长武南下，与裴昌会配合夹击彭德怀！"

彭德怀没料到马步芳这次与胡宗南的配合会这么密切。25日，马继援的整编第82师攻下长武，并声势浩大地继续南下，随后，裴昌会兵团先头部队已到了扶风以东的杏林镇。扶风地区的阻击部队是第四纵队，由于阻击失误，未经请示，也没与友邻部队二纵独6旅联络就擅自北撤，致使裴昌会兵团的4个整编师沿咸阳经扶风到凤翔的公路长驱直入，28日突然逼近距宝鸡不足百里的凤翔。

彭德怀冷静地分析形势，北面马继援部风驰电掣般急速南下，而裴昌会4个整编师已在眼前，南边是波涛汹涌的渭河，西边是马步芳的地盘甘肃，如此情景，西野主力已陷入了侧水侧敌、四面被围的局面！这说明，虽然胡宗南在陕北战场一败涂地，但他的部队还没完全失去战斗力。此时胡宗南咬紧了牙关，兴奋得握着拳头在电话里对裴昌会、马继援直喊："一定要拿下彭德怀，死的活的都行！"

★ 宝鸡车站堆放着大批面粉和鞋子，准备运往前方支援我军将士。

　　彭德怀就在离宝鸡不足5公里的马家山指挥所里，他一只手背着，一只手压在桌上，急促而沉着地向参谋口授电报："二纵独4旅、独6旅和六纵新4旅于凤翔抗击敌军，一纵及二纵359旅炸毁转运不走的军火物资后，迅速向北撤出宝鸡城，在千阳地区集结。"

　　一场围攻与反围攻的战斗就此打响。

　　胡宗南豁出了血本，西安凡是能起飞的飞机，全部投入了这场战斗。一架架飞机呼啸而来，向防空能力薄弱的我军肆无忌惮地俯冲投弹，野战军阵地上顿时响声如雷，浓烟四起，掀起几丈高的泥土落下时，把野战军战士重重地埋在了下面，很多战士因此窒息牺牲。裴昌会的地面部队在空中火力配合下，喊着"活捉彭德怀"的口号，不要命地向前推进。

　　国民党军来势汹汹，因为他们知道，现在的西北野战军已陷入了他们的重重包围之中。胡宗南告诫部下，只要拿出足够的勇气，就可以毕其功于一役，在宝鸡地区解决彭德怀及西北野战军，从此就再也不用过疲于奔命、提心吊胆的日子。

就在胡宗南的部队疯狂的冲击之时，二纵独4旅、独6旅和六纵新4旅也在顽强地阻击敌人。此时在他们的心里只有一个信念：掩护彭老总和主力撤退。只要这个目的达到，任何牺牲都在所不惜！

彭德怀是从敌人的枪林弹雨里钻出来的。他撤退的时候，已是29日傍晚时分，当时马家山上已爬满了敌人，"活捉彭德怀"的喊杀声都听得一清二楚。野战军政治部主任甘泗淇几个人和一个警卫班护着彭德怀趁黑穿过敌封锁线时，子弹就从耳边呼啸而过。有一次一梭子弹打过来，几名战士当即应声而倒，而彭德怀却安然无恙，情况就这么危急！一路走，彭德怀还一路说："要死的可以，要活的没有！"临危不惧的彭德怀花了近4个小时的时间穿过了敌人的封锁线，这时，阻击部队完成阻击任务，奉命向北撤退。

刚突出了重围，后面国民党军紧追不舍，野战军来不及集结，分头渡过渭河、越过咸千（咸阳至千阳的省道）公路后再集中在一起，在山地里一路飞速行军。

胡宗南调整了部署，以整65师在左、整36师在中、整1师在右，分三路尾随野战军一路北上，要在长武、灵台、泾川、镇原之间与整82师围歼西北野战军。

野战军处境仍然十分险恶，耽误半刻就有全军覆没的危险。一、二、六纵队已集结在一起，四纵队因先行北撤，走在大部队的右侧。彭德怀不断电令王世泰向主力靠拢，会合后部队一起在泾川以西越过西兰公路，接着又抢渡泾河，再取道党原镇向东北折去，出击陇东，准备打击马继援部。

在北上途中，六纵教导旅抵进镇原县屯字镇时，被马继援整82师两个团和两个骑兵团层层包围，彭德怀调了一、四纵队救援，但胡宗南又派了飞机来战，一场恶战就在屯子镇周围展开。战斗从3日一直打到6日没停过火，彭德怀好几次冒着枪林弹雨冲到一线指挥，因为教导旅被重兵包围，已经无法从外围达到解围目的，彭德怀立即电令陈海涵，拿出359旅中原突围的气势来，冲出重围。血战到6日夜里，教导旅才千辛万苦地冲出了重围，但损失已经非常严重。

彭德怀又一次感到了危机的降临。在目前自身安全都无法得到保障的情

况下，去陇东打击马继援已经不可能了。三十六计，走为上策！赶快走，到边区去，到了边区安全才有保障。

野战军调转方向，向东交替转移。二纵队在丰台镇、荔镇抗击敌整36师的来犯，保证了野战军转移通道的畅通。野战军主力迅速通过丰台镇和荔镇与肖金镇之间的通道，向东急行军进行转移，后来又在三不同、宁县以东的良平镇、旬邑以北的永和镇、职田镇与整编第82师及整编第36师鏖战几日后，于12日终于转移到了关中分区的马栏、转角等，摆脱了胡、马两军联合夹击的被动局面，部队随即转移到黄龙解放区休整。

转移到黄龙解放区,彭德怀下令做的第一件事就是统计各部队减员数字。

第二天，一个揪心的统计数字出来了：减员1.49万人，其中伤亡6,566人，失散、被俘、逃亡共计8,407人（失散的有一部分正在陆续归队中）。

彭德怀拉长了脸，非常痛心地说："要开个会，好好总结一下。"

5月26日至6月1日，西野在洛川县土基镇召开了第二次前委扩大会议。

关于这次历时27天（4月16日至5月12日）的西府战役的意义，彭德怀是这样总结的：其一，出击西府，危及西安，调动了延安、洛川守敌南下，收复了延安、解放了洛川；其二，把战场从老解放区推进到了国民党统治区，扩大了解放军的影响，了解到了国统区在政治、经济、军事方面的诸多情况；其三，进一步牵制了胡宗南的兵力，有力地支援了中原战场的作战。

但减员1.49万人的事实也是不容回避的，关于这一点，彭德怀说了三点不足：一、在战役指导上犯了急于求成的错误；二、对敌军的估计上有轻敌思想，战役配合有很多漏洞；三、缺乏战术侦察，敌情不明。

☆ 朱德总司令的讲话

　　1947年12月1日，朱德在晋察冀野战军干部会议上发表了重要讲话。讲话指出：打下石家庄，动摇了敌人防守大城市的信心，而增强了我军的信心。这次胜利最大的收获是提高了战术、学会了攻坚、学会了打大城市、经济上的意义也是很大的。随后朱总司令又总结了石家庄一役的经验教训：1、有充分准备，对敌情了解得清楚，兵力准备得充足，弹药准备得也很充足；2、动员工作做得很好，战前多数连队开了党支部动员会；3、讲究战术；4、善于利用俘虏。朱德发表此次讲话后，不知蒋介石是否认识到了毛泽东"农村包围城市"战略运用的高明之处！

☆ 美国无力的援助

　　1948年2月，美国又将936架飞机卖给国民党政府。在1948年1月7日国民党政府与美国政府签订的合同中，规定将马里亚纳群岛的"剩余"弹药，以原价的1%卖给国民党政府。按照秘密协定，美国共将1,071架飞机廉价售给国民党政府，为国民党空军编成1个重型轰炸机大队、1个中型轰炸机大队、4个单引擎战斗机大队、2个运输机大队和1个摄影侦察机中队，并供给大量空军设备和派遣技师人员。美国对蒋介石的军援在人民解放军的强大攻势下，一切都于事无补。真正决定战争胜利的因素是人，而不是武器。

☆ 宋美龄远赴美国游说

　　人民解放军捷报连连，国民党军队锐减。面对日益严峻的内战局势和接二连三的战场失败，蒋介石似乎有些束手无策。1948年11月28日，在痛失黄百韬兵团，黄维兵团身陷双堆集不能抽身的情况下，蒋介石派夫人宋美龄再次访问华盛顿，要求美国发表支持南京政府反共救国的正式宣言，并要求提供30亿美元的军事援助。美国总统杜鲁门表示，美国不能保证无限期地支持一个无法代表中国的政府。

战局的变化令蒋介石都不敢相信，开过军事检讨会议后，他开始盘算着往何处隐身。胡宗南趁着陇东"大胜"的那股子热劲，把部队全力向前推进。

彭德怀静坐旁观了几个月，终于重拳出击澄城、合阳。西柏坡决定秋冬之时发起全国规模的反攻。西野前委会上彭德怀拍着桌子喊"加强纪律"。

荔北战役、冬季攻势再次重创胡宗南，至此西北战场大局已定。

第二章

秋去冬来，西北战场胜算在握

再击钟松

蒋介石的总统就职典礼是在 5 月 20 日举行的。

那天风和日丽，艳阳高照。在数百文武官员和外国使节的前呼后拥中，蒋介石身着总统礼服、手握宝剑粉墨登场了。礼炮鸣了 21 响，一片歌舞升平的气氛，与前方损兵折将的败局极不协调。那天蒋介石的就职演说挺耐人寻味："今后我们全国不仅在戡乱中要建立民主，更应从戡乱中求建设、求进步。"最后他又宣布，要在 3 到 6 个月中完成戡乱大业！

记得 1946 年 6 月内战爆发时，蒋介石就曾说 3 到 6 个月解决中共问题。几个月过去后，大话没兑现。又说再用几个月，几个月又过去了，又说了大话，于是改口说战争才开始。而现在，两年时间都过去了，又开始重提 3 到 6 个月的口号。

转眼间，3 个月又过去了。蒋介石在干什么呢？

他在南京开军事检讨会议。

　　这个时候，失败情绪已不是在某个人或某几个人的身上存在。这一次，随着前线战争的失利、随着国统区经济的几近崩溃以及各民主党派和高校师生们掀起的一波接一波的爱国民主运动，失败情绪已经弥漫了整个国民党阵营。

　　参加会议的有何应钦、顾祝同、白崇禧、林蔚、刘斐、关麟征、汤恩伯、周至柔、王叔铭、桂永清、杜聿明、范汉杰、宋希濂等中央和地方大员。他们没有一个是笑着进会场的，互相的握手和致意之间，也没有了往日的神色。他们一个个面无表情，缄默不语。

　　现在蒋介石要做的第一件事，不是部署怎样与共产党展开最后决战，而是给大家打气。他敲着桌子说："这几个月以来，我们无论军事、政治、经济各方面情形的表现，的确是严重而危险的。但不致于这样的悲观嘛！我们的海军、空军占优势，陆军还有几百万人，国库里也还有 9 亿美元的基金，国民政府仍统治着广大地区。就总的力量来说，我们要比共党大过很多倍，没有任何悲观失败的理由……"

　　任他怎么说，会场还是死一般沉寂！

　　也难怪高级将领们这般神情。自和共军开战以来，除了傅作义打了几个漂亮仗，如大同、集宁战役外，其他战役几乎是打一场败一场，山东战场的莱芜战役、孟良崮战役、西北战场的蟠龙战役、宜川战役、华北战场的石家庄战役和东北战场的四平战役等等，可以说是一败涂地。今年四五月之交，西北野战军大步前进，跑到了胡宗南的统治腹地，这么好的机会没有抓住，反倒让他们捣掉了宝鸡，成千上万吨的军火物资毁于一旦！虽然在陇东地区把彭德怀狠狠地教训了一顿，但那又怎么样？没伤着元气嘛！现在彭德怀又开始指挥他的部队向澄城、合阳进攻了。军事上的失利，可以说是输得无从谈起！

　　那经济呢？经济也一塌糊涂。法定币值一泻千里，物价直线上升，工矿企业纷纷倒闭，工人捧着饭碗上街大喊"我们要吃饭"，还有教职员工和学生们天天搞大游行，"打倒蒋介石，打倒国民党"的口号都喊出来了……这河山，这国家，两年之内就残破到了如此之境地！蒋介石在就职典礼上说的建立民主、求建设、求进步，从何谈起！保证能够生存下来就已经非常不容易了。

　　其实，蒋介石何尝不知？他也是一肚子的苦恼。只不过他作为一党之领袖、一国之元首，这种失败悲观情绪不能流露而已。

这次会议从3日一直开到8日，沉闷而冗长，会议最后的决定是：把作战重点放在黄河以南、长江以北地区。在东北，集中所有兵力，确保辽东、热河以巩固华北，达到钳制东北、华北人民解放军，屏障黄河以南的作战目的。在西北，以兰州为中心，建立一个独立作战地带，在陕北建立一支骨干部队支配战场，确保汉中，并于四川及汉中尽快建立一个强有力的兵团。黄河以南、长江以北地区合并成一个战区，东北、华北地区合并成一个战区，战区最高长官掌管战区内党、政、军大权。西北成立一个"剿匪"总部，统一指挥陕甘宁边区"剿匪"军事工作。把抗战后沿用的整编师、整编旅恢复成军、师建制，军以3.5万人定编，每师恢复3个建制团。

会议结束后，蒋介石重重地叹了一口气，转到地图跟前，静静地看着西北那片广袤的土地，心里在想一个问题：如果战败，要躲起来的话，是西北好，还是台湾好？

躲到西北，志大才疏的胡宗南怕是靠不住！

胡宗南在陇东与马步芳联手把西北野战军夹击了一下后，得意极了，居然在西安见了一批记者，大吹他在陇东的胜利，还自信地宣布西北野战军须6个月后始能作战。一时间，整个西安绥署又笼罩在胜利的气氛之中。那时，胡宗南经过补充，仍然有11个整编师30个旅约25万的兵力，加上青、宁二马和榆林邓宝珊的部队，大约共有31万多人，再加上特种部队、非正规军的话，共有40万人。所以胡宗南仍然可以颐指气使。

那阵子，日感中原兵力不足的蒋介石也盯上了胡宗南手里的"肥肉"，叫他把整编第30师空运到了太原，又把他的整编第65、27、13师（辖第84旅、135旅）开到了豫陕边境，以防止中原野战军西进。余下人马，胡宗南全部用在了黄龙山南麓，手下这帮将领还算争气，从5月到7月，先后占去了白水、澄城、合阳。接着胡宗南又拿出当年日本鬼子的战术，把我关中分区从头到尾拉网式"扫荡"了一遍，占去了旬邑、马栏等地。

胡宗南在西安天天关注着前线的战况，攻城掠地的捷报频频传来，心中顿时燃起了重生的希望。他摸着没有胡子的下巴，在绥署转了几圈，又酝酿出一个更大更冒险的进攻计划……

彭德怀静观事态发展，他的决心是等胡宗南折腾够了再去收拾他！

彭德怀避开了胡宗南的锋芒，把部队集合在石堡、韩城一带，又像"诉苦三查"那样搞起了一次以"评斗志、评智慧、评政策"为主要内容的政治

★ 澄合战役：1948年7月，胡宗南以其主力部队分路向我陕西黄龙地区进犯。8月8日，我西北野战军主力部队对进至冯原的敌军整编36师实施反击，战斗至8月10日结束，全歼敌9,000余人，并于12、13两日相继收复澄城、合阳两城。我炮兵正在向敌阵地轰击。

★ 壶梯山战斗结束后，我军追赶逃敌至澄城县王庄镇，将敌人包围。

★ 我军攻占澄城县王庄镇高地，敌 36 师大部被歼。

整训和以总结实战经验、练战术、练技术为主要内容的军事整训。有了新式整军运动的经验，这次整训更是花样百出，什么"过秤"呀，"照镜子"呀，"评骨头"呀，把整个整训又推向了高潮。虽然没有"诉苦"那样"字字血、声声泪"的场面，但战士们战风雨、战骄阳的那股子劲，丝毫不逊色于新式整军运动。所以 5 月到 7 月，胡宗南的部队在黄龙山麓疲于奔命的时候，西北野战军又练出了新式整军运动的士气和斗志。在这期间，西府战役中失散的 2,500 多名同志，经过跋山涉水，也陆陆续续归队了。这时，西北野战军全军共 5 个纵队 13 个旅，共计 6.8 万人。虽然人员比西府战役之前要少，但战斗力丝毫不弱！ 到了 7 月底，胡宗南开始实施他早先拟定的作战计划：裴昌会率 4 个整编师 10 个旅，外加一个骑兵团，共 7.8 万余人，分左右两路由白水、澄城、合阳一线向黄龙解放区推进。

经过两个月的整训，我军部队的士气早就要释放了。彭德怀摊开地图，在澄城、合阳上画下了作战标记，8 月 8 日，我军主动出击，发起了澄（澄城）合（合阳）战役。

彭德怀选定的攻击目标是整编第 36 师。在西府战役中，钟松带着整 36 师狂妄得不得了，几度陷西野于困境。现在，钟松又来了，真是冤家路窄。

按裴昌会布置好的行军序列，整 36 师是左路，由白水进犯石堡。7 月

30日，整36师进占了澄城前面的冯原镇、刘家洼。8月8日，西野第一、四纵队及警备第4旅向冯原镇的整第123旅发起攻击；第三、六纵队向冯原镇以东地区的整第165旅发起攻击。整28旅，也就是徐保的那个旅，此时正守着冯原镇北面的主阵地梯壶山，但南面有解放军强大的阻击部队，根本无力南下解钟松之围。而整28旅的82团，在解放军的火力攻击下，也基本上被解决了。

钟松陷入重围，眼见无援兵来救，只好带着部队拼死突围。

但彭德怀撒下的网越张越大。他立即从第三、六纵队各抽一部，由刘家洼向南截击，消灭整36师师部后，又把165旅旅部及第494、495围在了王庄。到9日入夜，天降大雨，这可帮了钟松的大忙。他忙令部队趁夜黑路滑赶快突围，结果一部被消灭，一部逃跑了。

钟松一身泥水跑出来时，发现跟他一起北上的整38、17师早就没了踪影，他顿时就火冒三丈，一甩腿上的烂泥，破口大骂了起来。

战斗结束了，彭德怀觉得很不过瘾。按他的本意，是要全歼整36师的。在清点俘虏时，发现俘获了敌整36师少将参谋长张先觉、少将高级参议李秀连同国防部战地少将视察官马国荣，此时彭德怀紧锁的眉头才舒展开来。

两次会议定大局

彭德怀澄合战役的告捷电发来时，毛泽东、周恩来、任弼时到西柏坡同刘少奇、朱德会合几个月了。

他们从川口渡过黄河后，一路乘车，走走停停看看，26日到达晋绥边区领导机关所在地山西兴县蔡家崖后逗留了8天，在这里毛泽东对晋绥干部和晋绥日报编辑人员发表了两次著名的讲话。4月4日出发继续前进，因为太原、忻县还在阎锡山手里，他们便取道岢岚、五寨、神池，越过古长城，再出雁门关，6日到代县，7日继续前进，当日被大雪阻于繁峙县伯强村，11日冒雪上武台山，经鸿门岩险地，到达杨林街，夜宿台怀镇塔院寺，13日到达晋察冀军区驻地河北阜平县城南庄。23日，周恩来、任弼时南下前往西柏坡，毛泽东准备去苏联，就留了下来，后来决定又不去了，遂于4月27日乘车到达西柏坡。

离开陕北、转战华北的这段时间里，虽然辛苦，但毕竟这是一次胜利的进军。在陕北一住就是十几年，今天终于走出来，这意味着最艰难的日子已经过去，这一群"敢叫日月换新天"的共产党人奋斗了二十几年，中国的新局面即将到来。一路上他们几人的心情都好极了，无论是翻越山岗沟壑，还是走在平原大道上，他们都在用心地感受着祖国河山的秀美与壮丽。

西柏坡位于太行山东麓、滹沱河北岸的柏坡岭前，依山傍水，绿树掩映，坡前有一个住着七八十户人家的村子，那就是西柏坡村。这里离石家庄只有二百来里路，属于晋察冀解放区，解放都快两年了。土改已经搞过，农民都分到了土地，相对于全国大部分还处于兵荒马乱的地区，这里多少有一些和平的景象。

毛泽东走出土屋，舒展了一下筋骨，展现在他视野里的是西柏坡漫山遍野的高粱和一望无际的小麦，好一派丰收景象。毛泽东触景生情，他转过身对身后的刘少奇说道："少奇同志，你和朱老总在解放区搞的土改工作很有成效嘛！"

刘少奇从陕北来西柏坡后，就一直和朱德领导解放区的土地改革工作。土地改革后农村出现的新变化，也曾令他整夜整夜地不能入睡。此时，刘少奇也为这一片繁荣景象所感染，他说："凡是土改过的地方，生产都搞起来了，农民吃饭穿衣的问题都解决了。那里的党组织健全，社会治安也好，翻身农民

XiangGuanLianJie
DaSaoMiao

GuanJianCi
相关链接
大扫描

☆ 毛泽东对土改工作的重要批示

1948 年 3 月 12 日，毛泽东在对题为《山西崞县是怎样进行土地改革》的报告批示中，强调要重视典型经验的工作。批示在肯定了崞县工作的成绩后指出，"关于如何在农村中进行整党工作，我们有了平山县的典型经验……这三个经验，值得印成一个小册子，发给每一个干部……使正确的获得推广，错误的不致重犯。"毛泽东的批示对解放区的土改工作，起到了重要的指导作用。

参军踊跃，支前工作搞得轰轰烈烈，与国民党统治区，简直是两个世界！"

"中国革命的根本问题就是农民问题，谁掌握了农民，谁就能掌握天下！蒋介石不要农民，必定是要垮台的！"毛泽东一挥手，把他在二十年前就已经阐述过的观点有力地又讲了一遍。

"从古至今，中国几千年没有解决好的土地问题，现在解决了。只要土改彻底，后方就巩固，前方也就无后顾之忧！"见毛泽东、刘少奇在门外头聊得正欢，朱德也跟了出来。

毛泽东吐出一口烟说："我看，要加快步伐，把西柏坡的这种繁荣景象推向全国！"

一会儿，周恩来、任弼时也来了，随意的谈话中，中国共产党的五位领导人一致以为，在与国民党的总兵力对比由战争之初的1∶3.5缩小到1∶1.3、第一线机动兵力已超过国民党的时候，可以进行全国的战略决战了。

9月8日到13日，中共中央召开了一次政治局会议，专门部署全国战略决战的问题。会上，毛泽东给全党全军提出了一个鼓舞人心的战略任务：建设500万人民解放军，用5年（从1946年7月算起）左右的时间，从根本上打倒蒋介石！为了完成这个任务，必须改变长期以来由于分散作战所带来的无纪律、无政府状态。"军队向前进，生产长一寸，加强纪律性，革命无不胜"，就是毛泽东专为解决这个问题所提出的口号。

政治局的会还没开完，西北野战军首长们就聚在了一起，在陕西合阳县雷家庄开了第三次前委扩大会。

彭德怀是个直爽人，对以前的战绩，寥寥讲了几句后就把话锋一转："成绩是有了，但问题不少。问题出在哪里？"稍停顿一下后大声说："就出在纪律上！"

对纪律问题，彭德怀几乎每战必讲。但一到实战，总会出现这样那样的问题。在西府战役中，四纵因为在扶风抗击敌人失败，不请示，也不通知友邻部队，就擅自北移，结果导致独6旅18团三面受敌，损失严重。后来敌人从侧面插过去，一天之内就到了宝鸡对面的凤翔，造成了整个西野处于被动的局面。

"军队就是一个纪律的集合，没有纪律，军队就是一盘散沙，更没有战斗力可言！"彭德怀很生气，额上的青筋也随着他的话在跳动："部队行动不请示，不报告，缴获归公问题上，以多报少，或根本不报，打埋伏，封锁上级，闹独立性。这些都是无组织、无纪律和无政府的表现。"彭德怀喝了一碗水，

问道："你们知道这些问题会有多严重的后果吗？我告诉你们，这影响到了党中央的正确政策和路线的执行！"

会场静悄悄的，彭德怀的讲话使每一位野战军首长深感震动。这次会议，就在这种严肃的开场白下开始了。从9月13日到22日近10天的会议中，野战军首长们严肃、认真地聆听了彭总关于当前野战军迫切需要解决的问题的讲话，大家敞开心扉，互相交流了各自的心得体会。

当然，加强纪律性只是前提，就当前的形势，作战方针才是重点。但现在的作战方针与战争刚开始的作战方针又不一样了。彭德怀说："……我军取得主动进攻，敌变为防御后，产生一个问题就是攻坚，打阵地战，打运动战的机会少了……我们打阵地战，一线配备只有二三公里纵深，一打到十几公里纵深，指挥就乱了，这是一个很大的问题……敌人的几十万、几百万队伍是不可怕的，但只要遇到一个王八窝碉堡时就要小心。消灭几十万、几百万的敌人是从消灭一个班、一个排、一个连开始积累的，是从消灭一个碉堡和一个小据点开始的……"彭德怀挥着那双布满老茧的手，把毛泽东"战略上藐视敌人，战术上重视敌人"的战略战术思想分析得入木三分。

最后，彭德怀举着手大声宣布："我们的作战方针是今秋打胡，明春打马，配合全国其他战场的作战！"

胡宗南问罪

人民解放军历史上称之为澄合战役的那场战役，胡宗南把它称为冯原战役。这一仗，是他在陇东"胜利"之后的一次充满幻想的出击。但结果令他伤透了心，损失官兵近10,000人，连国防部的战地巡视官员也做了解放军的俘虏，简直令他这个上将司令官颜面扫地！在西安的时候，他就拍着桌子骂了钟松。但他以为，连吃败仗主要原因是将士不用命，纪律太松弛，他下定了决心，要借这次冯原战役的失败严加整饬纪律！8月24日，胡宗南亲自带着执法队、囚车、手铐脚镣，怒气冲冲赶到大荔，召集所有参战部队团以上指挥官开了一个杀气腾腾的"冯原作战检讨会议"。

会场设在大荔中学。那天整个大荔城内卫兵密布，个个荷枪实弹，虎视眈眈。大荔中学门口更是警备森严，如临大敌。钟松、李顿（整28旅旅长）

XiangGuanLianJie
DaSaoMiao

☆ 我军澄合之战歼敌九千

1948年，胡宗南以3个师的兵力向澄城、合阳等地分两路进犯，企图切断我军晋西南至陕北的补给线。西北野战军以一部分兵力分别阻击和牵制两翼的来敌，再实行迂回，经激战歼灭了敌1个师的兵力。随后我军集中兵力向敌展开了主攻，又歼敌1个团。此时，敌军开始大部溃逃。鉴于我军的英勇，敌援兵徘徊不前，不敢冒然前进。此役，我军歼灭国民党整编第36师师部、1个整旅另3个团，共计9,000余人。

走入会场时，顿时就感到了一股杀气正在袭来。

果不其然，胡宗南一上台就拍着桌子放声吼了起来："钟松，作为右路军指挥官，贪生怕死，指挥无能，着撤职留任，以观后效；李顿，图谋不轨，不坚守阵地，也不救援该师，致使全师损失惨重，着革职拿问，交军法处会审；董文轩（第82团团长），指挥无能，不配合全旅行动，致使全团孤军受敌，全军覆没，着革职拿问，交军法处会审！"

话音刚落，4个荷枪实弹的卫兵分别上前把李顿、董文轩两膀架起，解除武装，戴上手铐脚镣，连推带拉上了囚车。顷刻之间，两名国民党中高级军官立即成了胡宗南"整肃军纪"的牺牲品。

会场静悄悄的，所有军官都屏住呼吸，被开战以来第一次如此杀气腾腾的场面吓坏了。钟松静静地站在一旁，满脸通红，目光如炬。此时的他，完全忘记了自己还是一名国民党中将的身份，他只觉得，旅长师长，只不过是胡宗南手中的玩物。打仗的时候，被胡宗南根本就不切实际的命令调来调去；打了败仗，又被胡宗南毫无道理的命令剥夺了职务，甚至连性命也不保。钟松受不了了，他一直认定，以前的失败胡宗南要负完全责任；而这次失败，胡宗南作为最高指挥官，同样必须负完全责任。钟松已完全被他这种草菅人命的做法激怒了，他已经顾不了胡宗南的身份，也早已经把自己的性命抛在脑后。他举起拳头重重地砸在桌上，学着胡宗南的样子发作起来："绥署不明敌

情就令部队贸然进攻，致使部队陷入重围，部队陷入重围后又没有有效地指令突围和增派援兵，致使整36师损失惨重。这种指挥无方的行为，应该为此次战役的失败负完全责任！"

胡宗南目瞪口呆！想不到钟松竟敢如此无礼！旋即，他掀翻了桌子，打烂了茶杯，把袖子也挽了起来，冲到一卫兵旁，夺下枪喊了起来："钟松，老子毙了你……"而此时，钟松也拔出了手枪，与胡宗南怒目而视！

会场已乱作一团！裴昌会、罗列（已接替盛文任绥署参谋长）、沈策（绥署副参谋长）一齐上去，把胡宗南的手枪夺了下来，又让卫兵把钟松拉了出去，一场冲突才平静下来。

这一幕，在胡宗南的脑子里面形成了一个巨大的阴影，这是他的权威第一次受到如此大的挑衅！回到西安的时候，他是决心要找机会杀钟松的。但在如此重大的紧要关头，为一己之仇而杀一员大将，恐怕会使部队思想更为混乱。胡宗南思来想去，还是做出了妥协，维持原来宣布的"革职留任，以观后效"的处分。

但这件事之后，胡部军官们人人自危，无不胆颤心惊，与胡宗南离心离德的情绪进一步加剧了！而此时的西北野战军斗志正旺，又在为迎接即将到来的大仗做准备。

按照军委"九月起全国各区均将有大战，希望你们能配合"的指示，西野已经搞了一个月的整训。作为第一批翻身农民参军入伍的华北子弟兵已补充到部队。一进班排，子弟兵们就讲起了发生在解放区里的新鲜事，什么斗地主、打土豪啊，分田分地呀，一时间在西野部队里成了最热门的话题。西野纵队、旅首长们不失时机，又把这个话题列为一项整训内容。斗地主打土豪，似乎有着无穷无尽的吸引力，无论是子弟兵还是解放兵，情绪都高涨起来，都决心仗打完后要回家去斗地主，要替被地主老财逼死的亲戚前辈们报仇雪恨！

军委所说的大战，就是全国规模的秋季攻势，也就是全国战略决战的序幕。这一次秋季攻势中，有东北的北宁线战役（后来被称为辽沈战役第一阶段）、华东的济南战役、山西的太原战役等等。这些仗一个比一个打得漂亮，尤其是济南战役，原计划打1个月甚至2～3个月的，结果战役从9月16日发起后，国民党部队像雪崩一样倒台，到24日战役就结束了，歼灭国民党军104,000余人，其中第96军军长吴化文率20,000余人起义，活捉了国民党军第2绥靖区司令官王耀武等23名高级将领。

济南战役时间之短、战果之辉煌，以及全国其他战场上波澜壮阔的战争场面，令刚刚开完前委扩大会议的彭德怀有点坐不住了。他决心也要在西北战场上发动一次大规模的进攻作战，配合全国其他战场的行动。

但打哪里，怎么打？

彭德怀转到地图跟前，背着手，一声不响地开始琢磨起来。

大战前"啃"地图是彭德怀指挥作战的一个特色。很多次以少胜多的战役典范，都是在他平静的表情里和缜密的思考中形成的。

现在他往地图跟前一站，几眼扫下来，心里大致就有了一个脉络。胡宗南根据国防部的命令，全部恢复了军、师建制。他在洛河以东、渭河以北地区就集中了11个军，组成了一个以蒲城、大荔为中心的防御体系，并且兵力大部集中于交通线上，其目的一目了然，就是要阻止野战军南下。在胡宗南的11个军中，部署在大荔以及其以北地区的第17军、38军和36军残部，集中在永丰镇、寺前镇和大荔城正面20公里、纵深30公里的防御地带上。虽然以城镇及平原村落为据点，形成纵深配备，但各据点之间间隙很大，我军有可趁之机。如果集中主力，采取穿插迂回，割裂包围，各个歼灭的战役思想，歼灭或重创这3个军可能性是很大的。

彭德怀分别在大荔北面的西汉村、李家坡和寺前、永丰镇划了两个大圈，后来称为荔北战役的作战计划就定下来了。

荔北战役及其以后

我军出击的日子定在10月5日。

天还没亮，西野部队就神不知鬼不觉地摸到了离胡宗南防区不到25公里的交道镇、庙洼、岱堡、黑池一带。摸了一下当面敌情后，部队又于黄昏继续前进，向寺前、永丰开进。当晚加筑了一些必要的工事，各部队都好好地睡了一觉。进攻选在了6日拂晓。

驻扎在防区最前沿的是国民党第17军，那一夜，他们也沉浸在梦乡中。但到了6日拂晓，一阵暴风骤雨式的炮声把他们彻底惊醒了。野战军5个纵队一齐向第17军的驻地寺前、醴醐、酥酪、韦庄、永丰及两宜、双泉等据点发

★ 在荔北战役我军指挥所里，359旅旅长徐国贤（接电话者）在指挥战斗。

起了全线攻击。17军官兵们被这突如其来的气势吓晕了，阵地上立即乱成一团，国民党官兵争相逃命，场面狼狈极了。

我军一纵的358旅和独1旅在夜色中摸索前进，趁敌大乱之机轻装急行，绕过醍醐、酥酪，长驱直入敌心脏阵地张家城。358旅714团到张家城后立即切断了驻韦庄的17军军部与所属第48师师部的联系。敌第17军的厄运就从电线被我军切断之时全面降临了。

与军部失去联系，又四面遭敌，万又麟（48师师长）只好带着师部由酥酪向韦庄逃跑。刚刚出了酥酪，就被358旅714团的战士撞上了，捉了个活口，一起被捉的，还有师参谋长李子清。

胡宗南住在西安遥控掌握一切，裴昌会作为兵团司令只能住前线的大荔。当他获悉第17军受到解放军强有力攻击的消息，裴昌会脑子里"嗡"地一下，心里喊了一声"又完了"。

其实，裴昌会之所以说"又完了"，都是因为胡宗南的部署失误。早在9月中旬，第17军就经常与解放军的小部队交火，那个时候，17军就隐约感到了解放军有南下进攻大荔的意向。裴昌会向胡宗南建议，在此种情况下，只能以守为攻，与其将来被解放军打回来，还不如自己主动撤回来。他的意见是把驻在大荔以北的第17军和第38军撤到大荔城两侧构筑阵地，以城郭为中心，迎击解放军，等到后方援军一到，再在运动中伺机反攻。但胡宗南没有理会，仍然坚持他以大荔、蒲城为中心，前沿一直伸到北党、寺前、醍醐的部署。当时的所有高级将领没有一个认为胡宗南的意见是正确的，因为这种部署防区正面太宽，兵力不集中，只要有一点被突破，所有部队就有可能遭灭顶之灾。今天，这种局面终于降临了。裴昌会心里难受极了，他为前线官兵的血液白流难受，也为身为上将指挥官的胡宗南的愚蠢而难受。

裴昌会知道，第17军被重兵包围，不救肯定是不行的，但如果派兵去救，那么援兵也逃不了被歼的命运。因为他太了解彭德怀的打法了，正面攻击你，则意味着侧面或侧后面肯定有重兵防范，既能打援，解除正面攻击部队的侧面威胁，又能从侧面配合正面进攻部队向敌发起进攻。所以出于小心，他只电令第38军派出两个团去营救，其他的工作，一个电话全部交给胡宗南，叫他去处理，解铃还须系铃人嘛！

但胡宗南也难办极了！荔北那么开阔的一个平原地带，解放军已分几路插到了纵深，整个战场上国共两军胶着在一起，如何救援确实让胡宗南犯难。

★ 荔北战役中我军正与敌军激战。

但就在这左右为难的几个小时之内，荔北的战场形势已急转直下。解放军第六纵队击溃了来援的两个团后，锋芒直指大荔城，害得裴昌会带着第5兵团司令部仓皇而逃，等到他抵达洛河南岸时，又传来了被围于永丰镇的第36团突围未遂，被解放军第四纵队全部消灭的消息，紧接着，又听说朝邑县保警队的大队长杨海潮率部起义了，朝邑、平民两县相继被我军解放。

裴昌会望着洛河北岸仍然还在厮杀的场面，欲哭无泪，欲喊无声，不知道心里是啥滋味。

但胡宗南就是胡宗南，败仗打多了，对这样的一场小败仗也没有显示出太多的愤怒和无奈。他自恃自己兵多将广，他的作战理念可以概括为"人多就是硬道理"。他的一般战法就是采用人海战术！但往往他投入战场的人越多，被解放军消灭的也就越多。在10日这天，他拿出了一副死猪不怕开水烫的样子，从耀县、兴平、潼关等地调集了第1军、第65军和第13军135师，连同在蒲城、大荔地区的第90军、第76军以及第36军，共10万人分5路向荔北战场反扑过来。

★ 荔北战役中，我军重机枪掩护步兵追击敌人。

彭德怀毕竟身经百战，对胡宗南这种外强中干的表演，早就不知看过多少回了。此时他的战法是毛泽东一贯倡导的"积极防御"，就是说你在进攻的时候我先退一步，等我站稳了脚，摆好了阵，再仔细观察你的破绽，一旦发现，立即重拳出击，致你于死地！

彭德怀以二、三、六纵队各一部抗击敌军，掩护主力在杏子河、坞坭村、窑头、南阳庄等地方集结，另外派了多支侦察分队深入敌人防区，昼夜侦探敌人的动向。前方侦察员反馈回来的情报表明，敌第65军独自进至胭脂山、汉村、李家坡一带，而后面部队与之相距上百里。

"好家伙，胆敢孤军深入传我的命令下去，消灭敌65军！"彭德怀拍着桌子下达了作战令。

12日拂晓，野战军5个纵队齐头并进向敌人发起了攻击。一时间万炮齐发，10个小时之内击落敌机2架，击毁敌坦克2辆，又全歼了第65军第187旅605团。到13日，胡宗南的进攻更加疯狂了，后面八九万人的部队一字排开，整军整师向前推进，与当初进攻延安的打法完全一样。胡宗南是拼命来

的，彭德怀看这架势，决定先撤退再待机歼敌。14日黄昏我军放弃了澄城、合阳向北转移。16、17日，胡宗南部相继占领了合阳、澄城，接着又占领了平民、朝邑。

17日，彭德怀下令部队撤到白水县的林皋和新窑地区休整，伺机再攻，至此，荔北战役结束。

这一仗，我军歼灭胡宗南人马2.5万，活捉了第48师师长万又麟，伤第160师师长黄植虞，毙第78师副师长景纯庵。

在这之后，西北野战军又于11月14日发起了冬季攻势，又歼灭胡宗南部2.5万人，毙第17师师长王作栋，活捉了第76军中将军长李日基、少将参谋长于厚之，彻底粉碎了胡宗南"重点机动防御"的新战术，巩固了澄城、合阳、白水地区，为下一步攻击西安创造了条件。

彭德怀讲话一直很严肃，很少开玩笑。但在这次冬季战役的总结会上讲得幽默极了。他说："打敌人要像打乒乓球一样，来回都能打他。那边打过来，这边打过去，过来也打，过去也打，不使他清醒，不让他喘息，而要他乱蹦乱跳，兵力分散，各个被歼。"

1949年2月1日，西北野战军更名为中国人民解放军第一野战军，彭德怀任司令员兼政治委员，张宗逊、赵寿山任副司令员，阎揆要任参谋长，甘泗淇任政治部主任。至此，中国人民解放军战争中的西北战场进入一个新的战略阶段。

历史碎片
LISHISUIPIAN
大拼接
DAPINJIE

☆ "中华人民共和国"一词被首次提出

1948年1月12日，任弼时在西北野战军的前线委员会扩大会议上说："蒋介石统治区，以学生为主体的第二条战线形成的主要原因，是这些学生看到了革命的发展，天下将是共产党领导的，中华人民共和国将在全国建立。"随后，任弼时还讲了关于土地改革的问题；在讲到重视知识分子问题时，他强调，对知识分子即脑力劳动者要采取团结教育的政策，使他们充分发挥自己的知识和技能；最后，任弼时又谈了团结群众、重视工商业等一系列问题。中共中央将任弼时的讲话作为指导文件转发，并在报纸上发表。这也是"中华人民共和国"一词被首次公开提出。

☆ 临时条款下诞生的蒋总统

1948年4月19日，在国民党政府"行宪国大"第十三次大会上，蒋介石当选为中华民国行宪后第一任总统。此前，蒋介石因宪法规定总统仅是礼仪上的国家元首，表示不参与总统竞选。为此，部分国大代表于15日向大会提出《请制定动员"戡乱"时期临时条款案》，其中赋予总统以紧急处理的权利，最终蒋介石以2,430票的绝对多数轻易当选。总统一经产生，副总统的选举就成为各派系争夺的焦点。大会推出6名候选人。国民党方面有李宗仁、孙科、程潜、于右任，社会贤达有莫德惠、民主党有徐傅霖。4月29日，李宗仁以1,438票对1,295票击败孙科，当选国民政府副总统。

☆ 华北军政大学诞生

1948年5月，在晋察冀军区和晋冀鲁豫军区合并组成华北军区的同时，遵照中共中央、中央军委的指示，原晋察冀军区军事政治学校和原晋冀鲁豫军区军事政治大学合并，组成人民解放军华北军事政治大学，叶剑英任校长兼政治委员。华北军政大学的成立为建国以后，我军干部和教育军事人才的培养与输送都起到了相当大的作用。

毛泽东新年献词号召"将革命进行到底",而蒋介石却发表元旦文告请求和谈。战局的急剧变化令一向不相信眼泪的胡宗南也开始反思起来。

王震有感于七届二中全会精神,在一野前委扩大会议上足足讲了一个半天。彭德怀不辱使命,一个月拿下了太原。

胡宗南大规模撤退,第一野战军奋起直追。第6军子夜强渡渭河,晌午时分就解放了西安。

第三章
冬去春来,昂首挺胸进入西安

"西北王"痛定思痛

1949 年的元旦是耐人寻味的!

毛泽东发表了新年献词《将革命进行到底》,他引用了古希腊寓言《农夫与蛇》的故事,告诉中国人民必须把还留在中国大地上的大蛇和小蛇、白蛇和黑蛇、露出牙齿的蛇和化成美女的蛇全部地干净地彻底地消灭。而蒋介石的元旦文告却是要与共产党和谈,他说,只要神圣的宪法不由我而违反,民主宪政不因此而破坏,中华民国的国体能够确保,中华民国的法统不致中断,人民能够维持其自由生活方式与目前最低生活水准,我个人进退,唯全国人民与全体袍泽之公意是从。

这两个含义完全不同的讲话,说明中国历史在此时此刻已经发生了根本性的变化:国民党就要退出中国的历史舞台,而艰苦奋斗了28年的中国共产党,即将成为中国新的历史时代的创造者!

当然,历史的这种变化,首先是从战场上开始的。

★1949年1月1日，新华社发表了毛泽东同志撰写的新年献词《将革命进行到底》，揭露了国民党反动派妄图利用"和谈"取得喘息时间，准备卷土重来的阴谋，指出：不能使革命半途而废，要坚决彻底干净全部地消灭一切反动势力，将革命进行到底。

　　1948年到1949年的冬春之交，中国人民解放军投入近200万兵力发动的淮海战役、辽沈战役和平津战役，以摧枯拉朽之势横扫东北、华北、华东和中原地区，消灭国民党近150万部队，从根本上动摇了国民党蒋介石的统治基础。从这之后，国民党只剩下仅仅100多万作战部队，分布在新疆到台湾的广大地区内和漫长的战线上，并且军心涣散，纪律松弛，既无出击之力，也无防守之策，昔日以中国合法政府自居的国民党政府，此时此刻已危机四伏，一切都处于风雨飘摇之中！

★ 党的七届二中全会会址——河北省平山县西柏坡村。

　　面对这种前所未有的政局，国民党从上层到下层，没有一个不感到寒气袭人。早在三大战役还没有结束之时，蒋介石就开始作退却的部署了。1月6日他在南京接见川军将领刘文辉时，说出了心中的想法："……四川是抗战胜利的发祥地，中央很重视，有了四川就有了办法……"他的意思是，四川必须作为一个最后的反攻基地加以重视和建设。

　　按照蒋介石以四川为战略基地的意图，国防部很快给胡宗南下达了部署指令：在西安的绥靖公署机关、学校及眷属立即南迁至汉中、广元。部队以四川为后方，凭借秦岭、巴山设防，作两步部署：第一步，确保渭河两岸交通，背靠秦岭，将主力集结于三原、高陵、泾阳、咸阳、西安、宝鸡及渭河南岸，迟滞解放军前进，争取时间抢运物资；第二步，背靠巴山，主力集结于汉中，另一部分守西安、咸阳、宝鸡，依渭水设阵，保持子午谷为后方交通。

　　拿到这份撤退计划时，胡宗南心里一沉，他不相信这一刻真的到来了！他起身披上那件特制的将军呢大衣，缓缓地走向窗前。此时，纷纷扬扬的大雪下了起来，整个天空灰蒙蒙的，10米之外看不见东西。

　　胡宗南的心也跟这天气一样，灰蒙蒙的。堂堂800万国军，武器精良，战将如云，不到3年时间就败成了这般模样，古今中外闻所未闻哪！他捋了捋头发，也捋了捋思路。痛定思痛，国军最大的失误是战略的失误，一开始就只注重攻城掠地，占了城的受到重奖，而丢了城的轻则削官，重则丧命。所以前方将领就不切实际地拼命攻城或拼命守城，结果让解放军钻了空子，被各个击破。就拿西北战场来说，清涧、宜川两战都是这样的。而解放军呢？立足于打持久战，不求速胜；大步进，大步退；打得赢就打，打不赢就走；不计较一城一地的得失，以消灭敌人有生力量为目的。长此以往，就形成了"积小胜为大胜，以时间换空间"的局面！

　　如此一对比，胡宗南恍然大悟。目前形势下，唯有先行撤退，保存实力伺机再战才是良策！撤，坚决地撤，再不撤，恐怕将来连撤的机会都没有了！

　　我一野首长早就有所准备，决不让胡宗南完成他以退为进的部署。2月17日，彭德怀、王震出发去西柏坡参加党的七届二中全会，2月19日，张宗逊、赵寿山、甘泗淇、阎揆要指挥发起了筹划已久的春季攻势。

　　胡宗南一改往日骄横的姿态，采取"一触即溃"的战术来对付野战军的步步紧逼。胡宗南的部队，无论是正规军，还是地方保警队，都没有组织起一次像样的抵抗，所以一野各部队如入无人之境，横扫了铜川、耀县、蒲城一线的广大地区，22日还捉了胡宗南陕西保安第4旅少将旅长赵国珍，并俘虏国民党军1,000多人。

　　这点代价，胡宗南早就不屑一顾。他把部队全部收缩到了西安至宝鸡一线，力图保存实力再战。其第1军已退到泾阳以南，第69军已撤到泾河以西，第65军及第18兵团司令部已退到泾阳，第90军主力退到了永乐镇。

　　胡宗南这一撤，马步芳紧张了。马步芳现在的部队占据着陇东地区，胡宗南一撤，他不就直接暴露在一野的眼皮底下了吗？所以马步芳风风火火打电话给胡宗南，经过一番讨价还价，胡马达成了联防的协议。

　　马步芳立即命第82军4个骑兵团由常宁向淳化地区进攻，这样一来，胡宗南就有了马步芳的配合。他抖擞起精神，在3月5日下达了向解放军全线出击的命令。一时间，胡宗南的第1、第38、第65、第69、第90军共11个

师浩浩荡荡向一野占领的蒲城、淳化、耀县、铜川等地实施全面反击。

一野前委刚刚在富平县东北的常家村开了第五次扩大会议，决定在蒲城、富平、大荔、耀县等县立即展开地方工作。但胡宗南这气势汹汹地扑过来，张宗逊有点不安起来，对赵寿山等几人说："胡宗南、马步芳两股力量一起打过来，来头不小。我看，咱们还是先退一步，用诱敌深入的办法，把他们诱到老解放区里来加以消灭。"

在当时情况下也只能如此，赵寿山等人没有意见，便下令各军开始有计划地向后撤退了。

进军陕中

七届二中全会一开完，彭德怀和王震就打点行装上路了。彭德怀去山西接替病重的徐向前指挥太原战役，王震急着回陕西向一野各部队首长传达七届二中全会精神。两人分乘两辆美式吉普，一前一后，风尘仆仆向西驶去。

彭德怀拿着太原地图，脑子里全是太原战事。阎锡山拼命跟徐向前打了两个月，因战事频繁积劳成疾，徐向前病倒了。军委把山西这副担子交给了彭德怀。离开西柏坡时，毛泽东拉着彭德怀的手有点沉重地说："老彭啊，太原一仗打好了，你至少可以带18兵团（司令员兼政治委员周士弟）和19兵团（司令员杨得志，政治委员李志民）共18万兵力去西北战场，参加解放西北的战事；但打不好，太原就是一个包袱，那时就被动了！"彭德怀身经百战，理解太原一战的战略地位。他没有豪言壮语，只是轻轻地说："我去试试！"但语气里明显带着几分自信。毛泽东笑了："去吧，等你的捷报！"现在，彭德怀坐在吉普车里昏昏欲睡，但他的大脑一直没有休息，攻打太原从防御工事、火力配置、突击方向到兵力部署，事无巨细，一一在脑子里过了一遍，这场打太原的激烈的攻坚战，此时在他脑子里面已经渐渐清晰了起来。

王震精神好得很，一想起毛泽东在会场上挥着大手作报告的情形，他浑身似乎都充满了力量。这不仅仅是毛泽东的讲话富有激情，更重要的是，毛泽东所讲的内容永远都是那么有内涵。比方说"人民解放军永远都是一个战斗队……人民解放军又是一个工作队"，比方说"从现在起，开始了由城市到乡村并由城市领导乡村的时期"，还比方说"我们希望四月或五月占领南京，

★ 1949年3月5日至13日，我党在河北省平山县西柏坡村召开了第七届中央委员会第二次全体会议。毛泽东同志代表政治局作重要报告，提出了怎样夺取全国胜利、党的工作重心由乡村转移到城市以及全国胜利以后的任务和政策等重大问题。报告提出我军永远是一个战斗队，同时还是一个工作队。

然后在北平召集政治协商会议，成立联合政府，并定都北平"……令王震最不能忘记的，是毛泽东那个"糖衣炮弹"的提法。正像毛泽东说的那样，党内可能有一些人不曾被拿枪的敌人征服过，但随着胜利的到来，他们可能会经不起敌人用糖衣裹着的炮弹的攻击。

毛主席真是太有远见了！这不，在接收石家庄、天津的时候就出了问题，有些干部在接收物资时也干起了中饱私囊的勾当。如果不谨防敌人的"糖衣炮弹"，不克服骄傲情绪、以功臣自居的情绪、贪图享乐的情绪，当年国民党军队从日本手中接收大城市的情景就会重演。当年老百姓给国民党编了一首民谣："等中央，盼中央，中央来了更遭殃。"结果不到几年，失尽人心的国民党就要垮台了。前事不忘，后事之师！所以毛泽东提了"两个务必"：务必使同志们继续地保持谦虚、谨慎、不骄、不躁的作风，务必使同志们继续地保持艰苦奋斗的作风！

王震想着这些，不知不觉，汽车已经翻过了几座山梁，拐了几道弯，就和彭德怀分道而行了。

王震到野司所在地陕西澄城县北的平城时，张宗逊、赵寿山等人早就在那里等候了。张宗逊第一个迎上去，"怎么样？王胡子司令，这次见主席收获不小吧！"王震连忙下车给几位野战军领导敬礼，说："内容太多了，太振奋人心了！中央连什么时候解放南京；什么时候开政治协商会议，甚至连定都北平都安排好了！""是吗？！"张宗逊、赵寿山几个人异口同声，又是高兴又是激动！

开第六次前委扩大会议的第一天，王震整整花了一个上午才把七届二中全会的精神传达完。与会的同志们兴趣盎然，七届二中会议上的精神，是他们奋斗了二十六七年才换来的。眼见革命就要胜利了，谁不兴奋！

但当王震提到毛泽东提出对"糖衣炮弹"的担心时，会场气氛立刻为之一变。是啊！当年李自成的天下得而复失，就是在胜利的时候忘记了忧患，忘记了潜在的危险。大意失江山啊！当他又提到毛泽东的"两个务必"时，在场的同志们都齐刷刷地做起了记录，一边记，大家心里都在默默发誓：一定做到这"两个务必"！

当会开到最后一天，也就是4月23日的时候，传来了南京解放的消息，会场顿时沸腾起来。一迫近胜利，这好消息是一个接一个地来！太令人振奋了，真是太令人激动了！全面内战爆发不到三年，不仅蒋介石被迫下野，就

★ 1949年4月20日，我军对太原发起总攻，至22日止将太原周围据点全部肃清。我军第19兵团司令员杨得志（右四）在前线指挥作战。

连国民党的老巢南京也被端掉了。这说明什么？说明国民党气数已尽！

彭德怀是3月28日到达太原前线的。他非常谦虚，看着病榻上的徐向前说："徐老，我一是来学习太原攻坚战的经验，二是来带兵的！"徐向前重病在身，脸色苍白，他握紧彭德怀的手，寄予很大希望地说："阎锡山没打倒，我自己倒先倒了！你是有名的彭大将军，太原这块骨头就靠你去啃了！"

两位身经百战的将帅这样互相谦虚着，在对太原发起进攻的问题上，他们谁都没有保留自己的意见，都竭尽了自己的所能，我军终于在南京解放后的第二天解放了太原。

阎锡山坐着飞机，黯然神伤地看着这块他统治了38年的土地，老泪纵横地坐着飞机朝广州方向飞去了。

山西，终于结束了阎锡山的时代！

太原一解放，胡宗南最后的日子也就迫近了。他知道，解放军在太原战场上20多万的兵力，至少可以拨过来20万对付他和宁青二马，这样一来，西

北野战军总兵力就可达30多万人！虽然自己加上二马也还有近30万人马，但此30万与彼30万根本就不是一个概念。彼30万正处于上升势头，军令统一，士气高涨。而此30万呢？互相猜疑，人心离散，士气不振，政令不通。此30万要斗过彼30万，难啊！

既然斗不过，那就不斗！两年前一直叫喊着要寻找共军主力决战的胡宗南，现在也学会了保存自己与消灭敌人的辩证关系。太原解放后的第一天，他开了个撤退会议。会场气氛非常压抑，他用一种近乎悲戚的声音说："太原解放，共军必然有大军来援。在这种情况下，我们必须收缩防线，集中兵力，构筑一个巩固的防御阵线。第一步是建立一个跨泾河和渭河、保卫西安的防御地带，与'二马'配合，以陕中、陇东为防御重点，确保西北，屏障西南。一旦发现解放军华北部队西渡黄河，就立即退居陕南、川北，避其锋芒，再寻机攻击！"

胡宗南说完扫视了一下会场，裴昌会、罗列（参谋长）、杨德亮（西安警备司令、第17军军长）、沈策（副参谋长）等人笔直地坐了一排，却无一人发言。胡宗南脸上露出一丝不快，喝了一口水，压制了一下自己的情绪说："你

XiangGuanLianJie
DaSaoMiao

GuanJianCi
相关链接
大扫描

☆ 彭德怀赴晋指挥太原战役

1949年1月22日，中共中央军委决定第19、第20兵团待平津战役结束后，开赴太原，会同围困该城的第18兵团围攻太原。因徐向前此时旧疾复发，中央决定调彭德怀指挥作战。4月20日，人民解放军对太原发起总攻，至24日攻占该城。整个战役，共歼灭阎锡山部6个军13万余人，结束了阎锡山在山西38年的反动统治。

★ 国民党军胡宗南部向西逃窜时，烧毁了泾河大桥，当地群众立即架好浮桥，帮助我第一野战军第2兵团第6军部队顺利通过了泾河。

们意见如何？尽管说。"

其他将领都沉默着，空气似乎都快凝固了。最后，胡宗南恼怒地宣布会议结束。第二天，也就是4月26日就开始实施了他的大撤退。

但胡宗南一撤，第一野战军6个军全线出击，对国民党军步步紧逼。目的非常清楚，就是要在歼灭胡宗南一部分有生力量的同时，夺取咸阳、西安和宝鸡。

解放西安

胡宗南已经下定了决心用大踏步进退的方法来对付解放军。他一次和第38军军长李振西谈及局势时就曾说过："今后我们的战略，是要大踏步的撤退，大踏步的前进，来歼灭共军的主力。也许我们一下进到陕西，或者一下

退到四川。这，是彭德怀大兵压境形势下的唯一出路……"直说得李振西频频点头："先生所言极是！"阿谀奉承之态毕现。

实际上，胡宗南这种大规模撤退的勇气是受了他的蒋校长一封电报的鼓舞。蒋介石下野之时给他的一封密电中说要"作死中求生之奋斗"。何谓死中求生？在与彭德怀作正面较量的当时可谓是"死"；要"生"，当然就只有不较量了，那就只有撤退，并且还是大步撤退，而大步撤退的目的，就是伺机再大步进攻。

至此，胡宗南终于把彭德怀运用自如的撤退与进攻的关系搞清楚了，这可以说是他损兵折将之后最大的一个收获。

不过在那次撤退会议上，他的部署都还是保守的。按照他的想法，干脆全部撤出陕中，退至汉中，再不行，就再退一步，经川南而走滇西，如果还不行，就一直撤到滇缅边境，在缅甸借一块地落脚，待国际形势发生变化后再作打算。反正，在目前士气不振的情况下，就是不能与解放军正面冲突，能躲就躲。

在当时国民党部队兵败如山倒的情况下，任何的撤退都会被看作是败退。所以，即使是撤退，也还得慢慢来，免得动摇军心。但他的绥署和董钊的省政府，还是一起先行撤到了汉中，而把西安及周围地区的防务全部交给了杨

XiangGuanLianJie
DaSaoMiao

GuanJianCi
相关链接
大扫描

☆ 国统区通货膨胀乱人心

1948年8月19日，蒋介石令国民政府颁布《财政经济紧急处分令》，发行了金圆券，使通货膨胀瞬间增加了11倍，把最大票面额提高了60倍。并限制收兑已发行的法币及东北流通券。同时实行暴力"限价"政策，限期收兑民间黄金、白银、银币和外国币券，禁止任何人持有；限期登记管理民间存放在国外的外汇资产。国民党政府以金圆券代替法币时，法币发行额达到660万亿元，为抗战前夕发行额的47万倍。本月物价和1947年1至6月平均价比较，上涨了500万倍至1,100万倍。真可谓是民不聊生。

★ 我西进大军涉过渭河，追击国民党军胡宗南、马步芳残部。

德亮。

现在第一野战军已由东北方向横扫而来。我军第1军一路上占泾阳，渡泾河，又占领咸阳，这几乎都没有费什么力。接着又沿铁路线西进，5月19日又解放了扶风。这时，第4军也先后攻克礼泉、武功、乾县，占领了监军镇。第6军18日下午从三原县大程镇出发，渡过泾河后直指西安。

此时的西安掌握在国民党第17军军长、西安警备司令杨德亮手里。他是一个地地道道的土匪，胡宗南这个顶头上司一撤走，西安就成了他的天下了。在那个兵荒马乱的年月里，西安市内的治安自然不怎么好，杨德亮就从第17军直属辎重兵团中挑了50名身强力壮的士兵，带到警备司令部加以训练，充当他维持"社会治安"的"纠察队"。

杨德亮经常带着"纠察队"在大街上闲荡，只要遇到打架吵嘴的，就以

★1949年5月20日，我军解放西安后，坦克部队通过国民党西北军政长官公署的门前。

破坏城市秩序罪论处，轻者挨棍，重者挨枪。他还强迫市民用金圆券。不用的一律戴上高帽子，写着"奸商"或"奸民""捣乱金融"字样，成群成队地绑成一串，在西安市内到处游行示众。在那个时候，西安已为绥署和省政府的撤退而人心浮动，再经杨德亮这么一搞，更是鸡犬不宁。西安市民，都盼望杨德亮和国民党部队早点滚蛋。

　　5月18日黄昏时分，一野罗元发已经带着第6军到了渭河北岸，桥已被国民党重兵把守，无法突破。要过河，恐怕只能泅渡了。

　　时值西北冰雪融化的时候，渭河波涛翻滚，汹涌澎湃。罗元发皱着眉头，和师长们一起在大堤上现场勘察。一阵河风吹来，还有些凉意。罗元发下意识地紧了一下衣扣，指着渭河水说："怎么样，有没有胆量？"他的意思是，武装泅渡过河!

师长们早就有此想法,互相看了一眼,一起说:"这有什么不敢的!爬雪山过草地都过来了,现在不就过一条河嘛!军长,布置吧!"

"好!"罗元发双手一击:"明天夜间第17师(师长兼政委程悦长)49团在咸阳以南、第16师(师长吴宗先、政治委员关盛志)47团在咸阳以北强渡渭河,然后迂回到守桥敌人两侧,与第50团一起攻击守桥敌人,掩护全军渡河。"

我军第6军还没渡河,胡宗南命第17军撤出西安的电令就下来了。此时的胡宗南生怕他那帮反共到底的部下自作主张,与解放军硬拼到底,毁了他保存实力的战略。所以只要有解放军的风吹草动,他就立即下令部队撤退。

杨德亮在西安作威作福的同时,也早就做好了南逃的准备。他备好了车也捆好了行李,还命令宪兵队带着炸药到处搞爆炸。他把临潼到咸阳的铁路桥梁彻底搞瘫了,又命宪兵队去炸大华纱厂,幸好工人们觉悟很高,自发地组织起来进行抵抗,使他的阴谋没有得逞。

等这一切都做完了之后,杨德亮骑着马在西安大街上再耀武扬威地转了一圈,回到司令部就按胡宗南的命令下令第17军全线撤退,只留了少许部队

☆ 我军解放古城西安

人民解放军第一野战军一部,向国民党据守的陕西省会西安市发起进攻。第一野战军在进占咸阳等地后,其第6军奉命由咸阳回师进攻西安。20日,该军17师1个团由咸阳南门外涉渡渭河、大河口一带,击溃国民党军17军48师1个营,乘胜向西安进攻。当日,17师另1个团向渭河铁桥南进攻,击溃守军抵抗后,继续向西安开进。12时左右,17师一部炸开西安城西门,部队突入城内。因国民党军17军已狼狈撤逃,城内残余守军稍事抵抗后,即纷纷投降。当晚18时,我野战军第6军主力进驻西安,西安遂宣告解放。

在城内。

20 日凌晨，第 6 军全军泅渡过河。到上午 11 时，先头部队第 16 师 49 团就已经到了西安西门。守敌是西安团管区和民众自卫总队，他们见大势已去，就自动放下了武器。第 6 军后续部队陆续跟来，到下午 2 时，西安就掌握在了解放军的手里。22 日，西安民众总队还自动组织起来，为解放军搞了一个隆重的入城仪式。

这时贺龙已随部队一起到了西安。他还是老样子，虽年逾不惑，依旧春光满面。那天他披件旧夹衣，叼个烟斗，嘴上总是挂着那么一丝丝的笑容。西安百姓受国民党反共宣传年长月久，今天见了贺龙这么一身朴素的装束、和蔼可亲的表情，才明白了事情的真相。在西安百姓眼里，共产党与国民党的区别，从贺龙与胡宗南的外表一看，就已经见了分晓。

24 日，西安市军管会成立，贺龙任主任，贾拓夫、赵寿山、甘泗淇任副主任。25 日，西安市人民政府、警备司令部分别成立，贾拓夫任市长，张经武任警备司令。

身在汉中的胡宗南遥望着西北方向的西安，心里已了无生气。这个自己生活了十多年的地方，这个成全了他"西北王"美誉的地方，此时再也不属于他胡宗南了。有道是十年圆一梦，十年磨一剑！但对他来说，十多年之后，梦没圆满，剑没锋利，留下的，只是无限的感慨，还有那渺茫的梦想！

☆ 国民党玩弄假和平的阴谋

1948 年 7 月 24 日，国民政府行政院院长在南京向国内外发表坚持"戡乱"的广播称："我们必须把全国的力量集合起来，以担负我们'戡乱'救国的神圣任务。"由于国民党在战争中的失败，美国策动李宗仁进行和平的活动。以维持国民政府的稳定。27 日，中共中央发出由周恩来起草，经毛泽东修改的《击败敌人假和平运动的阴谋》的指示。指示指出，国民党所谓的停战议和不过是为整个国民党在军事上的节节失利，赢得喘息的时间，以便休整兵力，卷土重来，此外，确有一部分人天真地认为蒋介石倒台后会有和平……此指示对蒋介石的险恶用心可谓是有力地揭露。

☆ 中共中央重申铁的纪律

随着战事的发展，中共中央要求一切入城部队和接管城市的人员，进入江南各省诸城市时，除遵守三大纪律，八项注意外，还必须遵守下列各项：一、凡市内卫戍机关军容风纪、交通规则、娱乐场所规则及公众卫生等，军队人员必须共同遵守。二、保护城市人民生命、财产不许侵犯。三、保护外侨不加侮辱。……十二、部队担任警戒时对群众态度须好，不可横蛮无礼。此次解放西安城的一野部队虽然不是在江南地区，但他们仍然严格按照相关要求进入了西安城，维护了解放军的尊严与荣誉。

☆ 西柏坡会议奠定胜利基调

中共中央政治局 1949 年 1 月 6 日在西柏坡召开会议，着重讨论并通过了《目前形势和党在 1949 年的任务》的决议，决议规定了党在 1949 年的 17 项工作任务。其中人民解放军的主要任务是：1949 年夏、秋、冬三季，应当力争占领湘、鄂、赣、苏、皖、浙、闽、陕、甘 9 省。决议还指出，必须使野战部队正规化，建立空军和海军等。这次会议的召开，更加快了我党迈向全面胜利的步伐，为随后进行的与国民党军的战略性决战确定了坚实的战略目标。

胡宗南一撤关中，二撤西安，自己跑到汉中过起了幽静日子，但苦煞了青宁二马。马步芳领衔上书蒋介石，拍着胸脯要和胡宗南一起夺回西安，蒋介石喜上眉梢，旋即令胡宗南北出秦岭。反扑初败咸阳，胡马部队像赛跑样一撤再撤。

彭德怀前委会上确定"钳马打胡，先胡后马"。彭德怀调动3个兵团在扶眉之间迂回穿插，4天之内报销了胡宗南4个军4.4万余人。

第四章
扶眉穿插，胡马联盟走向末路

击退胡马反扑

西安丢了，胡宗南为此好几天寝食难安。幸好自己年轻的夫人叶霞翟心灵手巧，又会体贴关心丈夫。她几乎是翻着花样让胡宗南高兴，给胡宗南做好吃的，又陪胡宗南到山外散步。男人离不开女人，大起大落的男人，更是离不开女人。关于胡宗南这段时间的那种郁郁寡欢的心情，叶霞翟后来在她的回忆录中做了全景式的描写，叶霞翟说，这是他一生的转折点。

丢了西安，胡宗南虽然情绪上有些黯然神伤，但这是他自愿的。而胡宗南这一"自愿"，马步芳、马鸿逵就紧张起来了。关中地区是青、甘、宁的门户，胡宗南一跑，不仅青、甘、宁门户洞开，连西兰公路也暴露无遗。如果这个缺口不堵住，解放军沿着西兰公路大步西进，要不了几天就可打到兰州城下，到那时，不但甘肃不保，宁夏、青海都将不保。

马步芳、马鸿逵因为张治中去与中共谈判而空缺出来的西北军政长官一职斗得你死我活，但在这共同的危局面前，马步芳、马鸿逵还是握手言和了。

★ 已逃到台湾的蒋介石，虽然名义上下了野，仍时时在"垂帘听政"。

言和的方式是以刚当上西北军政代长官的马步芳领衔，率领西北几省的党、政、军大员一起向蒋介石进言，他们一起拍着胸脯保证：只要胡宗南愿意出兵，二马必定使出全力配合，夺回西安及关中地区。

　　此时蒋介石已经到了台湾。他虽然宣布下了野，但仍在幕后垂帘听政，李代总统、阎锡山内阁，只不过是一个摆设罢了。

　　马步芳的想法正中蒋介石的下怀。现在蒋介石魂牵梦绕的地方有两个，一个是台湾，另一个就是西南。台湾有台湾海峡做屏障，偏安于一隅是绝对没有问题的。现在的问题是，他必须要在大陆上再占得一块地方，不然，他的政府将会在国际上永远地消失。大陆上的这块地方，他选中了西南。西南山高路远，易守难攻。当年刘备能在此站住脚跟，主要也就是依据险要的地势。得马步芳此电，蒋介石太高兴了。关中不仅是甘、青、宁的门户，也还是大西南的门户。只要保得住关中地区，基本上就可以保得住西南地区。所以蒋介石根本没有征求胡宗南的想法，就令胡宗南立即出兵与二马配合，夺回西安。

XiangGuanLianJie
DaSaoMiao

GuanJianCi
相关链接
大扫描

☆ 蒋介石"垂帘听政"

1949年1月1日，在人民解放军取得战略决战胜利、国民党政权濒临彻底崩溃的形势下，蒋介石发表新年讲话，宣称愿意与中国共产党进行和平谈判，但谈判的基础必须是维持国民党制定的宪法、法统和保留国民党政府军等5项条件。迫于国内外的压力，蒋介石第三次表示了愿意下野的意向。此后，他又为下野进行了一系列准备活动，其中就包括把亲信安插到各关键岗位上。1月21日，蒋介石正式发表引退声明，由李宗仁代行总统职权。实际上此举标志着蒋介石"垂帘听政"的开始。

蒋介石的一纸电令，可苦了胡宗南。从感情上来讲，他当然愿意再杀回关中。那个关中地区倾注了他十多年的心血，他现在的荣誉、地位，一切都与关中地区紧密相连，说关中是他的第二故乡也好，第二生命也罢，一点都不为过。但从目前的战局来讲，再与解放军争夺关中，无异于以卵击石，自投罗网。彭德怀从太原带过来的18、19两个兵团及原来就隶属第一野战军的第7军、第1军3师、第3军8师正风尘仆仆朝这边赶来，一共有20多万人，再加上原来的部队，就是30多万人。等胡马联军出发到关中，那些部队也该到了。在这种关口上去打，无异于送死！

胡宗南把自己的想法向蒋介石陈述了一遍，但蒋介石还是没有采纳。没有办法，那就只有打了。

这次对关中的进攻，二马要比胡宗南积极得多。胡宗南还没出兵之前，马步芳、马鸿逵就开始向陕甘边境调兵遣将。他俩商定的计划是先收复咸阳，以一部偷袭西安，然后主力越过泾河，在三原附近及以北地区与解放军决战。

彭德怀5月25日坐汽车从太原经禹门口到了乾县秦家庄一野司令部。那天风清云淡，天气甚好，他的心情也跟这天气一样，晴空万里。刚刚打下太原，结束了阎锡山几十年的土皇帝生涯，现在又拿下了西安，结束了"西北王"胡宗南十几年的统治。西北要地西安的解放，国民党军的败逃，说明国民党从东北开始的溃退此时已席卷到了西北。

　　这一天彭德怀特别高兴，憨厚朴实的脸上挂着一丝笑容。他刚参加完党的七届二中全会回来心情特别舒畅。很少喝酒的彭德怀那天也居然跟张宗逊、赵寿山碰了几杯，借着酒兴，还一改往日的沉默少语，与其他同志聊了很久。

　　就在彭德怀回到西北不久，胡马联军开始行动了。

　　马继援被任命为总指挥，统率"二马"近8万兵力，分几路向咸阳逼近。胡宗南虽一百个不情愿，但在蒋介石一再要求下，还是派出了第18兵团和第5兵团近10万人马，与二马一起挺进关中。

　　胡马20万大军气势汹汹地向我野战军扑来，大有荡平关中的势头。

　　彭德怀脸上又恢复了往日的严肃。他一言不发，又习惯性地背起手，望着墙上的地图出神。

　　但目前的局面是严峻的，我军18、19兵团都还在路上，现在手里的兵力总共也才13万多人，与胡马相比，仍然是敌强我弱。胡与二马之间，向来互相猜忌。关中解放前，胡求马出兵，但马消极对待；现在关中解放了，二马露在了解放军的枪口下，轮到马求胡了，胡心存忌恨，表面应付，心底里却在准备看马步芳的笑话。

　　彭德怀第一步决定把现有部队编成两个兵团，便于机动指挥。由第1、2、7军组成第1兵团，王震任司令员兼政治委员；第3、4、6军组成第2兵团，许光达任司令员，王世泰任政治委员。第二步是致电周士弟，先头第61军限6月6日赶到黄河北岸的风陵渡口渡河，然后火速车运西安布防。另外，总的战略是先退却，诱敌深入，再寻机聚而歼之。

　　马继援率第82军一马当先，这是他老子马步芳当上西北军政长官后，自己的初次统兵出征，无论如何，他一定要为他老子争个面子。他率着部队沿西兰公路一路东下，部队到达乾陵时，跟解放军打了一仗，战斗规模不大，却异常激烈。但打着打着，解放军就不见了踪影。马继援没有多想，马鞭一挥，部队又继续浩浩荡荡向东开进，他的目标是咸阳。

　　裴昌会在后面磨磨蹭蹭地跟了上来。他早已得了胡宗南的命令，千万不要显得比马继援积极，千万不要走在马继援的前面，并且还利用自己独有的优势，每天都派飞机侦察马继援和马鸿逵的动静，一旦发现他们停止前进，自己马上就停止前进。先前马继援在乾陵与一野交火时，裴昌会就在后面旁观。

　　解放军还在继续撤退，彭德怀的计划是，撤到马继援完全摸不着一野的

踪迹时，再一举出击。6月13日是一个大好晴天，虽然有点热，但一扫连日来阴雨天气的晦气。就在这天，马继援命令第190师向咸阳展开了进攻。

我军第18兵团61军风雨兼程赶到了西安，每天急行军六七十公里，干部战士脚上打泡的占70%。在西安还没有安顿好，咸阳方面就来了紧急军情，181师率先全部出动，赶至咸阳参加战斗，第61军其他部队随后车运咸阳。

咸阳是西安的门户，咸阳保不住，下一步就只能放弃西安了。但放弃西安这个战略基地，军事上、政治上均有不利，彭德怀下了死命令，必须守住咸阳。那天他亲自跑到防御前线，跟181师师长王诚汉交待了作战任务。王诚汉早在从西安出发前就给部队搞过动员，说这是第18兵团进入西北以来的第一仗，无论如何要打出打太原的气势来。战士们心里也痒痒的，早就想在其他部队面前露一手。

虽然马继援有一腔热血，作战上还是嫩了点。打了一天，硬是被我军181师堵在了城外，只扫清了几个外围据点。如果裴昌会的部队能及时跟上来出把力，说不定咸阳还能拿下来。但裴昌会就是不上来，躲在后面看热闹。马继援在军里来回琢磨，不知如何是好。正在犯愁时，听说抓了个原来是国军的俘虏。但那俘虏说他不是俘虏，是来报信的。还说他是中央军校十七期炮兵科毕业的，湖南人，在太原解放时参加了解放军。这次是乘乱逃出来的。接着又把第18、19兵团划归一野建制以及第61军增援咸阳的重大军情和盘托出。

马继援摸着光光的脑袋，大惊失色，天气并不热，但他却满头大汗。第二天就下令部队撤出了咸阳。

"钳马打胡，先胡后马"

毛泽东到北平已经好几个月了。他是3月23日从西柏坡出发的。那天天气阴冷，北风吹得西柏坡的枯树枝噼啪作响，但再寒冷的天气，也冻结不了毛泽东内心火热的激情。离开北平30年了，当初在北平时，他只是北大图书馆一个埋头苦读的热血青年，而30年后的今天，当年的热血青年已成了一个时代的缔造者。这次进京，虽然是以胜利者的身份，但摆在面前的，还有重重的困难需要克服。临出发前，毛泽东半幽默半认真地对一旁的周恩来说：

XiangGuanLianJie
DaSaoMiao

☆ 渡江战役直捣南京

1949年初，三大战役结束后，国民党军一面假与中共和谈，以争取喘息时间；一面调集兵力加强长江防线，企图以"划江而治"来争取时间卷土重来。4月21日，毛泽东、朱德下达了《向全国进军的命令》。同时，人民解放军第二、三野战军24个军和地方部队约100万兵力及第四野战军一部和华东、中原军区各一部，在西起九江东北的湖口，东至江苏的江阴长达500余公里的战线上，分东、西、中三路强渡长江。4月23日，解放了国民党政府首都南京。

"今天是进京的日子，进京赶考去！"周恩来笑容满面，细声说："我们应当都能考及格，不要退回来。"毛泽东手一挥："退回来就失败了，我们决不当李自成，我们都希望考个好成绩！"

进京这几个月来，我军的成绩显然是好的。人民解放军先解放南京，国民党政府流亡广州。解放军接着又突破汤恩伯的京沪杭防线，一举解放大上海。国民党一退再退，现在已退到福建沿海一带和大西南地区，正在做最后的挣扎。

不过在这种大好形势下，还有一个令毛泽东伤脑筋的地方，那就是大西北的胡宗南集团和二马集团。现在蒋介石留在大陆的军事实力，就以这两个集团为最。这两个集团包围封锁解放军十几年，手上沾满了共产党人的鲜血，他们一定会反共到底的，绝不会像傅作义那样深明大义，关键时刻能改弦易帜。对付他们，只能用"天津方式"，也就是用战斗方式去解决。

胡马上次联合反扑咸阳时，毛泽东连日数电，焦急万分。咸阳一役胡马虽败，但消灭那几千人，对还拥有数十万大军的他们来说，如九牛拔一毛耳！现在毛泽东需要的是穷追猛打，用猛烈的进攻大量地歼敌。毕竟，西北不如其他地方，那里宗教、民族关系错综复杂，自然环境又异常险恶艰苦，所以必须趁他们出来之时大量歼灭，避免今后夜长梦多的麻烦。

★陕甘宁晋绥联防军司令员贺龙在野战军前委扩大会议上讲话。

香山枫树成林，景色宜人，毛泽东有时在小道上散步，有时在卧室里看地图，但满脑子里想着的，全是西北战事。

彭德怀也在盘算着胡宗南和二马之事。在6月26日，特意给军委发了一封电报，电报说按敌人现在的部署不变，拟于7月8日以3个兵团向二马发起进攻；但如果二马大步西撤，便决定集中力量先打击胡宗南，夺取宝鸡、陇东，为进军汉中作准备。

接到电报的当日，毛泽东就把周恩来、朱德一起叫来，围着大西北的地图研究了大半天。他们断定，随着马匪反扑咸阳的失败，再加上我军第18、19兵团全部入陕，胡马是不敢轻易再发动进攻的，极有可能还会找适当的时机抽身撤回。毛泽东当日回电彭德怀，杨得志兵团和许光达兵团留下部分兵力监视二马，王震、周士弟兵团及许光达兵团余部兵分两路，一路重兵截断胡宗南退路，另一路迅速包围胡部，聚而歼之。

这是一个非常大胆的决定。当时胡宗南在关中及其附近地区总兵力上十万，并且在部署上既不分散（怕解放军各个击破）又不集中（怕解放军聚而歼之），毛泽东要重兵包围胡宗南一举击破。这既需要指挥员的指挥因势而变，灵活机动；又要求第一线的官兵们英勇无畏，不怕牺牲，只有指挥和作战上的完美结合，方能确保一举击破胡宗南集团。另外，还要对二马形成足够的压力，嘱咐杨得志千万不可轻视两马，"严防二马回击，否则必致吃亏"。

电报发出去后，毛泽东还是感到不踏实，26日大半夜都在琢磨西北的地图，他越想越细，越琢磨越具体。到27日一大清早，又写了一封长长的电报，对一野在目前和将来一年内的用兵计划都详细列出。

毛泽东说，如果二马在青宁只作小撤退，只撤到关中的附近地区，则先打二马后打胡，但打二马比打胡难，要准备付出数万人的牺牲，以期全歼二马或歼其主力，基本上解决西北问题；但如果二马作大的撤退，撤到了甘肃、宁夏境内，距离胡较远，则先打胡后打马。

电报里，毛泽东还谈到了分兵的问题。他说，如果二马主力被歼，对下步解决兰州、青海、宁夏及甘肃西部已无重大困难，则可兵分两支，一支西进，解决二马残敌和其他部队；另一支南下，以占领成都解决川北为目的，在出击时间上，要与刘邓占领黔、渝相配合，不要太早，防止胡宗南跑到云南去。

在考虑军事进攻的时候，毛泽东还考虑到了另一个因素，就是蒋介石已经选定台湾和大西南做他的最后负隅顽抗的基地，为了把蒋介石最后的本钱吸引在大陆解决，就必须把李宗仁的流亡政府拖在大陆，不要使之全部迁往台湾，而要使他迁往重庆。这样的话，就不能对胡宗南出拳太猛，让李宗仁感觉到重庆没有安全感的话，流亡政府势必会去台湾，这对整个形势是不利的。所以毛泽东强调："你们暂不宜去占汉中，让汉中留在胡匪手中几个月似较有利。"

这是一个中长期的作战计划，从战役到战略，全部勾勒到位。彭德怀拿着电报，一边看一边对着地图，细细地琢磨了几天。到7月6日，他把是先打马还是先打胡的问题带到了前委扩大会议上。他已经决定，要结合毛泽东的这个电报立即发动一场大的攻势。如果打马，就要解决马的大部，而如果打胡，也就要解决胡的大部。总之这一仗，要基本上奠定一个消灭敌有生力量的格局。

扩大会上彭德怀发言支持"钳马打胡，先胡后马"的方针。他的理由是，

二马还没有受过歼灭性打击，战斗力很强，并且二马兵力又分散，不易聚歼，所以打起来会比较费力。而胡宗南在扶（扶风）眉（眉县）地区兵力集中，他在秦岭地区以南又没有战役预备部队可以北援，如果包围扶眉，则可全歼该敌。二马刚刚在咸阳受挫，料他不敢轻举妄动。为防止他们派兵来援，只要派一支劲旅绕到二马侧后，威胁他们的大本营就可解决这个问题。

"钳马打胡，先胡后马"的方针就这样确定下来了，出击的日子是7月10日。

扶眉大包抄

天已完全黑下来，整个乾县都笼罩在夜色里。许光达一声令下，我军第2兵团3个军趁着夜幕掩护出发了。

第2兵团的任务是要穿过马鸿逵和裴昌会防区的结合处，直逼渭河，占领青化镇、益店镇后即绕到罗局镇的后面，切断陇海路，堵死裴昌会第38、65和119军的退路，配合从正面进攻的部队把这3个军包围于扶风到眉县的地区之内，一举歼灭。

这是一个大胆的迂回穿插。成功，扶眉战役即能成功；失败，扶眉战役也将跟着失败。出发前，彭德怀专门把许光达和王世泰叫到跟前，把隐蔽、迅速反复强调了好几遍。彭德怀交待，为了隐蔽，必须走山路，夜间禁火，开进途中禁止使用重武器；为了迅速，开进途中必须急行军，遇小股敌人不要纠缠。对这两点指示，许光达、王世泰早已牢记于心。

3个军的部队悄无声息地行进在山岭之中，到9日晚，就神不知鬼不觉地抵近了裴昌会防区的前沿——临平镇以东、乾县西南地区。

裴昌会的指挥所设在宝鸡，他的职务是国民党西安绥署宝鸡指挥所主任兼第五兵团司令。此时，他正带着第38军军长李振西视察防线。前次与二马联合反扑咸阳失败以后，他把部队放在了东起武功漆水河、西至扶风益店镇、罗局镇、眉县车站方圆50多公里的地带，4个军并排摆着，各军、师、团、营都各自排成三线，重重叠叠，一堆一堆的，星罗棋布。当时有人讽刺这是"羊拉屎"阵地。第18兵团（辖第38军、第65军和第1军）司令李振却不以为然，他敲着桌子说："妈的，那些没修养的人懂个鸟！这样摆着，纵横交错，

★ 扶眉战役：继粉碎胡、马两军企图重占西安的联合反扑之后，第一野战军主力于1949年7月11日晚，对扶风、眉县地区的国民党军胡宗南部发动攻势。经16小时激战，歼敌4万余人；并乘胜于14日晨收复重镇宝鸡市。清华镇战斗中的我军某师指挥所。

互成犄角，共军无法包围，我军又进退自如。共军一向惯用的'挖心'战术就会失去作用。"

　　这种"羊拉屎"的排法还确实解除了不少师、团长们的顾虑。以前跟共军打仗，不是被各个歼灭，就是被一网打尽。现在一堆一堆地排满了50多公里的纵深，确能互成犄角，互相策应。好多师、团长们也因此而放心地玩去了，吃、喝、赌、嫖，样样都上。

　　但彭德怀自有办法，他的办法就是把这些一堆一堆的"羊拉屎"阵地一锅端掉。

　　许光达率第2兵团出发后，我军担任钳马任务的第19兵团（附骑兵第2师）也出发了，只不过他们与许光达兵团不同之处，就是一路上声势浩大，完全摆出了与二马决一死战的架势。接着，防守西安的我军第61军带着第181师、182师全部出动，把子午口、小五台一带的胡部第17军15师残部全部包

围起来，一举消灭胡宗南军1,580多人。

裴昌会在宝鸡听到报告却琢磨不透，共军同时对胡马发起进攻，意图何在？他抓起电话问第18兵团司令李振，李振也摇头不知，又问第38军军长李振西，李振西更是摇头。但就在裴昌会费尽脑筋考虑这个问题的时候，许光达带着第2兵团开始涉渡漆水河了。

漆水河河面不宽，桥已被马继援拆了，并且水流湍急。许光达、王世泰来到河边，对面就是悬崖峭壁，越过悬崖，后面就是马继援和裴昌会部第119军王治岐的防地。

"司令员，怎么办？"王世泰有点焦急地问许光达。

许光达看着河水，像是在想着什么。然后缓缓答道："为了赶时间，只有洇渡过去了。你看呢？"

王世泰也是这个意见。

刹那间，三军人马一字摆开，扑通扑通跳到河里，开始了武装洇渡。而对这一切，裴昌会却浑然不知，他甚至还以为第18、19兵团还在太原。他曾跟第38军军长李振西说："你放心，共军华北的部队是不会这么快就过来的。阎锡山在山西统治了38年，共产党没这个能力在一二十天内就玩得转，共军

XiangGuanLianJie
DaSaoMiao

GuanJianCi
相关链接
大扫描

☆ 小五台山敌军损兵折将

1949年6月底，为解除国民党军胡宗南集团对西安市的威胁，第一野战军61军第181师及182师545团等部奉命攻歼小五台山地区国民党军17军12师残部。7月10日，61军以181师542、543团由正面攻击，以541、545团分别从左右两翼向侧后迂回，包围国民党军。次日，担任迂回的部队相继攻占了老原岭等地。同时，担任主攻的部队亦先后攻克金土庵、白娘庙、子午镇，控制了峪东之皇庙梁，并由山脚直接攻小五台山顶。几小时后，将国民党军围于一庙中。国民党军多次突围但均被击退。16时30分，经过激战，181师将敌人全歼。此战，解放军共毙伤俘国民党军2,000余人。

★扶眉战役中，隐蔽在林中待命的我军部队。

增援西北还有待时日。"但人算不如天算，第18、19兵团不光是过来了，而且只等第2兵团包抄到他的屁股后面就准备全线出击。

几个小时之内，第2兵团就过了河。一过河，便兵分几路风驰电掣般直插胡部阵地。第3军经扶风东侧楔入敌第119军阵地，第6军经扶风西侧直插高王寺，第4军向纵深挺进，一夜奔袭70余公里，11日中午绕到了罗局镇背后。

这是一个十分大胆的穿插。第2兵团3个军全部进入到了胡部4个军阵地里面，打进去的虽然叫楔子，但这楔子如果不坚硬，极有可能成为肥肉而被胡部4个军吃得连骨头都不剩！许光达对各军的要求是迅速、猛烈，不给敌人任何反应的机会就置他于死地！

当前方隐约发现我军动向时，忙碌了一天的裴昌会刚躺下睡觉。他有一条铁的纪律：睡觉时不许任何人以任何理由打扰！所以11日晚间第119军军

★我军攻打眉县时，守敌举手向我军投降。

长王治岐、第38军军长李振西好几次打电话给裴昌会，都被电话兵挡了回来。后来情况越来越严重，当听到前方大炮响时，李振西感到大势一定不好。到早饭时，裴昌会才睡醒起来，但他不相信一夜之间敌情就会有这么严重，急令部队先捉几个俘虏回来问问再作打算。

俘虏没捉到，此时一野第1兵团出动了，沿着西安至宝鸡的公路线南侧直插眉县，一路上在哑柏镇、横渠镇把敌第24师、第53师杀得人仰马翻，俘敌6,000多人，其余仓皇而逃。

当罗局镇、眉县车站在第2兵团第4军的围攻下陷入危机时，裴昌会才感到了事态的严重性。他开始根本不相信解放军会冒如此风险打入50多公里纵深，但彭德怀奉行的原则是"不入虎穴，焉得虎子"，此时裴昌会的危机不仅仅是发生在眉县车站和罗局镇，从扶风到眉县的那些个"羊拉屎"阵地上，到处都有解放军的身影了。

随着时间的推移，一野从北、西、东三面出击的包围圈愈来愈小，到11日深夜，敌第18兵团部、第119、第65、第38军被全部包围于岐山、扶风和眉县之间的罗局镇以东、午井镇以南的渭河滩上。而这个时候的二马早被一野的气势所吓倒，撤到一边轻易不敢出动。

裴昌会急得满头大汗，连夜要通了汉中的胡宗南。胡宗南气得直拍桌子："突围呀，赶快突围呀！"胡宗南真的是气急败坏。他不知道裴昌会是怎么打仗的。解放军一夜之间抄到了屁股后面竟浑然不知！

裴昌会连夜下令第18兵团部组织第65军、38军沿陇海路迅速向宝鸡撤退，突出重围。

向宝鸡撤退，罗局镇是必经之地。这个平时不出名的小镇，此时成了交战双方反复争夺的焦点所在。

守卫罗局镇的是我军2兵团第10、11师。许光达的口号是"堵住敌人就是胜利"，而敌第65军、38军的口号是"冲出罗局镇就是胜利"。一场夺取罗局镇的攻防战于12日拂晓打响。

敌第65军、38军已完全被逼上了绝路，他们玩了命似地往外冲，整师整团地轮番向前发起冲击，千马奔腾，万人涌动，喊杀声、刀枪声、飞机的轰隆声和着渭河哗哗的水流声，一起融入到了这幕惨烈的剧情之中。

在这场血战中，武器精良与否，战法灵活与否，似乎都不是重要的，因为两军已完全扭打在一起，在这里，比的全是勇气和意志。坚守阵地的我军

第10、11师干部战士死伤过半，干部阵亡后下级自动代理，失散掉队的干部战士自动归并，战场是混乱的，但在2兵团每名官兵的心里，却时刻保持着必胜的信念。

尽管敌第65军、38军不顾一切地突围，但终究没能突破罗局镇一寸土地。在罗局镇的这场血战发生不久，一野2兵团的其他部队就会同第18兵团、第1兵团对他们发起了猛攻。几百门火炮吐着火舌，从十里之外呼啸而来，尘土飞扬，血肉横飞。天气异常的炎热，国民党军士兵有的中暑了，有的脱水了，有的干渴得晕倒了，有的干脆因中暑而死。最后剩下万余人夺渭河而逃，好多人下了渭河后就没有出来，被渭河水无情地冲走了。有一些侥幸地渡过了河，但一野第1军早就在眉县等候他们的到来，结果8,000多人一上岸就举起了双手。

这一仗，以胡宗南部队的大败而告终，被裴昌会布置在"羊拉屎"阵地上的部队，除那些军师长们趁自己的部下与野战军血战之时，开着汽车遁路逃走而外，其他无一回来。在形势越来越紧急的情况下，裴昌会自己也带着司令部跑了，我军第2兵团4军12师迅速跟进，第二次占领了宝鸡。

在一旁观战的马继援看得心惊肉跳。他很庆幸自己的幸运，庆幸自己在解放军第18兵团向他发起攻击之时就撤了，不然的话，准会与胡宗南的部队一起被彭德怀一锅煮了。但当裴昌会开着车南逃，解放军占领宝鸡之后，他又不禁在大热天打了一个寒颤。因为关中失守，陇海路暴露无遗，解放军进入大西北的大门打开了！

历史碎片
LISHISUIPIAN

D 大拼接
DAPINJIE

☆ 徒劳的币制改革

1949年7月，迁至广州的国民政府公布币制改革令，同时出台《银元及银元兑换发行办法》。该办法规定：以银元为国币单位，每元含纯银23.493488克。面额为5种：1元、5元、10元、50元、100元。另外设4种辅币券。金圆券5亿元折合银元1块或银元券1元。国民党想借此来替代急剧贬值、形同废纸的金圆券，以延缓财政金融的崩溃。在蒋的统治下，一次次币制的变更只能使情况变得更坏，人民的生活水平也随着币制的变更每况愈下。但是在解放军强大的攻势下，蒋介石所作的一切都显得那么徒劳。

☆ 傅作义起义粉碎蒋介石美梦

在傅作义同解放军磋商北平和平解决办法之际，蒋介石对此有所察觉，先后四次派人来拉拢傅作义。1949年1月14日，当傅作义决心起义时，蒋立即派其军令部长来北平劝说。16日，蒋又派国防部次长来北平。接着，蒋介石又派儿子蒋经国到北平游说傅作义。此后，美国太平洋舰队司令白吉尔也飞抵北平，力劝傅作义，都被傅拒绝。1月21日，傅作义召集华北"剿总"军以上人员会议，宣布北平和平解放，且通告全国。当天，傅作义所部20余万人陆续出城，到达指定地点，接受人民解放军整编。傅作义的义举，彻底粉碎了蒋介石企图最后运走其嫡系"精锐"兵团及装备的梦想。

☆ 国民党拒不承认失败

1949年3月31日，国民党中宣部却向各党报发出指示："投降主义者责备本党不肯承认失败，此种论调含有严重之谬误与毒素。"蒋介石在一次对外公开讲话中谈到："吾人承认政治、军事、经济三方面之缺点与错误，招致今日之失败。吾人必须深切反省，痛加改革……吾人今日必须继续奋斗，以阻止中共发展及情势恶劣，只有吾人自甘暴弃，向中共投降，始为吾人最后之失败。"不知道蒋介石在此时发表这通荒谬讲话意味着什么？更多的不过是一种掩耳盗铃的表现吧！

第五卷

DIWUJUAN

风卷残云追歼穷寇
剿抚并用平定西北

　　解放战争胜利在望，毛泽东"兼用政治方式"的指导思想和彭德怀"关门捉贼"战术方针的完美结合，使一野大军解放了被国民党视为金城汤池的兰州城，打碎了马步芳固守的美梦。马鸿宾明智地起义；不可一世的马鸿逵逃离宁夏。在我一野勇士的速猛攻击下，青天白日旗在西北的上空徐徐降落。伴着进疆车队的轰鸣声，一野的将士们又踏上了新的征程。

扶眉大败，胡宗南与二马之间埋怨迭起。二马往甘、宁撤去，胡宗南龟缩于秦岭一动不动。

彭德怀挥师大步西进，在固关全歼马继援劲旅骑兵14旅。马继援要固守定西，马步芳令全线撤往兰州。一野继续西进，大军兵临兰州城下。马步芳派使者请求马鸿逵出兵援救，马鸿逵阳奉阴违按兵不动。野战军全面进攻，马继援大败兰州。马步芳逃往重庆，马继援逃往香港，"青马集团"寿终正寝。

第一章

夺取兰州，"青马集团"寿终正寝

胡马、二马积怨难解

扶眉战役把胡宗南与二马之间的关系彻底搞僵，他们大吵了一架。胡宗南指责二马撤退的时候连招呼也不打，使许光达从他们撤退的阵地上插入进来，把他的几个精锐师给消灭了；而马步芳则反咬一口，说王治岐的部队一点都不禁打，一交火就撤，使他的部队也差点闹个全军覆没；王治岐则埋怨西安绥署不给他透露任何消息，自己的部队糊里糊涂就做了炮灰；而胡宗南则骂王治岐是头猪，共军几个军从他的旁边穿插而过他居然没有引起警觉。王治岐就把责任往裴昌会头上推："裴司令官只顾睡觉，交待电台兵谁的电话也不接，致使军机延误，我也没有办法。"

接着胡匪1军1师师长刘孟廉，还把裴昌会的电台兵怎么蛮横无理的前后经过，向胡宗南绘声绘色地描绘了一遍，一口咬定了裴昌会作为前线最高指挥官，应该对此次战役负全面责任。胡宗南几乎咬着牙说要让裴昌会到后方去"休息"。倒是裴昌会沉得住气，自始至终一句话都不说。要是胡宗南撤

★陇东追击战：1949年7月24日，我军除以第18兵团（欠1个军）于秦岭以北监视胡宗南集团外，又以3个兵团及1个军乘胜向陇东地区展开追击，至8月11日，连克平凉、天水等地，歼敌万余人。我军路过陕甘交界处的花果山水帘洞，向陇东挺进。

了他的职他才高兴，这样打下去，不是被捉就是被打死，反正没有好下场，还不如早日脱身。但后来胡宗南似乎也看透了一切，他觉得一切都是天意，命该如此，谁也不要怨。所以他不但没撤裴昌会的职，甚至没有处分任何一个人，只是把受到重创的第38军、第65军调到后方去整补，就算了事了。

这一仗下来，胡宗南是被彻底搞瘫了，部队全部龟缩在秦岭里头不敢出来。二马也接连撤退，全部退到了陇东地区。两边都在撤，中间的大道就让出来了。

在扶眉战役以前有打马与打胡两种打法，但现在的局面已经很明显，胡宗南虽然还拥兵十万余众，但已无出击之力；而二马退守陇东，都还没有受过重大打击，战斗力仍然很强。彭德怀在开会之前研究了几个晚上的地图，结论是二马有在平凉山、六盘山一带凭险驻防的可能。所以在7月19日召开的军以上干部会上，彭德怀旗帜鲜明地提出"钳胡打马"。他对周士弟说："你们（第18兵团）采取积极姿态，钳制胡宗南部于秦岭……"然后又望着王震、

许光达、杨得志说："你们（即第1、2和19兵团）加上第18兵团的第62军，共10个军分三路向平凉攻击前进，做好夺取兰州的准备。"彭德怀把这个计划报告给军委，毛泽东似乎还记得当年西路军惨败的教训，不无担心地问道："以3个兵团追歼两马是否足够？"彭德怀信心十足，他相信10个军乘胜西进，完全可以打败二马。

7月21日，烈日当头，骄阳似火，阳光从半空中泼洒下来，照得整个关中地区像着了火似的。第1、2、19兵团及第62军分头朝平凉出发了。

马步芳原来的计划是想趁当上西北军政长官之机，给共军烧几把火，证明自己才是国民党在大西北真正的中流砥柱。却没有想到在咸阳败于共军之手，又在扶眉被彭德怀刮了一家伙，报销近两个旅。现在二马的部队一路往后撤去，共军又声势浩大地追歼过来，他心里焦急得很。搞不好他这个西北军政长官的位置还没有坐热，就要像胡宗南一样，被共军打得到处流浪去了。他苦思冥想，搞出了一个"关山会战复案指导计划"（"平凉会战计划"），交给副长官兼参谋长刘任，说："你到前线一趟，告诉继援，在宁夏、陇南两个兵团的协同下，利用兰青公路沿线的三关口、固关、马鹿镇等隘口设防，必须把共军堵在陕甘边境！"马步芳把"必须把共军堵在陕甘边境"说得斩钉截铁。

按照马步芳的计划，宁马第128、11军6个师附1个骑兵旅于平凉东、南组织防御，在四十里铺、安口窑、华亭一线构成弧形防御地带，抗击共军，而青马则由安口窑西移至六盘山，等待时机迂回穿插，从左侧进行反击，与共军决战。

马鸿逵把这份所谓的"平凉会战"计划一看，那张圆脸顿时就变了色："他妈的，把我们放在前面当炮灰，自己躲在后面看热闹，老子没这么傻！"但这份计划是蒋介石点过头的，马鸿逵不好明目张胆地表示出不满。他的计划是，能打就打一下，不能打就立即抽身回宁，但估计，多半是不能打。所以他早早地就给卢忠良发了密电，要"相机行事"。卢忠良跟马鸿逵这么多年，接到电报后一看就明白了什么意思。

我军第1、2和19兵团一路横扫过去，连克彬县、旬邑，25日又攻占灵台、长武，到27日又占领泾川、正宁、宁县、陇县。卢忠良被一野部队这突如其来的气势吓懵了，赶紧向马鸿逵作了报告。马鸿逵二话没说，就发了8个字："保存实力，退守宁夏"。卢忠良指挥部队一窝蜂地撤回去，把驻守在固关的马继援部骑兵第14旅晾在了外头。

★ 我军跨过陕西渭河大石桥，追击敌马步芳残部。

　　"这可是个好机会，二马'平凉会战'计划破产，给咱们一个打马步芳骑14旅的好机会！"彭德怀在司令部里兴奋地说。

　　赵寿山在国民党干过，对马家军比较熟悉。他有点担心地说："老总，马家军的骑兵不是好玩的，要谨慎一点，并且固关只有一条峪谷可通，两边都是高山。如果沿峪谷向前进，万一骑兵冲杀出来，那后果是不堪设想的！"

　　张宗逊接上话头："我看可以兵分三路，两路从南、北猛攻其侧翼，吸引敌人火力后，中间一路沿峪谷急速开进，一举突破！"

　　彭德怀思考半晌说："这是个办法，但就怕……"

　　"就怕"还没说出来，王震的电报来了。电报说骑14旅在固关地区作恶多端，见啥抢啥，抢不着就砸，老百姓对他们恨之入骨。我军部队一到那里，一个老汉就主动来把骑14旅的防御阵形、总兵力以及旅指挥所位置一五一十全都说了。现在我1兵团的计划是在重炮的火力掩护下分三路向固关挺进。并且说已摸清骑14旅旅指挥所的位置，准备第一炮就打向那里，取胜把握比较大。

★我军突破敌马步芳六盘山防线，继续向西挺进。

彭德怀把电报递给张、赵，说："就这么办！"

28日拂晓，王震指挥部队瞄准敌骑14旅指挥所打响了第一炮，接着万炮齐发，固关小镇顷刻间浓烟滚滚，人喊马嘶。骑14旅旅长马成贤从灰土里爬出来，还没明白是怎么一回事，又一发炮弹打了过来，当即左胳膊飞了出去，从另一个土堆里钻出来的旅参谋长马尚武立刻清醒过来，安排人把马成贤抬到后方医院去了。因为指挥所被炸掉，通信完全中断，作战无法指挥，只见整个阵地上浓烟滚滚，分不清南北。马尚武飞身上马，快马加鞭赶到了前沿阵地。此时敌军已渐渐不支，他立刻给后面的骑8旅发了求救电。骑8旅旅长马英本来就是怕死才请马继援把他们调到后面去的，现在骑14旅陷入重围，他撤还唯恐来不及，哪里还有胆量向前援救？

古人有"射人先射马"之说，现在，王震命令集中炮火专打马群，一颗颗炮弹从十里之外呼啸而至，昔日在西北战场上作威作福的马匪骑兵早已乱作一团，东奔西突，七零八落，兵找不着官，官也找不着兵，人员尚在，但建制全无。马尚武看到这个情形真是束手无策，通信中断，军令不畅，所有官、兵，包括马在内，都急着逃命。马尚武实在无力收拾这个局面，他飞身上马，一边朝着队伍喊"撤"，一边带着护卫钻进密林丛里，朝平凉方向逃去了。

XiangGuanLianJie DaSaoMiao

GuanJianCi 相关链接 大扫描

☆ 国民党军旅参谋长的回忆

国民党军旅参谋长马尚武心有余悸地回忆了解放军围剿胡马集团时的场面：右翼山岭的主力防守据点，我军拼死抵抗但亦被解放军突破，霎时红旗招展，我军顿时混乱，官兵四处逃命。但炮弹如急雨，倾泻于马群。峡内石块乱飞，硝烟弥漫，全部处于火海之中，不到半小时，峡内便人马死尸堆积，血水染红了固关河……残余人马，突围两次，都被解放军击溃。随行的营、连长数人，亦被解放军还击击毙。我们听到解放军在喊话："不要怕，放下武器，投降！"他的这一段描述无不反应了当时战斗的激烈与我野战军为夺取胜利所付出的巨大牺牲。

马继援退守兰州

还是四条腿的家伙好使，打了败仗跑得快。固关一失，马继援的部队就一路飞奔跑到了定西，回头再看时，解放军又被远远地甩在了后面。对于马家军而言，驻防西北的优势就在这里：地域辽阔，战略回旋余地大，可以凭借广袤的土地来弥补战场上的失利。

连打了几场败仗，30出头的马继援并未丧失信心。他突然发现，定西倒是个阻击解放军的好地方。于是他指着前面层峦叠嶂的群山对马步銮、王治岐说："你们看，这里山高沟深，连绵起伏，在这里设防，可保兰州无事！"

马步銮不断点头："不错。彭德怀的前卫部队才到甘谷、武山一带，等主力到定西，我们已经站稳脚，修好了工事。定西可以看成是通向兰州的关口，保兰州必保定西！"

马继援觉得马步銮说得在理，应了一声，又下意识地瞅了一眼王治岐。王治岐的第119军本隶属胡宗南，扶眉战役中受重创后逃命时与马家军混在了一起，这才到了定西。虽然马继援对他不错，但在重大军情上他一般不多言，摆出一副言听计从的姿态。这次马继援看了他几眼，他也没有什么反应。

马继援正想说点什么，发现刘任急匆匆来了。刘任受马步芳委托，特地从兰州赶来的。马继援赶紧迎了上去，很热情地握手、致意。刘任也不客套，单刀直入："开个军事会议吧，长官（马步芳）委派我来传达退守兰州的军事计划……"

"什么？退守兰州，定西不要啦？"马继援十分惊讶。马步銮、王治岐等人也觉得莫名其妙，放着定西不守，却要部队撤到兰州。

刘任拍拍马继援的肩膀："是的，定西不要了。详细情况我在会上说……"

到会的有马继援、马步銮、王治岐、赵遂（第82军副军长）、马文鼎（第82军参谋长），另外，向宁马方面的卢忠良发出通知，但他未到会。

刘任说："长官（指马步芳）计划坚守兰州，理由自然比坚守定西要充足得多。一是防御坚固，兰州北临黄河，南有险峻的皋兰山作屏障，易守难攻；二是交通便利，兰州和青海、新疆、宁夏有公路脉络相连，接济方便；三是物资储备充分，兰州是西北的经济中心，战争物资应有尽有。这三点都有利于内线防御作战，比定西的条件要好得多……"

刘任的话还没说完，马继援站起来了，他对自己父亲这个坚守兰州的作战计划并不赞同："兰州是长官公署所在地，又是西北的政治、经济、文化中心，要保兰州，仗自然不能在兰州打，就像要保青海，仗不能在青海打一样。定西一带山高沟深，地形险恶，是打解放军的……"

话没说完，青海省财政厅长冶成荣又急匆匆地从兰州赶来了。马步芳的这个铁杆心腹，往往都担负着他的秘密使命，总是在最关键的时候出现。马继援见他满头大汗，还正朝他使眼色，知道他肯定带来了父亲的重要指示。马继援赶紧上前去，小声问道："什么事？"

冶成荣显得很焦急的样子说："走，到前面树林子里去说。"

两人来到树林子里站定，冶成荣压低嗓门说："这一仗如果在定西打，势必是我们冲锋陷阵，而马鸿逵在旁边看热闹，到时候我们的实力拼光了，马鸿逵就有说话的权力了。所以一定要把马鸿逵拉进来，而只有在兰州打，广州政府才好命令马鸿逵出兵；也只有在兰州打，马鸿逵才会出兵……"

冶成荣把声音压得低低的，十分诡异地看着马继援。马继援恍然大悟，不断点头。半晌，马继援道："行，我把部队撤到兰州去。"

没过几天，马继援把部队全部撤往兰州设防。紧接着，马步芳、马鸿逵连同胡宗南一起登机去了广州，参加由阎锡山主持的西北联防会议，决心固守兰州。

阎锡山丢了山西，心情一直很沉重。他是怀着打回山西老家去的梦想来主持召开这次会议的。他现在最大的愿望就是胡宗南、马步芳、马鸿逵，尤其是马步芳与马鸿逵能够团结起来，保住大西南，保住大西北，进而恢复他在山西的地盘。所以他在会上一再强调捐弃前嫌，共赴国难。

实际上，他这话主要是说给马鸿逵听的。早在5月份，当广州国民政府任命马步芳为西北军政长官公署代长官的时候，马鸿逵的不满就开始了。虽然后来马鸿逵又博得了个副长官兼甘肃省主席的职务，但他心里终究咽不下这口气。所以在后来的几场战役中，马鸿逵每每都不能很好的配合。不但如此，马步芳苦心策划平凉会战，马鸿逵却密令卢忠良把部队撤走了。后来，马鸿逵索性自己也动摇起来，秘密派了马如龙到绥远，向傅作义吐露了求和的心迹。这对以反共出名的马鸿逵来说，如果不是在国民党内的政治角逐中失利的话，他是绝对不会这样做的。

事实上，在防守兰州这个问题上，马步芳一厢情愿了。他以为策划兰州决战就可以套住马鸿逵，却不知马鸿逵早就作好了只保宁夏的打算。自从马步芳入主兰州后，马鸿逵就认定了兰州只是马步芳的地盘，要自己出兵去保兰州，等于是替马步芳保驾护航。这等蠢事他才不会干呢。而胡宗南呢？他巴不得二马发起兰州战役。这一仗打得越大越好，可以把解放军主力吸引在西北，他好放心经营陕南，所以虽然他对马步芳在扶眉战役中的表现恨得咬牙切齿，但还是极力和阎锡山一起撮合他和马鸿逵的关系。但马鸿逵终没有上阎锡山一伙人的船，会议结束后自己坐飞机单独去了银川。

对于马步芳、马鸿逵和胡宗南三人之间的这种微妙关系，毛泽东基本上能猜出个八九不离十。所以他及时地提出了"除用战斗方式外，兼取政治方式"来解决西北问题的方针。他和周恩来、刘少奇等人谈起西北问题的时候，总是提起西北地域辽阔、民族问题复杂、国民党军的主要将领们又有着不同的政治倾向等问题。当时我军虽然军事上占优势，但遇到诸如民族、宗教等问题的时候，又不能全靠军事去解决。毛泽东说："民族问题无小事，宗教问题也无小事，有时候解放军战士一个小小的动作，却犯了少数民族的禁忌，处理不当，就会酿成一个大的政治事件……"毛泽东在电文中向彭德怀强调了很多次，我党少数民族干部严重缺乏，一定要注意团结一切可以团结的力量，加速大西北的解放进程。

初战失利

马继援将部队撤离定西，彭德怀便带着部队大踏步前进。十几天之间，包括定西在内的广袤土地，全被我军解放。彭德怀听说马步芳要死守兰州，高兴得拍手叫好："不怕他守，就是担心他跑。只要他不跑，他们就是死路一条！"彭德怀的自信，也感染了张宗逊，但他还是有点不解："老总，怎么说他们不跑就是死路一条呢？"

彭德怀认真起来，摊开地图，指着黄河说："你看，兰州背靠黄河。对我们来说，黄河是他们的天险；而对他们来说，黄河也同样是我们的天险呀！只要我们能一举突入兰州城内，黄河挡住他们的退路，他们就是死路一条！"

张宗逊不断点头，似有所悟的样子，但又不无担心地说："兰州城外群山环抱，尤其是皋兰山，那可是兰州的天然屏障哪！马匪必然在山上大做文章，肯定会固守那些山头。再说，马匪被逼上绝路，肯定会顽抗到底。要突破皋兰山，只怕是要付出惨重代价呀！"

"是呀！这是一场恶战，我军又将有一批干部战士将会流血牺牲，他们看不到新中国的成立了！"彭德怀起身，背起手望着窗外说，"还是主席说得好，打与谈并行，尽量减少战争损失。"

"听说新疆的陶峙岳有些动摇，还有马鸿逵也是？"张宗逊问道。

"他们是有些动摇，但是否会起义投诚，那还得看咱们在战场上表现如何。我们仗打得顺利，不要做工作，陶峙岳就会率部起义的。但仗打得不怎么样，那就难说了！所以说，兰州一仗至关重要。拿下兰州，地域上可以割裂二马，打通去新疆的通道，而在心理上，可以对陶峙岳、马鸿逵产生足够的震慑。"

"是的，以战助和。"张宗逊说，"那您看，下一步部队怎么个调动法？"

★ 我军解放兰州以东的定西县城。

"先发个预先攻击兰州的命令，就说准备以一部兵力牵制马鸿逵部，集中绝对优势兵力首先歼灭兰州守军。具体这样布置：第18兵团仍然监视胡宗南部，并做好南下的准备；第1、2、19兵团分左、中、右三路围攻兰州，直取西宁。告诉他们，作好打恶仗的准备。要通过这一仗，基本上解决青马问题……"

彭德怀、张宗逊在制定打击马鸿逵的计划，而马继援却在皋兰山上"大兴土木"。

马继援是8月10日离开定西到兰州的。那天他和马步銮、谭呈祥、韩有禄、马振武等一帮干将把皋兰山、豆家山、古城岭、马架山、西兰公路以北的十里山，西边的沈家岭、狗娃山全都跑了个遍。马继援一边走一边说："以前打仗是我们跑到'共匪'的地盘里去，我们地情不熟悉人情也不熟悉，所以吃败仗；现在'共匪'跑到我们的地盘里来了，他们孤军深入，没有了解放区的依托，正是我们打翻身仗的大好时机。'共匪'没什么好怕的，把防御阵地搞结实了，他们拿兰州一点办法都没有……"

马继援一个人说得信心十足，他身后的那帮人却都在犯嘀咕。上次定西会议后，王治岐就说过，坚守兰州利共军不利己。当时他们都那么看，黄河在后面，共军杀进来跑都跑不掉。但现在固守兰州已成定论，无论如何，这前途未卜的一仗还得打下去。

早在抗战时，兰州外围的主阵地皋兰山上就筑起了一片钢筋水泥土的碉堡群，有明碉，有暗堡，马继援就在这个基础上把防御工事又修了一遍。他把山地的坡度全削成了5～10米的峭壁，峭壁腰部又挖了暗藏的侧射机枪掩体，峭壁外面又挖着丈把深的外壕，壕沟里面都有暗堡和其他的野战工事，壕沟与壕沟之间又有暗沟相通，外面还设置了好几道铁丝网，并且地雷密布。

马继援欣赏着自己的得意之作，信心十足地"恭候"彭德怀的光临。

彭德怀上次发了攻击兰州的预备命令后，第二天又给西北我军下了一道命令：乘胜追击，直捣匪军巢穴——兰州、西宁、宁夏……全体同志及全军指战员、战斗英雄、模范工作者，全军一致，勇往直前，为干净、全部消灭青、甘、宁三省匪军，解放整个大西北而战斗！

这是一个极有号召力的命令，它把整个西北野战军的战斗情绪调到了最高点。当时我军部队到了二马统治区，粮食非常困难，并且天气渐渐转寒，整个西北野战军都陷入缺粮缺衣的境地。但在"进军甘青宁，解放大西北"的

★我军通过 240 里荒无人烟的草原，向兰州挺进。

战斗口号鼓舞下，战士们全不把这些困难放在心上。一野将士们踏上西北那一片广袤的国土，心里就充满了无穷的力量。部队从 9 日起开始前进，第 1、2、19 兵团主力及新老解放区的 15 万支前民工，分三路浩浩荡荡行进在大山里，剑锋直指兰州。到 19 日，第 2 兵团和 19 兵团已在兰州城郊会师，开始进行攻击兰州的一切战斗准备。

　　马继援把内线作战的任务交给了自己的嫡系第 82 军，让他们负责十里山、豆家山、马架山、古城岭、大顶山、皋兰山、营盘岭、沈家岭、狗娃山的防卫，第 129 军两个步兵师为预备队，第 91 军黄祖瞳部与第 120 军周嘉彬部配合马鸿宾的第 81 军防守由兰州延长堡到靖远的河防，伺机截断西兰公路的交通。到 20 日，解放军第 2 兵团和第 19 兵团在兰州郊外会师的时候，马继援已经做好了一切准备。

　　彭德怀和野司跟部队一起到了兰州城郊。这几天他除了关注马继援的动向外，还一直在观察胡宗南和马鸿逵的活动。几天的观察下来，他向张宗逊、

★我军战士把火炮推上火车，准备向兰州挺进。

阎揆要阐述了一个基本观点。他说："我们第2、19两个兵团兵临城下，马继援已经急得团团转，而胡宗南、马鸿逵却丝毫没有反应。看来，西北联防会议开得并没有效果，胡宗南、马鸿逵不大可能来援马步芳了。"

张宗逊这几天也在思考胡宗南、马鸿逵是否会援助马继援的问题，他前几天就讲过，如果他们来援，势必会增加这一仗的难度。但他们不来援，马继援孤军守兰州的决心就值得怀疑了。所以他说："他们不来援，马继援跟他老子一样，跑到西宁去怎么办？"

"所以要立即发起进攻，杀他个措手不及。"彭德怀斩钉截铁地说。

21日凌晨，野战军向兰州发起了攻击。

许光达、杨得志从南、西、北三面同时对兰州外围的据点突然发起猛烈炮击，整个兰州郊外顿时炮声大作，浓烟滚滚。尤其是主阵地皋兰山上，战斗更为激烈。彭德怀的决心是要通过突然袭击，夺下兰州外围的几个据点，为下一步更猛烈的进攻打下一个基础。指战员们觉得拿下几个据点完全没有问题。炮火一开，只顾往阵地上发炮弹，而对马家军的防御阵地却未作详细的侦察和了解。所以炮弹一发发地打出去，效果却不甚理想。

起先马家军全躲在壕沟的掩体内，等到我解放军一波次的炮击结束进行强行攻击的时候，敌军便一齐从洞里爬出来，依据有利地形，向刚冲上来的解放军发起反攻。仗一直打到天明，阵地仍然在敌军手里。

彭德怀在野司急得直跺脚："杨得志有5个团、许光达有4个团，打了一夜连一个小据点都没有打下来。怎么搞的嘛！"他转过身去对张宗逊说："先把部队撤下来！"

"兰州锁钥"难锁兰州

彭德怀把许光达、杨得志叫过来，问道："怎么搞的，说说看！"

许光达清了清嗓子，自责道："主要是轻敌。没想到马匪抵抗会这么顽强，此外，我们对兰州城外的防御工事了解也不够。"

"你呢？"彭德怀转头问杨得志。

"也是轻敌，事先没把情况摸清楚。"杨得志说。

"你们俩都只说对了一半，有一半没有说。这另一半就是马匪的防御工事太坚固！"彭德怀说，"搞总结嘛，主观原因当然是主要的，但客观原因也不能忽视。客观原因不摸清楚，到时候还是要吃亏。我看呀，马继援的防御不能小看！从这一仗可以看出，马继援并不像我们想像的那样软弱，他可是作了死守兰州的打算了。"

马继援的决心被彭德怀言中了。22日他专门跑到皋兰山阵地上开了个前线会议，把前天的战绩抬出来大大地鼓舞了一番士气："我说了嘛，只要我们防御搞得好，齐心协力，彭德怀拿我们是没有办法的。这一仗下来，我们基本上摸清了彭德怀的底细。弟兄们只要好好打，兰州就会打成第二个榆林，让他彭德怀几攻不克……"

不知道谁在底下说了句"榆林现在已经投降了"。马继援脸色顿时阴沉下来，拍着桌子喊："老子不是邓宝珊！你们当中有没有左协中（国民党榆林守军第22军军长，起义首领）？有没有张之因（第22军参谋长，起义首领）？"马继援威严地扫视了全场，在座的将领们人人耷拉着脑袋，一声不吭。结果

会开得不欢而散。

彭德怀派出的侦察员已经把马继援的工事、部署、决心全都摸清楚了，不出意外情况，全歼马继援于兰州是有绝对把握的。但如果一味强攻，也说不准马继援会弃城而逃，毛泽东在每次来电中都强调了这一点。如果让他跑回西宁，或者逃到新疆，那将贻害无穷！彭德怀分析了目前的形势，觉得只有"前打后堵"才有可能全歼马继援于兰州。他给王震1兵团一个艰巨的任务：立即渡过黄河，迂回到兰州后方，切断兰州通往青海和新疆的公路，并配合第2、19兵团展开进攻。

再次进攻的时间选在25日拂晓。24日晚上，全军部队煮了一顿小麦洋芋，没有限量，可以放开吃。战士们人人都吃得饱饱的，他们都知道，第二天的进攻将是一场恶战，或许，自己就要在这一场恶战中倒下，看不到兰州解放，更看不到新中国成立了。但他们丝毫没有畏惧之色，他们默默地在自己的衣服上写上名字、籍贯和家庭地址，又把枪擦得锃亮锃亮，做好了牺牲的准备。

时间一分一秒地过去，但战士们谁也没有睡着。早上7时，3颗信号弹"嗖"地发出，红光划破长空，映红了整个蓝天，随即，一野3个兵团向兰州展开了全面进攻。大炮架在5公里开外的开阔地带，随着一声声巨响，呼啸而出的炮弹重重地落在马家军坚守的阵地上，昔日宁静的小山，霎时间化作一片火海。

防守兰州的主阵地在沈家岭，这是兰州的南大门，呈葫芦状，号称"兰州锁钥"。拿下沈家岭，不仅可以打通进入兰州的通道，还能直捣兰州西关，控制敌人西逃的唯一退路——黄河铁桥。

"沈家岭必须拿下，这个任务就交给在扶眉战役中荣立战功的2兵团第4军11师31团！"彭德怀非常干脆地下达命令。

战斗一打响，团长王学礼身先士卒，指挥爆破组把沈家岭炸了一个大缺口，接着在炮火掩护下指挥2营率先发起冲击。战士们冒着枪林弹雨，端着步枪喊杀着朝敌阵地冲去。霎时喊声震天，威震四方。

防守沈家岭的是马继援嫡系第82军的第190师。在21日第一次与解放军交手后，他们多少滋长了一些骄傲情绪。但他们没料到解放军此番进攻，情景却全不一样，不仅照着其主阵地冲来，还一举把阵地炸开了一个缺口。

看着我军发起的凌厉攻势，190师参谋长李少白不断大呼："完了完了！"

★兰州战役发起前，我军炮兵进入阵地。

★1949年8月25日，我军攻打兰州外围据点狗娃山。

他赶紧向马继援求救。但马继援也是焦头烂额。其时，战斗已从兰州的南、西、北三面全面铺开，解放军不仅火力猛，兵力强，并且打得还特别准。很多苦心构筑的暗堡和火力点都被解放军的炮火连根拔除。马继援先前的那股信心早已丧失殆尽，现在，他最恨的就是马鸿逵。早在23日的时候，马步芳就派了长官公署的秘书长马骥于连夜驱车前往宁夏，请求马鸿逵的援兵。马鸿逵当时信誓旦旦地表示："合则存，离则亡，我一定出兵！"但两天过去了，仍然不见马鸿逵的动静。马鸿逵的援兵无望，只能自己救自己了。马继援火速从固守东岗镇的第100师抽出一部分精兵，增援沈家岭及附近的狗娃山，他下了死命令，必须守住沈家岭！

但援兵的到来丝毫扭转不了沈家岭的败局，我军团长王学礼指挥第1梯队2营首先发起进攻后，接着又命第2梯队1营迅速跟进。战士们冲上阵地就与守敌展开了肉搏，他们端着刺刀，在阵地上与敌人杀得血肉横飞。待敌人渐渐不能支撑时，王学礼大刀一挥，3营作为预备队又投入了战斗。到下午6时，我31团拿下了沈家岭，但伤亡十分惨重，全团只剩下300多人，团长王学礼、政委李锡贵壮烈牺牲。

皋兰山主峰营盘岭上的战斗也同样激烈，守敌凭借钢筋水泥工事拼命抵抗，第17师50团几次爆破都未奏效。最后46团7连指导员曹德荣抱起一堆炸药，趁手榴弹爆炸升起的浓烟一气冲到了削壁底下，他身贴崖壁，与一年前牺牲的董存瑞一样，用自己的血肉之躯托起炸药包，与敌碉堡同归于尽。

一声巨响炸开了碉堡，我军官兵们以英雄为榜样，从战壕里一跃而出，一口气冲上了皋兰山，与敌人刀光剑影拼到下午5时，终于把皋兰山夺到了手。

敌军几个主阵地已被突破，王震的1兵团也正朝兰州西侧急速行进。马继援神色慌张，通过无线电要通了西宁马步芳的电话，父子俩一阵方言交谈后，马继援撂下电话就下令部队全线撤退。

第二天，彭德怀、张宗逊、甘泗淇带领部队就进了兰州城。

王震带着1兵团挥戈向西宁挺进。马步芳如热锅上的蚂蚁，来不及思考自己精心策划的兰州战役怎么在几天之内就彻底败北，27日便携家带口仓皇逃离了西宁。马继援也是惊魂未定，他逃到西宁时，父亲已经走了。这位"青马太子"也不是省油的灯，翻箱倒柜搜出28箱黄金共计19,600两，也于30日逃到了重庆。跟着一起出逃的还有马步銮、马全义等高级将领。9月5日，我军1兵团1军解放了西宁。

★我军步兵列队由兰州东门开进市区，受到广大市民的热烈欢迎。

　　西北军政长官公署副长官刘任收编了"青马"余部，信心十足地带着部队向西一路退去。他以为解放军准备南下四川，没时间对付他这点残兵败将，计划以终年积雪的祁连山为屏障顽抗到底。但远在北京的毛泽东发出了"宜将剩勇追穷寇"的指示，一野部队迅速派出1兵团2军和第2兵团，紧急出发追击逃敌，他们翻越祁连山，绕过乌鞘岭，穿过腾格里大沙漠，直取武威、张掖，最终解放了酒泉。至此，"青马集团"寿终正寝。

历史碎片 LISHISUIPIAN

D 大拼接 DAPINJIE

☆ 解放军颁布惩处战犯的政策

随着战事的发展，中国人民解放军总部发布了惩处战犯的命令，指出：证据确凿者，均应加以逮捕，并以战犯论罪。即屠杀人民，掠夺人民房屋者；……杀害俘虏者；破坏武器弹药者；毁坏海陆空交通工具及其设备者；破坏银行金库者；毁坏文化古迹者；空袭轰炸已解放的人民城市者。凡采取有效办法，因而使人民财产及一切属于本军的战利品及城市建设获得安全者，均给予应得奖励。同时指出，我军的政策是"首恶者必办，胁从者不问，立功者受奖"。此命令有效地加强了敌人投降的心理压力。

☆ 不遗余力的阎锡山

阎锡山溃逃后，在广州被任命为国民政府行政院长，组成了新内阁。蒋介石任命朱家骅为副院长，李汉魂为内政部长，叶公超为外交部长，阎锡山兼国防部长，关吉玉为财政部长，刘航琛为经济部长，杭立武为教育部长，陈良为交通部长，贾景德为秘书长……战争的形势已经很明朗，这个新的内阁不知还能维持多久，也许阎锡山还希望有朝一日能东山再起，但这不过是痴人说梦而已。

☆ 蒋安排"后事"，陈诚主事台湾

在人民解放军节节胜利、国民党内部桂系势力得到美国支持而向蒋介石逼宫的情况下，蒋介石被迫准备下野。为寻找退路，即苦心经营台湾，他在下野之前，对台湾作了一番人事安排。1948年12月29日，国民党中央常委会决定，任命陈诚为台湾省政府主席、蒋经国为国民党台湾省党部主任委员。这是由于近几个月来国民党在军事上全线溃败，面临覆灭下场，蒋介石为迁移台湾作准备，以此来加强对台湾的控制。蒋介石除了作此组织安排外，还准备把国库全部银元、黄金和美钞运往台湾。

兰州解放,青马覆没,宁夏立刻被孤立
起来。

马鸿逵拒绝傅作义好言相劝,孤注一
掷飞到了重庆。马敦静遵照父亲"烧光、打
光、淹光"的旨意,从景泰开始布置三道防
线。

杨得志兵分三路挥师北进,剿抚并用,
势如破竹。张钦武、马鸿宾先后起义,马敦
静三道防线彻底崩溃。马敦静仓皇出逃,宁
夏大乱。马鸿逵老泪纵横:宁夏,从此别
矣!

第二章

进军宁夏,"宁马"集团灰飞烟灭

三路大军挺进宁夏

兰州解放,青马覆没,宁夏立刻被孤立起来,马鸿逵到了作出最后决策
的时候了。

其实对马鸿逵,中央一直是积极争取的。毛泽东早就把马步芳与马鸿逵
作过区分,他曾说,马步芳自恃力强,心怀野心,飞扬跋扈,手段残忍,而
马鸿逵虽本质上是封建军阀,但他没有野心,只想保住宁夏的地盘以安身,并
且为人也较马步芳老实。特别是在抗日的时候,马鸿逵还与时任陕甘宁晋绥
联防军司令员的贺龙和政委习仲勋有过密切往来。蒋介石掀起几次反共高潮
要马鸿逵出兵陕甘宁边区,马鸿逵都能拖则拖,并没有与共产党结下像马步
芳那样的血海深仇。

从抗战时期起,马鸿逵就通过甘肃广河县的回民马绍常与共产党建立了
单线联系。这种联系,一直延续到1948年春,马绍常的行踪被国民党特务、
宁夏缉私处处长王孔安发现后才告结束。

★宁夏战役：为全歼国民党军马鸿逵部，解放宁夏，我军第19兵团于1949年9月6日开始自兰州进军宁夏。敌81军于19日接受我军和平改编。妄图凭险顽抗之马鸿逵部3个军被我击溃后，于22日分别向我投降。次日我军进驻宁夏省会银川市。此役，歼马鸿逵部4万余人，宁夏全境宣告解放。战前，向宁夏进军的我军部队，在荒原上露营。

　　但到了1949年的六七月间，国民党大势已去的时候，马绍常又受我党的委托来到了宁夏。那时马鸿逵非常矛盾，他虽然与我们党一直保持着联系，但他的一生，反共仍是主题，手上也沾着解放军的鲜血，他不相信共产党真的会宽待他。但有一条他已坚信不疑：共产党必然会取代国民党成为大陆的主宰，与共产党对抗到底，必定是死路一条！

　　马家在宁夏的基业可追溯至清同治年间。后来八国联军攻打北京，慈禧和光绪逃难的时候，就是他父亲马福祥护的驾。上下近百年的历史，马家在宁夏这片土地上都是主宰。如今共产党来了，这一局面注定是要结束了。在这个历史的叉路口又何去何从？马鸿逵踌躇了好长时间。他想过降，但又怕降了没有好下场；而如果不降，蒋介石那边注定又没有自己的位置。傅作义是他的拜把子兄弟，此时，他想到了傅作义。傅作义给他的建议是：起义！犹豫不决的马鸿逵似乎难以接受这个事实。

　　当彭德怀率大军向兰州进军的时候，傅作义又给他打来了长途电话。但这时，马鸿逵的态度已明朗起来：坚决不降！他跟傅作义说，我已经决定了，部队能打到什么程度就打到什么程度，能打就打一下，不能打就跑。傅作义问，跑到哪里？马鸿逵说，这你就别管，我自有地方去。傅作义说，你应该清楚，你不是蒋的嫡系，如果你跑到台湾去，将来没有你的好日子过的。马

鸿逵说，我投降共产党也一样没好果子吃！傅作义说，如果你起义，你就是功臣，共产党会善待你的！马鸿逵说，我不信！傅作义说，你可以不相信共产党，但你身后还有几百万宁夏百姓。战事一开，必定生灵涂炭，就是为了你们马家，难道你在这种时候就不顾他们的死活了吗？

马鸿逵无语！

他轻轻地放下电话，望着"怀远楼"外光秃秃的山岭，感受着一个"朝代"行将结束的悲凉和苦涩。

8月24日，蒋介石由台湾到了重庆。马鸿逵应令，风尘仆仆赶到了重庆。在鸟语花香的山洞林园，蒋介石单独"召见"了他。马鸿逵小蒋介石9岁，在蒋介石面前，他显得极为谨慎。就是在这次"召见"之后，马鸿逵定下了最后决心，决不投降共产党，还定下了"打光、烧光、淹光"的"三光"政策。

马鸿逵的流动财产已全部运到了香港和台湾。他从重庆开完会回来，便于9月1日打点行装逃到了重庆。宁夏军事，全部交给了次子马敦静。

马敦静以宁夏首领的身份开始执事。

可马敦静肚子里有几分货，作为父亲的马鸿逵再清楚不过。临走前的那天晚上，他对宁夏省政府秘书长兼民政厅长马廷秀等一帮人说："你们因为我的缘故，尊称老二（马敦静）为司令官，他有啥能耐？说实话，我的儿孙里面，没有一个能独担此任的，这是我马鸿逵一生最大的失败！"一副后继乏人的无奈溢于言表。

但毕竟，马敦静还是马鸿逵着力培养的，在军中还有点威望。就算马老二再没能耐，在只认封建宗法关系的宁夏，他这副担子是挑定了。

马敦静并不认为自己无能，一上来就表现得十分沉着干练，他按父亲的"三光"旨意，摆出了一副死守宁夏的架势。他的这副架势，就是沿着黄河摆了三道防线：第一道以骑兵第20团守同心，第81军（马鸿宾部）一部守靖远，新编骑兵第1旅守景泰；第二道以刚成立不久的贺兰军守中宁，第81军主力守中卫；第三道以第128军守金积，第11军守灵武。三道防线沿着黄河层层设防，如果不能阻挡解放军的攻势，就拿出最后的杀手锏：在金灵一带掘开黄河，水淹解放军。

布置完，马敦静觉得成竹在胸，万事大吉。但实际上，这是一个理论意义大于实际价值的防御体系。解放军没有展开进攻之前，各军都能在自己的

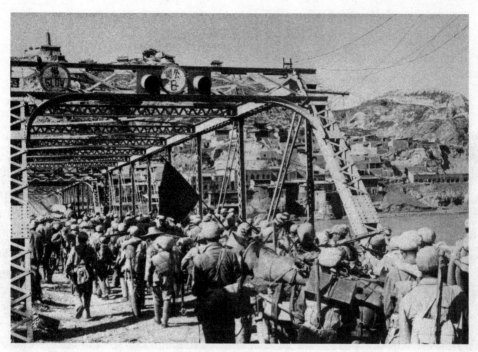

★我军解放兰州后，通过黄河铁桥追击马步芳残匪。

XiangGuanLianJie
DaSaoMiao

GuanJianCi
相关链接
大扫描

☆ "起义"和"投诚"的界定

关于这两个词在用法问题上，新华总社作了如下规定：一、起义是积极的，投诚是消极的。二者有根本的区别。二、凡有相当政治觉悟，率领一个建制部队自动由敌方转入我方，政治上或军事上对我方起配合作用，在转入我方后，虽然需要经过改造，但无须缴械编散，就可以认为是解放军之一部者，称为起义。如果是完全出于被迫，或投机欺诈，在转入我方后必须缴械编散者，或接受我方条件缴械者，则不应称起义，而应称之为投诚。三、凡组织许多人以武力克服官长或其他反对者之镇压或抵抗而投入我方者，就称起义。每一位国民党将领如果真正认清形势，相信会义不容辞地选择起义。

★向宁夏进发的我军骑兵部队。

防地上逞凶一时，但解放军一旦行动，各个防御阵地亦随之骚动起来。因为这个防御部署的最大缺陷在官兵们的心里！

9月1日，杨得志向我19兵团全体官兵发布了向宁夏进军的命令。第二天一大早，19兵团便兵分三路向宁夏进发。

景泰是首当其冲的一个据点。解放军一动起来，守敌新编骑兵第1旅少将旅长张钦武心里就开始打鼓。他手里只有1,000多人马，但迎面而来的19兵团左路军却是一个师——第63军188师。188师一个团沿黄河西岸行进，还有一个团乘羊皮筏子和木舟顺着黄河而下，朝景泰步步逼近。张钦武拿起一张军用地图，十分着急地找到旅参谋长。张钦武说："景泰离主防线几百里，万一打起来，任何掩护也没有，那我们还不全当炮灰？！"参谋长听出了弦外之音，说："您的意思是……""起义算了。在这种兵荒马乱的年月里，能帮弟兄们捡条命就算是积了最大的德！"

15日，张钦武率新编骑兵第1旅全部起义。我19兵团左路军乘胜挺进，17日便靠近了马鸿宾第81军驻防的中卫。

与此同时，我军中路第63军（欠188师）、第65军由兰州、定西梯次西进，16日第63军第187师第561团突然出现在黄河南岸的枣林子，守敌第81军第881团还没来得及反抗就被缴了械。而敌第103团向后逃窜的时候，也被我军第561团截住全歼。

我军右路第64军配属兵团榴弹炮团和战车队，并指挥西北军区独立第1、2师沿西银（西安到银川）公路向北进逼。12日解放同心县，14日又解放中宁县。至此，马敦静精心策划的第一道防线被我军完全突破。

马鸿宾识破时务

毛泽东把"青马"和"宁马"作了区分，而对"宁马"，又把马鸿逵和马鸿宾作了区分。马鸿逵和马鸿宾是堂兄弟，这宁夏的基业，就是他们的爷爷创下来的。但这两兄弟向来不和，马鸿宾处处受到马鸿逵的排挤，早就与马鸿逵有了二心。

一野刚刚进入甘肃的时候，毛泽东就向彭德怀讲过，要考虑利用马鸿宾，派人向马鸿宾做些工作。兰州刚解放那会儿，杨得志19兵团的前锋已到了固原一带，他派了三营镇的开明绅士马明三去找马鸿宾，马鸿宾派了儿子马惇靖去赴约。

马明三是个干脆人，见了面抱拳就说："马军长，我是三营镇解放军派来的。没有别的意思，解放军方面希望81军迅速起义，为宁夏解放做出贡献。如果您有难处，不起义也可以，但在解放军向宁夏进军的时候不要阻挡。"

马惇靖父子虽然早就与马鸿逵搞不到一块儿去，但鉴于当时马鸿逵力量比他们强，他不便把话说得太透彻，万一风声漏到马鸿逵那里，他们父子非吃亏不可。马惇靖便说了句含糊其辞的话："请您转告解放军，第81军不是解放军的对手，请他们放心。"言下之意，解放军尽管来，81军绝不碍解放军的大事。

马惇靖回来就向父亲作了汇报。马鸿宾说："靖儿，现在局势复杂，万不可轻举妄动。我们起义是肯定的，但须等到解放军来了以后再议。"

一晃十多天过去了，马鸿逵也走了，第一道防线又被杨得志突破，并且

还毫不含糊地吃掉了马鸿宾两个团，而对其他往后逃的部队又不加追击。"杨得志这是在等我啊！"马鸿宾自言自语道，说着，要了汽车就去找另一个主和派——贺兰军军长马全良商量，准备共同起事。殊不知马鸿逵走前就向马全良交待过：宁夏，只有静儿和吾弟等主持，他人不得过问。这个他人，很明显就是指马鸿宾。

马全良早就觉得这仗没打头，也早就有了起义之心，但马鸿逵的话就是圣旨，是违抗不得的，更何况他的家眷都在银川马敦静手上，他万不敢拿身家性命作赌注。

马全良一脸愧色地说："副长官，真是对不起，我只是一个贺兰军军长，这么大的事，我真不敢做主。您不妨去银川找找司令官（指马敦静），司令官是您的侄儿，他会听您的话的。只要他一句话，什么事都好办。"

马全良一语提醒了马鸿宾。现在马鸿逵走了，他就是宁夏马氏家族的最高家长，他决定去用自己的家长权威一试。他说："那好，我去找静儿。"

马敦静手握一杆长烟枪在吞云吐雾。宁夏省政府秘书长马廷秀兼民政厅长正在向他汇报外面情形。

"司令官，这几日外面形势不大好啊！解放军已进了河套地区，正摆开架势与第81军决战。其他部队纷纷往后撤退，惶惶不可终日。因为战乱，老百姓也遭殃了，这几日北逃的灾民成群……"

马敦静瞥了他一眼，打断他的话问道："第81军有什么反应？"

"这倒看不出来，但肯定打不过解放军。如果第81军有什么闪失，那第二道防线就危险了！"

马敦静又吐出一口烟，说道："那就把金积、灵武一带的船拉到河西去，让解放军过不了河。"

马廷秀摊开双手说："这是古代防守的办法啊，现在打仗，大江、大海阻挡不住呀！榴弹炮射程有几十里，把船拉到那边去仅仅隔河相望，起不到作用呀！"

"那怎么办呢？那就把军官家眷全用飞机接走，打完算了。反正老子死猪不怕开水烫了！"

马廷秀目瞪口呆，他不知道最高指挥官早就没有了信心。再说什么都成了多余，他叹了一口气，摇着头出来了。一出来，正好碰上前来的马鸿宾。

马鸿宾一进去就闻到了一股刺鼻的烟味，马敦静躺在沙发上，跷着二郎腿，仍然享受着烟味带来的刺激。马鸿宾本来是想和他好好说的，见到这般情景，他忍不住拿出了家长的威仪。

"静儿，整个宁夏都兵荒马乱，十万部队要听你号令，几百万群众要听你安排。而你却在这里吞云吐雾，醉生梦死，实在不像话！"马鸿宾目光如炬，耳鼻都似乎气得变了形。

马敦静睁开朦胧的眼睛："哟，阿叔来了。快请坐，快请坐。"接着扯着嗓子朝仆人大喊："上茶！"

马鸿宾还是怒气未消，说："我问你，解放军已快打到家门口了，靖儿带着81军在打，但解放军势头很猛，根本就挡不住。我看宁夏也根本就保不住。这样打下去，无非会死更多的人而已。"

"那您说怎么办？"马敦静也知道情况的严重性，但他根本就拿不出一整套的挽救方案来。

"和平解决！"马鸿宾响亮地说。

"您的意思是说起义投诚？"马敦静侧过脸眯着眼睛问。

马鸿宾点点头。

"绝对不行！"马敦静冲动地坐了起来："我阿大（指马鸿逵）在重庆，投诚的话他就有危险。"

"不会的。"马鸿宾上前几步说："我们就说解放军已经打进来，部队根本无法抵抗，迫不得已才这样做的。再说，我们马家坚持到最后也算对得起蒋介石了。在这最后关头是该为我们自己想想了。难道你硬要把手下那帮生龙活虎的弟兄往死里推？有什么意义？国民党大势已去，没有任何意义！"马鸿宾据理力争，额头上的青筋也跳了起来。

马敦静转过身来，压低了嗓门很顽固地说："阿叔，我是说什么也不会投诚的。哪怕是拼到最后一个人，最后一条枪，我马敦静也决不向共匪投降！"

马鸿宾无可奈何，无声地走了。

9月18日，国民党第81军军长马惇靖与解放军19兵团全权代表、64军军长曾思玉谈判，第81军问题和平解决。根据中央军委命令，第81军改编为中国人民解放军西北军区独立第2军，马惇靖任军长，甄华为政治委员。

马鸿逵老泪纵横

马敦静、马如龙围着一张军用地图神色慌张。

"第81军一起义，我们的三道防线就彻底崩溃，杨得志可以利用第81军让出来的那个缺口沿着黄河长驱直入，直捣银川……"马如龙低声说。

"宁夏肯定是保不住了！"马敦静望着地图出神，面无表情："但阿大在重庆，并且我们将来也要去重庆的，无论如何，我们必须斗争到底。不然，将来我们在蒋介石那里日子会很难过。"

"唉！"马如龙重重地叹了一口气："早知如此，当初还不如听了傅司令官（傅作义）的建议……"

"我们与共产党结怨太深，共产党不会容下我们的！"马敦静一转身，点燃了一锅大烟，气急败坏地说："这个问题不要说了，命贺兰军（欠保安第1师）和第11军向银川、灵武、宁朔地区全面撤退；第128军军部和256师驻灵武县，保安第3师驻吴忠堡，第356师及骑兵第20旅驻金积以南和以东地区，保安第1师驻金积以西地区。就在金积、灵武与共军决战，决战不胜，就掘开黄河！"

马如龙脸色阴沉着，转身传令去了。

固原，19兵团司令部里，司令员杨得志和政治委员李志民神色凝重，他们刚刚收到彭德怀转军委毛泽东主席的电报，毛泽东要求他们对马鸿逵部尽可能地缴械，而不要改编。这意味着，必须用战斗方式来解决马敦静。

"政委，马敦静把部队全部收缩在金积、灵武一线，这里离银川不过百里，山多路堵，左有黄河，右有长城，他这是要利用这个狭窄地带与我们拼命到底。看来要拿下宁夏，还要打几个恶仗！"杨得志双手插在口袋里，在司令部里来回踱着步子。李志民已经把地图研究过，对这里险要的地形，他心里略知一二。现在他考虑的是，第81军起义后对敌人士气的影响。

"马鸿宾父子率部起义，这对马敦静部来说不能不说是一个大的打击。听说马惇靖回去宣布起义后，部队无论官还是兵，无不欢呼雀跃。这就说明了目前宁夏军的基本心态：厌战！虽然说狗急了会跳墙，马敦静会跳，但他的部属们不一定会跳。通过打一两个胜仗，哪怕是小小的胜仗，瓦解马敦静部也是完全可能的。再说，青海马步芳父子跑了，这边马鸿逵跑了，没跑的马鸿宾父子也起义投诚了，难道他孤零零的马敦静想顽抗到底？可能性不大。只要马敦静一跑，宁夏问题便能迎刃而解。"

"所以当务之急是加紧进击，不让马敦静有丝毫的喘息之机！"杨得志果断下令，首先在金积、灵武地区消灭第128军。

向金积、灵武进攻的是我军第64军，并配属有机械化营和坦克战车队，还连同第195师、独立第1师、独立第2师，一共5万人向金灵一带进发。

马鸿宾父子率第81军起义，对本来就摇摇欲坠的宁马部队来说，绝对是一个大的打击。宁马部队所有官兵正像李志民分析的那样，谁都不想再打这场毫无意义的仗了，就连马敦静也是这样。马鸿逵走后，任骑兵师长的大少爷马敦厚也走了，马敦静觉得前途渺茫，在19日凌晨，在严密封锁消息的情况下，登上国民党军军令部长徐永昌的飞机，远走他乡。

我19兵团步步紧逼，首先把金积、灵武的天然屏障牛首山夺了下来，接着又攻下青铜峡口，逼近金积县城外围。

防守金积的第128军副军长何晓霆在黄河大堤上来回徘徊，9月下旬的风吹过来，他连打了几个寒颤。掘河放水是马鸿逵临走时向他们高级将领的交待，现在他正考虑要不要执行马鸿逵的这一命令。抗战时期，蒋介石在黄河花园口掘堤放水阻日军前进，目的没有达到，反而使无数百姓流离失所，妻离子散，造成的人间悲剧惨不忍睹。现在掘堤放水的历史又要重演，何晓霆有点犹豫不决。

但情况越来越紧急，解放军的后续部队整师整师地跟了上来。何晓霆闭上眼睛，仰天大喊："炸！"

随着两声巨响，黄河大堤被炸开了一个几丈宽的缺口，黄河水汹涌澎湃，夺口而出。

最先发现黄河大水的是我第190师。师长陈忠信大惊失色："何晓霆炸黄河了，先堵缺口再打金积！"

水不断蔓延开来，缺口处马上形成了一片汪洋。所幸的是，我军部队赶到时，黄河大堤并未溃决。经过我军战士的一番紧张的堵漏工作，黄河水基本被遏制住了。

通过马匪炸堤这件事，战士们对马家军的本质认识得更加清楚了。有河南来的战士说："我爹妈就是蒋介石炸花园口时被淹死的，今天我又差点被何

晓霆淹死。这些害群之马不除，老百姓过不上安生日子！"

我军190师把小小的金积城围了两天，何晓霆实在熬不住，21日派人出来求和，金积宣告解放。紧接着，192师又顺利进入灵武城，俘虏敌人800多士兵，灵武也宣告解放。

卢忠良急了，在河东指挥所里大发雷霆："主席走了，大少爷（马敦厚）走了，连司令官（指马敦静）也走了，老子们为谁打仗？"他不管三七二十一，把马全良、马英才叫到仁春渡，直截了当地说："解放军兵临城下，但上头都跑光了。你们怎么办？我准备起义！"马全良、马英才目瞪口呆："什么，司令官也走啦？"卢忠良很吃惊："怎么，你们还不知道？""我们一直在前线打仗，怎么会知道？"马全良说，"既然上头都跑光了，那还有什么说的，起义呗！"

马鸿逵逃到重庆的这些日子一直郁郁寡欢，生活了无情趣。中国有"落叶归根"的古话，而他马鸿逵，年近花甲还要流落他乡。每天早上他都要向北方默默地眺望，以此来向宁夏作最后的告别。他在宁夏生活了大半辈子，这份感情，他是怎么也割舍不下的！那天听说宁夏部将要起义，两行老泪立刻就滚落下来。他打电话给马如龙，几乎是用一种哀求的口吻说："你们不要起义，我叫老二（马敦静）回来再与你们一起干，好不好？"马如龙听后失声痛哭，但无可奈何地说："起义通电都发了，再说，我们根本不是解放军的对手，司令官来了也没有办法啊！"马鸿逵长叹一声，颤抖着把电话挂了。

马鸿逵心里默念着：宁夏我的故乡，从此别矣！

历史碎片
LISHISUIPIAN
D大拼接
DAPINJIE

☆ 蒋介石寻求"同盟"

1949年7月，为了继续争取美国的援助，蒋介石幻想广泛联络国际上的反共国家以"构成对美国的一个战略性呼吁"而采取行动。蒋先奔赴菲律宾，与菲律宾总统季里诺举行"碧瑶会议"，发表了联合宣言，号召远东各国组织同盟以遏制共产主义；又奔赴南朝鲜，与李承晚举行"镇海会议"，发表了蒋李联合声明，呼吁反共。正在此时，美国的"白皮书"发表，公开指责蒋介石政府的腐败无能，给了蒋介石以沉重的打击。季里诺和李承晚亦违背诺言，不再与蒋举行同盟会议。蒋介石的美梦就这样泡汤了。

☆ 美国国务卿眼中的中国

1949年7月5日，美国国务院发表《中美关系》白皮书和美国国务卿艾奇逊致美国总统杜鲁门的信件。该函夸张地指出，目前中国政府无一能解决中国人吃饭问题；认为造成中国革命的因素是人口过剩和西方新观念的冲击；艾奇逊承认国民党的执政能力与军事能力每况愈下，但仍提出继续援助国民党并努力使国共"停战"，以确立国民党权力，主张建立一个不含共产党的"各党政府"。这位国务卿在并不真正了解中国的基础上就对中国的情况指手画脚，但他犯了一个最致命的错误，那就是太相信蒋介石了。

☆ 李宗仁六个条件"补破船"

1949年1月，蒋介石匆匆下野后，将"总统大权"交给了李宗仁。事实上，蒋介石从未停止过对整个国民党政府的控制和指挥。1949年5月，国民政府已迁至广州，李宗仁拒不到国府主政。李称："蒋先生幕后不能放手，我绝无法亦无此能力领导。"并向蒋介石提出了包括交出军事指挥权等六个条件。为了支持残局，蒋介石完全同意了李宗仁的条件。

咽喉酒泉解放，新疆彻底被孤悬于塞外。新疆命运何去何从？陶峙岳、包尔汉作出了明智的选择：和平起义！

开国大典上，彭德怀心潮起伏，发誓要在年底把五星红旗插上新疆的大小角落。毛泽东伸出三个指头，向彭德怀细说进疆三大任务。彭德怀压力重重，风尘仆仆赶到了酒泉。进疆誓师大会上官兵们壮怀激烈，振臂高呼"把红旗插上帕米尔高原"。10月10日，1兵团战车营的出发，全面拉开空前大进军的历史序幕！

第三章

凯歌高奏，大步流星进军新疆

陶包起义

1949年9月25日下午3时，300多名国民党校级以上军官齐聚迪化（今乌鲁木齐）国民党新疆警备司令部总部，参加警备司令部召集的紧急大会。

陶峙岳在主席台上正襟危坐，神情严肃，他马上就要宣布一个将改变整个新疆和整个新疆驻军命运的决定：和平起义！

他威严地扫视着整个会场，从一个角落到另一个角落；也关注着每一个人的表情，从校级军官到将级军官。他需要以这样的注视给会议造成庄严、肃穆的气氛。他已经从苏联驻迪化总领事那里得知，北平的共产党中央决定在10月1日成立新的人民政府，他决定要赶在这之前宣布起义，为新中国的成立献上一份厚礼！

其时，官兵们人人都在讨论着出路问题。在大西北纵横驰骋几十年的"马家军"随着解放军的到来而灰飞烟灭，曾不可一世的马步芳、马鸿逵及他们的儿子们，坐着飞机一个比一个跑得快，两个月不到的时间里，甘肃、青海、宁夏这片广袤的土地已被解放军全数掌握。就在昨天，西北军政长官公署副参谋长彭铭鼎、国民党西北第8补给区司令曾震五率第8补给区、宪兵团和骆驼兵团在进疆的咽喉重地酒泉起义了。现在新疆孤悬塞外，缺粮少弹。是战是和？何去何从？官兵们无不日夜思量。

陶峙岳徐徐站了起来，心潮起伏，情绪难抑，声音非常宏亮，说："……今天把大家叫过来，是要向你们宣布一个重要决定。我们决定和平起义，接受中国共产党的领导，因为这是我们唯一的出路！"

军官们眼睛睁得圆圆的，会场安静极了，也许他们想到这才是他们的结局。

"现在，我郑重宣布：自即日起，我们与国民党广州政府断绝关系，竭诚接受中国共产党和毛泽东主席的八项声明与国内和平协定。现在，我以新疆警备司令部总司令名义命令你们：服从命令，各尽其职；约束部队，防止叛乱；驻防原地，听候改编。凡图谋不轨者，军法严厉惩处！"说完，陶峙岳仍然威严地扫视着全场，这种表情，这种注视，容不得任何人不去服从！

会场外挂在旗杆上的国民党青天白日旗应声落下。这象征着国民党在新疆的统治正式结束。

在座的所有国民党军官，在短短几十分钟时间里，完成了人生的根本转换，也正是这次历史性的选择，完成了新疆历史的一次根本性转换。

紧接着第二天，也就是9月26日，包尔汉率国民党新疆省政府通电起义。

27日，为了稳定新疆政局，陶峙岳、包尔汉又联合署名发布了《新疆省警备总司令部、新疆省临时人民政府布告》，号召全体新疆

★ 国民党新疆省警备总司令陶峙岳于1949年9月25日宣布起义。起义部队改编为中国人民解放军第22兵团。

人民在新疆历史的这个伟大转变时刻要同心协力，共同维护好自己的家园。

那几天毛泽东正出席政治协商会议，紧张地筹备着新中国成立的各项事宜。得知陶峙岳、包尔汉先后通电起义，重重地舒了一口气。

毛泽东精通历史，对由历史原因带来的新疆问题的复杂性再清楚不过了。从历史上来说，新疆是中国的一个多灾多难之地；从现实上来讲，新疆又是解放战争中的难中之难！

新疆在清朝以前叫西域。18世纪中叶乾隆平定准葛尔贵族和大、小和卓叛乱，并统一西域后，把西域改称为新疆，意思是"新的疆土"，这个名字，一直沿用至今。

应该说，自西汉大将霍去病大败匈奴后，新疆就已经纳入了中原中央政权的管辖范围之下。公元前60年西域都护府的设立，标志着新疆已正式成了中国领土不可分割的部分。但在近两千年的历史中，在新疆这块由沙漠和高山组成的土地上，一直在上演着杀戮和流血的悲剧，这片古老的土地从来就没有过安宁。尤其是到了近代，清朝的腐败统治、帝国主义的插足以及外族的入侵使新疆的局面变得更加复杂，以至于晚清朝廷里要放弃新疆这个"是非之地"的人大有人在。幸好陕甘总督左宗棠有一腔热血，抬着棺材征讨，硬是把阿古柏的部队赶出了新疆。

新疆面积160万平方公里，占了全国领土的六分之一。但新疆却是多灾多难的。

新疆民族多，除了汉族，还有维吾尔、哈萨克、蒙古、回等12个少数民族。历史上，汉族统治者与新疆少数民族的关系很少有处理得好的，所以新疆少数民族的反抗此起彼伏，

★ 国民党新疆省政府主席包尔汉于9月26日宣布起义，新疆省和平解放。

XiangGuanLianJie
DaSaoMiao

☆ **毛泽东庄严宣告："中国人民从此站起来了！"**

1949年9月21日，中国人民政治协商会议第一届全体会议开幕式在中南海怀仁堂隆重举行。这是一次由中国共产党发起并领导的，有各民主党派民主人士和人民团体代表参加的，协商成立中华人民共和国有关事宜的会议。与会代表626人。毛泽东致开幕词，庄严宣告："占人类总数1/4的中国人民从此站起来了！"他号召全国人民保持艰苦奋斗的作风，团结一致，坚持人民民主专政，团结国际友人，建立一个繁荣昌盛的国家。30日，会议闭幕。毛泽东当选为中华人民共和国中央人民政府主席。

绵延上千年也从没间断过。新疆又地处边陲，与蒙古、苏联、阿富汗、巴基斯坦、印度接壤，在那条占全国陆地边界近六分之一的国界上，与外国，尤其是与俄国的边界冲突时有发生。

到了现代，随着科学技术的发展，新疆丰富的地下宝藏也纷纷探测出来，对帝国主义者们来说，这是一个巨大的吸引力；新疆独特的军事地理位置，又为帝国主义者们所垂涎。而作为近现代的中国又积贫积弱，根本无力保障新疆，所以到了近现代，新疆就成了一个多事之地。1851年，清朝与俄国签订近代新疆第一个不平等条约《中俄伊塔通商章程》后，类似于这样的不平等条约纷至沓来，沙皇俄国凭自己的武力不仅在新疆欺行霸市，还在新疆地区割走了近44万平方公里的土地。到了国民党统治时期，美国也插手进来，利用宗教和民族问题煽动新疆的独立情绪。

这就是新疆的历史，一部复杂的历史。

现在陶峙岳宣布和平起义了，但新疆的问题还远没有解决。

蒋介石、白崇禧已经发电报给他们在新疆的亲信，叫他们把部队东移到与甘肃交界的星星峡一带设防，挡住解放军入疆。如果不成，就再来个"三光政策"，把新疆东部公路沿线的地方搞成"无人区"，让解放军在那里没有着落，然后再退踞南疆，依托天山、昆仑山，背靠国外势力，与解放军再行

★ 1949年9月24日，我军解放甘肃酒泉。

周旋。

所以陶峙岳、包尔汉率军、政部门通电起义，毛泽东大大舒了一口气，要等新疆这块悬着的石头完全落地，还有待解放军的进入。

毛泽东最担心的就是顽固势力把军队带走，分散开来与解放军长期周旋。要是这样，新疆就会有大麻烦！9月26日，毛泽东在百忙之中抽出时间急电彭德怀：你们应确切地于11月1日或10月以前准备完毕……以便在11月上旬或中旬实行向新疆进军。并且还郑重交待，"解决新疆问题的关键是我党和维族人民的紧密合作"。

彭德怀意气风发抵酒泉

彭德怀坐在汽车上，颠簸着向酒泉方向驶去。军委已经有令，年底必须解决新疆问题。军务紧急，从北京参加完开国大典，彭德怀就匆匆登机回到了兰州。不到两天，又坐上汽车，风尘仆仆赶往酒泉1兵团司令部所在地，去部署进疆问题。

天气甚好，天高云淡，只是温度有点低，冷风吹过来，手脚都冻得冰凉。大西北就是大西北，要是在江南，10月初正是秋高气爽、收割水稻的时候。

彭德怀的思绪还沉浸在10月1日开国大典激动人心的气氛之中。

那天他站在天安门城楼上，与毛泽东、朱德、周恩来、刘少奇等人一起看着鲜艳的五星红旗在雄壮的《义勇军进行曲》中徐徐升起。红旗飘扬在蓝天白云之间，彭德怀仿佛看到了大西北的那片雪域高原上，到处都飘扬着这鲜艳的旗帜，他心中顿时燃起一团火焰，浑身发热，听着激越的国歌，思绪也不禁飘荡起来。从平江起义开始就怀抱的梦想，几经挫折，几多坎坷，有的时候，希望甚至濒临灭绝，但最终，还是实现了。那种热血沸腾的感觉，那种历经沧海桑田的感觉，回想起来永远都会令人激动！

晚上毛泽东把彭德怀叫到丰泽园，问他的感受如何。彭德怀爽朗地笑了几声，说："感受太多了！我的心一直在怦怦跳，只不过我没有主席会赋诗作词的才气，一肚子的感受，就是说不出来呀……"毛泽东望着窗外的皓月，意味深长地说："说不出来的感受，可以回味无穷啊！"这句话说到彭德怀心里去了。他虽然言语不多，但内心那种质朴的感情，却丰富充盈。

毛泽东的注意力已经从当日的喜庆中转移到了大西北。现在他正看着西北方向，嘴里轻声吟起一首诗来。"大将筹边尚未还，湖湘子弟满天山；新栽杨柳三千里，引得春风渡玉关。"

"这不是杨昌浚写左宗棠的吗？"毛泽东刚吟完，彭德怀就问道。

毛泽东笑笑，说："是啊……左宗棠当年率军西征，见西北秃山千里，黄沙飞扬，就下令军队走到哪里，树就植到哪里，不植树，无论巡抚、县令，一律提头来见。于是从平凉到酒泉，好几千里，全栽了树，不容易呀！后来杨昌浚接替左宗棠，执行了左宗棠的'屯垦戍边'政策，大西北才得以稳定下来呀！"

"只要有一个好将领，沧海也会变桑田……"彭德怀接上话茬。

毛泽东扭过头，目光如炬地望着彭德怀："你说我们中间哪一个是这样的好将领？"

彭德怀沉吟无话……

"王震！"毛泽东说："王震就是这样的好将领！开七届二中全会的时候，

他坚决要求去最艰苦的大西北地区，生怕我们不同意，说了好几遍，还请了好多人来'说情'，拍着胸脯说要把西北建设成第二个南泥湾。我看，王震是可以信任的。"

彭德怀点点头。

毛泽东继续说："这次进军新疆有3个任务。第一，剿灭患匪，迅速稳定秩序，恢复生产；第二，准备屯垦戍边，拓荒开田，再搞一个大生产运动；第三，顺利接管好老君庙油矿（今玉门油田），迅速让机器叫起来，油冒出来……"

彭德怀闭着眼睛，在颠簸摇晃的汽车里回想着这些，既为新中国的成立而欢欣鼓舞，又为毛泽东交待的进军新疆的这三个任务而感到任重又道远。尤其是老君庙油矿的接管工作，一定要搞好。前线在打仗，后方在生产，没有油，坦克开不动，飞机飞不起来，机器也无法开啊！

彭德怀换了个姿势，像是有点坐不住了，问司机："喂，小鬼，还要多久啊！"

"您再打个盹，马上就到了！"

彭德怀"哦"了一声，把头扭到一边，望着窗外那巍峨的群山，陶峙岳的影子又出现在他脑海里，还哪里有心情打盹啊！

再过两天，也就是10月6日，就要和陶峙岳举行关于新疆问题的会谈了。

这个陶峙岳，虽然已通电起义，但对解放军进疆的态度却是消极的。前几天他派曾震五来谈，曾震五佯装很关心我解放军战士："老总，以前国民党兵进疆全身都是皮，皮衣皮鞋皮手套，那可是全副武装呀！眼下这新疆天气就要转寒，咱们解放军战士衣被都不齐，就凭脚底下那双布鞋，只怕刚出发，手脚就要被冻落了……陶总司令的意见呢，就是解放军今冬最好不要进疆，等明年天气转暖了再说……"

曾震五忽闪着眼睛，但彭德怀一眼就识穿了他的缓兵之计。

"这个你放心，贺龙司令员和习仲勋政委正朝这边运皮衣皮帽，这个不是问题。中国人民革命军事委员会已经决定，人民解放军今冬肯定是要进疆的，这个意思，请你转告陶总司令，希望他作好准备！"彭德怀很严肃，曾震五再没话说。但彭德怀觉得心里不踏实，一定要和陶峙岳当面把进疆问题，尤其是要把国民党部队的改编问题谈妥。电报发过去，陶峙岳倒也爽快，当即就答应与彭德怀、王震、许光达在酒泉面谈。

彭德怀坐在车上揣摩，既然陶峙岳答应得这么爽快，谈个理想的结果应该是没有问题的！

汽车又翻过几座山，再拐几个弯，就到了酒泉。

公路两边站满了战士，又是红旗，又是锣鼓，王震、许光达、徐立清、王世泰几人站在公路中间，老远老远就冲着彭德怀扬手。战士们把锣鼓敲得山响，还一齐高呼"欢迎彭总到酒泉"！

彭德怀跳下车来，故意板着脸"斥问"几位兵团领导："哪个叫你们这么欢迎的……"许光达一摊手，笑呵呵地说："战士们自发的，我们想拦也拦不住啊……"说完，几人一齐哈哈大笑起来。

"都是湖南人！"

彭德怀把许光达拉到一间小屋里，郑重其事地说："你给我讲讲老君庙油矿的接收情况。我来的时候，主席再三交待机器要动起来，油要冒出来，我心里着急！"

"这油田哪，完好无损，您就别着急了！"许光达把彭德怀按到座位上，递上一杯水，把"完好无损"几个字拉得特别长，以示强调。

"哦……那说说看，怎么安排的！"彭德怀面部表情顿时轻松下来。

"9月28日中午，3军军长黄新亭带着3军9师政治部主任康世恩等人，从张掖急行军到玉门。那天晚上一到老君庙油矿就开了个员工大会，黄新亭宣布油矿解放，还宣布了两条政策：按照不打乱原企业机构的原则，维持原职原

★一野第4兵团司令员许光达。

薪原制度；原油矿管理人员和技术人员愿留下的按原职任用，发放原薪。员工很安静，没有什么反应，并且绝大多数员工还积极拥护我们的政策，所以几乎没费什么劲就投入了生产，现在天天都产油，秩序井然。"

"这个很好！"彭德怀一块石头落地了，喝了口水又问道："人事怎么安排的？"

"由康世恩任军事总代表，张守瑜任副总军事代表，兰州军管会派去的焦力人、张俊任副总军事代表，另外还有八九个军事代表，负责油矿的日常管理。"

"嗯！"彭德怀摸着下巴，低着头像在寻思什么。顷刻，又抬起头望着许光达说："据你所讲，目前情况是比较好。但要注意防止少数捣乱分子的破坏！对我们来说，现在油比黄金还贵。告诉那个康世恩，要加班加点生产，进疆部队的车还等着加油哩！"

"没问题，保证完成任务……"许光达说。

"报告首长，新疆陶司令到！"许光达正说着，一哨兵跑到门口响亮地报告。

"哟，咱们这位湖南老乡来了，去看看！"彭德怀有点迫不及待。正起身，陶峙岳已经进来了，后面跟着甘泗淇、王震。

彭德怀喜笑颜开，上前紧握着陶峙岳的手："哎呀，我们的陶总司令，你总算来了。怎么样，路上还好吧？"

"还好还好，一切都好！"陶峙岳也是一脸的笑容。

"我前几天去北京参加开国大典，回来时毛主席还特地嘱咐我，要我代他向您问好呢！您一家老小在重庆还好吧！"

"还好还好，谢谢主席和您的关心！"陶峙岳非常感动，道："我陶某人以戴罪之身通电起义，竟然得到主席和彭总司令如此的关心，以前跟蒋介石做了很多蠢事，我羞愧难当、无脸见人啊！"陶峙岳低着头，非常诚恳地说。

"陶总司令，这是哪里话嘛！你们起义，对中国革命有功，党和人民会记得你的！以前咱们是敌人，现在是朋友啦！"彭德怀扭过头来，指着一旁的王震、许光达、甘泗淇说："咱们不仅是朋友，还全是老乡呢！您看，王震是浏阳的，许光达是长沙的，您和甘泗淇是宁乡的，主席和我都是湘潭的，都是湖南人嘛！"

一旁的许光达和甘泗淇向陶峙岳微笑点头，王震看看彭德怀，道："陶总司令您是清光绪18年（1892年）出生的，我们几人中还数您最大，是我们的老大哥呢！"

彭德怀"刷"地拉下了脸，瞪了他一眼，粗声骂起来："王胡子，你小子别因为你长了一脸的胡子就卖起老来。你是宣统元年（1908年）的，人家陶总司令的儿子跟你一般大，还跟人家称兄道弟。赶快向陶总司令赔罪！"

王震红着脸，抱起拳向陶峙岳赔不是。陶峙岳慌忙上前，托起王震的手说："王将军大名鼎鼎，南泥湾的事迹在西北家喻户晓。我陶某人受不起，受不起！"

......

陶与彭、王、许的初次见面，就在这样自然友好的气氛中开始了。但彭德怀并没有完全解除对陶峙岳的戒备，先前他以天气寒冷为由建议解放军明春入疆，不知道他现在葫芦里还装的什么药。还是要谨慎一些。

彭德怀坐定，像是在思考什么问题，许久不说话。陶峙岳偏着头望着彭德怀，轻声问："彭老总在思考什么呢？"

彭德怀呵呵一笑，扭头看着陶峙岳道："陶总司令，我不懂历史，但我突然发现了一个很奇怪的事情！"

"哦，彭老总发现了一个什么奇怪的事情？"

"80年前，到大西北来收复新疆的是湖南人，而今天，一起来解决大西北问题的，主要也是几个湖南人！"

"您是说左宗棠？"陶峙岳问道。

彭德怀点点头。

陶峙岳也陷入思考之中。他是国民党内有名的儒将，能作诗赋词，也精通历史，对左宗棠收复新疆那段历史他自然是知道的。他回过神来，道："哟，还真是的！左宗棠是湘阴人，他手下那员大将刘锦棠是湘乡人，连他后来的继任杨昌浚也是湖南人，好像是......"

"湘乡人！"彭德怀说。

"彭老总对左宗棠这段历史很有研究嘛！"陶峙岳朝彭德怀点点头。

"哪里哪里！部队马上就要进疆，我们翻看了一些史料，包括当年霍去病北击匈奴，张骞出使西域，班超驻守重镇，唐僧经新疆去西天取经，乾隆平定大、小和卓的叛乱，特别是左宗棠收复新疆，都看了看。"彭德怀道。

陶峙岳原来听别人谈起过彭德怀，以为他只是个武夫，却不知道他居然

能在进疆之前查阅这些历史资料。不管能从史料中得到什么，光凭这一点看，彭德怀的视野就非同一般。陶峙岳不由得钦佩地道："古人云：以人为鉴，可以知得失；以史为鉴，可以明兴替！彭总，您本来就是一个军事奇才，现在又有了历史作借鉴，恐怕您自有十万雄兵在心里了吧？！"

"让您见笑了！"彭德怀摆摆手道："我只觉得，像左宗棠这样生活在封建朝代的人都能有足够的眼光看到新疆的重要性，抬着棺材上奏朝廷，又抬着棺材走上战场，为国家利益置生死于度外，那我们这些多少受过一点现代思想熏陶的人就更是义不容辞了！"

彭德怀说完很热切地看着陶峙岳。陶峙岳马上道："那是那是！"

彭德怀又道："您知道左宗棠在上奏朝廷的《统筹新疆全局疏》里是怎么说的吗？"

"怎么说的？"

"若新疆不固，则蒙部不安。匪特陕、甘、山西各边，时虞侵轶，防不胜防，即直北关山，亦将无晏眠之日！"

陶峙岳不禁拍手叫好。

彭德怀继续说："左宗棠上书朝廷时，朝廷里早就起了'海防'与'塞防'之争。好多大臣，包括李鸿章都说新疆是蛮荒之地，是一个多事之处，力主放弃，全力保护海疆。但左宗棠不以为然，抬着棺材上奏，多有胆识，多有远见啊！并且收复新疆后又率军屯垦戍边，新疆的局面大有改观。要是没有左宗棠这样的赤胆真诚之士，如今的新疆还不知道是个什么样子呢！"

说完，彭德怀叹了口气。

陶峙岳啧啧称赞："彭老总啊，您大智大勇，忧国忧民。您就是今日之左宗棠！"

"不成不成，左宗棠乃民族英雄，我彭德怀怎么能与左公相提并论！"彭德怀连忙摆手，但马上又话锋一转："不过，我彭某人倒是决定踏着左公的足迹往前走。陶总司令，这一路上，还望您多合作多帮助啊！"

陶峙岳立时明白过来，站起身来说："彭总您放心，您的战鼓敲到哪里，我陶某人就冲到哪里！"

接下来，彭德怀与陶峙岳的会谈异常顺利。陶峙岳部改编为四个步兵师，一个骑兵师，直辖新疆军区，按解放军的政治工作制度和供给制度实行。国民党执政时期，新疆财政亏空，赤字高达320万银元，应陶峙岳请求，解放军立即抢运大批布匹、红茶、糖，作为推行人民币的物质保证。另外，我军2兵团6军归1兵团建制，与2军一起进疆，王震任司令员。2军先遣营10日出动，6军拟空运和车运。

誓师出征

进疆的各项准备工作已紧张地开展起来。

军委从华东、华北军区抽调汽车536辆，从苏联航空公司租用运输飞机45架，一野1兵团又从河西起义部队中抽调汽车450辆，从地方征集商车近百辆，并组建骡马大队，共同担负起这次长途输送任务；2军联络部部长张希康先期抵达迪化、焉耆、阿克苏、喀什、和田等地，与新疆各界人士进行广泛接触；1、2兵团先后下发《到新疆去，解放新疆人民》《中国人民解放军第1兵团和新疆同胞见面的几句话》《人民解放军是各族人民的好朋友》等多种宣传材料，还翻译成维吾尔文、蒙古文制成传单，散发给新疆各族人民；筹集粮食3.3万吨、畜力饲料380吨、草80吨、牛肉35吨、汽油1,600吨，以及棉衣、棉鞋、袜子、水壶、风镜、皮帽各10万件，皮衣5万件、帐篷1,000顶，在进军沿途设立补充站、加油站，并建立8个大休息站、2个大补给站……

万事俱备，只等出征！

进疆部队誓师大会定在10月5日。

那天王震一大早就起来了。虽然大会的准备工作不用他亲自来组织，但他怎么也闲不下来。总要问问这，看看那，心里的那股子激动，根本无法抑制。和彭德怀一起研究左宗棠进军新疆的时候，他就和彭德怀开了个玩笑。他眯着眼睛说："老总，您是左宗棠，我就是那个刘锦棠！"

在左宗棠收复新疆的战斗中，左宗棠谋划全局，一直在兰州、酒泉坐镇指挥，而领兵出征的，恰恰是王震说的这个刘锦棠。现在王震自喻为刘锦棠，足见他对进军新疆的决心和信心。

彭德怀说："我不是左宗棠，但你这个刘锦棠一定要做好了！"王震忽闪着眼睛，笑了……

上午10时，一切都准备好了。彭德怀、王震、王世泰一起来到会场。

天气晴好，碧空万里。风不大，但却透着丝丝的寒意。在酒泉这里是初

★ 1949年11月，我军向新疆进军途中。

★ 新疆少数民族群众自发地派出骆驼队，帮助我军运输给养。

冬的天气，但在天山、昆仑山则已经大雪封山，等待进疆部队的，将是伸入云霄的高山和一望无际的雪地。

彭德怀紧了紧衣扣，扭头向随行的王震等人交待了句"御寒装备一定要带齐"，一直向会场走去。

会场空旷而开阔，几百辆汽车成几列横队整齐排开，红旗在风中猎猎作响。2、6军已列队完毕，听说彭老总要亲自来讲话，战士们个个都精神抖擞，神采飞扬。

彭德怀出现了，战士们内心一阵狂喜，所有的心情全都表现在了他们稚嫩的脸上。干部战士们笔直地站着纹丝不动，双目有神地随着彭德怀而移动。

彭德怀、王震一行健步登上主席台，不断向战士们挥手致意。台下一时间掌声如雷。在这个时候，看着这个宏大的场面，无论彭德怀平时怎样沉着，此时此刻也无法抑制自己的感情了。

台下还是一群孩子，虽然懂得历史的人不多，但他们能够感觉到这次进疆行动的历史分量。这将是一个空前绝后的大进军，在新疆的历史上，在人民解放军的历史上，乃至在新成立的共和国的历史上，它都将留下浓墨重彩的一笔！这群年龄不大却朝气蓬勃的小伙子们，在即将开始的大进军中，将要为新生的人民共和国撑起大西北这一片蔚蓝的天空！

"同志们！"彭德怀讲话了，台下鸦雀无声，战士们静静地听着："新疆的人民，在新疆起义的国民党士兵，以及全中国的人民，都希望和欢迎我们早日进驻新疆。根据中央军委的命令，从本月10日开始，我们将陆续向新疆进军！"

掌声再一次响起，经久不息。

"……同志们！"彭德怀示意掌声停下，继续说："这次进军意义非凡，我们每一个人都将永远被党和人民铭记在心里。但是，这次进军也异常艰苦。我们要顶风雪，冒严寒，要翻高山，过沙漠，艰苦的程度，丝毫不亚于万里长征，也丝毫不亚于359旅的南征北返！虽然没有了拿枪的敌人来围追堵截我们，但零下几十度的温度，几米深的积雪，高耸入云的高原，和一望无际的大沙漠，比拿枪的敌人更危险，更可怕！同志们，要完成这次大进军，需要有意志，需要有勇气，需要有'红军不怕远征难'的精神！你们有没有啊？"

"有！"上万个声音汇集在一起，地动山摇。

"很好！我们一定要把五星红旗插上帕米尔高原！"彭德怀挥着大手，最

后发出有力的号召。

1949年10月10日，当蒋介石在他的"双十通告"中指责苏联"侵略中国"，并声称他要和共产党"斗争到底"的时候，作为陆地进军的先遣支队——第1兵团战车营在玉门整装待发。

锣鼓声声，彩旗飘飘，随着一阵汽笛声响，路上扬起漫天灰尘，战车营45辆战车、37辆汽车以及555名官兵钻进灰尘，渐渐消失在遥远的天际。

一场史无前例的大进军序幕由此拉开！

他们要经过哈密、吐鲁番、鄯善，最后进入迪化（今乌鲁木齐）。

两天后，在酒泉，随着郭鹏军长一声令下，2军部队全线出发。

部队分两路前进，4、5、6师主力向北疆挺进，经哈密、焉耆、阿克苏，最后挺进喀什。其中4师驻喀什，5师驻阿克苏，6师驻焉耆。另一路是5、6两师的骑兵团沿金鸿山、若羌、且末前进，向南疆挺进。

"白雪罩祁连，乌云盖山巅，草原秋风狂，凯歌进新疆。"这是那天王震见了陶峙岳后的即兴之作，现在已被谱成战歌，战士们一路高唱，成了鼓舞他们向新疆挺进的最有力号角。

11月4日，第6军规模空前的空运和车运开始。

飞机出动1,033架次，运兵12,446人、军用物资125,734公斤。车运从酒泉运至哈密12,986人，从安西运至哈密2,540人，从哈密运至迪化6,550人，从迪化运至伊宁2,492人。

11月6日，王震率第1兵团前指从酒泉飞抵迪化。

11月27日，彭德怀、张治中、贾拓夫从兰州飞抵迪化。

12月17日，第1兵团与3区民族军和起义部队在迪化胜利会师。同时，新疆军区和新疆省人民政府宣告成立。彭德怀兼任新疆军区司令员和政治委员，包尔汉任新疆省人民政府主席。从此，新疆历史翻开了新的一页！

☆ 毛泽东对起义将领的关怀

1949年9月23日，毛泽东、朱德设宴招待程潜、张治中、傅作义、邓宝珊、黄绍竑等26名前国民党军起义将领。席间，毛主席高度评价到会诸人的功绩，深情表示："由于他们的起义，不但加速了国民党残余军事力量的瓦解，而且迅速增强了我们的空军和海军力量……"当然，我党这种不计前嫌的容纳百川心境是争取国民党将领的关键，更是取得战争全局胜利的关键因素所在！

☆ 国民党妄图以"半壁河山"与我抗衡

1949年1月3日，美国驻华大使司徒雷登加紧策划以挤开蒋介石、由李宗仁出面进行"划江而治"为目的的所谓和平谈判。5日，司徒雷登令私人顾问傅泾波通知李宗仁：美国驻华联合军事顾问团团长巴大维获悉蒋介石有放弃大陆、经营台湾的计划，即拟请司徒雷登向蒋提出抗议。李附和团长巴大维意见，并认为国民党尚有半数可战之兵，且西北地区的长江以南省份依然完整，此时即作放弃大陆准备仍太早，应以半壁河山与中共抗衡。但是，不论怎样看待蒋介石在大陆的状况，美国驻华大使和李宗仁这种划江而治的想法是根本不现实的。

☆ 解放军挥师大西南

国民党军在长江会战失败以后，立即着手沿川陕边境地区、川鄂边境地区和川湘部分地段构筑一条屏障川滇等西南各省的军事防线，企图阻止人民解放军进占大西南，以争取时间，编练新军，等到国际形式变化时，与台湾守军共同进行反攻。人民解放军于1949年11月1日正式吹响了进军大西南的号角。经过近两个月的战斗，除了部分国民党军队接受了解放军的改编外，歼灭国民党军902,210人，取得了西南战场的重大胜利。至此，除西藏外，中国大陆全部解放，解放战争基本结束。

大结局

1949 年 8 月，一个阴雨绵绵的夜晚，胡宗南和他黄埔一期的同学、时任川湘鄂边区绥靖公署主任的宋希濂在汉中彻夜晤谈。他们举杯把盏，推心置腹，在对往事的不堪回首之悲情中，搞出了一个"背靠缅甸、立足滇西"的"汉中决策"。

这个主意是杀害中共早期领导人瞿秋白的刽子手宋希濂提出来的。他在滇缅边境打过 3 年日本，对这里的地形、人情、民俗以及物产了如指掌。他对胡宗南说："这里山高路陡，密林遍布，澜沧江、怒江和高黎贡山是神兵天将也无法逾越的屏障！在滇西站稳脚，背靠缅甸，进可攻，退可守，大业可图也……"

"大业可图！"宋希濂一语惊人！

8 月底，蒋介石到了重庆。

胡宗南、宋希濂满面春风地捧着他们的"汉中决策"来见蒋介石。

但蒋介石不由分说，给胡、宋的这个"汉中决策"当头一棒，致使其胎死腹中。

蒋介石的本意并不是阻止胡、宋去滇西惹是生非，其实，他已经勾画好了一幅"割据西南"的画卷。他这次来，就是来作"割据西南"部署的。他把胡宗南叫到跟前，以师长的口吻说："国际形势风云变幻，世界大战在所难免。所以你一定要苦撑6个月，确保大西南！"

党中央、毛主席早已将目光锁定在了大西南。准备调遣四路大军对宋希濂、胡宗南集团采取行动。

第一路为陈赓兵团，由江西出两广，然后大迂回兜击云南，斩断胡宗南部撤向滇西的通道；第二路为杨勇兵团，取道湘西，直出贵州，攻占贵阳，尔后直插川南，攻略宜宾、泸州，切断胡宗南部逃往西昌的通道；第三路为陈锡联兵团，经鄂西出川东，大军直扑重庆；第四路为周士弟兵团，在秦岭一带与胡宗南保持接触，取佯攻态势，吸引胡宗南部于川北，不使其过早入川。如果胡宗南南撤四川，则立即跟进，与其他三路一起取东西南北四面合围之攻势，一举全歼胡宗南部于成都平原。

这是一个气势恢宏的战略进击计划，是典型的毛泽东式的大智慧大战略！

蒋介石决定与毛泽东再较量一番。1949年11月14日，他偕顾祝同等大将由台湾直飞重庆，亲自指挥西南保卫战。

国共两军在大陆的最后一战由此全面拉开序幕！

就在蒋介石到重庆的第二天，就传来了贵阳被攻占的消息。紧接着19日，宋希濂所部第14兵团在鄂川边境被陈锡联全部吃下，川东地区门户大开！

宋希濂的溃败致使重庆直接暴露于解放军的枪口之下，从这时起，胡宗南的第5兵团、第18兵团由秦岭、大巴山向川北作全线撤退。

11月23日，中共中央军委下令，周士弟18兵团正式划归第二野战军建制，由西南军区司令员贺龙、18兵团司令员周士弟率领迅速入川参加对胡宗南的大决战。

12月5日，一个风雪交加的日子。随着周士弟一声令下，第18兵团兵分三路，对胡宗南部作追击前进。

蒋介石已是四面楚歌！

在11月28日的时候，宋希濂集团和罗广文第5兵团3万多人在南川山被陈锡联一举聚歼，蒋介石只得从重庆逃到成都。11月30日，重庆解放。

接下来局面的变化，简直令蒋介石眼花缭乱。杨勇兵团进逼川西，抢占了乐山、青神、浦江，完全切断了胡宗南由成都南逃西昌的通道；陈锡联兵

团直扑简阳、邛崃、大邑，周士弟兵团也越过秦岭、大巴山，两军形成了对成都的夹击之势……

12月9日，卢汉在昆明通电起义；10日，川军将领刘文辉、邓锡侯等在雅安、彭县通电起义；11日，第22兵团司令兼第72军军长郭汝瑰在宜宾起义……

雕弓断，羽翼飞；亲朋叛，士众散！

蒋介石怀着凄凉又无可奈何的心情，登上飞机朝台湾飞去，永远离开了大陆！

胡宗南带着残部退踞西昌，继续顽抗，直到1950年3月27日兵败后只身逃往海口，而后4月4日飞到台湾。

蒋介石在大陆的最后一张"王牌"终成一张"亡牌"。

二野四路大军横扫大西南的时候，一野1兵团的千里大跃进正在进行！

新疆正值严冬时节，狂风卷着大雪，在天山南北无情地肆虐。气温在零下二三十度，地面积雪厚达一二米，官兵浑身冰冷，手脚麻木，却仍然迈着大步向前进！

大雪纷飞边塞天，
革命战士意志坚。
精神抖擞不怕冷，
定要战胜大自然。

这是战士们留下的诗句。文字并不美丽，但表达的那种决心和精神却是令人赞叹的！

12月5日，2军5师15团从阿克苏出发，他们要横穿塔克拉玛干沙漠去和田平叛。

塔克拉玛干沙漠的景色是瑰丽的，但这是一个美丽的"死亡之海"，从来没有一支部队从中走过。

部队一出发，就来到了塔里木河畔的胡杨林带。

这是塔里木河畔独有的风景，有"成而三千年不死、死而三千年不倒、倒而三千年不朽"的说法。

胡杨林傲立风沙，护卫着塔里木河向前延伸，保护了死亡之海中的这一

★我军将士正登上汽车，准备向新疆进发。

条生命纽带。这种品格感染了15团的官兵。他们在军中立下誓言：要像胡杨林保卫塔里木河一样去保卫和田！

他们穿过胡杨林，又越过干涸的湖泊，一头扎进了浩瀚的沙漠。

这里没有道路，没有河流，没有生物，有的，只是高温、狂风和沙尘。

白天酷热难当，晚上又寒气袭人，时常狂风大作，沙石骤起。恶劣的环境，完全对他们的生命极限构成了一次生死挑战！

但他们坚持前进，一共走了18天，行程790公里，用自己的双脚在飞沙走石的"死亡之海"上踏出了一条生命之路！

部队22日抵达和田，一举粉碎了匪特的叛乱。

25日，彭德怀发来慰问电：你们创造了史无前例的进军记录！

……

1949年12月27日，第一野战军暨西北军区发出关于1950年军队参加生产建设的指示，1兵团开始了轰轰烈烈的屯垦戍边。两天后，国民党新疆警备司令部起义部队改编为第22兵团，陶峙岳任司令员，王震兼任政治委员。

1952年6月，中共中央军委命令撤销第一野战军及所属各兵团番号，第1兵团改编为新疆军区，第2兵团改编为中央军委装甲兵司令部，第19兵团入朝作战，第22兵团改编为新疆军区生产建设兵团。

YIYE DASHIJI

一野大事记

1945 年

07 月 21 日	胡宗南部暂编第 59 师和骑兵第 2 师对我关中分区爷台山阵地发起突然袭击。
08 月 10 日	日本天皇颁布乞降照会,表示接受波茨坦公告准备无条件投降。
08 月 13 日	中共中央在延安召开紧急会议,讨论当前时局。毛泽东发表《抗日战争胜利后的时局和我们的方针》的讲演。
08 月 16 日	贺龙、张经武一行赴晋绥前线,指挥晋绥部队对日强行缴械作战。
08 月 19 日	胡宗南在潼关至韩城一线集中 3 个军,准备进犯陕甘宁边区。
08 月 21 日	中央军委决定将晋绥军区从陕甘宁晋绥联防军建制内划出,直属中央军委领导。
08 月 28 日	毛泽东、周恩来、王若飞抵重庆与国民党政府谈判。
09 月 01 日	贺龙指挥晋绥部队解放山西文水县城,斩断太汾公路。
09 月 02 日	日本无条件投降签字仪式在停泊于东京湾的美国战列舰"密苏里"号上举行。抗日战争胜利结束。
09 月 10 日	绥东解放区全被傅作义部队占领。
10 月 11 日	毛泽东由重庆返回延安。
10 月 17 日	毛泽东在延安干部会上作《关于重庆谈判》的报告。
10 月 18 日	晋绥部队与晋察冀部队联合发动绥远战役。
10 月 19 日	蒋介石向胡宗南下达"剿匪"命令。
10 月 25 日	国民党军第 22 军新编第 11 旅起义,起义后仍沿用新编 11 旅番号,编入陕甘宁晋绥联防军序列。
11 月 07 日	中共中央发出《减租和生产是保卫解放区的两件大事》的党内指示。
12 月 12 日	中央军委发出关于《全党全军同志紧张起来,粉碎国民党军队的进攻》的指示。
12 月 14 日	绥远战役结束。

1946 年

01 月 10 日	中共代表与国民党政府代表就停止军事冲突、恢复交通问题达成协议。毛泽东、蒋介石向所属部队发布于 13 日午夜生效的停战令。

01月10日 政治协商会议在重庆召开，31日闭幕。

事委员会军令部第二厅厅长郑介民、第18集团军参谋长叶剑英组成。13日赴北平开展工作。

《恢复交通的命令与声明》于本日午夜生效。

02月08日 中共中央发出指示，要求全党全军务必保持清醒的头脑，积极作好全面内战到来的准备。

03月23日 国民政府军事委员会委员长西北行营在兰州成立，张治中任主任。

04月01日 国民党8架飞机飞临延安上空示威。

04月08日 "四·八"空难发生，中共政协代表王若飞与秦邦宪、叶挺、邓发等机上人员全部遇难。

陕甘宁边区部队进行全面整编。整编后全区有警备第1旅（兼关中军分区）、警备第3旅（兼陇东军分区）、教导旅（兼延属军分区）、新编第4旅、新编第11旅（兼三边军分区）、绥德军分区，共2.8万余人。

05月01日 中共中央发出《关于练兵问题的指示》。

05月15日 中共中央发出《关于时局和对策的指示》。

06月02日 中共中央西北局发出《关于时局和对策的指示》。

06月26日 蒋介石撕毁停战协定与政协决议，大举进攻我中原解放区，全面内战爆发。

07月02日 中央军委命令晋冀鲁豫军区第四纵队北上，归晋绥军区贺龙、李井泉指挥。

07月20日 中共中央发出《以自卫战争粉碎蒋介石的进攻》的党内指示。

08月02日 国民党7架飞机轰炸延安。

08月06日 毛泽东在枣园会见美国记者安娜·路易斯·斯特朗，提出"一切反动派都是纸老虎"的著名论断。

08月15日 从中原突围至秦岭的第359旅获得中共中央北上返回陕甘宁的批准。

08月23日 陕甘宁边区警备第1、3旅和新编第4旅出击陇东，接应第359旅。29日在甘肃省镇原县屯字镇与第359旅胜利会师。

09月13日 国民政府军事委员会委员长西北行营改为国民政府主席西北行辕，张治中任行辕主任。

08月27日 王震率359旅回到延安。

10月13日 陕甘宁边区部队发起横榆战役，国民党陕北保安指挥部副指挥胡景铎率国民党保安第9团5个大队2,100余名官兵起义。

10月上旬 胡宗南加紧活动，准备进攻延安。

10月19日 中央军委致电贺龙、李井泉，令张宗逊即率第358旅、独立第1旅过河保卫延安。

10月21日 中央军委致电陈赓、谢富治，望在晋南加紧活动，以钳制胡宗南。

★★★★★

11 月上旬	胡宗南根据蒋介石的密令，先后从陕南、晋南等地抽调主力 6 个旅，连同原来封锁陕甘宁边区的 4 个旅，与马鸿逵、阎锡山一起，准备偷袭延安。
11 月 10 日	中央军委撤销晋绥、晋北野战军司令部，以 358 旅、独立第一旅组成第一纵队，以独立第 4 旅、359 旅组成第二纵队，以独立第 2、3、5 旅组成第三纵队。
11 月 11 日	中共中央召开保卫边区、保卫延安动员大会，朱德、刘少奇、彭德怀到会并讲话。
11 月 12 日	人民解放军副司令员兼总参谋长彭德怀到富县、茶坊、金盆湾、临真等地视察防务，15 日返回延安。
11 月 13 日	陕甘宁边区政府召开保卫延安动员大会，中共中央西北局书记习仲勋号召把所有的人力物力组织起来，一切服从、一切为着自卫战争的胜利。
11 月 14 日	陕甘宁边区政府成立"边区总动员委员会"，刘景范任主任。
11 月 17 日	马鸿逵部侵占陕甘宁边区盐池县。
11 月 18 日	中共中央给各中央局发出指示，指出蒋介石以"开国大"和"打延安"来掩饰他的失败，并第一次把"自卫战争"称为"人民解放战争"。
11 月 22 日	陈赓、谢富治指挥晋冀鲁豫野战军第四纵队发起吕梁战役（又称晋西南战役）。
12 月 07 日	毛泽东、朱德等在延安机场检阅第一纵队全体指战员。
12 月 16 日	彭德怀在山西离石县高家沟主持召开陕甘宁边区与晋绥军区高级干部会议，就中央军委关于黄河东西两个解放区联防作战问题进行研究和部署。
12 月 31 日	胡宗南集中三个旅和两个保安团向陕甘宁边区的关中分区进犯。

1947 年

01 月 01 日	毛泽东发表新年献词，指出"独立、和平、民主的新中国一定要在今后数年内莫定稳固的基础"。
01 月 02 日	中共中央西北局发出《关于积极备战，抗击蒋胡军进攻延安的指示》。
01 月 31 日	胡宗南部向陕甘宁晋绥联防军发起进攻。联防军四面合击，粉碎了胡宗南集团第一次进攻关中分区的计划。
02 月 10 日	中央军委命令，以第一纵队和新编第 4 旅、教导旅、警备第 1 旅、警备第 3 旅组成陕甘宁人民解放军野战集团军，张宗逊任司令员、习仲勋任政治委员。
02 月 18 日	蒋介石从陕南、豫西、山西等地调集 7 个旅，整编第 29 军军长刘戡任总指挥，分五路进攻关中分区。
02 月 28 日	胡宗南以整编第 76 师师长廖昂指挥 5 个旅，在青海马步芳集团配合下，分三路向

陇东分区之庆阳、合水进攻，企图吸引陕甘宁野战集团军主力西进，然后乘机集中力量夺取延安。

蒋介石电召胡宗南赴南京商讨进攻延安计划。

03 月 04 日　陕甘宁野战集团军向西华池展开进攻，歼敌整编第 48 旅 1,500 余人，少将旅长何奇被击毙。

03 月 08 日　延安召开保卫边区保卫延安动员大会，朱德、周恩来、彭德怀、林伯渠等出席并讲话。

03 月 10 日　胡宗南集团进攻延安的 15 个旅共 14 万人在洛川、宜川集结完毕。当晚胡宗南由西安抵洛川，召开进攻延安作战会议。

　　　　　　彭德怀到南泥湾、金盆湾、临真视察防务，12 日返回。

03 月 11 日　中央军委召开会议，确定陕北我军作战的基本方针，即诱敌深入，必要时放弃延安，与敌在延安以北山区周旋，陷敌于疲惫、缺粮的境地，再集中力量寻求战机。

　　　　　　上午，美国驻延安军事观察组撤离延安；下午，胡宗南派飞机轰炸延安。

03 月 12 日　朱德、刘少奇、任弼时、叶剑英率中央机关一部先行撤离延安。

　　　　　　彭德怀从前线返回，向毛泽东汇报前线防务情况，并主动请缨，指挥边区部队抗击胡宗南的进攻。

03 月 13 日　胡宗南集团 14 万人从洛川、宜川向延安发起进攻，扬言要在三天内占领延安。从西安、郑州、太原等地起飞飞机 94 架，对延安及其附近地区狂轰滥炸。

03 月 16 日　中央军委下令陕甘宁边区所有部队组成西北野战兵团，统归彭德怀、习仲勋指挥。

03 月 18 日　毛泽东、周恩来率中共中央机关和人民解放军总部撤离延安。

03 月 19 日　教导旅和警备第 7 团经 7 个昼夜的殊死抗击，胜利完成掩护党中央和延安各机关、学校安全转移的任务。午后，胡宗南整编第 1 军第 1 师第 1 旅进驻延安。

03 月 20 日　西北野战军指挥机关在延安梁村成立，张文舟任参谋长。

03 月 23 日　胡宗南、裴昌会及其前进指挥所由洛川进驻延安。

03 月 25 日　彭德怀指挥西北野战军于青化砭伏击全歼敌整编第 31 旅旅部和 1 个团 2,900 多人，俘少将旅长李纪云、少将副旅长周贵昌、少将参谋长熊宗继等，取得撤离延安以来的第一大捷。

03 月 26 日　中共中央在清涧县枣林沟召开政治局扩大会议，决定由毛泽东、周恩来、任弼时组成中央前委，率中共中央机关和人民解放军总部留在陕北，指挥全国解放战争；由刘少奇、朱德等组成中央工作委员会，前往华北进行中央委托的工作。随后又决定由叶剑英、杨尚昆等组成后方委员会，转移到晋西北临县，统筹后方工作。

04 月 08 日　中央前委在靖边县青阳岔开会，决定中央机关留在陕北的 800 人编成 4 个大队，代号"三支队"。任弼时任司令员，化名史林；陆定一为政治委员，化名郑位。毛

★★★★★

泽东化名李德胜，周恩来化名胡必成。

上旬青海马步芳集团占领庆阳，宁夏马鸿逵集团占领安边、宁条梁，榆林邓宝珊集团占领横山。

04月14日	彭德怀指挥西北野战军于瓦窑堡以南的羊马河地区全歼胡宗南部整编第135旅4,700余人，首开全歼胡宗南一个整编旅的先例。
04月19日	西北野战军在永坪以北的新岔河向胡宗南部整编第165旅发起攻击，歼敌2,000余人。
04月26日	敌整编第1军军长董钊、整编第29军长刘戡各率所部一共9个旅，从蟠龙、永坪分左右两路向北进犯。
05月02日	董钊占领绥德城。
05月02日	西北野战军发起蟠龙战役，全歼胡部整编第167旅及其他保安部队共6,700余人，俘少将旅长李昆岗、少将副旅长涂健，缴获物资无数。
05月11日	阎揆要率南进支队，（即第2支队）发起金盆湾战斗。
05月14日	陕甘宁边区5万军民在安塞县真武洞举行庆祝大会，庆祝撤离延安以来"三战三捷"。周恩来、彭德怀、习仲勋、陆定一等出席大会。
05月21日	西北野战军主力西进陇东，准备发起陇东战役。
05月30日	青海马步芳骑兵第8旅占领合水城。
06月04日	胡宗南派董钊、刘戡两路大军猛扑龙安、安塞地区，企图合击中共中央。国民党第一战区改为西安绥靖公署，胡宗南任主任，裴昌会任副主任，盛文任参谋长。
06月08日	刘戡率4个半旅沿延河北进，企图捕捉中共机关。刘戡先头部队离中央机关驻地王家湾只隔一个山头，中央机关当晚冒雨转移，9日到达靖边县小河村，10日又转移到靖边县天赐湾，始摆脱危险。
06月14日	西北野战军对环县发起攻击，16日攻克。
06月16日	陇东战役结束，收复了环县、曲子、华池、庆阳及合水以西的广大地区。毛泽东率中央机关由天赐湾返回小河村。
06月25日	西北野战军越过苦水地区向三边（定边、安边、靖边）进军，马鸿逵闻风立即电令守军向宁夏撤退。
07月07日	西北野战军收复三边。
07月21日	中央前委在靖边小河村召开扩大会议，决定陈、谢纵队挺进豫西。
07月22日	西北野战军由三边东移，作进攻榆林的准备。
07月30日	西北野战军向榆林开进。
07月31日	经中央军委批准，由彭德怀、习仲勋、张宗逊、王震、刘景范等5人组成西北野

战军前委，以彭德怀为书记。

08月04日 晋绥军区第三纵队司令员许光达、政治委员孙志远率所部和独立第2旅由晋西北的罗峪口渡河，准备协同西北野战军进攻榆林。

08月06日 西北野战军发起榆林战役，调动胡宗南主力北上，配合中原战场作战。

08月07日 蒋介石亲临延安，策划在榆林、米脂、佳县之间"围歼"西北野战军。

08月10日 胡宗南急令钟松率整编第36师沿长城东进，解榆林之围。
董钊、刘戡率7个整编旅由延安地区分路北进，准备夹击西北野战军。

08月12日 攻榆林不下，西北野战军主动撤出。

08月20日 西北野战军于沙家店歼灭钟松整编第36师6,000余人，俘第123旅旅长刘子奇、少将参谋长罗秋佩。

08月22日 陈、谢纵队于晋南平陆至豫北孟县之间强渡黄河，挺进豫西。

08月23日 毛泽东、周恩来、任弼时率中共中央机关转移到佳县朱官寨。

08月26日 绥德以北胡宗南主力开始全线南撤。

09月01日 中共中央发出毛泽东起草的《解放战争第二年的战略方针》。

09月上旬 西北野战军对胡宗南军队展开追击作战，这段时间共歼敌4,000余人。

09月02日 陈、谢纵队沿陇海路急速西进，直逼潼关，威胁西安。胡宗南迅速调集10个半旅于潼关、西安布防。

09月12日 新华社发表《人民解放军大举反攻》的社论。

09月20日 胡宗南主力南撤到延安地区。蒋介石飞抵西安，策划陕北作战。

09月21日 中央军委命令以警备第1、3旅和骑兵第6师组成西北野战军第四纵队，王世泰任司令员兼政治委员，阎揆要任副司令员兼参谋长。

09月23日 根据中央指示，西北野战军前委决定第二、四纵队南下进军黄龙山区，开展外线作战；第一、三纵队仍留内线作战。

09月25日 西北野战军第二、四纵队发起黄龙战役。

10月01日 西北野战军第一、三纵队发起延清战役，6日围攻清涧城。

10月09日 中央军委命令，以新编第4旅、教导旅组成西北野战军第六纵队，罗元发任司令员、徐立清任政治委员。
刘戡率援榆部队进驻永坪，离清涧仅一日行程。

10月10日 人民解放军总部发布《中国人民解放军宣言》，第一次把全军部队统一称为"中国人民解放军"，并首次提出"打倒蒋介石，解放全中国"的口号。

10月11日 第一、三、六纵队攻克清涧县城，俘敌整编第76师中将师长廖昂。
中央军委向全国各军区、各野战军发出关于西北战场情况与经验的通报。

10月21日 黄龙战役结束，西北野战军第二、四纵队攻克黄龙、白水、韩城、宜川等地，开

★★★★★

辟了黄龙新解放区。

10月27日	西北野战军第二次进攻榆林。
11月06日	马敦静率"宁马"整编第18师、骑兵第10旅、宁夏保安第1总队共约3.5万人由三边向榆林、邓宝珊率绥远暂编第17师约6,000人由包头向榆林驰援。
11月16日	西北野战军第二次从榆林撤出。
11月20日	马敦静、邓宝珊援军与榆林守军会合。
11月22日	毛泽东率中央机关转移到米脂县杨家沟。
11月下旬	西北野战军开展以"诉苦三查"为主要内容的冬季整训。
12月08~28日	中共中央在米脂县杨家沟举行会议。毛泽东在《目前形势和我们的任务》的报告中提出了著名的"十大军事原则"。
12月23日	蒋介石在南京召开西北"清剿"会议，张治中、陶峙岳等人到会。

1948年

01月07~20日	中国共产党西北野战军前线委员会在米脂县杨家沟召开了第一次扩大会议，彭德怀在会议开始和结束时分别作了《关于陕北九个月作战的基本总结》的报告和《关于我军转入外线作战的基本任务和进入蒋管区的各项政策》的报告。
01月15日	国民党西北"剿匪总司令部"在兰州成立，张治中任总司令，甘、宁、青、陕四省省主席郭寄峤、马鸿逵、马步芳、祝绍周任副总司令。
01月29日	西北野战军在米脂县吕家沟召开旅以上干部会，讨论制定发起春季攻势、转入外线作战的计划。
02月12日	西北野战军主力由绥德、米脂、安塞分路南进。
02月17日	西北野战军在延长以南的佛古原再次召开旅以上干部会议，决定围攻宜川的同时，在瓦子街一带设重伏围歼由洛川、黄陵来援的刘戡整编第29军。
02月22日	西北野战军发起宜川战役，第三、六纵队向宜川攻击前进。
02月23日	王震率第二纵队由禹门口强渡黄河，向宜川西南圪台街地区攻击前进。
02月26日	刘戡率整编第27、90师共4个旅由黄陵、洛川出发，沿洛宜公路向宜川驰援。
02月29日	西北野战军将刘戡增援宜川之整编第29军20,000多人全部包围于宜川以西瓦子街、任家湾地区。
03月01日	西北野战军经3天激战，于瓦子街地区全歼刘戡整编第29军增援部队共2.4万人。中将军长刘戡自毙，中将师长严明、少将旅长周由之、李达被击毙。毛泽东称此役

为"西北战场第一大捷"。

03月03日	西北野战军攻克宜川，全歼守敌整编第24旅及保警大队近5,300人，俘少将旅长张汉初。
03月09日	西北野战军挥师西进，围攻洛川。
03月10日	陕甘宁边区各界万余人召开宜瓦战役的祝捷大会。
03月19日	西北野战军司令部发表自撤离延安一年来的战绩公报：歼敌99,137人，毙伤俘将以上军官26名，收复与解放县城22座。
03月23日	毛泽东、周恩来、任弼时率中共中央机关、解放军总部由吴堡县川口渡河，准备转移到华北与朱德、刘少奇会合。
04月12日	西野围攻洛川不下，主力集中于旬邑的马栏、转角，耀县的金照、庙湾等地，进行进军西府的战役准备。
04月13日	西野在马栏镇召开旅以上干部会议，研究向西府进军的作战计划。
04月16日	西北野战军分左、中、右三路向西府进军。
04月21日	国民党驻延安守军整编第17师弃城南逃，当地游击队于当日收复延安。第三纵队也于当日收复洛川。
04月26日	西北野战军攻克宝鸡。
04月27日	胡宗南调集大军直扑宝鸡，西北野战军迅速撤出。
05月12日	西北野战军冲出国民党军的包围，撤到旬邑县马栏地区，西府战役结束。是役，西北野战军减员1.49万人。
05月26日	西北野战军前委在洛川土基镇召开第二次扩大会议，总结西府战役经验教训，研究夏季工作安排。
05月27日	毛泽东乘车到达西柏坡。
05月下旬	胡宗南向黄龙山南麓展开蚕食进攻。至7月中旬，先后占领旬邑、马栏等地。
06月07日	陕南军区成立，刘金轩任司令员，汪锋任政治委员。
06月19日	中共西北野战军前委发出《关于春季攻势总结与目前工作的指示》。
06月25日	蒋介石在西安召开军事会议。
06月30日	陕南军区刘金轩司令员率部参加襄樊战役。
07月30日	裴昌会率4个整编师10个旅，另加1个骑兵团共7.8万余人，分左、中、右三路由白水、澄城、合阳进犯黄龙解放区。
07月31日	晋绥军区报经中央军委批准，以晋绥军区独立第10、第12旅组成西北野战军第七纵队，彭绍辉任司令员、孙志远代政治委员。
	国民党政府主席西北行辕改为"西北军政长官公署"，张治中任军政长官。
08月08日	西北野战军发起澄合（澄城、合阳）战役。

★★★★★

08月11日 彭德怀电报中央军委，西北野战军拟整训一个月，准备于9月下旬发起秋季攻势。

08月13日 澄合战役结束，重创钟松整编第36师，粉碎了胡宗南封锁黄龙山区的计划，还乘胜收复了澄城、合阳和韩城。

08月21日 西北野战军前委发出《关于执行中央报告制度指令的决定》。

08月22日 中共中央电贺西北野战军第二次重创胡宗南部整编第36师的重大胜利。

09月13～22日 西北野战军在陕西合阳县雷家庄召开第三次前委扩大会议，研究决定秋季作战方针。彭德怀就关于请示报告和组织纪律的问题作了重要讲话。

09月24日 胡宗南带着执法队杀气腾腾赶到大荔召开冯原作战（即澄合战役）检讨会议。

10月05日 西北野战军发起荔（大荔）北战役。

10月14日 荔北战役结束，歼敌整编第17、38、65师等部共计2.5万余人。

11月01日 中央军委颁布《统一全军组织及部队番号的规定》，把全军野战部队划分为西北、中原、华东、东北、华北5个野战军。原来野战军的纵队改称为军，旅改称为师。

11月上旬 华东、中原两大野战军联合发起淮海战役。

11月13日 西北军区颁发《对西北回民同胞及回马军队口号》。

11月15日 为配合淮海战役作战行动，西北野战军发起冬季攻势，至28日结束，共歼敌2.5万人。

12月4～6日 西北野战军前委在澄城钱儿村召开第四次扩大会议，决定于12月上旬开始，进行为期两个月的冬季整训。6日，西北野战军前委根据彭德怀在会上的讲话精神，发出了《关于冬季群众工作的指示》。

12月31日 蒋介石发表元旦文告，表示愿意和谈。

1949 年

01月01日 毛泽东发表《将革命进行到底》的新年献词。

01月08日 中央政治局会议通过《目前形势和党在一九四九年的任务》的党内指示。

01月09日 中共中央政治局会议提出，1949年和1950年将是中国革命在全国范围内胜利的两年。

01月11～23日 西北野战军在澄城县武庄召开第一次中国共产党代表大会，与会代表共113人，其中地方党代表16人。会议在23日通过了《中国人民解放军西北野战军第一次党代表会议总决议》《中国人民解放军西北野战军第一次党代表会议关于提高自觉纪律的决定》《中国人民解放军西北野战军第一次党代表会

议关于地方群众工作的决议》等重要文件。

01 月 14 日	毛泽东发表中共中央《关于时局的声明》，提出了和平谈判的八项条件。
01 月 30 日	西北野战军司令部公布 1948 年综合战报，一年共歼国民党军 11.5 万余人。
02 月 01 日	遵照中共中央军委 1948 年 11 月 1 日颁的《统一全军组织及部队番号的规定》和 1949 年 1 月 15 日关于各野战军番号改按序数排列的决定，西北野战军正式定名为中国人民解放军第一野战军，彭德怀任司令员兼政治委员，张宗逊、赵寿山任副司令员，阎揆要任参谋长，甘泗淇任政治部主任。
02 月 01 日	陕甘宁晋绥联防军区正式改称为西北军区。
02 月 17 日	彭德怀离开陕北赴西柏坡参加中共七届二中全会。
02 月 19 日	第一野战军发起春季攻势。
03 月 05 日	中共七届二中全会在河北省平山县西柏坡召开，毛泽东在报告中提出解决残敌的三种方式，即天津方式、北平方式和绥远方式。
	胡宗南部 11 个师在马步芳整编第 82 军的配合下向第一野战军大肆反扑。
03 月 28 日	彭德怀奉中央令到太原协助病重的徐向前指挥太原战役。
04 月 19～23 日	第一野战军前委在澄城县平城召开第六次扩大会议，王震传达中共七届二中全会精神。
04 月 21 日	毛泽东、朱德发布向全国进军的命令。
04 月 23 日	人民解放军占领南京。
04 月 25 日	太原战役结束，阎锡山在山西的统治宣告结束。
	中央军委电令，华北军区第 18、19 兵团归第一野战军建制。
05 月 08 日	中央军委决定由陕南军区组成的第 19 军归第一野战军指挥。
05 月 11 日	第一野战军发起陕中战役，胡宗南向秦岭、宝鸡撤退。
05 月 20 日	第一野战军解放西安。
05 月 23 日	中央军委向各野战军作出向全国进军的部署。根据军委部署，第一野战军向西北进军。年底占领甘肃、宁夏、青海后兵分两路，一路由彭德怀率领位于西北，解放并经营新疆；一路由贺龙率领，经营川北，配合第二野战军解放大西南。
05 月 24 日	西安市军管会成立，贺龙任主任。
	第一野战军发出歼灭马步芳、马鸿逵总动员令。
05 月 25 日	彭德怀由太原回到一野司令部所在地乾县秦家庄。
05 月 26 日	第 18 兵团由太原出发向关中地区挺进。
05 月 31 日	渭河两岸的关中平原地区全部解放。
06 月初	第 19 兵团在司令员杨得志、政治委员李志民率领下，西渡黄河入陕作战。
06 月 01 日	驻守榆林的国民党第 22 军起义，榆林和平解放。

★★★★★

06月04日　经中央军委批准，第一野战军以第1、2、7军组成第1兵团，王震任司令员兼政治委员；以第3、4、6军组成第2兵团，许光达任司令员、王世泰任政治委员。

06月08日　新的中共中央西北局成立，彭德怀、贺龙、习仲勋分别任第一、第二、第三书记。

06月11日　胡宗南与马步芳、马鸿逵纠集大军反扑，直扑咸阳，瞄准西安。

06月14日　第一野战军在咸阳歼灭马继援第18兵团181师2,000余人。咸阳一役失败，胡马纷纷后撤。

06月19日　中共中央西北局、第一野战军前委在西安建国公园召开紧急会议，集中讨论西安要不要守和如何打胡打马的问题。

06月26日　毛泽东致电彭德怀，提出"钳马打胡"的作战方针。

06月27日　毛泽东就第一野战军在扶（凤）眉（县）地区歼灭胡宗南、王治岐部发出指示。

06月28日　第一野战军前委增加第18、19兵团的同志。

07月03日　第19兵团在司令员杨得志、政治委员李志民带领下到达关中地区。

06月06日　第一野战军前委在咸阳召开第七次扩大会议，讨论研究"钳马打胡，先胡后马"的作战方针。

06月07日　第一野战军首长发出《关于歼灭胡、王匪军于漆水河千阳间及眉县地区的作战部署》和扶眉战役作战命令，野战军政治部发出了《奋勇前进，全歼胡马匪军动员令》。

06月10日　第一野战军发起扶眉战役，12日结束，歼灭胡宗南部4个军。

06月21日　第一野战军第1、2、19兵团分左、中、右三路向撤退的二马发起陇东追击战。

06月27日　国民党行政院任命马步芳为西北军政长官公署长官，马鸿逵为甘肃省政府主席。

08月05日　第一野战军政治部发出解放大西北的政治动员令。

06月06日　毛泽东致电彭德怀，指示兼取政治方式解决西北问题。

06月12日　第一野战军主力向兰州进击。

06月14日　国民党政府行政院长阎锡山在广州召集马步芳、马鸿逵、胡宗南参加的"西北联防会议"，策划兰州决战。

06月19日　新疆警备总司令与新疆警备副总司令、南疆警备司令兼整编第42师师长赵锡光于焉耆秘谈新疆和平起义问题。

06月20日　第一野战军主攻部队已到兰州城郊。

06月25日　第一野战军对兰州发起总攻，于第二日控制黄河铁桥，马步芳集团共2.7万人被歼。当日兰州解放。

06月26日　兰州市军管会成立，张宗逊任主任。

06月27日　马步芳由西宁坐飞机逃往重庆。

06月28日　第1兵团向青海进军。

06月30日　马继援偕马步銮、马全义等人逃往重庆，并带走黄金28箱共计1.96万两。

09 月 01 日　马鸿逵逃离银川。

09 月 02 日　第一野战军第 19 兵团分左、中、右三路向宁夏进军，第 1、2 兵团由兰州向河西走廊挺进，追歼马继援逃兵。

09 月 06 日　西宁解放。

09 月 18 日　国民党第 8 补给区司令曾震五代表陶峙岳赴兰州与第一野战军商谈和平解放新疆事宜。

09 月 19 日　宁夏马鸿宾父子率部起义。
　　　　　　马敦静搭载国民党国防部军令部长徐永昌的飞机逃离银川。
　　　　　　第一野战军第 19 兵团发起金积、灵武战役。

09 月 23 日　宁夏国民党军代表卢忠良、马光天等人率部起义，宁夏解放。

09 月 24 日　国民党军 3 万多人在酒泉起义。

09 月 25 日　新疆警备总司令陶峙岳通电起义。第二日，新疆省政府主席包尔汉通电起义。

09 月 28 日　第一野战军前委向第 1 兵团 2 军、第 2 兵团 6 军发出向新疆进军的指令。

10 月 01 日　天安门广场举行盛况空前的开国大典，几十万军民共同庆祝中华人民共和国的成立。

10 月 04 日　彭德怀到酒泉。

10 月 05 日　第 2、6 军举行进军新疆的动员大会，彭德怀、王震到会并讲话。
　　　　　　陶峙岳晚上到达酒泉。

10 月 07 日　彭德怀、甘泗淇等同陶峙岳就新疆起义部队改编问题和 2、6 军进疆问题举行会谈。

10 月 10 日　进疆先遣部队第 1 兵团战车营从玉门出发。

10 月 12 日　第 2 军从酒泉向南疆开进。

11 月 06 日　第 18 兵团向陕南、川西北进军。
　　　　　　王震率第 1 兵团前指由酒泉飞抵迪化。

11 月 27 日　彭德怀、贾拓夫等人飞低迪化，受到兰州人民夹道欢迎。

11 月 30 日　中央军委决定第一野战军与西北军区合并，称第一野战军暨西北军区，彭德怀任司令员，习仲勋任政治委员。

12 月 02 日　中央人民政府委员会第四次会议任命彭德怀为西北军政委员会主席，习仲勋、张治中为副主席。

12 月 05 日　毛泽东发布《关于一九五○年军队参加生产建设工作的指示》。

12 月 09 日　国民党第 119 军军长王治岐、副军长蒋云台率部在甘肃武都起义。

12 月 17 日　第 1 兵团与三区民族军和起义部队在迪化胜利会师。同时，新疆军区和新疆省人民政府宣告成立。彭德怀兼任新疆军区司令员和政治委员，包尔汉任新疆省人民政府主席。从此，新疆历史翻开了新的一页！

★★★★★

《一野战事珍闻全记录》《二野战事珍闻全记录》
《三野战事珍闻全记录》《四野战事珍闻全记录》《志愿军战事珍闻全记录》

1. 部分图片由解放军画报社供稿

摄影作者(按姓氏笔画排列):

于天为	于庆礼	于成志	于 坚	于 志	于学源	马金刚	马昭运	马硕甫	化 民	孔东平	毛履郑
王大众	王文琪	王长根	王仲元	王纪荣	王甫林	王纯德	王国际	王 奇	王学源	王 林	王述兴
王青山	王春山	王振宇	王晓羊	王 鼎	王 毅	邓龙翔	邓守智	丕 永	冉松龄	史云光	史立成
田 丰	田建之	田建功	田 明	白振武	石嘉瑞	艾 莹	边震遐	任德志	刘士珍	刘长忠	刘东鳌
刘 叶	刘庆瑞	刘寿华	刘保璋	刘 峰	刘德胜	华国良	吕厚民	吕相友	孙天元	孙庆友	孙 候
安 靖	成 山	朱兆丰	朱 赤	朱德文	江树积	江贵成	纪志成	许安宁	齐观山	何金浩	余 坚
吴 群	宋大可	张 平	张 宏	张国璋	张 举	张炳新	张祖道	张崇岫	张鸿斌	张谦谊	张 超
张颖川	张 熙	张醒生	张 麟	时盘棋	李 丁	李九龄	李久胜	李书良	李夫培	李文秀	李长永
李 风	李克忠	李国斌	李学增	李家震	李 唏	李海林	李基禄	李 清	李维堂	李雪三	李景星
李 琛	李 锋	李瑞峰	杜 心	杜荣春	杜海振	杨绍仁	杨绍夫	杨 玲	杨荣敏	杨振亚	杨振河
杨晓华	沙 飞	肖 迟	肖 里	肖 孟	肖 瑛	苏卫东	苏中义	苏正平	苏河清	苏绍文	谷 芬
邹健东	陆仁生	陆文骏	陆 明	陈一凡	陈书帛	陈世劲	陈希文	陈志强	陈福北	周有贵	周 洋
周 鸿	周 锋	周德奎	孟庆彪	孟昭瑞	季 音	屈中奕	林 杨	林 塞	罗 培	苗景阳	郑景康
金 锋	姚继鸣	姚维鸣	姜立山	祝 玲	胡宝玉	胡 勋	赵 化	赵 良	赵 奇	赵明志	赵彦璋
郝长庚	郝世保	郝建国	钟 声	凌 风	唐志江	唐 洪	夏志彬	夏 枫	夏 苓	徐 光	徐肖冰
徐 英	徐振声	流 萤	耿 忠	袁汝逊	袁克忠	袁绍柯	袁 苓	贾 健	贾瑞祥	郭中和	郭 良
郭明孝	钱嗣杰	陶天治	高 凡	高礼双	高 帆	高 宏	高国权	高洪叶	高 粮	崔文章	崔祥忧
常 春	康矛召	曹兴华	曹 宠	曹冠德	盛继润	章 洁	野 雨	隋其福	雪 印	博 明	景 涛
程 立	程 铁	童小鹏	董 青	董 海	蒋先德	谢礼廓	雁 兵	韩荣志	鲁 岩	楚农田	照 耀
路 云	熊雪夫	蔡 远	蔡尚雄	裴 植	潘 沼	黎 民	黎 明	冀连波	冀 明	魏福顺	

(部分照片作者无记载:故未署名)

2. 部分图片由 **getty**images 供稿